मुकेश माथुर सीरीज

क्रिस्टल लॉज

सुरेन्द्र मोहन पाठक को हिन्दी का टॉप मिस्ट्री राइटर माना गया है। अब तक उनके लगभग तीन सौ उपन्यास और लगभग साठ कहानियाँ प्रकाशित हो चुकी हैं। 1959 में उनकी पहली रहस्यकथा 'सत्तावन साल पुराना आदमी' मनोहर कहानियाँ में प्रकाशित हुई थी, तदोपरान्त उनकी कई कहानियाँ विभिन्न पत्रिकाओं में प्रकाशित हुईं। 1963 में उनका पहला जासूसी उपन्यास पुराने गुनाह नये गुनहगार प्रकाशित हुआ। उसके बाद से अब तक उन्होंने पीछे मुड़कर नहीं देखा। पैंसठ लाख की डकैती, मीना मर्डर केस, हारजीत, कागज की नाव, कोलाबा कॉन्सपिरेसी उनके बहुत प्रसिद्ध उपन्यास हैं और 'विमल सीरीज' सर्वाधिक लोकप्रिय सीरीज है जिसमें उन्होंने 42 उपन्यास लिखे हैं। हाल ही में उनका प्रसिद्ध उपन्यास कोलाबा कॉन्सपिरेसी हार्परकॉलिंस द्वारा अंग्रेज़ी में अनूदित होकर प्रकाशित हुआ। इसके अतिरिक्त उन्होंने जेम्स हेडली चेज और मारियो पूजो के उपन्यासों का हिन्दी में अनुवाद किया और साथ-साथ इण्डियन टेलिफोन इण्डस्ट्रीज, नई दिल्ली की फुल टाइम सरकारी नौकरी भी की।

उन पर अन्य जानकारी के लिए www.smpathak.com पर लॉग ऑन करें और उनसे smpmysterywriter@gmail.com पर सम्पर्क किया जा सकता है।

मुकेश माथुर सीरीज़

क्रिस्टल लॉज

सुरेन्द्र मोहन पाठक

हार्परकॉलिंस पब्लिशर्स इंडिया

हार्पर हिन्दी
(हार्परकॉलिंस पब्लिशर्स इंडिया) द्वारा 2015 में प्रकाशित

कॉपीराइट लेखक © 2015 सुरेन्द्र मोहन पाठक

हार्पर हिन्दी हार्परकॉलिंस पब्लिशर्स इंडिया का हिन्दी सम्भाग है
पता : ए-75, सेक्टर-57, नौएडा—201301, उत्तर प्रदेश, भारत

P-ISBN: 9789351772705
E-ISBN: 9789351772712

टाइपसेटिंग : निओ साफ़्टवेयर कन्सलटैंट्स, इलाहाबाद
मुद्रक : माइक्रोप्रिंट्स (इंडिया), नई दिल्ली

क्रिस्टल लॉज

सनसनीखेज कोर्टरूम ड्रामा

मुकेश माथुर और नकुल बिहारी आनन्द कोर्ट में आमने सामने

टॉप मिस्ट्री राइटर

सुरेन्द्र मोहन पाठक

का नवीनतम उपन्यास

अपराध लेखन के सम्राट का नया शाहकार

अभय सिंह राजपुरिया

एक मुअज़्ज़िज, खानदानी, उम्रदराज शख्स था जो कि अपने बैडरूम में मरा पड़ा पाया गया। कातिल उसके एक हालिया मुलाजिम लेकिन डिसमिस्ड नौजवान को ठहराया गया गिरफ्तारी के बाद जिसकी एक ही दुहाई थी :

''मैंने कत्ल नहीं किया।''

क्या वो बेगुनाह था?

लेखकीय

मेरा नवीनतम उपन्यास *क्रिस्टल लॉज* आपके हाथों में है। क्रॉनोलॉजिकल रिकार्ड के लिये उद्धृत है कि प्रस्तुत उपन्यास मेरी अब तक पुस्तकाकार में प्रकाशित कुल रचनाओं में 291वां है और मुकेश माथुर सीरीज में चौथा है। इस सीरीज का पिछला उपन्यास *वहशी* था जो कि सन् 2007 में प्रकाशित हुआ था। लिहाजा आठ साल के लम्बे अन्तराल के बाद आप मुकेश माथुर—द बंगलिंग एडवोकेट—से फिर मिल रहे हैं। प्रस्तुत उपन्यास में वो अपने बॉस—अब भूतपूर्व—नकुल बिहारी आनन्द से मुकाबिल है जो कि एक तरह से डेविड और गोलियाथ का मुकाबला है। अगर आप डेविड और गोलियाथ के मुकाबले के हश्र से वाकिफ हैं तो इस मुकाबले का हश्र भी आपसे छुपा नहीं रह पायेगा। बहरहाल उपन्यास पढ़िये और उसके प्रति अपनी अमूल्य, निर्भीक, निष्पक्ष राय से मुझे अवगत कराइये। राय भले ही मुकम्मल तौर से *क्रिस्टल लॉज* के खिलाफ हो, उससे मुझे वाकिफ कराने की आप की जहमत मेरे पर आपका अहसान होगा। इस सन्दर्भ में हर कम्यूनीकेशन को एक्नॉलेज करने का और उस का जवाब देने का मेरा वादा बरकरार है।

☐

गोवा गलाटा को जो प्रशंसा हासिल हुई है, और अभी तक हो रही है, वो अभूतपूर्व है और उससे आपका लेखक गद्गद् है, चमत्कृत है। एक लम्बे अरसे के बाद ऐसा हुआ है कि किसी एक पाठक को भी *गोवा गलाटा* से कोई शिकायत न हुई। किसी को उपन्यास पसन्द आया तो किसी को बहुत पसन्द आया लेकिन शिकायत किसी को न हुई। कोई शिकायत हुई तो बस यही कि उपन्यास जल्दी समाप्त हो गया।

☐ नेपाल के अमन खान ने तो *गोवा गलाटा* को इस अन्देशे के साथ पढ़ा कि जीतसिंह के साथ अब बुरा हुआ, अब बुरा हुआ। वो कहते हैं कि जीतसिंह की किस्मत का इसलिये भी कोई भरोसा नहीं क्योंकि उसका बनाने वाला खुद मैं ही उसके साथ नाइंसाफी करता हूं और शायद मुझे जीते से इसलिये जलन होने लगी है क्योंकि वो मेरे बाकी मानसपुत्रों (विमल, सुनील, सुधीर, आगाशे वगैरह) पर भारी पड़ने लगा है।

☐ दिल्ली के हसन अलमास महबूब की *गोवा गलाटा* के लिये पैसा वसूल रेटिंग : दस में से ग्यारह नम्बर। लारेंस ब्रागांजा को उन्होंने 'डिलाइट आफ दि स्टोरी' करार दिया।

☐ दिल्ली के ही राजीव रोशन को उपन्यास की ये बुनियाद पसन्द आयी कि जीतसिंह को समाज के उस वर्ग से लोहा लेते दिखाया गया जो समाज को अपने इशारों पर नचाने की पुरजोर कोशिश करता रहता है और कामयाब होता है।

☐ कपूरथला के गुरप्रीतसिंह की राय में उपन्यास 'नयी ऊँचाई छुएगा, वाइट गोल्ड साबित होगा'।

☐ जीवन तिवारी ने उपन्यास एक, अविकल, सिटिंग में पढ़ा फिर भी तृप्ति न हुई, प्यास अधूरी रही। उन्होंने उपन्यास को 'पैप्सी की छोटी बोतल' बताया फिर भी 'होलसम एन्टरटेनमेंट' करार दिया।

☐ नागौर, राजस्थान के डाक्टर राजेश पराशर को *गोवा गलाटा* मनोरंजक, तेजरफ्तार, एक ही बैठक में पठनीय लगा लेकिन साथ ही उन्होंने उपन्यास में विसंगतियों की एक लम्बी लिस्ट प्रेषित की जिनमें से प्रमुख हैं :

1. मिश्री के साथ ज्यादती होना फिर भी जीतसिंह का खामोश रहना उन्हें ठीक न लगा।
2. जीतसिंह का कोर्ट के सींखचे तोड़कर फरार होना उन्हें ठीक न लगा; बकौल उनके, उसको एडुआर्डो या गाइलो की मदद से (!) फरार होना चाहिये था।
3. मुंह में ब्लेड वाला प्रसंग उन्हें बिल्कुल अविश्वसनीय लगा।
4. पूछते हैं कातिल के रास्ते में संयोगवश जीतसिंह न आया होता तो क्या कातिल खिसकने में कामयाब हो पाया होता?

इतनी खामियों के बावजूद डाक्टर साहब ने संजीदा ऐलान किया कि वो उपन्यास को फौरन फिर पढ़ेंगे और पहले से ज्यादा आनन्दित होंगे।

☐ सागर कुमार ने *गोवा गलाटा* को 'कोलाबा कांसपीरेसी - पार्ट टू' करार दिया और उपन्यास का क्लाईमैक्स उन्हें खासतौर से पसन्द आया। वैसे भी उनका कहना है कि आज तक जीतसिंह ने जो किया, 'अजीब' ही किया, कभी वो न किया जो नार्मल लोग करते हैं। उसकी अलग ही सोच है, अलग ही दिमाग है, अलग ही जज्बात हैं।

☐ बनारस के विकास अग्रवाल ने *गोवा गलाटा* के प्रति अपनी राय बड़े विलक्षण तरीके से पेश की है। उन्हें उपन्यास पढ़कर 'मजा आया' लेकिन 'बहुत मजा न आया', उपन्यास 'कदरन' अच्छा था, उसमें थ्रिल थी, स्पीड थी, कुछ 'विसंगतियां' थी, उपन्यास 'पैसा वसूल' था लेकिन 'शानदार नहीं था'।

☐ नयी दिल्ली के योगेश लायलपुरी को *गोवा गलाटा* तीव्र गति वाली सुपर फास्ट ट्रेन की मस्त सवारी की तरह लगा जिसमें एक बार बैठने के बाद तभी उठा जाता है जब कि मंजिल आ जाती है, बीच में उठने या बोझिल होने की गुंजायश बिल्कुल भी नहीं थी। अलबत्ता उपन्यास का अन्त उन्हें ऐसा लगा जैसे लेखक ने न लिखा हो, प्रकाशक ने खुद लिख लिया हो। उनके खयाल से अन्त में जीतसिंह और बहरामजी कान्ट्रैक्टर के बीच कुछ देर चूहे बिल्ली का खेल होना चाहिये था।

☐ मैजबर्ग, जर्मनी के रविकान्त को उपन्यास भरपूर पसन्द आया जिसे कि उन्होंने एक ही बैठक में पढ़कर खत्म किया। उनको शिकायत है कि उपन्यास जीतसिंह का था फिर भी कोई डकैती नहीं, कोई चोरी नहीं।

☐ निघासन - खीरी के एडवोकेट सुबोध कुमार पाण्डेय को 'गोवा गलाटा' कथ्य वर्णन में औरों से सर्वथा भिन्न लगा और खूब पसन्द आया। अलबत्ता ये बात उन्हें अटपटी लगी कि क्या वास्तव में भारत जैसे लोकतन्त्र में गोवा जैसे राज्य के किसी शहर या कसबे में ब्रागांजा जैसे सर्वशक्तिमान डॉन का अस्तित्व सम्भव है, पुलिस प्रशासन और मैजिस्ट्रेट तक जिसकी मुट्ठी में हों! दूसरे, ऐसी सलाहियात वाले डॉन के आफिस में जीतसिंह द्वारा उसको धमकी जारी करना और फिर उसी शहर में छुपे व बचे रह कर खुद को बेगुनाह साबित कर लेना पाण्डेय जी को थोड़ा असम्भव लगा।

मिश्री की दुर्दशा और डोल्सी की भावनायें पाण्डेय जी के दिल को छू गयीं। उपन्यास उनको इतना तेजरफ्तार और मनोरंजक लगा कि पढ़ चुकने के बाद भी करीब दस मिनट तक उस की कनपटियों में धाड़ धाड़ कर खून बजता रहा।

☐ सीमाब खान को *गोवा गलाटा* पकड़ में मजबूत, मनोरंजक और तेजरफ्तार लगा लेकिन उनकी निगाह में रौशन बेग खामखाह मारा गया क्योंकि उसका जीतसिंह से कहीं कोई सीधा टकराव नहीं था, कोई अदावत नहीं थी। जीतसिंह का 'इतनी आसानी से' कोर्ट से फरार हो जाना भी उन्हें ठीक से हजम न हुआ।

☐ नई दिल्ली के शरद श्रीवास्तव के कथनानुसार *गोवा गलाटा* में कहानी ने शुरू से ही लय पकड़ी और अपने पूरे वेग के साथ बहती चली गयी। उन्हें कहानी में मुम्बईया भाषा का प्रयोग बहुत उपयुक्त लगा। उन्हें उपन्यास का क्लाइमैक्स थोड़ा फिल्मी लगा फिर भी कुल मिला कर उपन्यास बढ़िया और जोरदार लगा जिसमें जीता भले ही कुछ और न जीते, पाठकों का दिल जीतने में पूरी तरह से कामयाब होगा।

☐ बटाला के प्रोफेसर रवीन्द्र जोशी ने *गोवा गलाटा* को 'एक्सीलेंट एग्जीक्यूशन ऑफ प्लाट' बताया, जीते को 'सुपर्ब' बताया और 'फेडिंग फिनोमिना'

विमल से बेहतर बताया। क्लाइमैक्स में 'ट्विस्ट' उन्हें कमाल की लगी और कुल जमा उन्होंने उपन्यास को 'रीयल मास्टरपीस' करार दिया।

☐ मुम्बई की डाक्टर सबा खान ने जीतसिंह की मुकम्मल सीरीज को बाकमाल किस्सागोई करार दिया, अलबत्ता जीता उन्हें पहले वाला जीता न लगा। बकौल उनके, उसकी भाषा कई जगह आलिम फाजिल जैसा बोलने वाली लगी। बहरहाल पसन्द आने के बावजूद डाक्टर साहिबा को *गोवा गलाटा*, कोलाबा *कांस्पीरेसी* के मुकाबले में कमतर लगा।

☐ आनन्द पाण्डेय को *गोवा गलाटा* प्रभावशाली थ्रिलर लगा जिसे उन्होंने एक ही बैठक में पढ़कर समाप्त किया। उन्हें उपन्यास का टेक ऑफ अच्छा लगा, उसकी परवाज खुशगवार लगी लेकिन क्लाईमैक्स मामूली लगा। उनकी राय में क्लाईमैक्स बेहतर और धमाकेदार होना चाहिये था। फिर भी उन्हें क्लाइमैक्स व्यवहारिक और विश्वसनीय लगा।

☐ हनुमान प्रसाद मुंदादा को *गोवा गलाटा* पूरे दिल से लिखा हुआ बेहतरीन 'साफ्ट थ्रिलर' लगा। 'साफ्ट थ्रिलर' से उनकी मुराद है कि इसमें आम थ्रिलर्स की तरह बेवजह खूनखराबा, गोलीबारी, भागदौड़, सैक्स वगैरह नहीं है। सभी प्रसंग उन्हें सहज लगे और क्लाइमैक्स तो, बकौल उनके, इससे बेहतर हो ही नहीं सकता था।

☐ बालको, कोरबा (छत्तीसगढ़) के टाउन इन्स्पेक्टर विवेक शर्मा को *गोवा गलाटा* की कहानी तेजरफ्तार लगी, अन्त अविश्वसनीय लगा; यानी बहरामजी कान्ट्रैक्टर का ये मान जाना कि जो सामने लाया गया था, वो ही गुनाहगार था, उन को हजम न हुआ। डोल्सी का किरदार उन्हें शानदार लगा और उन्होंने उससे फिर मुलाकात कराई जाने की फरमायश की।

☐ शाहदरा, दिल्ली के नारायण सिंह को भी *गोवा गलाटा* का क्लाईमैक्स नाटकीय और हजम न हो पाने वाला लगा। जीतसिंह इतना निरीह लगा जैसे कि वो कुछ कर ही न सकता हो, किसी न किसी सहारे की जरूरत उसे पड़नी ही पड़नी हो, चाहे वो लारा हो चाहे डोल्सी। कोर्ट सीन अलबत्ता उन्हें बेहतरीन लगा।

☐ मांडूवाला देहरादून के नवल किशोर डंगवाल को *गोवा गलाटा* विमल के हारजीत से पहले के उपन्यासों जैसा लगा लेकिन पसन्द उन्हें खूब खूब आया। उन्होंने उपन्यास को 'वाह वाह' डायलाग्स से पिरोया हुआ अत्यन्त तेजरफ्तार थ्रिलर करार दिया जिसे कि उन्होंने एक ही बैठक में पढ़ा। जीते का लारा रेबेलो का तरफदार हो जाना, उसका ब्रागांजा की मुखालफत करना, डोल्सी परेरा का जीते की मदद करना उनके दिल को छू गया।

☐ सागर गुजरात के डाक्टर गिरीश श्रीवास्तव को *गोवा गलाटा* की स्टोरी लाइन और रफ्तार पसन्द आयी लेकिन कुछ एतराज भी हुए, जैसे कि :

- ☐ जीतसिंह कैसीनो में क्यों गया? जब कि वो आदी गेम्बलर भी नहीं था ?
- ☐ जीतसिंह ने डोल्सी से पहली ही मुलाकात में इतनी (!) घनिष्टता क्यों पैदा कर ली ?
- ☐ जिस वजह से जीतसिंह लारेंस ब्रागांजा से भिड़ा, वो डाक्टर साहब को हजम न हुई।
- ☐ लारा के लिये जीतसिंह के दिल में साफ्ट कार्नर रखना भी डाक्टर साहब को गैरमुनासिब लगा।

उपरोक्त बेशुमार में से कुछ प्रशस्तिपत्र हैं जिन्होंने यूं समझिये कि पाठकों को पूरी तरह से भुला दिया कि पिछले उपन्यास *जो लरे दीन के हेत* से उन्हें शिकायत हुई थी। लिहाजा आपके लेखक के भी सारे पाप धुल गये। बहरहाल उपरोक्त समस्त प्रशस्तिगान के बावजूद *गोवा गलाटा* में आपके लेखक से निम्नांकित दो चूक हुईं जिनके लिये वो शर्मिन्दा है :

1. सारे उपन्यास में स्थापित था कि जीतसिंह हुलिया छुपाने के लिये दाढ़ी बढ़ा रहा था—यूं आखिर तक उसके चेहरे पर ग्यारह दिन की उपज विद्यमान थी—फिर भी दो जगह—पोंडा पहुंचने के बाद शुरू में होटल में और मध्य में जेल में—उसे शेव करता लिखा गया है।
2. कोर्ट से भागते वक्त उसके पास रकम थी, मोबाइल था—जिस पर मिश्री ने उसे काल लगाई थी—जो कि गिरफ्तारी के वक्त जब्त हो चुका था।

उपरोक्त के सन्दर्भ में निवेदन है कि पहली गलती महज कन्टीन्यूटी की थी और सरासर मेरी लापरवाही का नतीजा थी जिस के लिये मैं क्षमाप्रार्थी हूं।

दूसरी गलती भी मेरी लापरवाही का नतीजा है लेकिन वो गम्भीर है। ऐसी गलती क्योंकर हुई इसकी भी एक स्टोरी है। निवेदन है कि उपन्यास के फर्स्ट ड्राफ्ट में मैंने लिखा था कि जेल से रिहाई के वक्त जीतसिंह का गिरफ्तारी के वक्त तमाम जब्तशुदा सामान उसे लौटा दिया गया था। तब वो फर्स्ट ड्राफ्ट ही फाइनल ड्राफ्ट था जिसमें सब कुछ ऐन चुस्त दुरुस्त और चौकस था। उन्हीं दिनों एक दिन संयोगवश मेरी मुलाकात अपने एक पुराने दोस्त से हुई जो कि वर्तमान में दिल्ली पुलिस में एसीपी हैं। तब उन्होंने मुझे बताया कि मैं अपने उपन्यासों में अक्सर लिखता हूं कि पुलिस के लिये हिरासत में लिये गये मुलजिम को चौबीस घन्टों की अवधि में चार्ज लगा कर—रिपीट, चार्ज लगा कर—कोर्ट में पेश किया जाना जरूरी होता था जो कि गलत था। वस्तुत: नियम मुलजिम को कोर्ट में पेश किये जाने का था, न कि चार्ज लगा कर कोर्ट में पेश किये जाने का था। यानी पहली, और नियमानुसार जरूरी,

पेशी वस्तुत: रिमांड हासिल करने के लिये होती थी, मुलजिम को चार्ज लगा कर बाद में, या और बाद में, पेश किया जाता था।

ये मेरे लिये नयी जानकारी थी जिस पर, मैंने पाया कि, मेरा नया उपन्यास *गोवा गलाटा* ही खरा नहीं उतर रहा था। स्क्रिप्ट क्योंकि अभी मेरे पास थी इसलिये मैंने उसमें संशोधन किया और यूं जीतसिंह की कोर्ट में दो पेशी दिखाईं—पहली रिमांड के लिये और दूसरी ट्रायल के लिये। यानी वो पुलिस हिरासत में दो बार था। यहीं मेरे से वो चूक हुई जिस के लिए अब मुझे शर्मिन्दगी उठानी पड़ रही है। उस फेरबदल के बाद कन्टीन्यूटी चैक करने के लिये मुझे स्क्रिप्ट को वहां से अन्त तक फिर पढ़ना चाहिये था, जैसा करना कि तब मुझे न सूझा। मेरे दिमाग में यही दर्ज रहा कि उसका जब्तशुदा सामान उसे लौटा दिया गया, ये मैं भूल गया कि वो फिर गिरफ्तार हुआ था और उसका सामान फिर जब्त हुआ था।

मेरी ये चूक वक्त रहते मेरी तवज्जो में आयी होती तो तब उसे सुधारना आसान था। मैं लिख सकता था कि रकम और मोबाइल उसे उस बंगले में कहीं पड़े मिले थे जिसमें कि कोर्ट से फरार होने के बाद उसने पनाह ली थी।

पहली गलती तो दो जगह से बस एक एक लाइन काट के ही सुधारी जा सकती थी।

बहरहाल आपका लेखक अपनी लापरवाही के लिये शर्मिन्दा है और कहना न होगा कि उपन्यास का अगला संस्करण जब भी प्रकाशित होगा, उसमें आप पायेंगे कि उपरोक्त दोनों गलतियां सुधार दी गयी थीं।

□

एक अहम सवाल मेरे जेहन में है।

क्या पढ़ने का रिवाज खत्म होता जा रहा है ?

इस बाबत अमेरिका में हुए एक सर्वेक्षण पर ऐतबार लाया जाये तो जवाब हां में है जब कि डेव एगर्स नामक एक लेखक की धारणा है कि ऐसी कोई बात नहीं है। टीवी, इन्टरनेट, डीटीएच, सिनेमा जितना मर्जी जोर लगा लें, प्रिंट मीडिया को 'डैड' नहीं कर सकते। टंकित शब्दावली, उसका सम्मोहन, उसका दमखम नहीं खत्म हो सकता।

लेकिन आंकड़े कुछ और कहते हैं :

- □ अमेरिका के 42% ग्रेजुएट कॉलेज से निकलने के बाद कभी कोई किताब नहीं पढ़ते।
- □ अमेरिका के 70% परिवारों का कभी किसी बुक स्टोर में फेरा नहीं लगता।

☐ 57% नवप्रकाशित पुस्तकें या तो पढ़ी ही नहीं जातीं या फिर पूरी, आखिर तक, नहीं पढ़ी जातीं।

'द हंबलिंग' के अमरीकी लेखक फिलिप रोथ का मानना है कि किताब स्क्रीन का मुकाबला नहीं कर सकती—चाहे वो सिनेमा की स्क्रीन हो, टीवी की स्क्रीन हो या कम्प्यूटर की स्क्रीन हो।

लेखक रस्किन बांड को आशावादी धारणा है कि पढ़ने का रिवाज खत्म नहीं हो रहा है। ऐसे लोगों का प्रतिशत शुरू से ही कम रहा है जो कि पुस्तक पठन को गम्भीरता से लेते हैं। ये प्रतिशत टेलीविजन से पहले के समय में भी कम था और आज इन्टरनेट काल में भी कम है।

भारत में लेखन, प्रकाशन और पठन-पाठन के खिलाफ ये भी एक बात जाती है कि पुस्तकों के प्रोमोशन को मीडिया की कोई काबिलेजिक्र सपोर्ट हासिल नहीं। लोकप्रिय साहित्य को तो मीडिया मुकम्मल तौर पर नजरअन्दाज करता है। जिस पुस्तक की मात्र हजार प्रतियां छपती हैं और रिलीज के वक्त दो सौ भी बिकती नहीं हैं, उस का तो जिक्र कहीं न कहीं प्रिंट मीडिया में मिल जायेगा लेकिन लोकप्रिय साहित्य के खाते में दर्ज ऐसे लेखक का जिक्र कहीं नहीं मिलेगा जिसके हर उपन्यास की पचास हजार से एक लाख तक प्रतियां प्रकाशित होती हैं और तमाम की तमाम दो-तीन महीने में चुक जाती हैं।

यहां इस तथ्य का जिक्र अनुपयुक्त न होगा कि फिल्में भी दो तरह की बनती हैं—एक जिन्हें मुख्य धारा की फिल्में कहा जाता है और दूसरी जिन्हें आर्ट फिल्मों की संज्ञा दी जाती है। दोनों प्रकार की फिल्मों की समीक्षा प्रिंट मीडिया करता है और प्रमुखता से छापता है। लेकिन पुस्तकों के सन्दर्भ में यही नीति नहीं अपनाई जाती। कोई भी दैनिक या साप्ताहिक लोकप्रिय साहित्य की समीक्षा में रुचि नहीं लेता, उसे अपने पेपर में जगह नहीं देता, न ही देना चाहता है, जबकि लोकप्रिय साहित्य की पहुंच जन जन तक होती है और साहित्यिक रचनायें केवल सरकारी, अर्धसरकारी, गैरसरकारी लायब्रेरियों में दफन होती हैं और धूल फांकती हैं। ऐसी पुस्तक के प्रकाशन का क्या फायदा जिसका कोई पाठक नहीं? ऐसी पुस्तकों के प्रकाशकों का खुद का स्टाइल आफ फंक्शनिंग ऐसा है जैसे कि वो चाहते ही नहीं कि उनकी प्रकाशित पुस्तक पाठकों के हाथों तक पहुंचे, वो चाव से पढ़ी जाये। ऐसे प्रकाशक पुस्तकें छापते ही लायब्रेरी सप्लाई को निगाह में रख कर हैं, जिसमें कमर्शियल डिस्काउन्ट के अलावा लायब्रेरियन की—जो कि आर्डर फाइनल करता है—रिश्वत की, पेमेंट का चैक रिलीज करने वाले की 'खिदमत' की और बिचौलिये की कमीशन का खयाल रखना पड़ता है। इसीलिये हजार प्रतियों का प्रिंट आर्डर पर्याप्त जाना जाता है और इसी वजह से सौ, सवा सौ पृष्ठ की पुस्तक की कीमत डेढ़

सौ से दो सौ रुपये तक—बल्कि इससे भी ज्यादा—रखी जाती है। कौन माई का लाल सौ पेज की किताब को—जिसके पठनीय और मनोरंजक होने की भी कोई गारन्टी नहीं—दो सौ रुपये में खरीद सकता है ! लोकप्रिय साहित्य में उससे कहीं उम्दा तरीके से छपी 325-350 पृष्ठ की पुस्तक सौ, सवा सौ रुपये मूल्य में सहज ही उपलब्ध होती है। और उसके पाठकों में स्थापित लेखक की पठनीयता की गारन्टी होती है। वैसी प्रोडक्शन के साथ उतने पृष्ठों की पुस्तक कोई साहित्यिक पुस्तकों का प्रकाशक छापे तो यकीनन उसकी कीमत 700-800 रुपये होगी। भारत जैसे गरीब मुल्क में हिन्दी की एक किताब पर कौन इतनी बड़ी रकम खर्च कर सकता है ! लिहाजा ऐसी पुस्तकों का स्वाभाविक मुकाम लायब्रेरियां ही होती हैं जहां कि कोई उन्हें पढ़े या न पढ़े, क्या फर्क पड़ता है ! धन्धा तो सब का हो गया न ! पैसा तो सबने कमा लिया न !

साहित्य जगत में हर कोई कहता दिखाई देता है कि पुस्तकों का पाठकवर्ग नगण्य है, तो क्योंकर कोई किताब लाख तक धड़ल्ले से बिकती है तो किसी की ओपन मार्केट में सौ कापी नहीं सरक पातीं! इस सन्दर्भ में 'साहित्यबाजों' द्वारा ये दलील दी जाती है कि बिक्री को गुणवत्ता का पैमाना नहीं माना जा सकता। मैं पूछता हूं क्यों नहीं माना जा सकता? जब कोई गुण ही नहीं तो कैसे बिक जाती हैं इतनी किताबें? कहां जाती हैं इतनी किताबें? कौन पढ़ता है इन्हें? जवाब है पाठक पढ़ता है, जिसने किताब पर पैसा खर्च किया है वो पाठक पढ़ता है और पैसा उसने ऐसी किताब पर खर्च किया है जो कि 'पैसा वसूल' साबित होती है। किताब में कोई गुण था तभी तो उसे ऐसी रिसैप्शन मिली। और गुणवत्ता क्या होती है?

उपरोक्त के बावजूद साहित्यिक लेखक-प्रकाशक को 'मैं महान', 'मैं भावी प्रेमचन्द' का अभिमान है और लोकप्रिय साहित्य नाक चढ़ाने की, हकारत की निगाह से देखे जाने की शै है।

अब लाख रुपये का सवाल है :
क्या ये सिलसिला कभी सुधरेगा?
जवाब है—मेरी जिन्दगी में तो नहीं।
सच पूछें तो आप की जिन्दगी में भी नहीं।

☐

मेरे बहुत से मेहरबान पाठक मेरे पुराने उपन्यासों को पढ़ना चाहते हैं, उनके कहीं उपलब्ध न होने पर इस बाबत मेरे से सवाल करते हैं तो सखेद मुझे यही कहना पड़ता है कि अधिकतर पुराने उपन्यास आउट आफ प्रिंट थे और निकट भविष्य में उनके रिप्रिंट होने की भी कोई सम्भावना नहीं थी। पाठकों को फिर भी शिद्दत से ऐसे

अनुपलब्ध उपन्यासों की तलाश रहती है और इस वजह में मेरे कई अतिउत्साही पाठकों ने तो कभी दस से बीस रुपये मूल्य में छपे पुराने उपन्यासों की डेढ़ सौ से दो सौ रुपये तक कीमत चुकाई है। करनाल में एक साहब मेरे पुराने उपन्यासों की फोटो कापी बेचते हैं तो मोहाली में एक दूसरे मेहरबान सीडी बेचते हैं। इस भ्रष्टाचार पर काबू पाने के लिये मैंने ई-बुक्स का आसरा लिया ताकि पुराने उपन्यासों की पाठकों की तलाश ई-बुक्स के जरिये किसी सिरे चढ़ पाती। थोड़ी बहुत चढ़ी भी लेकिन जिन पाठकों ने ई-बुक्स की शागिर्दी की, उनका भी कहना था कि पुस्तक पढ़ने का, उसे हाथों में थामने का, सहेजने का, संवारने का जो लुत्फ था वो ई-बुक्स से हासिल नहीं हो सकता था। मैं खुद पुस्तकप्रेमी हूं, ऐसे पाठकों के जज्बात से सहमत हूँ इसलिये मैं सहर्ष सूचित करता हूँ कि मेरी चुनिन्दा पुरानी पुस्तकों के रिप्रिंट का सिलसिला अब हार्पर कालिंस के सौजन्य से निकट भविष्य में बड़े सुचारू रूप से चलेगा। यूँ प्रकाशित होने वाली पहली पाँच विमल सीरीज की वो पुस्तकें हैं जो कि 16-17 साल से अनुपलब्ध हैं और जो एक सुन्दर बाक्स सैट के रूप में प्रकाशित की जा रही हैं जो कि कलैक्टर्स एडीशन होगा। बहरहाल ये एक सुखद शुरुआत है, आगे आगे देखियेगा कि होता है क्या?

मेरे कई पाठक अक्सर मेरे से सवाल करते हैं कि क्या मेरा पोस्ट बाक्स नम्बर अभी भी अलाइव है। जवाब है—जी हां, बराबर है। पत्राचार के इच्छुक मेरे पाठक मेरे को 'पोस्ट बाक्स नम्बर 9426, दिल्ली–110051' पर पत्र लिख सकते हैं।

प्रस्तुत उपन्यास के प्रति हमेशा की तरह आपकी अमूल्य, निष्पक्ष राय की प्रतीक्षा में,

दिल्ली—110051

03.07.2015

विनीत

सुरेन्द्र मोहन पाठक

प्राक्कथन

(शनिवार : सात मई)

मुकेश माथुर ने आनन्द आनन्द आनन्द एण्ड एसोसियेट्स के उस ऑफिस में कदम रखा जो अभी चार महीने पहले तक—बुधवार, दो फरवरी तक—उसका भी ऑफिस हुआ करता था। तब कहने को वहाँ उसका दर्जा जूनियर एडवोकेट का था लेकिन फर्म के बिग बॉस नकुल बिहारी आनन्द की निगाह में उसकी औकात हरकारे या बड़ी हद लॉ क्लर्क से बेहतर नहीं थी। इस वजह से उसे फर्म के ऐसे ही काम सौंपे जाते थे जिनमें फुटवर्क ज्यादा होता था, ब्रेनवर्क या होता ही नहीं था, या न होने के बराबर होता था। जनवरी में जब खड़े पैर उसे दिल्ली भेजा गया था तो उसने सपने में नहीं सोचा था कि वहाँ उसे न सिर्फ ट्रायल वर्क करना पड़ना था, बल्कि केस को—जो कि खुद उसके बॉस के नौजवान भतीजे निखिल आनन्द के खिलाफ था, मर्डर का था—किसी अंजाम तक पहुँचा कर दिखाना पड़ना था। अपने अनथक परिश्रम से और ईश्वर की कृपा से जिस अंजाम तक वो केस को पहुँचाने में कामयाब हुआ था उसने निखिल आनन्द के अंकल साहबान की बुनियाद हिला दी थी, इस हद तक हिला दी थी कि बड़े आनन्द साहब नकुल बिहारी आनन्द, फर्म में मैनेजिंग पार्टनर को खड़े पैर मुम्बई से दिल्ली पहुँचना पड़ा था।

वजह?

मुकेश माथुर ने अपने ही क्लायन्ट को—मुलजिम निखिल आनन्द को—कत्ल का अपराधी साबित कर दिखाने का अक्षम्य काम किया था। बात यहीं तक रहती तो उसे आपसी, अन्दरूनी बात मान कर ठण्डे बस्ते में डाल दिया जाता, पूरी तरह से नजरअन्दाज कर दिया जाता लेकिन मुकेश माथुर ने ये गुस्ताख हरकत करने का भी हौसला किया कि निखिल आनन्द का अपने अंकल्स के सामने कनफैशन हासिल कर लिया और उसे एक पूर्वनियोजित स्टिंग आपरेशन के जरिये रिकार्ड भी कर लिया। आनन्द आनन्द आनन्द एण्ड एसोसियेट्स से अपनी अलहदगी के अहम ऐलान के साथ उसने ये ऐलान भी किया था कि जब तक भतीजा अदालत में भी अपना गुनाह कबूल न कर लेता, वो रिकार्डिंग महफूज रहती और निखिल के अदालत में मुकरने की सूरत में अदालत में पेश की जाती।

बुधवार दो फरवरी की आधी रात को भतीजे निखिल आनन्द का अदालत से फांसी या उम्र कैद की सजा पाना उसे महज वक्त की बात जान पड़ता था लेकिन ये

मुम्बई और दिल्ली के आनन्द साहबान का ही जहूरा था कि अभी चन्द दिन पहले कोर्ट ने निखिल आनन्द को बरी कर दिया था।

आनन्द आनन्द आनन्द एण्ड एसोसियेट्स से इस्तीफा देने के बाद उसने किसी और लॉ फर्म को जायन करने की कोशिश नहीं की थी, दिल्ली में निखिल आनन्द के ट्रायल के दौरान उसे ये नया, हौसलाअफजाह अहसास हुआ था कि वो उतना गावदी नहीं था जितना कि उसका बॉस नकुल बिहारी आनन्द उसे साबित करने की कोशिश करता था, उसके अन्तर से आवाज उठी थी कि इंसान दिलोजान से कोशिश करे तो क्या नहीं बन सकता था! तब उसने कोई नयी जॉब तलाश करने की जगह अपनी खुद की प्रैक्टिस खड़ी करने का फैसला किया था। नतीजतन अब मैरीन ड्राइव के उस ऑफिस कम्पलैक्स में, जिसके फर्स्ट फ्लोर पर आनन्द आनन्द आनन्द एण्ड एसोसियेट्स का विशाल, भव्य ऑफिस था, उसका खुद का ऑफिस था जिसका नाम मुकेश माथुर एण्ड एसोसियेट्स था।

वो ऑफिस खड़ा करना उसकी जिन्दगी का बहुत बड़ा कदम था जिससे कि वो बहुत खुश था। लेकिन उससे भी बड़ी खुशी की बात ये थी कि उसकी पत्नी टीना उर्फ मोहिनी माथुर ने चार दिन पहले एक चाँद से बेटे को जन्म दिया था और उसे पिता कहलाने का फख्र हासिल हुआ था।

वही गुड न्यूज अपने भूतपूर्व बॉस को सुनाने के लिए फूला न समाता, मिठाई के डिब्बे के साथ उस घड़ी वो वहाँ, उनके ऑफिस में पहुँचा हुआ था।

नकुल बिहारी आनन्द की सैक्रेट्री श्यामली ने उसे देखा तो अपनी बेरूखी छुपाने तक की कोशिश न की। वो बड़े साहब की मुंहलगी थी इसलिये लैसर मार्टल्स से ऐसे ही पेश आने का उसका मिजाज और अन्दाज स्थापित था।

''गुड मार्निंग!''—मुकेश माथुर मुस्कराता हुआ बोला—''बड़े आनन्द साहब हैं?''

''हैं।''—वो यूं बोली जैसे जवाब दे कर उसपर अहसान कर रही हो।

''मुझे उनसे मिलना है। जरा मेरी भीतर खबर करो।''

उसके चेहरे पर अनिश्चय के भाव आये।

''फकत चार महीनों में नाम भूल तो नहीं गया होगा! लेकिन तुम्हारा क्या है, तुम तो कहोगी कि शक्ल भी भूल गयी, इसलिये याद दिलाने की खातिर बोल रहा हूँ। मुकेश। मुकेश माथुर। साहब को बोलो एडवोकेट मुकेश माथुर मिलना चाहता है।''

उसका हाथ फिर भी फोन की तरफ न बढ़ा।

''स्नैप आउट आफ इट।''—मुकेश कर्कश स्वर में बोला—''डू युअर जॉब, और आई विल हैव टू डू इट फार यू।''

''क-क्या !'' —वो हड़बड़ाई।

''अब मैं तुम्हारे साहब का मुलाजिम नहीं हूँ, एसोसियेट भी नहीं हूँ, फैलो एडवोकेट हूँ। सो पे सम रिस्पैक्ट टू युअर बॉसिज ईक्वल।''

''यस।''

मुकेश ने उसे घूर कर देखा।

''यस, सर !''

''दैट्स मोर लाइक इट।''

उसने फोन पर भीतर बजर दिया, एक क्षण माउथपीस में मुँह घुसा कर कुछ बोला और फिर रिसीवर वापिस रखती बोली— ''यू मे गो इन।''

मुकेश ने उसे फिर घूरा।

''... सर।''

उसने सहमति में सिर हिलाया और मिठाई का डिब्बा सम्भाले आगे बढ़ा। उसने बीच का दरवाजा खोल कर नकुल बिहारी आनन्द के विशाल, सुसज्जित ऑफिस में कदम रखा और अपने भूतपूर्व बॉस का सादर अभिवादन किया।

''आओ, भई'' —नकुल बिहारी आनन्द गम्भीर स्वर में बोले— ''कैसे आये ?''

''सर'' —मुकेश अदब से बोला— ''गुड न्यूज थी, आपको देने आया। मेरे घर खुशी हुई, आपके साथ शेयर करने आया।''

''मतलब ?''

''आपको खबर करने आया कि आप दादा बन गये हैं।''

''क्या !''

मुकेश ने गद्‌गद्‌ भाव से मिठाई का डिब्बा खोल कर उनके सामने रखा।

''मुँह मीठा कीजिये, सर।'' —वो बोला।

''तुम्हें मालूम है मेरे को डायबीटीज है।''

''इसी वास्ते मिठाई खाने को न बोला, सर, मुँह मीठा करने को बोला।''

''लेकिन बात क्या है ?''

''सर, बेटा हुआ है।''

''ओह ! मुबारक।''

''थैंक्यू, सर।''

''अपनी पत्नी को भी देना।''

''जरूर। सर, मुंह तो मीठा कीजिये।''

जहरमार की तरह चिड़िया के चुग्गे जितनी मिठाई उन्होंने अपने मुंह में हस्तांतरित की।

''आप मेरे पितातुल्य हैं, सर।'' —मुकेश विनयशील स्वर में बोला— ''मेरे अपने पिता की जिन्दगी में वो फर्म में आपके सहयोगी ही नहीं, आपके मित्र भी थे लिहाजा इस खुशखबरी के साथ, कि मैं एक बेटे का बाप बन गया हूं, आप दादा बन गये हैं, मैंने यहाँ आना अपना फर्ज समझा, नवजात शिशु के लिए आपका आशीर्वाद पाना मैंने जरूरी समझा।''

''बच्चे को मेरा आशीर्वाद तुम्हारे इस भाषण के बिना भी प्राप्त है लेकिन मुझे पितातुल्य समझने वाली तुम्हारी बात में अब कोई दम बाकी नहीं।''

''आप ऐसा समझते हैं!''

''हां, मैं ऐसा समझता हूं।''

''शायद इसीलिये अभी तक मुझे बैठने के लिए नहीं बोला!''

''क्या! ओह! बैठो, बैठो।''

''थैंक्यू, सर।'' —माथुर एक क्षण ठिठका, फिर बोला— ''सर, आप अभी भी मेरे रोल माडल हैं...''

''लिफाफेबाजी है, दिल्ली के वाकये के बाद से जिसमें तुम खुद को माहिर साबित कर चुके हो।''

''सर...''

''अगर तुम समझते हो कि फरवरी में दिल्ली में जो विषवमन तुमने मेरे खिलाफ किया था—बल्कि सारे आनन्द्स के खिलाफ किया था—उसे मैं भूल चुका हूँ तो ये तुम्हारी खामखयाली है।''

''लेकिन सर...''

''क्या सर! साफ तो तुमने घोषणा की थी कि मुझे रोल माडल समझने की, मेरे सरीखा बनने की तुम्हारी तमन्ना मर चुकी थी। साफ तो बोला था कि मैं कोई ऐसी शख्सियत था ही नहीं जिसपर कि किसी का अकीदा हो, मैं भी इस फरेबी दुनिया के फरेबी आवाम का बस एक नग था, वो क्या लफ्ज इस्तेमाल किया था?... हां, आलमेखाक का महज एक आला था। ये तक कहा था कि मैं उस ऊंचे सिंहासन के कतई काबिल नहीं था जिसपर तुम्हारी एकलव्य जैसी गुरुभक्ति ने मुझे स्थापित किया था। कहो कि मैं गलत कह रहा हूं!''

मुकेश के मुंह से बोल न फूटा।

''तुम यहां मुझे साहबेऔलाद बना होने की गुड न्यूज देने नहीं आये, इस बहाने मेरा मुंह चिढ़ाने आये हो कि मेरे सिर पर सवार हो।''

''जी!''

''वर्ना क्यों इतनी बड़ी मुम्बई में अपना ऑफिस खोलने के लिए तुम्हें मैरीन ड्राइव के इस ऑफिस कम्पलैक्स के अलावा कहीं कोई जगह न मिली!''

''वकालत के कारोबार में मैंने जो सीखा, आपसे सीखा, इसलिये नयी शुरुआत आपके कदमों के जेरसाया करने का अरमान था...''

''कदमों के!''

''जी हां।''

''कदम नीचे होते हैं, तुम तो सिर पर आकर बैठ गये!''

''यहाँ ऑफिस पांचवे माले पर ही उपलब्ध था।''

''नानसेंस! गणपतिपुले वाला हराम का पैसा हाथ न आया होता तो इतने पौश इलाके के इतने पौश ऑफिस कम्पलैक्स में फैंसी ऑफिस अफोर्ड कर पाते!''

''हराम का पैसा बोला, सर?''

''और क्या! क्या पता हमारे क्लायन्ट बालाजी देवसरे से उसकी वसीयत अपने हक में लिखवाने के लिए तुमने क्या किया! उसके साथ पतंग और डोर का रिश्ता बनाये तुम थे, मैं तो नहीं था!''

''आपका ऐसा खयाल है!''

''क्यों न हो! खामखाह तो कोई किसी गैर को चार करोड़ का मालिक नहीं बना देता!''

''तो सर, ये रौशन खयाल पहले क्यों न जाहिर किया? जब मैं गणपति पुले से लौटा था तो तभी मुझ पर मैनीपुलेशन का इलजाम क्यों न लगाया?''

''तुम्हारा लिहाज किया।''

''गुस्ताखी माफ, सर, अब लिहाज कहाँ चला गया?''

''तुम्हें मालूम है कहां चला गया! दिल्ली के चार महीने पहले के वाकयात अभी हम भूल नहीं गये हैं।''

''मकतूल देवसरे की वसीयत के मुताबिक विरसे की रकम आठ करोड़ थी जिसमें से बाजरिया वसीयत मुझे आधी रकम का वारिस करार दिया गया था। अगर सब मेरी किसी हेराफेरी का नतीजा था तो मैंने मुकम्मल रकम अपने नाम क्यों न कर ली?''

''बहस अच्छी कर लेते हो। जरूर दिल्ली के पानी में कोई खूबी थी जिसने चन्द ही दिनों में तुम्हें इतना वाचाल बना दिया।''

''सर...''

''बहरहाल बात कोई और हो रही थी। बात ये हो रही थी कि अपना ऑफिस खोलने के लिए मैरीन ड्राइव के इस कम्पलैक्स के अलावा तुम्हें कहीं कोई जगह न मिली।''

''सर, अगर मुझे मालूम होता कि आपको इसी बिल्डिंग में मेरे ऑफिस से एतराज होने वाला था तो मैं हरगिज ये गुस्ताखी न करता।''

"नैवर माइन्ड दैट नाओ।"

"और सिर पर आ बैठना अगर आपको इस वजह से लगता है कि आप फर्स्ट फ्लोर पर हैं और मेरा ऑफिस ऊपर पांचवे माले पर है तो गुजारिश है कि इस फ्लोर के नीचे ग्राउन्ड फ्लोर पर कार पार्किंग है, बेसमेंट में भी कार पार्किंग है इसलिये दोनों जगह ऑफिस स्पेस उपलब्ध नहीं। आप दरयाफ्त कर सकते हैं कि पूरे ऑफिस कम्पलैक्स में फिफ्थ फ्लोर के अलावा और कहीं ऑफिस स्पेस उपलब्ध नहीं थी। फिर भी अगर आपको ये मेरी गुस्ताखी जान पड़ती है और ये आपको हद दर्जा नागवार गुजरी है तो मैं अभी भी यहाँ से शिफ्ट करने को तैयार हूं।"

"कोई जरूरत नहीं। कोई जरूरत नहीं ऐसी कुर्बानी कर के दिखाने की। आनन्द आनन्द आनन्द एण्ड एसोसियेट्स को इन बातों से कोई फर्क नहीं पड़ता। हम क्या कोई छोटी मोटी लॉ फर्म हैं! कलकत्ता, बैंगलौर, दिल्ली में हमारी ब्रांचें है। हमारे पास योरोप और अमरीका तक से केस आते हैं। सारी दुनिया का कार्पोरेट वर्ल्ड हमारी फर्म के नाम से वाकिफ है। तुम्हें कौन जानता है! माई डियर, आनन्द आनन्द आनन्द एण्ड एसोसियेट्स की बुलन्दियों तक पहुँचने के लिए अभी तुम्हें एक जन्म और लेना पड़ेगा। एक फैंसी ऑफिस खोल कर बैठ जाने से ही अगर तुम समझते हो कि बड़े वकील बन गये हो तो मैं यही कहूंगा कि तुम नादान हो, खुशफहम हो और खयालों की दुनिया में रहते हो।"

"सर, मैंने कभी सपने में भी आपकी बराबरी करने का खयाल नहीं किया..."

"हमारा मरहूम, मकतूल क्लायन्ट बालाजी देवसरे—ईश्वर उसकी आत्मा को शान्ति दे—अपनी वसीयत के तहत खामखाह—आई रिपीट, खामखाह—तुम्हें चार करोड़ रुपये का मालिक न बना गया होता तो क्या इस कम्पलैक्स में ऑफिस खोल पाते! कबूतर का दड़बा न हासिल कर पाते अपने पर्सनल रिसोंसिज से! और अब समझते हो कि सिर्फ इतने से आनन्द आनन्द आनन्द एण्ड एसोसियेट्स की बराबरी कर लोगे कि एक फैंसी, एक्सपैंसिव ऑफिस में बैठे हो!"

"सर, यकीन जानिये, मैंने ऐसा खयाल तक नहीं किया।"

"नहीं किया तो अब कर लो। लेकिन साथ में ये भी जान लो कि अच्छी लॉ प्रैक्टिस के लिए फैंसी ऑफिस ही काफी नहीं होता, इसके लिए जो नेचुरल एबिलिटी दरकार होती है वो किसी किसी में ही पायी जाती है। लॉ की डिग्री तीन साल में हाथ में आ जाती है, किसी काबिल लायर बनने में तीस साल लगते हैं। कितने ही तब भी नहीं बन पाते। तुम तो अभी वकालत के कारोबार में रोटी को चोची कहने वालों में से हो। यहाँ फर्म के ऊंचे नाम और व्यापक गुडविल के जेरेसाया तुम्हारी खामियां छुपी रहती थीं, अब कैसे छुपेंगी, अब कैसे छुपाओगे?"

"सर, जो करेगा मेरा प्रारब्ध करेगा, मेरा भाग्य करेगा। वो कहते नहीं हैं कि

त्रियाचरित्रम् पुरुषस्य भाग्यम्, दैवो न जानयेत्, कुतो मुनष्य: !''

''क्या बोला ?''

''मर्द की किस्मत को देवता नहीं भांप सकते, आदमी की क्या बिसात है !''

''हम भांप सकते हैं।''

''क्योंकि आप महान हैं। सर्वशक्तिमान हैं। क्या भांपा आपने ?''

''बोल तो दिया !''

''क्या ?''

''अब क्या खाका खींच के समझायें ?''

''क्या हर्ज है, सर ! रोटी को चोची कहने वाले को तो ऐसे ही समझाया जाता है !''

''ठीक है, सुनो। कहीं नहीं पहुंचोगे। किसी छोटी मोटी लड़ाई में छोटी मोटी फतह पा लेने से कोई योद्धा नहीं बन जाता। कोई जंग जीतने के काबिल नहीं बन जाता। दिल्ली में तुम समझते हो कि तुमने कोई बड़ा तीर मार दिखाया था तो गलत समझते हो। इसको बिगिनर्स लक कहते हैं। समझे !''

मुकेश ने जवाब देने के लिए मुंह खोला, फिर होंठ भींच लिये। उसने बेचैनी से पहलू बदला।

''दिल्ली में हम लोगों को—आनन्द्स को—नीचा क्या दिखा लिया कि भूल गये कि तुम वही मुकेश माथुर हो, वही बंगलिंग ईडियट हो...''

''सर... !''—मुकेश ने आवेश से प्रतिवाद करना चाहा।

''...जो कि''—आनन्द साहब कहते रहे—''आनन्द आनन्द आनन्द एण्ड एसोसियेट्स के ऊंचे नाम और मुकाम की कोई असैट नहीं, लायबलिटी थे। हमेशा हमेशा लायबलिटी थे। कोई छोटा मोटा काम भी तुम्हें सौंपा जाता था तो उसमें पंगा कर देते थे, पेंच डाल देते थे। फर्म की क्लायन्ट मिसेज नाडकर्णी से मामूली कान्टैक्ट, मामूली डायलॉग के लिए तुम्हें गोवा, फिगारो आइलैंड भेजा गया तो वहां तुम्हारी मौजूदगी में, बल्कि ऐन तुम्हारी नाक के नीचे, क्लायन्ट का खून हो गया। एक दूसरे क्लायन्ट बालाजी देवसरे को प्रोटेक्ट कर के रखने की पिकनिक जैसी ड्यूटी पर गणपतिपुले भेजा गया तो फिर क्लायन्ट का खून हो गया। इतना ही होता तो गनीमत थी, उसकी वसीयत को यूं मैनीपुलेट किया कि अपना नाम बतौर बैनीफिशियेरी वसीयत में दर्ज करवा लिया...''

''सर, मैंने पहले ही अर्ज किया कि मैंने ऐसा कुछ नहीं किया था।''

''... यानी कि होशियारी दिखाई तो ऐसी जगह जहां न कानूनन दिखानी चाहिये थी और न अखलाकन दिखानी चाहिये थी। अपने उस अनप्रोफेशनल कन्डक्ट को गॉड नोज कैसे कवर अप किया...''

''सर, आई डिड नथिंग आफ दि सार्ट।''

''फिर दिल्ली भेजा मेरे भतीजे को डिफेंड करने के लिए तो तुमने क्या किया! तुम्हें उसको बेगुनाह साबित करने के लिए उसकी पैरवी करने के काम से दिल्ली भेजा गया था, तुमने उसी को कातिल करार दे दिया। पुरजोर दुहाई दी, चुप कराये चुप न हुए कि वो ही कातिल था। उसका स्टिंग आपरेशन तक कर डाला। उसको सजा से बचाने की अपनी ड्यूटी भुगताने की जगह खुद ऐसी करतूत की कि सजा उसको होकर रहती। लिहाजा नकुल बिहारी आनन्द की गोद में बैठकर उसकी दाढ़ी मूंडी...''

''सर, वुई आर बैक टु स्क्वायर वन। क्या मैं फिर से सारी कथा शुरू करूं कि क्योंकर वो गुनहगार था, कातिल था, सख्त सजा का मुस्तहक था। ये बात आप इतनी जल्दी भूल गये कि उसने आपकी मौजूदगी में, आपके दिल्ली वाले छोटे भाई साहब श्याम बिहारी आनन्द की मौजूदगी में, मंगला मदान का वहशियाना कत्ल किया होना कुबूल किया था...''

''मजबूरी में। तुम्हारे रचे जाल में, चक्रव्यूह में फंस कर।''

''वो मेरा भी कत्ल करने जा रहा था।''

''क्योंकि तुम उसे शूट कर देने को आमादा थे।''

''मेरा ऐसा कोई इरादा नहीं था।''

''तब क्या तुम्हारा इरादा तुम्हारे माथे पर लिखा था? तुम्हारे हाथ में गन थी, तुम उसे निखिल पर ताने थे, वो बेचारा क्या नतीजा निकालता?''

''बेचारा!''

''सरासर।''

''एक खूनी दरिन्दा बेचारा!''

''तुम्हारे कहने से क्या होता है!''

''सर, आप ज्यादती कर रहे हैं, उन्हीं बातों को फिर से झुठला रहे हैं जिन्हें झुठला पाने में आप—न आपके भाई साहब—दिल्ली में कामयाब नहीं हुए थे।''

''तब नहीं हुए थे तो आखिरकार तो हुए ही थे! फिर तुम कौन होते थे जिसके सामने हमने किसी बात को झुठलाना था! फैसला अदालत ने करना होता है। और मैं नहीं समझता कि तुम हाल ही में हुए अदालत के फैसले से नावाकिफ हो। या हो?''

मुकेश ने इंकार में सिर हिलाया।

''फिर तुम्हें मालूम ही है कि अदालत ने निखिल को बाइज्जत बरी किया है।''

''बाइज्जत नहीं।''

''क्या मतलब है तुम्हारा?''

''अदालत ने आपके भतीजे को लैक आफ ईवीडेंस की बिना पर बरी किया था। ही गॉट बेनीफिट ऑफ डाउट बिकाज प्रासीक्यूशन परपसली—आई रिपीट, परपसली—डिड नाट डू हिज जॉब वैल। प्रासीक्यूशन ने जानबूझ कर उसके खिलाफ केस को कमजोर किया इसलिये वो सन्देहलाभ पाकर छूट गया।''

''गलत। सरकारी वकील अधलखा—मुझे बाद में मालूम पड़ा था—जी जान से निखिल को कातिल साबित करने पर आमादा था।''

''ठीक मालूम पड़ा था आपको। और करके रहता लेकिन आनन्द साहबान ने अपने रसूख की जादू की छड़ी चलाई और अधलखा बतौर पब्लिक प्रासीक्यूटर बैक आउट कर गया। पैनल से अप्वायन्टिड नये पब्लिक प्रासीक्यूटर ने आनन्द्स की लाइन टो की इसलिए जानबूझ कर निखिल के खिलाफ केस को डाइल्यूट किया।''

''नानसेंस! तुम कहना चाहते हो कि अधलखा को हमने हटवाया?''

''बिल्कुल!''

''कैसे?''

''ये भी कोई पूछने की बात है! एक ही तो जोर था सारे आनन्द्स के पास अपने खिलाफ जाते हर किसी शख्स पर आजमाने के लिए!''

''कौन सा जोर?''

''नकद नारायण का जोर! आपने सरकारी वकील राजकमल अधलखा को रोकड़े से खरीदा, तभी तो वो निखिल के खिलाफ अपने ओपन एण्ड शट केस से आन पर्सनल ग्राउन्ड्स, बैक आउट कर गया और आप उसकी जगह अपने हाथों की कठपुतली, अपना स्टूज खड़ा करने में कामयाब हुए जिसने अदालत में जो कुछ अधलखा ने किया था, उसे अनकिया कर दिया।''

''बकवास!''

''आपने अब्राहम्स बाप बेटी को रिश्वत दे कर खरीदा जिसकी वजह से वो लोग—खासतौर से बेटी आयशा अब्राहम—अदालत में निखिल के खिलाफ गवाही देने से मुकर गयी। ऐसे ही आपके दबाव के जेरसाया निखिल का क्लासमेट गगनदीप सिंह वक्त की बाबत अपनी गवाही से फिरा। एक दूसरे क्लासमेट शरद त्यागी को भी आपने खरीदा जो अपने बयान से पलटा कि वो पटियाला आयशा अब्राहम के पिता को पच्चीस हजार रुपये की वो रकम पहुँचाने गया था जो कि इस बात का खामियाजा थी कि आपके भतीजे ने आयशा को प्रेग्नेंट कर दिया था। सबसे बड़ा करतब आपने प्राइवेट डिटेक्टिव चन्द्रेश रोहतगी को खरीद कर किया जिसके पास कि आपके भतीजे के स्टिंग आपरेशन की, उसके कनफैशन की कि वो

कातिल था, वीडियो रिकार्डिंग थी जो कि उस कमीने, बेगैरत, बद्अखलाक पीडी ने आपको सौंप दी।''

''मुझे!''

''या आपके भाई श्याम बिहारी माथुर को। एक ही बात है। लेकिन इस मामले में मेरा एतबार आप पर है क्योंकि चन्द्रेश रोहतगी आपका करीबी था, उसे आपने रिकमैंड किया था।''

''कुछ साबित नहीं कर सकते हो।''

''और जुल्म ये हुआ कि प्रासीक्यूशन को कोर्ट का फैसला हजम हो गया—जो कि होना ही था क्योंकि आपने ऐसा ही इन्तजाम किया था—और पुलिस ने कोर्ट के फैसले के खिलाफ, आपके भतीजे की सैशन कोर्ट से रिहाई के खिलाफ, हाई कोर्ट में अपील लगाने की कोई मंशा जाहिर न की क्योंकि सर्वशक्तिमान आनन्द्स ऐसा नहीं चाहते थे। केस हाई कोर्ट में जाता तो बहुत मुमकिन था, बल्कि निश्चित था, कि आप लोगों का जहूरा वहाँ कोई कमाल न दिखा पाता जो कि सैशन कोर्ट में नुमायां हुआ। लेकिन हाई कोर्ट में सैशन के फैसले के खिलाफ कोई अर्जी दाखिल न हुई, और न होगी।''

''एंड जस्टीफाइस दि मींस।''

''आलमाइटी आनन्द्स जस्टीफाइड दि मींस।''

बुजुर्गवार के चेहरे पर एक कुटिल मुस्कराहट आयी और गायब हुई।

''अब केस का क्या होगा?''

''क्या मतलब?''

''सर, कत्ल तो हुआ! आपके भतीजे ने नहीं किया तो किसी ने तो किया!''

''अच्छा वो!''

''जी हाँ।''

''हमारा भतीजा आजाद है। उसपर कत्ल का इलजाम नहीं है। इसके अलावा हमारा उस केस से कोई सरोकार नहीं।''

''सही फरमाया आपने, सर, लेकिन मैंने महज एक अकैडेमिक सवाल किया था। केस इतने से ही तो क्लोज नहीं हो जाने वाला कि निखिल आनन्द कातिल साबित न किया जा सका!''

''तो अकैडेमिक जवाब ये है कि प्रासीक्यूशन कोर्ट में नया केस दाखिल करेगा।''

''किससे खिलाफ?''

''ये भी कोई पूछने की बात है! एक ही तो रेडीमेड कैन्डीडेट है!''

''संजीव आचार्य!''

''और कौन!''

''लिहाजा उसको मर के भी चैन नहीं!''

''उसने खुदकुशी की ही इसलिये थी क्योंकि वो कातिल था और देर सबेर उसका पकड़ा जाना लाजमी था।''

''आई सी।''

''आई एम ग्लैड दैट यू डू। माई डियर यंग मैन, कत्ल के केस में अहमतरीन बातें दो ही होती हैं। मौका और मोटिव। मोटिव, यानी उद्देश्य, उसके पास मजबूत था, तैयारशुदा था। वो मंगला का आशिक था लेकिन ये जान के तड़प गया था कि मंगला अपने स्टॉक ब्रोकर विजय सिंह से भी उतनी ही, बल्कि उससे ज्यादा, आशाना थी। संजीव आचार्य ने मंगला की खातिर ऑफिस फाइल से फर्म के क्लायन्ट और उसके हसबैंड महेन्द्र मदान की वो वसीयत गायब की थी जो मंगला को विरसे से पूरी तरह से बेदखल करती थी और यूं एक फ्राडुलेंट तरीके से मंगला को हसबैंड की सम्पत्ति का इकलौता वारिस बनने का मौका दिया था। संजीव आचार्य ने महेन्द्र मदान की वसीयत को डेस्ट्राय करके क्लायन्ट के ट्रस्ट को वायलेट किया था—किसलिये? अपनी आशिकी के लिए। अपनी आशिकी को परवान चढ़ाने के लिए—और अदालत में ये झूठा एफीडेविट दाखिल किया था कि महेन्द्र मदान की कोई वसीयत उपलब्ध नहीं थी, वो इन्टेस्टेट मरा था। उसने यूं एक बड़ा अपराध किया था। जो शख्स एक अपराध कर सकता है, वो दूसरा भी कर सकता है।''

''जैसे कि कत्ल!''

''जैसे कि कत्ल। जो कि उसने अपनी हसद के, अपनी आशिकी के हवाले हो कर किया। इतना कुछ करने के बावजूद माशूक हाथों से निकली जाती दिखाई दी तो उसका कत्ल कर दिया।''

''लेकिन कत्ल के वक्त मौकायवारदात से कोसों दूर वो राजेन्द्रा प्लेस स्थित शामियाना रेस्टोरेंट में फर्म के एक दूसरे पार्टनर परमीत प्रधान के साथ लंच कर रहा था।''

''उसकी मौकायवारदात पर हाजिरी का सबूत है।''

''मुझे इशरत अली नाम के टैक्सी ड्राइवर की खबर है। उसका कहना है उसने संजीव आचार्य को सवा दो बजे आसिफ अली रोड पर मकतूला के आवास के सामने उतारा था जबकि कत्ल उस वक्त से कहीं पहले हो चुका था।''

''उस टैक्सी ड्राइवर को टाइम का मुगालता लगा था। असल में उसने संजीव आचार्य को मौकायवारदात पर सवा एक बजे के करीब उतारा था। नये पब्लिक प्रासीक्यूटर के पेश किये जब वो कोर्ट में बयान देगा तो ऐसा ही बोलेगा।''

''कर्टसी आनन्द्स!''

''कर्टसी तुम्हारा वो सत्य का दीप। टैक्सी ड्राइवर ने दिमाग पर जोर दिया तो उसे याद आया कि वो खास सवारी उसके मुकाम पर उसने सवा दो बजे नहीं, सवा एक बजे उतारी थी।''

''गुड ! लेकिन आप परमीत प्रधान के बयान को भूल रहे हैं। उसका बयान है कि संजीव आचार्य डेढ़ बजे तक शामियाना में लंच पर उसके साथ था।''

''और तुम भूल रहे हो कि परमीत प्रधान कौन है !''

''ओह !''

''क्या ओह !''

''वो आनन्द प्रधान एण्ड आचार्य का वफादार तोता है। जो जो उसे रटाया जायेगा वही दोहरायेगा। उसे भी दिमाग पर बहुत जोर देने पर याद आ जायेगा कि संजीव आचार्य डेढ़ बजे से बहुत पहले 'शामियाना' से रुखसत हो गया था। समझो कि एक बजने से पहले चला गया था।''

''काहे को रटाया जायेगा ! वो अपने बैटर जजमेंट के मुताबिक अपना बयान देगा।''

''जो मरे को मारने में, संजीव आचार्य को कातिल ठहराने में, कोई कसर नहीं छोड़ेगा !''

''वाटऐवर।''

''बसन्त मीरानी ने मकतूला मंगला के फ्लैट से आती उठापटक की आवाजें एक बजे से पहले सुनी थीं।''

''जरूर सुनी होंगी। लेकिन ये कतई जरूरी नहीं कि कत्ल भी तभी हुआ हो। उन आवाजों की वजह कोई और हो सकती है।''

''यानी कि उन आवाजों का ओरीजिनेटर कोई और था और कातिल उसके बाद आया कोई और शख्स था !''

''ऐग्जैक्टली ! बाद में आया शख्स संजीव आचार्य था, पहले वाला शख्स हमारा भतीजा था।''

''जेवरात की चोरी !''

''ये स्थापित करने के लिए कातिल ने, संजीव आचार्य ने ही, की कि वो काम किसी चोर का था जिसकी करतूत में विघ्न पड़ा तो उसने कत्ल कर दिया।''

''लाश की दुरगत !''

''उसी ने की।''

''संजीव आचार्य ने ?''

''हां, भई।''

''जिससे मुहब्बत करता था उसकी वो गत बनाई ?''

''नफरत भी मुहब्बत का ही प्रतिरूप होती है। नफरत और मुहब्बत दोनों एक ही सिक्के के दो पहलू होते हैं। संजीव आचार्य जैसे जज्बाती आशिकों के दिल को जब ठेस पहुँचती है तो वो खुद ही उस खिलौने को तहस नहस करने पर आमादा हो जाते हैं जो उनको सबसे प्यारा होता है। आशिकी का जुनून कुछ भी करा देता है। और जब आशिकी के जुनून में हसद की आग भी जमा हो जाये तो आशिक जो न कर बैठे वो थोड़ा है।''

''सर, इन बातों की आपको बड़ी व्यापक, बड़ी महीन जानकारी है।''

''क्या मतलब है, भई, तुम्हारा?''

''कुछ नहीं। बहरहाल जिस किसी ने भी चुना है, कंत्ल का आल्टरनेट कैंडीडेट ऐन उम्दा चुना है।''

''वो कैसे?''

''मुर्दे नहीं बोलते। वो अभागा, नामुराद आशिक आकर किसी का मुँह नहीं पकड़ सकता। जान से गया, जहान से गया आपके भतीजे की सहूलियत के लिए। एक कत्ल दो जुदा जनों ने किया तो हो नहीं सकता! संजीव आचार्य कातिल तो निखिल आनन्द बेगुनाह। आजाद।''

''ऐग्जैक्टली।''

''लिहाजा अब निखिल आनन्द नाम का वो खानदानी लड़का, वो कथित खालिस खून जो गांजे के कश लगाता है, ऐस्टेसी की गोली खाता है, जो नौजवान औरतों की छाती पर सवार होकर उनके साथ मुंह काला ही नहीं करता, एक जानवर की तरह उनकी बोटियाँ भंभोड़ता है, उनके प्राइवेट पार्ट्स पर दान्त गड़ा कर अपनी दरिन्दगी का इजहार करता है, अब आजाद है। आजाद है और बेशुमार औरतों के जिस्म की फजीहत करने को, उनकी इस्मत की खानाखराबी करने को, आपकी बुलन्द-अखलाकी को चार चाँद लगाने को।''

''दैट्स एनफ!''—बुजुर्गवार गुस्से से बोले।

''एक वहशी दरिन्दा, एक आदमखोर जानवर आजाद होकर जब सोसायटी में वापिस पहुंचेगा तो जो हरकत उसने दो बार की, उसे फिर दोहराने से बाज आयेगा? या सरकारी सांड की तरह छुट्टा घूमेगा और पता नहीं कितनी और लड़कियों का वो हाल करेगा जो उसने आयशा और मंगला का किया...''

''आई सैड दैट्स एनफ। अब मैं निखिल के खिलाफ एक लफ्ज भी और नहीं सुनूंगा।''

''क्यों, सर? जो काम भतीजे को करते शर्म न आयी, उसकी बाबत आपको सुनने में शर्म आती है?''

''माथुर!''

''कितना मूर्ख था मैं जो कि समझता था एक स्टिंग आपरेशन एक अपराधी आनन्द को सजा दिलाने के लिए काफी था!''

''अब तो समझ आ गया न!''

''जी हां।''

''अपनी औकात पहचान में आ गयी न!''

''जी हां।''

''अपनी लिमिटेशंस का अहसास हो गया न!''

''जी हां।''

''चींटी पहाड़ नहीं ढ़ा सकती।''

''सही फरमाया आपने।''

''चना भाड़ नहीं फोड़ सकता।''

''सर, आई बो बिफोर युअर सुपीरियर नालेज।''

बुजुर्गवार की भवें तनी, उन्होंने कई क्षण अपलक मुकेश की ओर देखा। मुकेश ने उनसे निगाह न मिलाई।

''कितना पुरजोर ऐलान किया था तुमने''—आखिर वो बोले—''कि कोई लाख कोशिश कर ले, सत्य का दीप किसी के बुझाये नहीं बुझ सकता था। अब क्या कहते हो?''

''वही जो पहले कहता था। वही जो हमेशा कहूँगा। कोटि प्रयास करे किन कोय कि सत्य का दीप बुझे न बुझाये।''

''अब तो बुझ चुका। अब क्यों बड़ा बोल बोलते हो कि...''

''सत्य के दीप की लौ, कभी कभार ऐसे हालात पैदा हो जाते हैं कि, मद्धम पड़ जाती है और जालिमों को, सितमगरों को भ्रम होता है कि लौ लुप्त हो गयी।''

''हो गयी और लुप्त ही रहेगी। क्योंकि बाती और तेल भी न बचे।''

''आप ये ये सोच कर कह रहे हैं कि आपके भतीजे का आखिरी इंसाफ हो चुका। लेकिन सर, दिल्ली की वो अदालत आखिरी अदालत नहीं थी जिसकी आंखों पर रिश्वतखोरी के व्यापक तन्त्रजाल ने पट्टी बांध दी थी। वो अदालत भी आखिरी अदालत नहीं जिसमें आपके भतीजे के खिलाफ अपील न लगी। अभी एक अदालत और है जिसका इंसाफ होना अभी बाकी है। अभी एक जज और है जिसके न हाथ जकड़े जा सकते हैं और न जिसकी आंखों पर पट्टी बान्धी जा सकती है। खुदा की लाठी बेआवाज होती है आनन्द साहब...''

''आनन्द साहब! आनन्द साहब बोला!''

''सारी...सर।''

''यस, दैट्स मोर लाइक इट।''

''आप जैसे मिजाज का एक राजनेता भी इस मुल्क में हुआ है, जिसके इकलौते बेटे को अमरीका में तीस साल की जेल की सजा हुई थी जो कि उसके इकबालेजुर्म की रू में कम हुई थी वर्ना कहीं ज्यादा होती। उस युवक का करीबी एक दूसरा सर्वशक्तिमान राजनेता अमरीका गया था तो तत्कालीन राष्ट्रपति से पार्डन दिलवा कर वापिस भारत साथ ले कर आया था। लेकिन यूं आजाद हुआ गुनहगार नौजवान घर लौटने के कुछ ही महीनों बाद स्वाभाविक मौत मर गया था। ही डाइड ऑफ नेचुरल काजिज।''

बुजुर्गवार भौंचक्के से उसका मुंह देखते रहे।

''इसीलिये बोला कि खुदा की लाठी बेआवाज होती है। अब अपने भतीजे पर पड़ने का इन्तजार आप भी कीजिये, मैं भी करता हूँ।''

''वाट दि हैल!''—बुजुर्गवार भड़के—''तुम यहाँ आशीर्वाद पाने आये हो या श्राप देने!''

''मेरी ऐसी कोई मंशा नहीं थी लेकिन विषय आपने छेड़ा था।''

''जिसकी हमें सजा दे रहो हो!''

मुकेश खामोश रहा।

''और?''

''और क्या?''

''कुछ और कहना चाहते हो?''

''चाहता तो हूं लेकिन पता नहीं मौजूदा एकाएक तल्ख हो उठे माहौल में कहना मुनासिब होगा या नहीं!''

''कह ही डालो, ताकि हसरत बाकी न रह जाये कि सब कुछ न कहा।''

''मैं इसे अभयदान समझूं?''

''बेशक समझो।''

''सर, कल मेरे नये ऑफिस का उद्घाटन है, मैं चाहता हूं कि वो आपके कर कमलों से हो। ये मेरे लिये गौरव की बात होगी कि ...''

''फरेब है। पाखण्ड है। गैरजरूरी ह्यूमिलिटी का इजहार है।''

''जी!''

''यू आर ट्राईंग टु ब्लो हॉट एण्ड कोल्ड इन वन ब्रैथ। एक सांस में कहते हो कि मैं कोई ऐसी ऊंची शख्सियत हूं ही नहीं जिसपर किसी का अकीदा हो और दूसरी सांस में कहते हो कि अपने नये ऑफिस का उद्घाटन मेरे से करा कर गौरवान्वित होना चाहते हो। एक सांस में मेरे भतीजे को राक्षस करार देते हो और उसकी मौत की कामना करते हो, दूसरी सांस में ऐसे शख्स को अपने कल के फंक्शन में बतौर चीफ गैस्ट इनवाइट करना चाहते हो जिसको मुल्क के कायदे कानून की आंखों में धूल

झोंकने से गुरेज नहीं, हकीकत पर पर्दा डालने से गुरेज नहीं, गवाह खरीदने से गुरेज नहीं। ये दोहरा किरदार किसलिये, एडवोकेट मुकेश सत्यदीपक माथुर!''

मुकेश के मुंह से बोल न फूटा।

''कोर्ट में, चैम्बर में, अपने क्लीग्स के बीच में बैठते हो तो अपनी दिल्ली की कामयाबी के किस्से बयान करते हो कि कैसे दिल्ली में नकुल बिहारी आनन्द की आंख में डंडा किया। कैसे अपने बॉस को उसकी ऐसी औकात दिखाई कि मुंह खोलने के काबिल न छोड़ा।''

''मैंने...मैंने ऐसा किया!''

''बराबर किया। यहाँ हर खबर पहुंचती है।''

''ये खबर झूठी है, बेबुनियाद है, किसी दुश्मन ने उड़ाई है।''

''सच भी है तो क्या प्राब्लम है! हमें कोई परेशानी है! अपनी कामयाबी का बखान करना एक स्वाभाविक मानवीय प्रक्रिया होती है। लेकिन तुम्हारी इस सबजेक्ट की लैजर में अभी एक ही एंट्री दर्ज है, अपनी कामयाबी को दोहरा कर दिखाओगे, दोहराते रह कर दिखाओगे तो... देखेंगे। ऐसा अपने और सिर्फ अपने बलबूते पर करके दिखाओगे तो देखेंगे।''

मुकेश सकपकाया, उसके चेहरे पर उलझन के भाव आये।

''मैं समझा नहीं, सर।''—वो बोला।

''मेरा स्टाफ फोड़ने की कोशिश में हो। समझते हो कि यूं अपनी ताकत बना लोगे।''

''सर, सर, ये मुझ पर बेजा इलजाम है।''

''क्यों बेजा इलजाम है? तुमने अपनी फर्म में पार्टनरशिप आफर कर के बतौर लॉ फर्म अपनी हैसियत मजबूत करने के इरादे से सुबीर पसारी को अप्रोच नहीं किया?''

''नहीं किया।''

''तो उसने यहाँ एकाएक अपना इस्तीफा क्यों थमा दिया?''

''सर, वजह वही है जो आपके जेहन में है। लेकिन मैंने उसे नहीं, उसने मुझे अप्रोच किया था। उसने ख्वाहिश जाहिर की थी कि वो मेरी फर्म जायन करना चाहता था।''

''क्यों? यहाँ क्या तकलीफ थी उसे?''

''ये तो या आपको मालूम हो या उसको मालूम हो। वो आपका सीनियर एसोसियेट है और आप बड़े हैं, आपकी फर्म बड़ी है, फर्म का नाम बड़ा है, रसूख बड़ा है; दिल्ली, कलकत्ता, बैंगलौर में फर्म की ब्रांचें हैं, सारी दुनिया में क्लायन्टेल हैं। लॉ के कारोबार में जिस मुकाम पर आप हैं, वो काबिलेरश्क है। आपकी फर्म का

अंग होना किसी के लिए भी गौरव की बात हो सकता है...''

''सिवाय तुम्हारे।''

''... इसलिये कोई वजह तो बराबर होगी उसके सामने जो कि उसने मैग्नीफिशेंट, मॉनूमेंटल, मैजेस्टिक आनन्द आनन्द आनन्द एण्ड एसोसियेट्स को छोड़ने का फैसला किया।''

''माथुर, यू आर बीईंग सैरकैस्टिक।''

''नो, सर, आई कैन नाट डेयर।''

''हूं। वजह पसारी ने तुम्हें तो बताई होगी!''

''नहीं। न उसने बताई, न मैंने पूछी।''

''क्योंकि पूछे बिना ही तुम्हें मालूम थी!''

''जी नहीं।''

''कोई पुख्ता अन्दाजा बराबर था।''

''अब अन्दाजों की क्या बोलूं! मैं क्या जानता नहीं कि अन्दाजों को, अटकलों को आप किस कदर नापासन्द करते हैं।''

''हूं।''

''बहरहाल ये आपने बिल्कुल ठीक कहा कि आनन्द आनन्द आनन्द एण्ड एसोसियेट्स का अंग होना किसी के लिए भी गौरव की बात हो सकती है।''

''साथ में ये भी कहा कि सिवाय तुम्हारे।''

''मैं वहीं पहुँच रहा हूं, सर। सर, मैंने फर्म छोड़ी नहीं थी, मुझे फर्म छोड़ने पर मजबूर किया गया था। मैं न छोड़ता तो दिल्ली वाले वाकये के बाद यकीनन मुझे निकाल बाहर किया जाता। सारे आनन्द्स ने—जो वहाँ मौजूद थे, उन्होंने और जो वहाँ मौजूद नहीं थे उन्होंने भी—एकमत होकर यूं मुझे अपना दुश्मन करार दिया कि मेरे यहाँ बने रहने का कोई मतलब ही न रहा। मैं न जाता तो अपने भतीजे के अंजाम की रू में क्या आप मुझे यहां बने रहने देते!''

''भतीजे का अंजाम!''—बड़े आनन्द साहब के स्वर में एकाएक विजेता का सा पुट आया—अंजाम! दैट्स ए जोक नाओ।''

''उस वक्त का अंजाम। वो अंजाम, चार महीने पहले दिल्ली में जिस तक उसका पहुंचना महज वक्त की बात जान पड़ता था लेकिन''—मुकेश ने असहाय भाव से गहरी सांस ली—''आप की, आनन्द्स की लीला तो अपरम्पार है।''

''तुम फिर तंज कस रहे हो!''

''आई एम सॉरी सर, मैं तो बस एक...''

''कोई और बात?''

''और क्या बात, सर, और कोई बात नहीं।''—मुकेश उठ खड़ा

हुआ—''सिवाय इसके कि मैं बड़े उत्साह से, बड़ी उमंग से बाप बनने की खुशी आपके साथ शेयर करने आया था...''

''बधाई दे तो दी! मुंह भी मीठा किया... बावजूद डायबिटिक होने के!''

''मैं आपका धन्यवादी हूं और आपकी उदारता और दरियादिली के आगे नतमस्तक हूं।''

जवाब में आनन्द साहब ने महज एक हूंकार भरी।

''अपनी खुशी आपके साथ शेयर करने के अलावा मैं ये हसरत ले के आया था कि मेरे नये ऑफिस का उद्‌घाटन आप करना कुबूल कर के मुझे आशीर्वाद से नवाजेंगे लेकिन आपको ये जहमत उठाना गवारा नहीं...''

''हम ऐसे आडम्बरों के तरफदार नहीं।''

''सर, फीता काटने न सही, आशीर्वाद देने ही...''

''दिया तो! चौबीस घन्टे एडवांस में दिया। आई विश यू आल दि बैस्ट।''

''विष की तरह विश किया, सर!''

''क्या!''

''कुछ नहीं। इजाजत चाहता हूं। प्रणाम।''

मुकेश ने दोनों हाथ जोड़े और फिर दरवाजे की ओर बढ़ा।

''ओह... माथुर!''

मुकेश ठिठका, घूमा, उसने प्रश्नसूचक नेत्रों से आनन्द साहब की तरफ देखा।

''एक बात अभी एकाएक याद आयी।''

''क्या, सर?''

''नये ऑफिस में अपनी एग्जीक्यूटिव चेयर के पीछे वो शेर, रुबाई, दोहा, चौपाई या जो भी उसे कहते हैं, लिखवाना न भूलना जो इतने ओज के साथ अपनी आखिरी बात के तौर पर दिल्ली में बांच कर सुनाई थी। वो अदरी बदरी... सत्य का दीप वगैरह।''

''नहीं भूला, सर। ऐन ऐसा ही किया है मैंने।''

''गुड! गैट अलांग।''

□□□

मुकेश माथुर अपने ऑफिस में अपने कक्ष में बैठा था और अनमने भाव से उस रोज के अखबार के पन्ने पलट रहा था।

नकुल बिहारी आनन्द साहब ने जो बात कभी व्यंग्य के तौर पर, उसकी खुश्की उड़ाने की गरज से कहीं थी, वो तहरीरी तौर पर उसकी कुर्सी के पीछे दीवार

पर बड़े अक्षरों में दर्ज दिखाई दे रही थी।

फ्रेम में जड़ी वो तहरीर कहती थी :

सूर्य छिपे अदरी बदरी अरु चन्द्र छिपे जो अमावस आये,
पानि की बून्द पतंग छिपे अरु मीन छिपे इच्छाजल पाये;
भोर भये तब चोर छिपे अरु मोर छिपे ऋतु सावन आये,
कोटि प्रयास करे किन कोय कि सत्य का दीप बुझे न बुझाये।

दो महीन गुजर गये थे।

मुकेश माथुर एण्ड एसोसियेट्स के ऑफिस में किसी क्लायन्ट के कदम नहीं पड़े थे।

जो कि मुकेश को बेहद हतोत्साहित करने वाली बात थी।

अपनी उस नाकामी को जुबान देने से उसे दहशत होती थी लेकिन आखिर उसने उस बाबत अपने नये पार्टनर सुबीर पसारी से बात करने का फैसला किया।

सुबीर पसारी उससे उम्र में बड़ा था, नौ साल उसने अपने भूतपूर्व एम्पलायर्स के साथ गुजारे थे सीनियारिटी में जहाँ कि वो तीन आनन्द बन्धुओं से ही जूनियर था। आनन्द आनन्द आनन्द एण्ड एसोसियेट्स के 'एसोसियेट्स' वाले हिस्से का प्रतिनिधित्व करते दो दर्जन से ज्यादा वकील वहां उपलब्ध थे जो कि तब रुतबे में या उससे नीचे थे या उसके बराबर थे। वो आला दिमाग और आला याददाश्त का मालिक था, वैसे ब्रीफ तैयार करने से ले कर फायरी ट्रायल वर्क तक हर काम कर सकता था लेकिन वसीयत ड्राफ्ट करने का स्पैशलिस्ट माना जाता था। अपनी पिछली पोजीशन से उसने एकाएक क्यों किनारा किया, इस बात का कोई माकूल जवाब नहीं देता था, जवाब को हमेशा 'चलता है, यार' कह कर टाल देता था। फिर भी कुछ कहता था तो यही कि वहां उसका दम घुटता था।

चेंज के तौर पर मुकेश माथुर की नयी, नौसिखिया फर्म को क्यों चुना !

कोई खास वजह उसने बयान न की। ये कह के बात को हंसी में उड़ा दिया कि मैरीन ड्राइव के उस ऑफिस कम्पलैक्स में आते जाते रहने की उसे आदत पड़ गयी हुई थी।

खुद जो मुकेश ने उसके मिजाज का, उसके नये कदम का अन्दाजा लगाया था वो यही था कि वो भी नकुल बिहारी आनन्द के खुश्क, इंसल्टिंग, हिटलरी मिजाज से नाखुश था और जॉब चेंज करने के मामले में उसने मुकेश माथुर एण्ड एसोसियेट्स को जैसे उनका मुंह चिढ़ाने के लिए चुना था।

वो काबिल वकील था, मुकेश को इस बारे में कोई शुबह नहीं था कि वो लायर्स की किसी भी बड़ी फर्म को जायन कर सकता था, उसकी इच्छा जाहिर करने

की देर थी कि मुम्बई की कोई भी बड़ी लॉ फर्म उसे हाथों हाथ लेती। उसका मुकेश के साथ होना मुकेश को उलझन में डालता था लेकिन मन ही मन उसने यही नतीजा निकाला कि उसकी मुकेश के साथ हाजिरी वक्ती थी, जब उसे लगता कि वो अपने उस एक्शन से नकुल बिहारी आनन्द को पर्याप्त तपा चुका था तो वहां से छोड़कर चल देता। तब भी कहीं भी उसका स्वागत उतने हो जोशोखरोश से होता जितना कि पुरानी जॉब से रिजाइन करने के बाद फौरन पहुंच जाने से होता।

आखिर उसने अखबार को तिलांजलि दी, अपने कक्ष से निकला और जाकर सुबीर पसारी के कक्ष में कदम रखा।

उसने पसारी को तल्लीनता से अपने लैपटॉप के साथ व्यस्त पाया।

मुकेश के आगमन की आहट पा कर उसने सिर उठाया।

''गुड मार्निंग!''—मुकेश मीठे स्वर में बोला।

''वैरी गुड मार्निंग।''—पसारी मुस्कराता हुआ बोला—''वैलकम।''

''बिजी!''

''नो, नाट एट आल। जस्ट पासिंग टाइम।''

''आई सी।''

''बैठो।''

''थैंक्यू।''

''कॉफी!''

''पी तो नहीं अभी।''

''मैं अभी मंगवाता हूं।''

उसके आदेश पर चपरासी ने दोनों को कॉफी सर्व की। वो कक्ष से विदा हो गया तो पसारी ने अपलक मुकेश को देखा।

''कैसे बीतेगी!''—मुकेश चिन्तित भाव से बोला।

''ठीक बीतेगी।''

''क्लायन्ट का दूर दूर तक कोई पता नहीं।''

''शुरुआती दौर में सबके साथ ऐसा होता है। सो डोंट यू वरी।''

''हमारी गाड़ी किसी तरीके से आगे सरके—रफ्तार भले ही न पकड़े लेकिन आगे तो सरके—इसके लिए हम क्या कर सकते है?''

''इन्तजार। इन्तजार कर सकते हैं।''

''वो तो हम कर ही रहे हैं!''

''और इन्तजार कर सकते हैं। वो कहते नहीं है कि मौत का, ग्राहक का कोई भरोसा नहीं होता, कभी भी आ सकते हैं।''

''इन्तजार के अलावा क्या कर सकते हैं?''

उसने तत्काल उत्तर न दिया। उसने लैपटॉप को परे सरकाया, मेज पर से अपना सिग्रेट का पैकेट उठाया और मुकेश को सिग्रेट आफर किया। मुकेश ने इंकार में सिर हिलाया तो उसने खुद एक सिग्रेट सुलगाया और विचारपूर्ण भाव से उसका लम्बा कश लगाया।

मुकेश धीरज से उसके फिर बोलने की प्रतीक्षा करता रहा।

''अपनी नाउम्मीदी और पस्ती के इस वक्त के और आइन्दा बिजनेस पिक करने के बीच के वक्फे में फिलर के तौर पर तुम एक काम कर सकते हो, अगरचे कि वो तुम्हारे मिजाज में आये।''

''मिजाज में आये!''

''उसे बिलो डिग्निटी न समझो। आखिर एक लॉ फर्म के मालिक हो।''

''माई डियर सर, बैगर्स आर नाट चूजर्स।''

''आई एम ग्लैड दैट यू फील लाइक दैट, दैट यू थिंक लाइक दैट।''

''काम बोलो। उसकी टाइप बयान करो।''

''सुनो। तुम्हें मालूम है हर डिस्ट्रिक्ट की पुलिस की पैनल पर सरकारी पक्ष कोर्ट में रखने के लिए वकीलों की टीम होती है...''

''सरकारी वकील। आलसो नोन ऐज पब्लिक प्रासीक्यूटर्स। हर पुलिस केस पहले से तैयारशुदा पैनल में से ही किसी वकील को असाइन किया जाता है। प्रोसीजरली और प्रैक्टिकली वो जो सिस्टम है, मुझे उसकी खबर है, तुम आगे बढ़ो।''

''मुझे इनसाइड इनफर्मेशन है कि वैस्ट ड्रिस्ट्रिक्ट के डीसीपी को अपनी डिस्ट्रिक्ट की ऐसी पैनल से सख्त एतराज है क्योंकि उस पैनल के वकील या बूढ़े हो चुके हैं या आदतन निकम्मे हैं, यानी कि ऐसे हैं जो या तो कुछ करना नहीं चाहते या कुछ करने के काबिल नहीं हैं। डीसीपी उस पैनल को रिवाइज करना चाहता है। मेरा वहां जुगाड़ है और डीसीपी के साथ ऐसा मुलाहजा है कि तुम उस पैनल में शामिल हो सकते हो, अगरचे कि तुम्हें एतराज न हो।''

''एतराज किसलिये?''

''भई, तुम्हारी हैसियत है। ऐसी फर्म का ऑफिस मेनटेन करते हो जिसपर तुम्हारी ढ़ाई करोड़ से ज्यादा की इनवेस्टमेंट लगी है।''

''वो सब मैंने एक मिशन के तहत किया था जो कि तुम देख रहे हो कि कामयाब न हो सका। ग्लैमर और चमक दमक का वो जलवा नुमायां न हो सका जिसका मैंने बड़ा सुहाना ख्वाब देखा था। अब तो बस मैं शर्मिन्दा हूँ... खासतौर से बड़े आनन्द साहब से जो कि मेरी नाकामी पर हंसते होंगे, जो कि उससे बेखबर तो न होंगे!''

''कैसे होंगे! तुम्हारा मुकाम कहीं फासले पर होता तो भी कोई बात थी, ऐन उनकी नाक के नीचे होता कुछ कैसे उनसे छुपा रह सकेगा!''

''कहीं इसी वजह से तो...''

मुकेश खामोश हो गया, उसने कॉफी का एक घूंट पिया।

''क्या तो?''—उसे अपलक देखता पसारी बोला।

''समझो, यार।''

''क्या समझूं?''

''वही ... जो समझने लायक है।''

''तुम पहेलियां बुझा रहे हो। अगर तुम्हारा इशारा इस तरफ है कि बड़े आनन्द साहब ने यहां क्लायन्ट्स की आमद को ब्लॉक किया हुआ है तो ये खामखाह का खयाल अपने दिल से निकाल दो।''

''वो मेरे खिलाफ हैं।''

''फिर भी इतने नीचे नहीं गिर सकते कि ऐसी वाहियात हरकत करें जो कि प्रैक्टीकल भी नहीं है।''

''प्रैक्टीकल भी नहीं है?''

''कैसे करेंगे? या करवायेंगे? इतना बड़ा ऑफिस कम्पलैक्स है, इतने लोग यहां रोज आते जाते हैं, लॉबी में किसी को बिठा देंगे जो हर नये आने वाले से दरयाफ्त करेगा कि वो कहां जा रहा था! उसके कहने पर कि वो यहां तुम्हारे ऑफिस में जा रहा था, वो उसे आनन्द साहब के ऑफिस में ले जायेगा?''

मुकेश का सिर स्वयमेव ही इंकार में हिला।

''बड़े आनन्द साहब बुनियादी तौर पर ऊंचे दर्जे के आदमी हैं, आनन्द आनन्द आनन्द एण्ड एसोसियेट्स एक ऊंचे दर्जे की, मकबूल लॉ फर्म है, उनसे ऐसी टुच्ची हरकत की उम्मीद नहीं की जा सकती।''

''क्यों नहीं की जा सकती?''—मुकेश के स्वर में आवेश का पुट आ गया—''दिल्ली में जो कुछ किया...''

''भतीजे के मोह ने कराया, बिन मां बाप के नौजवान की आइन्दा जिन्दगी मुकम्मल तौर से बर्बाद होती दिखाई दी तो स्वर्गवासी भाई के प्रति जिम्मेदारी के अहसास ने कराया। हालात की मजबूरी के तहत वक्ती तौर पर उन्हें धृतराष्ट्र बनना कबूल हुआ तो इसका मतलब ये नहीं कि उन्होंने अपना दीन धर्म ईमान अखलाक हमेशा के लिए बेच खाया।''

''जिस शख्स की पीठ पीछे तारीफ कर रहे हो, जिसकी फर्म से इतने मुतासिर हो, फिर भी उसे छोड़ा!''

''दैट्स अनदर स्टोरी। वुई विल डिसकस इट सम अदर टाइम। इस वक्त बात

कुछ और हो रही है।''

''ये कि तुम मुझे वैस्ट डिस्ट्रिक्ट की पब्लिक प्रासीक्यूटर्स की पैनल पर
रखवाने का जुगाड़ कर सकते हो ?''

''हां।''

''सॉरी !''

''वाट डू यू मीन सॉरी ?''

''मुझे ये काम पसन्द नहीं।''

''क्यों ?''

''क्योंकि मेरा पसन्दीदा काम प्रासीक्यूट करना नहीं, डिफेंड करना है।''

''आई एम सॉरी टु से, जबकि फिलहाल दोनों ही कामों का तुम्हें कोई खास
तजुर्बा नहीं।''

''कोनो काम कठिन जग मांही।''

''किताबी बात है।''

''जिस काम को मैं एक बार दिल्ली में कामयाबी से अंजाम दे सका, उम्मीद
है कि आगे भी दे सकूंगा।''

''आई सी।''

''और फिर अभी मैं इतना भी डैस्प्रैट नहीं कि... कि... ''

''आई अन्डरस्टैण्ड। सो पब्लिक प्रासीक्यूटर पैनल इज आउट।''

''यस। प्लीज।''

''ओके।''

''अभी मैं हालात के फेवरेबल करवट बदलने का और इन्तजार सकता हूं।''

''क्यों नहीं ! बिल्कुल कर सकते हो। यू आर ए मैन विद मनी इन युअर
पॉकेट।''

''मोर सो दैट आई एम ए मैन विद होप इन माई सोल।''

''मुझे थोड़ा टाइम दो, मैं कुछ और सोचता हूं।''

''थैंक्यू।''

गुरुवार : ग्यारह अगस्त

वैस्ट डिस्ट्रिक्ट के असिस्टेंट कमिश्नर ऑफ पुलिस शरद ठाकरे का ऑफिस
बोरीवली थाने के ही परिसर में स्थित था। बोरीवली थाना विवेकानन्द रोड पर

म्यूनीसिपल मार्केट के सामने था।

उस घड़ी थाने का एडीशनल स्टेशन हाउस आफिसर अशोक सावन्त उसके ऑफिस में उसके सामने मौजूद था। वो गुरुवार का दिन था और उस घड़ी सुबह के साढ़े दस बजे थे।

''मैं तुम्हें एक खास काम सौंपना चाहता हूं।''—एसीपी बोला।

''सर!''—इन्स्पेक्टर अशोक सावन्त तत्पर स्वर में बोला।

''कल गोरई में एक वारदात हुई, उसकी तुम्हें खबर है?''

''वारदात!''

''हां।''

''सर, उधर राजपुरिया एस्टेट के मालिक अभय सिंह राजपुरिया इन्तकाल फरमा गये लेकिन उसे कोई वारदात तो नहीं कहा जा सकता!''

''क्या जानते हो अभय सिंह राजपुरिया के बारे में?''

''ज्यादा तो नहीं जानता, सर, सिवाय इसके कि बड़ा, खानदानी आदमी था। उधर इलाके में बड़ी इज्जत, बड़ा रौब, बड़ा दबदबा बताया जाता था उसका। काफी उम्रदराज...''

''अड़सठ साल का।''

''... तनहा आदमी बताया जाता था...''

''फैमिली नहीं थी लेकिन एक पेड कम्पैनियन था। पन्द्रह हजार रुपये तनख्वाह प्लस फ्री बोर्डिंग, लाजिंग। एक साल से उसके साथ था। जमा, हाउसकीपर और लोकल हैल्प की अक्सर आवाजाही। इस लिहाज से मकतूल को बिल्कुल ही तनहा नहीं कहा जा सकता था।''

''ठीक।''

''कैसे मर गया, मालूम?''

''कहते हैं दिल की अलामत की कोई दवा रेगुलर खाता था, उसके ओवरडोज से मरा।''

''ठीक कहते हैं। दवा का नाम जीटाप्लैक्स है, पिछले दस साल से खा रहा था। ओवरडोज कैसे हो गया?''

इन्स्पेक्टर ने कुछ क्षण उस बात पर विचार किया फिर इन्कार में सिर हिलाया।

''तो?''—एसीपी बोला।

''तो...खुदकुशी, सर!''

''यानी जिस दवा की एक गोली खानी थी, उसकी ढेर खा लीं!''

''ज-जी ... जी हां।''

''प्लान करके सुइसाइड की!''

''सर, आप कहते हैं तो...''

''मैं नहीं कहता। मैं पूछता हूं। तुम क्या कहते हो?''

''सर, हो तो सकता है!''

''पीछे कोई सुइसाइड नोट क्यों न छोड़ा?''

''नहीं छोड़ा!''

''मौकायवारदात से कोई सुइसाइड नोट बरामद नहीं हुआ था।''

''ओह!''

''फिर लाश पहली मंजिल पर के उसके बैडरूम में फर्श पर औंधे मुंह पड़ी पायी गयी थी। ऐसे तो कोई नहीं करता प्लान करके सुईसाइड!''

''यू आर राइट, सर।''

''फिर खुदकुशी की कोई वजह होती है। मौजूदा केस में तो कोई वजह नहीं दिखाई देती! मरने वाला सुख चैन से अपना बुढ़ापा बसर कर रहा था। क्यों एकाएक उसने खुदकुशी कर ली?''

''सर, जब कोई वजह ही नहीं तो...''

''क्या तो?''

''तो खुदकुशी नहीं की होगी।''

''तो कैसे मरा?''

''सर, स्वाभाविक मौत न मरा, खुदकुशी न की तो फिर तो एक ही विकल्प बाकी बचता है!''

''क्या?''

''कत्ल!''

''ऐग्जैक्टली। यही बात है मेरे जेहन में। ये कत्ल का केस हो सकता है। इसकी तफ्तीश कत्ल के केस के तौर पर होनी चाहिये।''

''सर, आप कहते हैं तो...''

''हां, मैं कहता हूं।''

इन्स्पेक्टर खामोश रहा।

''और क्या जानते हो इस वारदात की बाबत?'' —एसीपी ने पूछा।

''यही, सर, कि लाश शाम को बरामद हुई थी लेकिन मौत मार्निंग में किसी वक्त हुई थी।''

''लाश बहुत देर से बरामद हुई, इसलिये हमारे मैडीकल एक्सपर्ट का मौत का मोटा अन्दाजा सुबह दस और दोपहरबाद एक बजे के बीच का है। पोस्टमार्टम होना अभी बाकी है, उससे उम्मीद है कि ये वक्फा काफी सिकुड़ जायेगा। और क्या जानते हो?''

''और तो खास कुछ नहीं जानता, सर!''

''लेकिन तुम्हारा जानना जरूरी है।''

''सर!''

''क्योंकि तफ्तीश के लिए, बारीक तफ्तीश के लिए, वो केस मैं तुम्हें सौंपना चाहता हूं।''

''मुझे?''

''हां। कोई ऐतराज?''

''नो, सर। नाट ऐट आल, सर। लेकिन वो...वो... गोरई की तो अपनी चौकी है!''

''हां, लेकिन उसका इंचार्ज एक नया भरती हुआ सब-इन्स्पेक्टर है—गोपाल पुजारा नाम है—अभी नातजुर्बेकार है, मर्डर का कोई केस हैंडल करने का उसे कोई तजुर्बा नहीं, ऐसा केस हैंडल करने का तो कतई कोई तजुर्बा नहीं जो स्वाभाविक मौत का लगता हो, खुदकुशी का हो सकता हो लेकिन हकीकतन कत्ल का हो। मेरे को मालूम है कत्ल की सम्भावना सामने आते ही उसके हाथ पांव फूल जाते हैं। एक तो कत्ल, ऊपर से एक बड़े, मुअज्जिज आदमी का कत्ल, लगता नहीं कि कुछ कर पायेगा। अगर ये सच में कत्ल का केस निकला और कातिल की बाबत जल्दी कोई नतीजा सामने न आया तो उसकी ही नहीं, महकमे की भी किरकिरी होगी। आखिर—आई रिपीट—एक बड़े आदमी का मामला है, थारो इनवेस्टिगेशन तो मांगता ही है न! यू अन्डरस्टैण्ड माई प्वायन्ट?''

''आई डू, सर।''

''इसलिये उस युवा सब-इन्स्पेक्टर की मदद की खातिर, उससे सहयोग की खातिर इस केस में मैं तुम्हारा दखल चाहता हूं। कोई ऐतराज?''

''बिल्कुल नहीं, सर।''

''वैसे आजकल क्या कर रहे हो?''

''खास कुछ नहीं कर रहा, सर। बस थाने का रूटीन वर्क।'

''फिर तो उस केस को टेकओवर करने में तुम्हें कोई प्राब्लम नहीं होगी!''

''कैसे भी कोई प्राबलम नहीं होगी, सर। आपका हुक्म हुआ तो... तो क्यों होगी भला!''

''हूं। बाई दि वे, टीवी देखते हो?''

''बहुत कम, सर। टाइम ही नहीं मिलता।''

''कल रात नौ बजे की खबरों में एक दो चैनल्स ने उस वारदात की ब्रीफ सी रिपोर्टिंग की थी। तुमने तो क्या देखी होगी!''

''नहीं देखी, सर।''

"तो वारदात की खबर कैसे लगी?"

"अखबार पढ़ा न!"

"यानी अखबार पढ़ने को टाइम मिल जाता है!"

"सर, वो तो मैं घर पर नहीं पढ़ पाता तो थाने में पढ़ लेता हूं।"

"बहरहाल केस से वाकिफ हो?"

"उतना ही जितना कि उसकी बाबत अखबार में छपा है।"

"आजकल पोलिटिकल हलचल के दिन हैं इसलिये अखबार वाले आजकल ऐसी खबरों को ज्यादा डिटेल से नहीं छापते। फिर तकरीबन की निगाह में डिटेल से छापने लायक कुछ है भी नहीं क्योंकि प्रथम दृष्टि में केस दुर्घटना और स्वाभाविक मौत का ही जान पड़ता है। इसलिये मोटे तौर पर इस बारे में अखबारों में बस यही छपा है कि गोरई की राजपुरिया एस्टेट में स्थित क्रिस्टल लॉज के मालिक अभयसिंह राजपुरिया की मौत जीटाप्लैक्स नाम की हार्ट मेडीसिन के ओवरडोज से हुई बताई जाती है। हत्प्राण की लाश जब लॉज की पहली मंजिल पर स्थित बैडरूम में पड़ी पायी गयी थी तब लॉज में दूसरा कोई शख्स मौजूद नहीं था। शाम को पांच बजे हत्प्राण का भतीजा शान्तनु राजपुरिया अंकल से मिलने लॉज पर पहुंचा था तो उसी ने पहली मंजिल पर के बैडरूम में पड़ी लाश बरामद की थी जब कि, मैंने पहले ही कहा, मौत सुबह दस बजे के बाद किसी भी वक्त हुई हो सकती थी। वाकये की अब तक की हासिल डिटेल्स गोरई जा कर चौकी से जानना चाहोगे या यहां से सुन के जाना पसन्द करोगे?"

"सर, तैयारी के साथ जाना ही बेहतर होगा।"

"ठीक। तो सुनो। वहां ऊपर बैडरूम में एक वाल कैबिनेट के टॉप पर जीटाप्लैक्स की एक नयी खोली गयी शीशी पड़ी पायी गयी थी जिसकी कपैसिटी सौ गोलियों की थी लेकिन उसमें नब्बे गोलियां मौजूद पायी गयी थीं।"

"इस बात की कोई अहमियत है?"

"मेरे खयाल से तो है! मालूम पड़ा है कि गोलियों की वो नयी शीशी हत्प्राण को सोमवार शाम को सप्लाई की गयी थी। हत्प्राण की उसकी कन्ट्रोल्ड खुराक मार्निंग में एक गोली रोज की थी। लिहाजा एक गोली उसने परसों मंगल को खायी और एक कल खाई। इस लिहाज से शीशी में अट्ठानवे गोलियां पायी जानी चाहिये थीं लेकिन नब्बे पायी गयीं। बाकी आठ कहां गयीं?"

"ओवरडोज में गयीं।"

"ठीक। उस गोली की बाबत हत्प्राण को डाक्टर की सख्त हिदायत थी कि वो उसने एक दिन में एक से ज्यादा हरगिज नहीं खानी थी। उसका ओवरडोज जानलेवा साबित हो सकता था। यानी हत्प्राण अगर आठ अतिरिक्त गोलियां खा

गया था तो उसका जान से जाना निश्चित था।''

''इतनी न खाता, ओवरडोज के नाम पर कम खाता, मसलन आधी मिकदार और खाता, तो क्या होता ?''

''तो तड़पता, बुरी हालत में पहुंचता लेकिन हो सकता था कि जान से न जाता।''

''ओह !''

''लेकिन आठ अतिरिक्त गोलियां हजम करके वो निश्चित मौत से नहीं बच सकता था।''

''इस बात से वाकिफ तो वो होगा ही !''

''क्यों न होगा ? जब उसे समझाया गया था कि वो दवा एक लिमिट में ही दवा थी, लिमिट के बाहर जहर थी तो क्यों न होगा ? ऐसी दवा, मैं नहीं मानता कि, कोई दाना, उम्रदराज शख्स, उस दवा का आदी शख्स, अनजाने में ज्यादा मिकदार में खा सकता था।''

''लेकिन जानबूझकर ?''

''जानबूझकर भले ही पूरी शीशी निगल जाता।''

''खुदकुशी के लिए !''

''वो एक खानदानी, ठस्सेदार, सलीके वाला उम्रदराज आदमी था, ऐसे लोग बेजा काम भी करते हैं तो सलीके से करते हैं। उसका इरादा खुदकुशी का होता तो पीछे सुईसाइड नोट जरूर छोड़ा होता और खुद वो बैड पर आराम की मुद्रा में पड़ा पाया गया होता, फर्श पर औंधे मुंह न पड़ा पाया गया होता।''

''इसलिये कत्ल !''

''मेरे खयाल से बराबर। कत्ल न भी हो तो केस की बतौर कत्ल तफ्तीश मेरे को जरूरी जान पड़ती है।''

''ठीक।''

''अब आगे सुनो।''

''मैं बराबर सुन रहा हूं, सर।''

''सरसरी तौर पर हुई तफ्तीश से पता चला है कि सुबह दस बजे के बाद से लेकर शाम को पांच बजे लाश की बरामदी तक लॉज में कोई नहीं था। अलबत्ता वहां छोटी मोटी आवाजाही बराबर थी।''

''फिर भी किसी को वारदात की खबर न लगी !''

''ऐसा ही सुनने में आया है।''

''कत्ल की कोई वजह भी तो होनी चाहिये !''

''हां, होनी चाहिये बराबर। वजह चोरी जान पड़ती है। किसी चोर को लॉज

के खुले दरबार वाले किरदार की, उसके भीतरी निजाम की, खबर थी। किसी को एडवांस में खबर थी कि बुधवार के दिन बुजुर्गवार सुबह से शाम तक घर में अकेले होते थे इसलिये वो घात लगा कर चोरी के इरादे से लॉज में घुसा जहां उसने पहली मंजिल पर घर के मालिक को तनहा मौजूद पाया। वो चोर जरूर जीटाप्लैक्स से और बुजुर्गवार की जिन्दगी में उसके रोल से वाकिफ था, लिहाजा किसी खुफिया तरीके से बुजुर्गवार को उसके ओवरडोज की खुराक खिलाने में कामयाब हुआ और उसके बाद चोरी को अंजाम देने में कामयाब हुआ।''

''चोरी क्या?''

''जाकर मालूम करना। इस बाबत अभी मेरे पास कोई रिपोर्ट नहीं आयी है।''

''बहरहाल चोर कातिल?''

''मेरे खयाल से हां।''

''चोर कौन?''

''ये भी जा कर पता लगाना।''

''कब जाना होगा, सर?''

''ये कोई पूछने की बात है!''

''यू मीन राइट अवे, सर?''

''यस, आई मीन राइट अवे। गो एण्ड टेक चार्ज आफ दि केस।''

''यस, सर।''

इन्स्पेक्टर अशोक सावन्त गोरई पुलिस चौकी पहुंचा तो उसने वहां सिर्फ एक सिपाही को मौजूद पाया, वर्दी पर लगे नेम टैग के मुताबिक जिसका नाम टीकम चन्द था। मालूम पड़ा कि उसके अलावा सारा स्टाफ या छुट्टी पर था या मौकायवारदात पर था।

स्टाफ!

मालूम पड़ा उसे मिला कर दो सिपाही, दो हवलदार और एक सब-इन्स्पेक्टर।

एक हवलदार छुट्टी पर था, एक सिपाही, एक हवलदार और चौकी इंचार्ज एसआई साहब राजपुरिया एस्टेट पर हुई वारदात की तफ्तीश पर थे।

सावन्त बीच रोड पहुंचा।

राजपुरिया एस्टेट सड़क से कदरन हट कर स्थापित थी और उसका क्षेत्रफल हजारों गज में जान पड़ता था। लॉज एस्टेट के मिडल में थी और फ्रंट के फाटक से लेकर लॉज के प्रवेश द्वार तक की राहदारी यूक्लिप्टस के पेड़ों से ढंकी हुई थी। चारों तरफ की जमीन पर हरी घास उगी हुई थी और परिक्रमा पर एस्टेट की चौहद्दी की

तर्जुमानी करती झाड़ियों की बाड़ थी।

वो लॉज के मेन डोर पर पहुंचा तो दरवाजा उसने खुला पाया। उसने भीतर कदम रखा तो उसे सिपाही के दर्शन हुए। उसे देख कर सिपाही तुरन्त मुस्तैद हुआ, उसने उसे तन कर सैल्यूट मारा।

''एसआई साहब कहां हैं?''—सावन्त ने पूछा।

''ऊपर बैडरूम में हैं, सर।''

''ले के चलो।''

सामने ही ऊपर को जाती सीढ़ियां थीं जिसके ऊपरले सिरे पर नीचे जैसा ही हाल था जिसके पृष्ठ भाग में ऐन सीढ़ियों के सामने उस बैडरूम का दरवाजा था जो कि मौकायवारदात था और जो उस घड़ी पूरा खुला था।

इन्स्पेक्टर को आया देख कर सब-इन्स्पेक्टर गोपाल पुजारा लपक कर बाहर निकला, उसने सावंत को सैल्यूट मारा।

वैसे ही सैल्यूट से हवलदार ने भी उसे नवाजा।

''आपके इन्तजार में ही मैं यहां था।''—पुजारा बोला।

सावन्त की भवें उठीं।

''एसीपी साहब का फोन आया न!''

''आई सी। क्या चल रहा है?''

''अब चलेगा न! आप आ गये है न! अब चलेगा।''

सावन्त फैसला न कर सका कि युवा सब-इन्स्पेक्टर तंज कस रहा था या निश्चिंत हो के दिखा रहा था।

सब विशाल बैडरूम में दाखिल हुए।

''सब कुछ ऐन वैसा ही है जैसा कि कल शाम पांच बजे पाया गया था, खाली पोस्टमार्टम को ले जाने के लिए डैड बाडी हटाई गयी है।''

'टैक्नीशियन्स का फेरा लग चुका?''—सावन्त ने पूछा।

''जी हां।''

''फोटो शूट!''

''हो चुका।''

''हूं।''

सावन्त की निगाह पैन होती सारे बैडरूम में फिरी।

कमरे के दायें बाजू दीवार के करीब लगी शीशम की लकड़ी की एक एंटीक बैड थी जो इतनी विशाल थी कि उसपर चार जने आराम से सो सकते थे। बैड उस प्रकार की थी जिसके चारों कोनों पर पायों की एक्सटेंशन जान पड़ते चार पिलर होते थे जिनके सहारे मसहरी लटकाई जा सकती थी लेकिन मसहरी दिखाई नहीं दे रही

थी। सामने की दीवार में दो खिड़कियां थीं जिनके पल्ले शीशे के थे और जिनमें डबल पर्दे झूल रहे थे। उन दोनों खिड़कियों के बीच दीवार के साथ बैड जैसी ही शीशम की एंटीक ड्रैसिंग टेबल थी। बायीं दीवार के साथ लगी एक वार्डरोब थी, एक दराजों वाली वाल कैबिनेट थी और एक रिक्लाइनर था जिसपर रंग बिरंगे कवर्स वाले कुछ चौकोर कुशन पड़े थे।

वाल कैबिनेट का एक ऊपरला दराज यूं खुला था कि वो दो तिहाई कैबिनेट से बाहर था। उसका सामान उथला पुथला गया जान पड़ता था इसलिये उसमें बेतरतीबी का बोलबाला था। एक चमड़े का हैण्डबैग भीतर कहीं अटका यूं दराज से बाहर झूल रहा था कि अब गिरा, अब गिरा।

कैबिनेट के टॉप पर एक शीशी पड़ी था जिसपर लगे लेबल पर छपा था।

जीटाप्लैक्स

शिड्यूल्ड ड्रग

टु बी टेकन अंडर क्वालीफाइड डाक्टर्स सुपरविजन

वार्निंग

इट इज डेन्जरस टु एक्सीड डोज

दवा की शीशी के अलावा केबिनेट टाप पर तीन चीजें और पड़ी दिखाई दे रही थीं :

फिलिप्स की एक इलैक्ट्रिक कैटल।

एक इन्स्टेंट कॉफी का जार।

और एक असाधारण रूप से लम्बी, एन्टीक टार्च।

बैडरूम का फर्श सफेद संगमरमर का था जिसपर दीवारों से डेढ़ फुट हट कर आयताकार शक्ल में दौड़ता गुलाबी बार्डर था। फर्श पर कई चीजें बिखरी पड़ी दिखाई दे रही थीं, जैसे कि :

चमड़े का काले रंग का एक बटुवा जो बीच से खुला हुआ था।

एक सफेद रंग का नर्म, चौकोर कुशन।

लाल रंग की महीन धूल जिस का साधन बाहर कहीं बिछी लाल बजरी ही हो सकता था।

फर्श पर लुढ़का पड़ा एक मग जिससे बाहर बहा थोड़ा सा तरल पदार्थ उसके कॉफी का मग होने की चुगली करता था।

सावन्त ने सब-इन्स्पेक्टर को दिखा कर लाल धूल की तरफ इशारा किया।

''ऐसी धूल कहीं कहीं सीढ़ियों पर भी पायी गयी है,''—सब-इन्स्पेक्टर बोला—''बाहर के गलियारे में भी पाई गयी है। आती बार आपने शायद ध्यान

दिया हो कि लॉज के बाजू की राहदारी पर लाल बजरी बिछी है।''

''नहीं, मैंने ध्यान नहीं दिया था। मेरा बाजू की राहदारी पर कोई काम नहीं था।''

''तभी।''

''यानी कोई फ्रंट के रास्ते लॉज तक न पहुंचा, बाजू की राहदारी से पहुंचा!''

''ऐसा ही जान पड़ता है।''

''यानी छुप कर लॉज तक पहुंचने की कोशिश की!''

''जरूरी तो नहीं, सर! आखिर दिन का वक्त था।''

''ये शीशी''—सावन्त ने वाल केबिनेट के टॉप की तरफ इशारा किया—''इसे फिंगरप्रिंट्स के लिए प्रॉसेस किया जा चुका है?''

''जी हां। फिंगरप्रिंट्स एक्सपर्ट ने किया न!''

''फिर तो मैं इसे हैंडल कर सकता हूं।''

''जी हां। बेशक।''

सावन्त ने शीशी उठा ली और ढक्कन खोल कर भीतर झांका।

शीशी मुंह तक ब्राउन गोलियों से भरी हुई थी।

''कपैसिटी''—सावन्त ने शीशी पर से पढ़ा—''हण्डर्ड टेब्लेट्स।''

''लेकिन शीशी में नब्बे हैं।''—सब-इन्स्पेक्टर ने अपना ज्ञान बघारा—''मैंने गिनी हैं।''

''दस कम। मरने वाले के पेट में गयीं। नहीं?''

''जी हां। लेकिन मर्जी से सिर्फ दो।''

''कैसे मालूम?''

''ये शीशी मरने वाले को सीलशुदा हालत में सोमवार शाम को सप्लाई की गयी थी। वो हर रोज मार्निंग में एक गोली खाता था। यानी अपनी मर्जी से परसों और कल ही दो गोलियों खायीं।''

''सप्लायर कौन?''

''एक लोकल भीड़ू है। दिलीप नटके नाम है।''

''वो कैमिस्ट शाप चलाता है?''

''अरे, नहीं, सर। कम्प्यूटर असैसरीज शाप चलाता है। के मार्ट कर के।''

''साथ में दवाओं का साइड बिजनेस करता है?''

''नहीं, सर। वो दरअसल राजपुरिया साहब का एक इधर का वाकिफ है, बोले तो एडमायरर है जो कि उनके किसी काम आने में, किसी भी काम आने में, फख्र महसूस करता था।''

''लिहाजा मरने वाले का हुक्म हुआ उसको जीटाप्लैक्स की नयी शीशी

मांगता था, इस... दिलीप नटके ने मांग पूरी की?''

''जी हां। बराबर। बाजरिया दिलीप नटके, तसदीक हुई है।''

''ओह!''

''दो गोली मरने वाले ने अपनी रूटीन के तौर पर दो बार में खायी थीं, बाकी आठ खुदकुशी के इरादे से खायीं।''

''पुजारा''—सावन्त का स्वर शुष्क हुआ—''एसीपी शरद ठाकरे साहब का कहना है ये कत्ल का केस है।''

''जी!''

''एक्स्ट्रा गोलियां मरने वाले ने खायी नहीं, उसे खिलाई गयीं।''

''देवा! कत्ल का केस!''

''बराबर। अब आइन्दा खुदकुशी नहीं बोलना, हादसा नहीं भजना, कत्ल का केस जान कर इसकी तफ्तीश करनी है। कर सकोगे?''

''सर, आप आ गये हैं, आपके सहयोग से कर सकूंगा।''

''हूं। फर्श पर लुढ़के पड़े मग की क्या स्टोरी है?''

''कॉफी का मग है। मरने वाला...''

''मकतूल!''

''जीहां, जीहां। मकतूल! मकतूल सुबह दस बजे के आस पास स्ट्रांग, ब्लैक, शूगर फ्री कॉफी पीने का आदी बताया जाता था जो कि वो अपने लिये हमेशा खुद बनाता था। उधर वाल कैबिनेट के टॉप पर ही एक इलैक्ट्रिक कैटल और एक इंस्टेंट कॉफी का जार पड़ा है।''

''हां, देखा मैंने।''

''अब आप केस को कत्ल का कहते हैं तो शायद ये बात भी कोई अहमियत रखती हो कि मरने वाला ... मकतूल सुबह जल्दी सो के उठने का आदी था इसलिए ब्रेकफास्ट भी जल्दी कर लेता था। आठ साढ़े आठ बजे के बीच वो लाइट ब्रेकफास्ट करता था और फिर यहां अपने बैडरूम में आकर अखबार पढ़ता था और टीवी पर न्यूज देखता था। दस बजे के करीब वो अपने इस शगल से फारिग होता था और फिर इलैक्ट्रिक कैटल को ऑन करके बाथरूम में चला जाता था। जाने से पहले वो हमेशा मग में दो चम्मच कॉफी और जीटाप्लैक्स की एक गोली डाल कर जाता था। वापिस आकर वो मग में खौलता पानी डालता था, मग में चम्मच चलाता था और उधर रिक्लाइनर पर कॉफी एनजाय करने बैठ जाता था। कल कॉफी पी चुकने के बाद वो रिक्लाइनर से उलट कर औंधे मुंह फर्श पर गिरा था। लाश की पोजीशन को, आपने देखा ही, फर्श पर चाक से आउटलाइन किया गया है।''

''देखा है।''

''सर, अभी तक हमारा यही खयाल था कि ये खुदकुशी का केस था। उसने आराम से रिक्लाइनर पर पसर कर कॉफी पी थी और वहीं आराम से प्राण त्याग देने की उम्मीद की थी। मग में पी गयी कॉफी के जो अवशेष बाकी हैं, उनमें, बतौर हमारे फारेंसिक एक्सपर्ट, जीटाप्लैक्स के भारी मात्रा में अवशेष पाये गये हैं। लेकिन अब कत्ल की बात है तो... तो...''

उसने असहाय भाव से कन्धे उचकाये।

''कुशन कैसे गिरा?''

''जरूर उसी के साथ गिरा। गोद में था या पहलू में था पर उसके साथ गिरा। ऐसे दो कुशन फर्श पर गिरे पड़े पाये गये थे। दूसरा मकतूल के मुंह के नीचे था जिसे लैब वाले ले गये।''

''लाल बजरी की महीन धूल?''

''सर, आम हालात में वो कैसे भी यहां पहुंची हो सकती थी। बाजू की राहदारी पर कदम रखने पर कोई पाबन्दी तो है नहीं! उधर से चलता कोई भी थोड़ी देर के लिए यहां आया हो सकता है। बोले तो ये लाल धूल यहां मकतूल के साथ भी आयी हो सकती है।''

''उसके जूतों का मुआयना किया गया था?''

''म-मैंने तो नहीं किया था! खयाल तक नहीं आया था।''

''किसी टैक्नीशियन ने?''

''मेरे खयाल से नहीं। सर, ये एक नया नुक्ता है जिसकी इसी वजह से कोई अहमियत बनती है कि ये कत्ल का केस हो सकता है वर्ना इसकी कोई अहमियत नहीं थी। शायद... गुस्ताखी माफ, सर, शायद अब भी न हो।''

''कत्ल का वजूद कातिल से होता है। जब कातिल का दखल हो तो हर बात की अहमियत होती है, भले ही वो कितनी भी मामूली जान पड़े।''

''यू आर राइट, सर।''

''ऊपर और भी कमरे हैं। वो क्या हैं?''

''इसी की तरह बैडरूम हैं, सर — तीन बैडरूम हैं — लेकिन दो इस्तेमाल में नहीं आते। बन्द पड़े हैं। मैंने खुद चैक किया है।''

''जीटाप्लैक्स की शीशी पर फिंगरप्रिंट्स की क्या पोजीशन है?''

''फिंगरप्रिंट्स एक्सपर्ट ने इस पर कुछ काम किया तो था लेकिन, आप जानते ही हैं, क्लासीफिकेशन और शिनाख्त में वक्त लगता है। दूसरे, इतना उसने यहीं कह दिया था कि उठाये गये फिंगरप्रिंट्स पूरी तरह से स्पष्ट नहीं थे।''

''कोई वजह बयान की?''

''हां। बोलता था कई फिंगरप्रिंट्स एक दूसरे पर सुपरइम्पोज हो गये थे।''

"कई?"

"क्या बड़ी बात है, सर! आखिर शीशी को कैमिस्ट ने हैंडल किया होगा—उससे पहले भी किसी ने या किन्हीं ने हैंडल किया होगा—सप्लायर दिलीप नटके ने हैंडल किया होगा, प्राप्तकर्ता राजपुरिया साहब ने हैंडल किया होगा और अब अगर ये कत्ल का केस हैं तो कातिल ने हैण्डल किया होगा।"

"और?"

"शीशी पर कम से कम चार मुख्तलिफ लोगों के फिंगरप्रिंट्स पाये गये थे लेकिन सब यूं एक दूसरे में गड्ड मड्ड थे कि कोई भी शिनाख्त के लायक स्पष्ट नहीं था।"

"और?"

"और मैडीकल एग्जामिनर ने एक सम्भावना व्यक्त की है।"

"क्या?"

"वो कहता है कि जीटाप्लैक्स का अपना जहरीला असर दिखाने से पहले ही मरने वाले का दम घुट गया था।"

"वो कैसे?"

"जब रिक्लाइनर से उलट कर वो औंधे मुंह फर्श पर गिरा था तो एक वैसा सफेद रंग का चौकोर कुशन उसके मुंह के नीचे आ गया था। सर, वो कुशन बहुत नर्म है, वो रुई का या फोम का नहीं बना हुआ, उसमें पंख भरे हुए हैं इसलिये जीटाप्लैक्स के असर से होश खोये मकतूल का मुंह उसमें धंस गया, बेहोशी में ही उसका दम घुट गया और वो मर गया।"

"डाक्टर ऐसा यकीन से कहता है?"

"कहता तो है! और तसदीक पोस्टमार्टम से हो जायेगी।"

"ठीक।"

"लाश की बरामदी के वक्त मरने वाले का मुंह कुशन में पूरी तरह से धंसा पाया गया था।"

"फिर भी रहना इसने कत्ल का केस ही है। दस घुटने के हालात भी तो जीटाप्लैक्स के ओवरडोज ने ही पैदा किये न! और ओवरडोज के लिए कातिल जिम्मेदार था। नहीं?"

"जी हां। बराबर बोला, सर।"

"लाश, मुझे मालूम पड़ा है कि, कल शाम पांच बजे मकतूल के भतीजे ने बरामद की थी!"

"जी हां। शान्तनु राजपुरिया नाम है भतीजे का। मकतूल के मरहूम छोटे भाई का इकलौता बेटा है। यहां से कदरन दूर ओमवाडी में रहता है।"

''करता क्या है?''

''स्टॉक ब्रोकर बताता है अपने आपको।''

''बताता है?''

''कुछ तो बताना ही होता है!''

''लगता है कुछ नहीं करता।''

''जान तो ऐसा ही पड़ता है! माली हालत भी उसकी डावांडोल ही बताई जाती है।''

''कहीं मकतूल अंकल पर ही तो आश्रित नहीं था?''

''मालूम नहीं। आप जरूरी समझते हैं तो मालूम करेंगे।''

''बहरहाल मरने वाले का दम घुटा या वो जीटाप्लैक्स के ओवरडोज से मरा, हमारे एसीपी साहब के हंच में दम है कि ये कत्ल का केस हो सकता है... अब तो मेरे को भी बराबर लगता है कि है।''

सब-इन्स्पेक्टर ने तनिक हिचकते हुए सहमति में सिर हिलाया।

''तो चोरी के इरादे से कोई चोरों की तरह यहां घुसा, उसने घर के मालिक को यहां मौजूद पाया लेकिन साथ ही उसे इलैक्ट्रिक कैटल ऑन कर के मग में दो चम्मच कॉफी और जीटापलैक्स की एक गोली डाल के अटैच्ड बाथ में जाते देखा। उसने मग में और गोलियां डाल दीं और फिर छुप कर आइन्दा प्रॉग्रेस की प्रतीक्षा करने लगा।''

''लिहाजा वो जीटाप्लैक्स के बारे में, उसकी तासीर के बारे में जानता था!''

सावन्त ने उस बात पर विचार किया।

''जरूरी नहीं।''—फिर बोला—''शायद उसकी शीशी के लेबल पर छपी वार्निंग पर—दवा की खुराक बढ़ाना खतरनाक है—निगाह पड़ी और उसने समझ लिया कि ओवरडोज बुजुर्गवार को उसके अभियान के तहत आउट आफ एक्शन कर सकता था।''

''सर, गुस्ताखी माफ, फिर ये इरादतन किये गये कत्ल का केस तो न हुआ? अगर चोर का मिशन चोरी ही था, बुजुर्गवार को इस वजह से आउट आफ एक्शन करना ही था तो फिर तो इसे संयोग ही कहा जायेगा कि वक्ती तौर पर आउट आफ एक्शन होने की जगह वो हमेशा के लिए ही आउट आफ एक्शन हो गये।''

''भई, अब तुम दिमाग से काम ले रहे हो। शाबाश!''

''ओ, थैंक्यू, सर।''

''बहरहाल इरादतन नहीं तो गैरइरादतन सही, है ये कत्ल का केस। कौन होगा कातिल?''

''सर, अगर ये चोर का काम है तो कोई भी हो सकता है। और कोई बड़ी

बात नहीं कि अभी तक वो यहां से सैंकड़ों मील दूर निकल चुका हो।''

''फिर क्या हाथ आयेगा!'' —सावन्त बड़बड़ाया।

सब-इन्स्पेक्टर पुजारा खामोश रहा।

''चोरी क्या गया?'' —फिर सावन्त बदले स्वर में बोला।

''चोरी तो कुछ गया नहीं जान पड़ता!''

''ऐसा!''

''फिर भी कुछ चोरी गया होगा तो कोई रोकड़ा ही चोरी गया होगा।''

''कैसे जाना?''

सब-इन्स्पेक्टर ने फर्श पर लुढ़के पड़े बटुवे की ओर संकेत किया।

''खाली है।'' —फिर बोला।

''ओह!''

''वो जैसे फर्श पर फेंका गया है, उससे लगता है कि बुजुर्गवार के निष्क्रिय हो जाने पर चोर को ऐसा लगा कि कोई वहां पहुंच रहा था—खाली लगा या सचमुच पहुंच रहा था, अभी कहना मुहाल है—इसलिये वो फौरन, आनन फानन यहां से भाग निकला।

''किधर से?''

''खिड़की के रास्ते।''

''हूं। पुजारा, तुम्हें ये बात अजीब नहीं लगती कि मकतूल रिक्लाइनर पर से मुंह के बल गिरा और उसका मुंह ऐन उस कुशन पर जा कर टिका जो कि रिक्लाइनर पर से उसके साथ गिरा था!''

''सर, ये तो प्रत्यक्ष है कि ऐसा हुआ। बड़े-बड़े इत्तफाक होते हैं इस दुनिया में, समझ लीजिये कि ये भी एक बड़ा इत्तफाक हुआ। या फिर...''

सब-इस्पेक्टर ठिठका।

''क्या या फिर?''

''... कुशन चोर ने बुजुर्गवार के मुंह के नीचे रखा।''

''क्यों भला?''

''उनको आराम पहुंचाने के लिए, जिनको मार डालने का उसका कोई इरादा नहीं था।''

''नानसेंस! वो ऐसे नाजुक सेंटीमेंट्स का मालिक होता तो चोरी के धन्धे में होता!''

सब-इन्स्पेक्टर खामोश रहा।

''अभी हम तय करके हटे हैं कि कोई ऊपर से आ गया था इसलिये उसे एकाएक भाग खड़ा होना पड़ा था। ऐसा शख्स नाहक जज्बाती होने में वक्त जाया

करता या फौरन बच निकलने को तरजीह देता! जीटाप्लैक्स की शीशी पर से अपने फिंगरप्रिंट्स पोंछ डालने का उसके पास टाइम नहीं था, मकतूल के सिर के नीचे कुशन सरकाने का टाइम था!''

सब-इन्स्पेक्टर ने जोर से थूक निगली।

''और?''—सावन्त ने पूछा।

''जी!''—सब-इन्स्पेक्टर हड़बड़ाया सा बोला।

''और क्या जाना?''

''और तो अभी कुछ नहीं जाना।''

''यहाँ तो मेरे खयाल से काफी टाइम से हो!''

''जी हां, लेकिन नीचे की और आसपास की पड़ताल कर रहे थे।''

''क्योंकि यहां की तो कल कर चुके होगे!''

''जी हां। फिर भी फिर से एक निगाह डालने आ गये थे।''

''दूसरी निगाह में नया कुछ जाना?''

''नहीं, अभी तो नहीं!''

''हूं।''

सावन्त की निगाह पैन होती सारे बैडरूम में बायें से दायें और फिर दायें से बायें फिरी, फिर रास्ते में दो खिड़कियों में से एक, उस खिड़की पर ठिठकी जो कि खुली थी। उसकी तीखी निगाह को वहां ऐसा कुछ दिखाई दिया जो उसे ज्यादा तवज्जो के काबिल लगा। वो खिड़की के करीब पहुंचा और उसने झुककर चौखट के आगे के प्रोजेक्शन का मुआयना किया।

प्रोजेक्शन पर लम्बी खरोंचों के निशान दिखाई दे रहे थे जो कि साफ जान पड़ता था कि हालिया थे। वहां धूल की महीन परत भी थी इसलिए वो निशान ज्यादा मुखर थे।

''ये''—वो सीधा होता हुआ बोला—''ये निशान ...''

''जरूर चोर के जूतों से बने हैं।''—सब-इन्स्पेक्टर तत्पर स्वर में बोला—''इन्हीं की वजह से लगता है कि वारदात के बाद चोर यहां से इस खिड़की के रास्ते फरार हुआ था।''

''कैसे? चौखट पर चढ़ा और नीचे छलांग लगा दी?''

सब-इन्स्पेक्टर ने उस बात पर विचार किया।

''काफी हाइट है।''—फिर बड़बड़ाया—''टांग-वांग तोड़ बैठने वाला काम होता ये तो! मेरे खयाल से प्रोजेक्शन पर से लटक कर नीचे कूदा।''

''फिर तो ये हाथों की उंगलियों से बने निशान भी हो सकते हैं!''

''हो तो सकते हैं, सर, लेकिन किसी काम के फिर भी नहीं। साफ पुंछ गये

जान पड़ते हैं, बस खरोंचे ही बाकी बची हैं।''

''बहरहाल तुम्हें इनकी पहले से खबर है!''

''जी हां।''—सब-इन्स्पेक्टर के स्वर में गर्व का पुट आया—''मैंने कल ही इन्हें देख लिया था। इन खरोंचों को बाकायदा बाजरिया कैमरा फोटोग्राफ्स भी रिकार्ड कर लिया गया है।''

''तुम इतना यकीनी तौर से कैसे कह सकते हो कि ये खरोंचे चोर के बनाये बनी थीं और वो इधर से फरार हुआ था?''

''खिड़की के ऐन नीचे फूलों की क्यारियां हैं, सर—जरा खिड़की से बाहर सिर निकाल कर नीचे देखेंगे तो दिखाई दे जायेंगी—चोर जब इस खिड़की से नीचे कूदा था तो उसका एक पांव एक क्यारी में पड़ा था, जिसकी मिट्टी नर्म थी और इसीलिये उसके जूते के सोल की छाप सांचे की तरह मिट्टी में छप गयी थी। लैब टैक्नीशियन ने कल पांव के उस निशान की प्लास्टिक आफ पेरिस के घोल के जरिये ऐन परफेक्ट साफ सुथरी छाप भी उठा ली थी जो कि वक्त आने पर चोर की—फरार कातिल की—शिनाख्त के खूब काम आयेगी।''

''ब्रीलियन्ट!''—सावन्त प्रशंसात्मक स्वर में बोला।

सब-इन्स्पेक्टर फूलकर कुप्पा हो गया।

''जब एसीपी साहब ने कहा था कि एक वीआईपी के कत्ल की इनवैस्टिगेशन के खयाल से तुम्हारे हाथ पांव फूले हुए थे तो जरूर ये बात उन्होंने बढ़ा चढ़ा के कही थी।''

''हाथ पांव तो सच में ही फूले हुए हैं, सर। मेरा मतलब है अब...अब फूले हुए हैं।''

''क्योंकि ऐसा केस पहले कभी हैंडल नहीं किया, इसलिये; न कि इसलिये कि हैंडल कर नहीं सकते। नो?''

''यस... सर।''

जैसे कि राय मिली थी, सावन्त ने चौखट से बाहर गर्दन निकाल कर खिड़की से बाहर झांका। उसने पाया उधर ग्राउन्ड फ्रंट के लैवल से कदरन ऊंची थी इसलिये नीचे की फूलों की क्यारियां खिड़की की चौखट से मुश्किल से आठ फुट परे थीं। क्यारियां गुलाब की थीं और कुछ गुलाब कुचले गये साफ दिखाई पड़ रहे थे।

उसने सिर वापिस खींचा और सब-इन्स्पेक्टर की तरफ घूमा।

''कहीं और ऐसे प्रिंट्स मिले''—उसने पूछा—''जो हमारे काम के हों, जो इनवैस्टिगेशन में मददगार साबित हो सकते हों?''

''नहीं मिले, सर। अब तो मुझे ये भी सूझ रहा है कि शायद चोर दस्ताने पहने हो!''

''फिर तो जीटाप्लैक्स की शीशी पर भी उसके फिंगरप्रिंट्स होने की उम्मीद करना नाजायज है।''

''फिंगरप्रिंट्स हैं तो सही शीशी पर!''

''पर खुद ही तो बोला कि स्पष्ट नहीं हैं!''

''एक्सपर्ट ने बोला। कैजुअल इन्स्पेक्शन के बाद बोला। बारीक मुआयना तो वो अभी लैब में करेगा न!''

''पुजारा, फिंगरप्रिंट्स की कोई शिनाख्त मुमकिन हुई भी तो देख लेना वो कातिल के नहीं, मकतूल के निकलेंगे। तकदीर ने साथ न देना हो तो पुलिस की इनवैस्टिगेशन के साथ ऐसा ही होता है।''

''बराबर बोला, सर।''

''मुझे यहां स्थायी रूप से रहने वाले मकतूल के एक पेड—सैलरीड—कम्पैनियन की खबर लगी है जिसका नाम शिवराज अटवाल बताया जाता है। एक हाउसकीपर की भी खबर लगी है। इसके अलावा यहां स्टाफ की क्या पोजीशन है, वो बताओ।''

''पता लगा है, सर, कि हाउसकीपर शिवालिका अत्रे के अलावा परमानेंट स्टाफ यहां कोई नहीं है अलबत्ता कैजुअल हायर्ड हैल्प की आवाजाही यहां काफी है। ऐसे लोग बाग यहां आते हैं, उनसे अपेक्षित अपना काम करते हैं और घर चले जाते हैं, टिकता कोई नहीं। ऐसे लोगों में एक औरत है जो झाड़ा-पोछा करने और कपड़े धोने आती है। एक मिसरानी है जो खाना पकाने आती है। एक माली है, एक जनरल हैण्डीमैन था लेकिन वो हाल ही में डिसमिस कर दिया गया था। जरूरत पड़े तो ऐसी एकस्ट्रा हायर्ड हैल्प बुला लेने में भी इधर कोई परेशानी नहीं क्योंकि इधर इलाके में मकतूल का बहुत आदर मान था और लोग बाग उसके काम आना फख्र समझने थे। ऐसे लोगों के मामले में मकतूल की दरियादिली भी—जो कि खानदानी लोगों में होती ही है—इलाके में बहुत मशहूर थी। कोई जरूरतमन्द हो, उन्हें भा जाये तो खामखाह भी मुलाजमत में रख लेते थे, भले ही उसके लिए इधर कोई काम न हो।''

''ऐसे सब लोगों के बयान होने चाहियें।''

''होंगे, सर। लेकिन ये वक्तखाऊ काम है क्योंकि पहले उनकी बाबत जानना पड़ेगा, फिर उन्हें लोकेट करना पड़ेगा।''

''वैसे कोई तो बयान तुमने दर्ज किये होंगे!''

''जी हां, किये हैं।''

''उन सबकी फोटोकापीज की मुझे जरूरत होगी।''

''चौकी चल के बनवा देंगे, सर।''

''गुड। मै कम्पैनियन शिवराज अटवाल से मिलना चाहता हूं। कहां मिलेगा?''

''नीचे कहीं होगा। आइये, देखते हैं।''

शिवराज अटवाल एक सुन्दर सजीला व्यक्ति निकला जो कि छप्पन साल का बताया जाता था। लेकिन सूरत, रखरखाव से इतना उम्रदराज शख़्स बिल्कुल नहीं जान पड़ता था। नीचे वो उन्हें किचन में चाय बनाता मिला, सब-इन्स्पेक्टर ने उसे सावन्त का परिचय दिया तो उसने उसे भी चाय आफर की, जवाब इनकार में मिला तो उसने भी अपना वो प्रोग्राम मुल्तवी कर दिया।

सब विशाल, सुसज्जित ड्राईंगरूम में पहुंचे।

सावन्त ने नोट किया कि वहां ड्राईंगरूम्स में अपेक्षित फर्नीचर के अलावा एक दीवार के साथ लगी, शीशों की रौनक वाली एक विशाल लिकर कैबिनेट भी थी।

''लगता है''—अटवाल बोला—''आप कुछ पूछना चाहते हैं!''

सावन्त को उसका उसे यूं ज़ुबान देना अच्छा न लगा, वो शुष्क स्वर में बोला—''किससे?''

अटवाल हड़बड़ाया।

''भई, मेरे से, और किससे?''—वो बोला—''और कौन है यहां? और तो बस आप पुलिस वाले ही हैं!''

''काफी सयाने हैं!''

''पूछिये, क्या पूछना चाहते हैं?''

''बढ़ बढ़ के बोलने की आपको आदत है या अभी ऐसे बोल रहे हैं?''

वो फिर हड़बड़ाया, उसने बेचैनी से पहलू बदला और फिर निगाह चुराने लगा।

''सुना है आप आखिरी शख़्स थे जिन्होंने हत्प्राण अभयसिंह राजपुरिया को जिन्दा देखा था?''

''जी हां, ऐसा संयोग हुआ तो था!''

''कैसे?''

''वो क्या है कि बुधवार मेरा वीकली आफ होता है। कल सुबह दस बजे यहां से निकलने से पहले मैं राजपुरिया साहब के रूबरू हुआ था—उनको ये बोलने के लिए कि मैं जा रहा था—वो तब उधर राइटिंग डैस्क पर बैठे अपनी कोई लिखत पढ़त कर रहे थे। उन्होंने मेरी तरफ निगाह उठाये बिना सहमति में सिर हिला दिया था।''

''उस वक्त राजपुरिया साहब घर में अकेले थे?''

''जी हां।''

''वजह? क्या ये आम बात थी?''

''एक तरह से थी भी पर नहीं भी थी। वो क्या है कि हाउसकीपर शिवालिका अत्रे पिछली रात ही कल्याण चली गयी थी क्योंकि वहां रहती उसकी मां की खबर आयी थी कि वो सीढ़ियों से गिर गयी थी। मिसरानी की सुबह ही खबर आ गयी थी कि उसे बुखार चढ़ गया था। झाड़ा पोछा वाली औरत और माली का बुधवार मेरी तरह वीकली ऑफ होता था।''

''मिसरानी न आये तो खाने का कैसे चलता था?''

''कोई खास प्राब्लम नहीं होती थी। मैं बना लेता था, बाजार से मंगा लेते थे या कैजुअल कुक का इन्तजाम करते थे।''

''हो जाता था?''

''आराम से।''

''कल आप यहां नहीं थे, मिसरानी नहीं थी, पीछे इस बाबत राजपुरिया साहब क्या करते?''

''क्या पता क्या करते! जब वो नौबत ही न आयी, वो घड़ी ही न आई तो... तो ...''

उसने असहाय भाव से कन्धे उचकाये।

सावन्त उसके फिर बोलने की प्रतीक्षा करता रहा।

''वैसे''—अटवाल बोला—''अपनी उम्र के लिहाज से कोई लम्बा चौड़ा लंच डिनर तो वो करते नहीं थे। जरूरत के वक्त कोई सैंडविच, कोई ऑमलेट, कोई सूप वो खुद भी बना लेते थे।''

''यानी कि इस फ्रंट पर उनको कोई हैल्प उपलब्ध न होना, उनका यहां अकेला होना कोई प्राब्लम नहीं था!''

''नहीं, कोई प्राब्लम नहीं था। फिर मैं तो होता ही था!''

''आपने बोला न, आप बुधवार नहीं होते थे, वो आपका वीकली ऑफ होता था!''

''उसकी मैंने कोई कसम तो नहीं खाई हुई थी! मैं अपना ऑफ मुल्तवी कर देता था या कैंसल ही कर देता था। या ऑफ होने के बावजूद कहीं आता जाता नहीं था।''

''आई सी।''

''मैंने कल भी आफर किया था कि मेरा फोर्ट जाना कोई खास जरूरी नहीं था, मैं रुक सकता था लेकिन उन्हीं की जिद थी कि मैं अपना पूर्वनिर्धारित प्रोग्राम

खराब न करूं!''

''जो कि फोर्ट जाना था?''

''और भी आसपास दो तीन जगह जाना था। अपने एक कजन से मिलना था, एक दोस्त से मिलना था, वैसी तफरीह मारनी थी जो कि छुट्टी के दिन मारी जाती है। एक छोटा सा काम मुझे एल.आई.सी. के दफ्तर में था। लेकिन राजपुरिया साहब बोलते तो मैं खुशी से अपना प्रोग्राम कैंसल कर देता।''

''उन्होंने ऐसा न बोला?''

''न तो बोला ही, बाकायदा जिद की कि मैं जरूर जाऊं।''

''दस बजे आप यहां से रुखसत हुए?''

''जी हां।''

''कैसे?''

''मेरे पास एक मारुति-800 है, इक्कीस साल पुरानी है, लेकिन बहुत वफादार है, कभी धोखा नहीं दिया।''

''ऐसा पहली बार हुआ था कि यहां लॉज में राजपुरिया साहब एक लम्बे अरसे के लिए अकेले थे?''

''मुझे ध्यान नहीं।''

''ध्यान कीजिये।''

''मैं यहां का पुराना बाशिन्दा नहीं हूं, सिर्फ एक साल से यहां हूं। मेरे खयाल से मेरी मुलाजमत के दौरान पहले भी तीन चार बार कल जैसी नौबत आयी थी।''

''फिर ये क्यों कहा कि ध्यान नहीं?''

''सॉरी!''

''ये पुलिस इंक्वायरी है, कोई हंसी खेल जैसा क्विज प्रोग्राम नहीं। जो पूछा जाये, उसका सोच समझ के जवाब दीजिये।''

''सर, आई एम सॉरी आलरेडी।''

''बहरहाल मकतूल का यहां अकेला होना कोई गैरमामूली वाकया नहीं था?''

''नहीं था।''

''आई सी। अब जरा बतौर कम्पैनियन अपने रोल पर रौशनी डालिये। क्या रोल था आपका यहां? क्यों जरूरत थी मकतूल को आपकी? राजपुरिया साहब उम्रदराज शख्स थे, इस वजह से क्या बीमार रहते थे अक्सर?''

''जी नहीं, बिल्कुल भी नहीं। तन्दुरुस्ती के लिहाज से वो पूरी तरह से चौकस, चाक चौबन्द थे। मेरी मुलाजमत में मैंने उन्हें एक बार भी इनडिस्पोज्ड नहीं देखा था, बैडरिडन नहीं देखा था।''

''तो फिर आपका — कम्पैनियन का — क्या रोल था उनकी जिन्दगी में ?''

''वही रोल था, जनाब, जो कम्पैनियन लफ्ज से ही उजागर है। साथी की, साथ की जरूरत महसूस करते थे। उनकी जो भी इच्छा अभिलाषा होती थी, मुझे बताते थे, मैं पूरी करता था। उनके साथ शतरंज खेलता था, ताश खेलता था, बैडमिंटन खेलता था, वाक पर जाता था, उनको उनकी पसन्द का नावल पढ़ कर सुनाता था, उनके साथ वीडियो पर फिल्में देखता था, और कुछ नहीं तो गप्पबाजी ही करता था। यहां उनकी मिल्कियत एक पजेरो कार है, जिसको चलाने के लिए चुटकियों में कैजुअल ड्राइवर उपलब्ध हो जाता है लेकिन फिर भी कई बार उनकी जिद होती थी कि कार मैं ड्राइव करूं।''

''लिहाजा बतौर कम्पैनियन काफी काम होते थे आपके करने के लिए !''

''हमेशा नहीं होते थे लेकिन होते ही थे।''

''आपसे व्यवहार कैसा करते थे ? स्टाफ जैसा !''

''बिल्कुल नहीं। दोस्त जैसा। बहुत इज्जत से पेश आते थे।''

''ये कदरन तनहा जगह है, कभी यहां कोई खतरा महसूस नहीं करते थे ?''

''नहीं, खतरे वाली इधर कोई बात नहीं थी। इधर उनकी इतनी इज्जत थी कि आम लोग बाग उनसे निगाह मिला कर बात नहीं करते थे, वो रास्ते से गुजरते थे तो रास्ता छोड़ देते थे। खतरा किस से होता ! फिर शायद उनके जेहन में कम्पैनियन का कोई रोल इस बाबत भी हो !''

''बाडीगार्ड सरीखा ?''

''हां।''

''मुमकिन है। बॉडीगार्ड नहीं तो ये तो सोचते ही होंगे कि एक से दो भले !''

''जी हां।''

''यहां कभी कोई चोरी चकारी की वारदात हुई ?''

''नहीं, कभी नहीं।''

''कभी नौबत आयी ऐसी ?''

''नौबत क्या मतलब ?''

''चोरी के इरादे से किसी ने घात तो लगायी हो लेकिन कामयाब न हो सका हो !''

''अच्छा वो ! नहीं, नौबत भी कभी नहीं आयी।''

''कल तो आयी !'' — सब-इन्स्पेक्टर गोपाल पुजारा बोला।

''जी !''

''हमारी शुरुआती तफ्तीश ये कहती है कि कल जो हुआ, वो किसी चोर का काम था।''

''जिसने दिनदहाड़े यहां घुसने की जुर्रत की !''

''जाहिर है।''

''चोर जरूरी नहीं कि कोई अजनबी हो''—वार्तालाप का सूत्र फिर अपने हाथ में लेता सावंत बोला—''वो कोई ऐसा शख्स भी हो सकता है जो इस हाउसहोल्ड से, यहां के निजाम से वाकिफ हो, जिसे कि मालूम हो—जो न मालूम हो, वो मालूम कर सकता हो—कि कल यहां मकतूल के अलावा कोई नहीं होने वाला था !''

अटवाल एकाएक बेहद खामोश हो गया!

''लगता है''—उसे घूरता सावन्त बोला—''कुछ सूझा, कुछ याद आया !''

अटवाल ने हिचकिचाते हुए सहमति में सिर हिलाया।

''कौन ?''

''कमलेश।''

''कमलेश! औरत या आदमी ?''

''आदमी। कमलेश दीक्षित।''

''वो कौन हुआ ?''

''नौजवान लड़का था। पढ़ा लिखा था, स्मार्ट था, जहीन था लेकिन कोई नौकरी नहीं देता था।''

''क्यों ?''

''जेलबर्ड था।''

''ओह ! क्या किया था ?''

''ये तो मुझे मालूम नहीं !''

''तो ये कैसे मालूम है कि जेलबर्ड था ?''

''उसने खुद इस बात का जिक्र किया था। वो खुद बोला था कि इस वजह से उसे कोई नौकरी पर नहीं रखता था।''

''वो यहां मुलाजिम था ?''

''हां। राजपुरिया साहब ने—जैसा कि उनका मिजाज था—उसपर तरस खाकर बतौर जनरल हैण्डीमैन उसे यहां मुलाजमत में रख लिया था। दो महीने यहां टिका फिर अभी दस दिन पहले राजपुरिया साहब ने खड़े पैर उसे नौकरी से निकाल दिया।''

''वजह ?''

''डिसिप्लिन के बड़े कायल थे। हुक्मउदूली को सख्त नापसन्द करते थे। पहले दिन से लड़के को हिदायत थी कि बिना बुलाये उसने लॉज में कदम नहीं रखना

था। फिर भी राजपुरिया साहब ने उसे न सिर्फ यहां भीतर बल्कि ऊपर पहली मंजिल पर विचरता पाया। खड़े पैर डिसमिस कर दिया।''

''ओह! अब क्या करता है?''

''क्या पता क्या करता है! तब से आज तक इलाके में फिर दिखाई नहीं दिया।''

''यहां क्या करता था?''

''जनरल हैण्डीमैन था, जो कुछ भी बोला जाये, करता था। मसलन पजेरो को चमका के रखता था, बिजली चली जाये तो जनरेटर चालू करने की ड्यूटी उसकी थी। परचेजिंग के लिए मार्केट जाता था। कोई बिजली टेलीफोन का बिल जमा कराना हो तो करा आता था। कुछ हाउसकीपिंग के काम भी वो करता था—जैसे कि राजपुरिया साहब के कपड़े प्रैस करता था, जूतों को पालिश मारता था वगैरह।''

''काम ठीक करता था?''

''हां। किसी को भी इस मद में उससे कभी कोई शिकायत नहीं हुई थी।''

''जब लॉज में उसकी एन्ट्री पर पाबन्दी थी तो रहता कहां था?''

''बायें बाजू परे बाड़ के करीब आपने एक बैरेक सी देखी होगी जो कि राजपुरिया साहब के पुरखों के जमाने में घुड़साल होती थी। उसी का एक हिस्सा अब गैराज है और उसके ऊपर कमरे हैं, जिसमें से एक रिहायश के लिए कमलेश के हवाले था।

''अब कहां है वो?''

''पता नहीं।''

''मेरा मतलब है रहता कहां है? नौकरी के लिए यहां शिफ्ट करने से पहले भी तो उसका कोई घर बार, कोई पता ठिकाना होगा!''

''मेरे को उसकी खबर नहीं। इस बाबत में सिर्फ इतना ही कह सकता हूं कि वो इस इलाके का या आसपास का रहने वाला नहीं था।''

''ऐसे राह चलते आदमी को, जेलबर्ड को, मकतूल ने नौकरी पर रख लिया!''

''ये कोई हैरानी की बात नहीं। उनका दयावान किरदार चौतरफा मशहूर है।''

''हमें उसकी खबर लगनी चाहिए।''—सावन्त ने सब-इन्स्पेक्टर की तरफ देखा—''हमने उसको बतौर सस्पैक्ट ट्रीट करना है, उसकी बरामदी और बयान जरूरी है।''

''सर, मैं पता निकालूंगा उसका।''—पुजारा दृढ़ता से बोला।

''वो जेलबर्ड था। उसे खड़े पैर नौकरी से निकाला गया, इस बात की रंजिश वो अपने मन में पाले हो सकता था। दो महीने वो यहां रहा, इतना अरसा यहां के निजाम को जानने समझने के लिए कोई कम नहीं। वही चोरी के इरादे लौटा हो सकता है। उसे एडवांस में मालूम था कि कल मालिक के अलावा यहां किसी ने नहीं होना था। ये भी मालूम था कि सुबह दस बजे कॉफी के मामले में मालिक का ऊपर क्या शिड्यूल होता था। इतनी जानकारी से लैस कल सुबह को यहां लौटा और चोरी के इरादे मास्टर बैडरूम को निशाना बना कर ऊपर पहुंचा। ऊपर उसने मालिक को कॉफी की तैयारी करके बाथरूम में जाते देखा। दो महीने वो यहां था, इतने अरसे में उसे जीटाप्लैक्स की और मालिक की उसकी दैनिक खुराक की जानकारी हो जाना लाजमी था। लिहाजा जब मालिक बाथरूम में चला गया तो उसको निष्क्रिय करने की गरज से उसने कॉफी में जीटाप्लैक्स की खुराक बढ़ा दी, जाने अनजाने जरूरत से ज्यादा बढ़ा दी। मालिक कॉफी पी कर बेसुध रिक्लाइनर पर ढेर हो गया तो उसकी बन आयी। लेकिन इससे पहले कि वो अपने चोरी के इरादे को अंजाम दे पाता, कोई अप्रत्याशित विघ्न आ गया, व्यवधान आ गया और उसे खड़े पैर वहां से भाग खड़ा होना पड़ा। पीछे मालिक के साथ एक गम्भीर बद्सलूकी करके बैडरूम की खिड़की के रास्ते वो वहां से फरार हो गया। पुजारा, दैट फैलो इज प्राइम सस्पैक्ट इन दिस केस।''

''डोंट यू वरी, सर, वुई विल फाइन्ड हिम।''

''अगर वो वाकई जेलबर्ड था तो जेल के रिकार्ड में उसका नाम पता वगैरह सब दर्ज होगा!''

''हम वो रिकार्ड लोकेट कर लेंगे।''

''गुड!''

''वैसे—गुस्ताखी माफ, सर—जरूरी तो नहीं कि वो अकेला ही शख्स हो जो कि यहां के निजाम से वाकिफ था! ऐसा शख्स कोई और भी तो हो सकता है!''

''जो चोरी के इरादे से यहां आया हो?''

''जो किसी भी वजह से यहां आया हो लेकिन यहां पहुंचने के बाद खड़े पैर जिसका चोरी का इरादा बन गया हो!''

''अजीब बात कह रहे हो!''

''सर, छोटा मुंह बड़ी बात है लेकिन मुमकिन तो है!''

''ऐसा शख्स कौन होगा!''

''तफ्तीश का मुद्दा है।''

''जो कोई बाहर से आकर करेगा!''

''नो, सर। नैवर सर। हमारा काम है, हमीं करेंगे।''

''मिस्टर अटवाल!''

''यस, सर।''—अटवाल हड़बड़ा कर सिर उठाता बोला।

''ऐसा कोई शख्स आपकी निगाह में है जिसका कि अभी जिक्र आया?''

वो सोचने लगा।

''जिसकी कि आपकी गैरहाजिरी में यहां आमद हुई हो सकती हो!''

''है तो सही ऐसा एक शख्स मेरी निगाह में।''

''गुड! कौन है वो? नाम लीजिये उसका।''

''दिलीप नटके।''

दोनों पुलिस अफसरान की निगाहें मिलीं।

''वो इसी इलाके का एक शख्स है''—अटवाल आगे बढ़ा—''जो कि राजपुरिया साहब की जिन्दगी में उनका काफी मुंहलगा था।''

''आप उसी दिलीप नटके की बात कर रहे है न जो कि इधर कम्प्यूटर असैसरीज का के मार्ट नाम का शोरूम चलाता बताया जाता है?''

''जी हां। के मार्ट तो चलाता ही है, और भी कई छोटे मोटे काम करता है। राजपुरिया साहब का तो यूं समझिये कि पीर-बावर्ची-भिश्ती-खर था। उनका कोई भी काम करने को हर घड़ी तैयार रहता था। खुद न कर सकता हो तो अपनी जिम्मेदारी पर करवा के देता था। जनरेटर आवाज कर रहा है, काला धुंआ छोड़ रहा है, नटके को बुलाओ। कार का एसी बराबर काम नहीं कर रहा, नटके को बोलो। घास काटने वाली मशीन बिगड़ गयी है, नटके को तलब करो। दो ट्यूबें नहीं जल रहीं, नटके को खबर करो। दो नलकों की वाशर बदलनी हैं, काल नटके। यू अन्डरस्टैण्ड माई प्वायन्ट, सर?''

''आई थिंक आई डू।''

''यहां की कैजुअल ड्राइवर की जरूरत पूरी करना भी उसकी जिम्मेदारी था। कभी इन्तजाम न कर पाये तो खुद आता था।''

''ड्राइवरी करने के लिए?''

''बिल्कुल!''

''लगता है आप ज्यादा उसके हक में नहीं थे?''

''ऐसी कोई बात नहीं थी।''

''नहीं होगी लेकिन मुझे उसकी बाबत आपके अन्दाजेबयां से ऐसा लगा था।''

''गलत लगा था।''

''तो आपकी गैरहाजिरी में वो यहां आया था?''

''मैंने ये कब कहा!''

''तो और क्या कहा ?''

''मैंने कहा कि मेरे पीछे वो यहां आया हो सकता था... इस बुनियाद पर कहा कि उसका आना जाना यहां लगा ही रहता था।''

''यानी कि यकीनी तौर पर आपको मालूम नहीं कि ये शख्स—दिलीप नटके—कल यहां आया था ?''

''नहीं। कैसे होगा ?''

तभी एक नये शख्स के वहां कदम पड़े।

वो जींस और कॉलर वाली कार्डुराय की पूरी बांह की शर्ट पहने था, मोटापे की तरफ अग्रसर था और उम्र में चालीस के पेटे में जान पड़ता था।

वहां की हाजिरी देख कर वो सकपकाया और परे ही थमक कर खड़ा हो गया। फिर उसने सशंक भाव से सावन्त की तरफ—उस एक शख्स की तरफ—देखा जिससे वो नावाकिफ था। उसकी निगाह सावन्त पर से हटी तो सवाल करती सी अटवाल पर पड़ी।

''इन्स्पेक्टर अशोक सावन्त''—अटवाल बोला—''उस थाने से हैं जिसके अंडर यहां की चौकी आती है। चौकी इंचार्ज सब-इन्स्पेक्टर गोपाल पुजारा से तुम वाकिफ ही हो।''

आगन्तुक ने सहमति में सिर हिलाया।

''इन्स्पेक्टर साहब, ये शान्तनु राजपुरिया हैं।''

''मकतूल के भतीजे !''—इन्स्पेक्टर निगाह से उसे परखता बोला।

''हां।''—जवाब खुद शान्तनु ने दिया।

''मुझे आपके अंकल की डैथ का अफसोस है।''

''अफसोस जाने दीजिए, ये बताइये क्या ये बात सच है कि पुलिस इसे कत्ल का केस समझ रही है ?''

''आपको कैसे मालूम पुलिस क्या समझ रही है ?''

''मालूम किसी तरीके से...''

''नाम लीजिये उस तरीके का !''

''इलाके में सुगबुगाहट है कि थाने से आप इसीलिये पधारे हैं क्योंकि पुलिस को खुदकुशी वाली थ्योरी हजम नहीं है।''

''आपको हजम है ?''

उसने तत्काल जवाब न दिया।

सावन्त अपलक उसे देखता रहा।

''अंकल खुदकुशी करने वाली किस्म के शख्स नहीं थे''—आखिर शान्तनु बोला—''कोई वजह ही नहीं थी आत्महत्या की।''

''तो आपकी निगाह में क्या हुआ था ?''

''हादसा ! एक हादसा था वो जो वो जीटाप्लैक्स जैसी खतरनाक दवा का ओवरडोज खा गये।''

''या ओवरडोज उन्हें खिला दिया गया !''

''आप फिर कत्ल की तरफ इशारा कर रहे हैं।''

''ठीक पहचाना है आपने। हमें ये कत्ल का ही केस जान पड़ता है और अब हम इसी लाइन पर तफ्तीश कर रहे हैं।''

''तो कातिल को पकड़ कर दिखाइये।''

''दिखायेंगे। क्यों नहीं दिखायेंगे ! और काम क्या है हमारा !''

''यानी कातिल पकड़ा जायेगा !''

''यकीनन।''

''फौरन !''

''जनाब, मैं पुलिस ऑफिसर हूं, पुलिस का इन्वेस्टिगेटिंग ऑफिसर हूं, कोई जादूगर नहीं हूं जो हैट में से खरगोश की तरह जेब में से कातिल निकाल कर दिखा सकता हो।''

शान्तनु सकपकाया, फिर परे देखने लगा।

''आपके सवाल का यही जवाब बनता है कि जरूर पकड़ा जायेगा। वैसे फिलहाल तो ऐसी कोई वजह सामने नहीं आयी है जो कहती हो कि कातिल नहीं पकड़ा जायेगा। फिर भी न पकड़ा गया तो वजह ये न होगी कि हमने भरपूर कोशिश न की।''

''मुझे पुलिस की कर्मठता और कार्यकुशलता पर पूरा भरोसा है।''

''थैंक्यू ! आपकी जानकारी के लिए एक सस्पैक्ट आलरेडी हमारी निगाह में है।''

''कौन ?''

''कमलेश दीक्षित नाम का यहां का जनरल हैण्डीमैन जो कि दस दिन पहले यहां से डिसमिस किया गया बताया जाता है।''

''वो कमीना ! जिसने निवाला देने वाले हाथ को ही काटा ! मैंने अंकल को चेताया था उसकी बाबत कि वो एक्स जेलबर्ड था, भरोसे के काबिल नहीं था। लेकिन अंकल की अपनी सोच थी, अपना दिमाग था, अपना फैसला था। तो वो लड़का अंकल का कातिल है ?''

''अभी निर्विवाद रूप से ये कहने की हमारे पास कोई बुनियाद नहीं है। अलबत्ता इतना मैं बेहिचक कह सकता हूं कि उसके कातिल होने की पूरी पूरी सम्भावना है।''

''ये भी कोई कम तसल्ली नहीं।''

''बाई दि वे, उसकी बाबत आपने ये क्यों कहा कि उसने निवाला देने वाले हाथ को ही काटा?''

''यही तो किया था नाशुक्रे ने! उसको अंकल की खास हिदायत थी कि बुलाये बिना उसने लॉज में नहीं आना था, फिर भी चोरों की तरह लॉज में घुस आया और ऊपर अंकल के बैडरूम में विचरता पाया गया। किसलिये? चोरी के लिए। उसे मालूम जो पड़ गया था कि अंकल रुपये पैसे की सम्भाल के मामले में लापरवाह थे, बड़ी बड़ी रकमें इधर उधर रख के भूल जाते थे, जैसे कि कहीं किसी तकिये के नीचे, किसी कुशन के नीचे, किसी दराज में, किसी कोट की जेब में, मतलब ये कि कहीं भी। कमीना ऐसी ही किसी रकम की तलाश और बरामदी के इरादे से मास्टर बैडरूम में घुसा। और जरूरी भी नहीं कि ऐसा उसने पहली बार किया हो। पहले भी यूं घुसा होगा लेकिन आखिर पकड़ा तब गया जबकि निकाल बाहर किया गया।''

''चोरी के इरादे से लॉज में घुसा?''

''और क्या वजह होगी भीतर यूं भटकते फिरने की?''

''शायद हो कोई वजह?''

''मुझे नहीं दिखाई देती इसके अलावा कोई और वजह। है तो पता लगाइये।''

''आपके अंकल ने कभी शिकायत की थी कि उनकी कोई रकम गायब थी?''

''नहीं।''

''वजह?''

''शिकायत करना ये बात कबूल करना होता कि उस जेलबर्ड को मुलाजमत में रखना उनका गलत फैसला था।''

''वजह ये मुमकिन नहीं कि कभी कोई रकम गायब हुई ही नहीं थी?''

''नहीं, ये मुमकिन नहीं। बड़ी हद ये हो सकता है कि अपनी भूलने की आदत की वजह से उन्हें खबर ही न लगी हो कि कहीं से उनकी कोई रकम गायब थी।''

''लिहाजा पिछले हफ्ते वो लड़का मास्टर बैडरूम में चोरी के मामले में अपनी किसी हालिया कामयाबी को दोहराने के लिए घुसा था!''

''बिल्कुल! एक बार चार पैसे हाथ लग गये तो जैसे मुंह को लहू लग गया। कम्बख्त बाज न आया अपनी करतूत को दोहराने से।''

''आपको उसका कोई अता पता मालूम है?''

''नहीं।''

''फिर क्या बात बनी?''

''लेकिन कोई अता पता मालूम हो पाने का एक जरिया मालूम है।''

''दैट्स वैरी गुड! क्या है वो जरिया?''

''राज की बात है। उम्मीद करता हूं कि आगे कभी जिक्र उठा तो उस सिलसिले में आप मेरा नाम नहीं लेंगे।''

''इस बाबत आप इत्मीनान रखिये, जैसा आप चाहते हैं, वैसा ही होगा।''

''तो सुनिये। मुझे यकीनी तौर पर मालूम है कि उस लड़के का एक लोकल लड़की से अफेयर था। लड़की का नाम सुरभि शिन्दे है, वो ओमवाडी के ही निवासी बाबूराव शिन्दे—जो दिलीप नटके के शोरूम के मार्ट में सेल्समैन है—की बेटी है। सुरभि नौकरी करती है और इस वजह से सारा दिन घर से बाहर यहां से बहुत दूर सैन्ट्रल मुम्बई में होती है जहां कि परेल में उसका ऑफिस है। लड़के की—कमलेश दीक्षित की—यहां से नौकरी छूटने के बाद और उसके ये इलाका छोड़ जाने के बाद भी, मुझे पूरा यकीन है, उनका अफेयर जारी होगा और सैन्ट्रल मुम्बई में कहीं उनके मेल मिलाप का सिलसिला बरकरार होगा।''

''क्यों यकीन है?''

''क्योंकि उनकी वीकली मीटिंग्स की इधर सबको खबर है। लड़के के वीकली ऑफ के दिन दोनों सारा दिन तफरीहन ईश्वर जाने कहां कहां घूमते थे।''

''आई सी।''

''इस प्रोग्राम को सहूलियत से अंजाम देने के लिए लड़के की यहां खास दरख्वास्त थी कि उसकी हफ्तावारी छुट्टी इतवार को की जाये। लड़की का भी वीकली ऑफ संडे होता है इसलिये जाहिर था कि उस दरख्वास्त के पीछे लड़के की यही मंशा थी कि उनके मेल मिलाप में कोई विघ्न न आये वर्ना अंकल ने तो छुट्टी का दिन बुधवार मुकर्रर किया हुआ था।''

''आपकी बातों से लगता है कि इस अफेयर की इधर हर किसी को खबर थी।''

''ऐसा ही था।''

''मां बाप को भी?''

''जरूर होगी। जब सारे इलाके को खबर थी तो उन्हें नहीं होगी! खास तौर से बाप को! बाबूराव शिन्दे को!''

''अफेयर से उसे एतराज नहीं था?''

''मैं क्या बोलूं! उसी से पूछियेगा।''

''फिर भी?''

''जब सिलसिला जारी रहा था, उसमें कोई विघ्न नहीं आया था तो नहीं ही होगा कोई एतराज!''

''ऐसे रजामन्दगी के रिश्ते के तहत तो हो सकता है कि बाबूराव शिन्दे को भी

लड़के का कोई मौजूदा अता पता मालूम हो !''

''हो सकता है।''

''पुजारा, सुना ?''

''सुना, सर।'' — सब-इन्स्पेक्टर तत्पर स्वर में बोला — ''लड़का कहीं नहीं जाता। पकड़ाई में आ के रहेगा।''

''बाबूराव इस जानकारी से मुकर भी जाये'' — शान्तनु बोला — ''तो लड़की तो नहीं मुकर पायेगी ! मैं नहीं समझता कि सुरभि से कहते बनेगा कि उसे नहीं मालूम था कि लड़का कहां रहता था !''

''ये बहुत अच्छी टिप दी आपने। अब देखियेगा कि शाम तक ही ये कमलेश दीक्षित नाम का जमूरा — एक्स जेलबर्ड और यहां से डिसआनरेबली डिसचार्ज्ड मुलाजिम — हमारी गिरफ्त में होगा।''

''मुझे खुशी होगी। कमीना जब फांसी पर झूलेगा तो और भी खुशी होगी।''

''देखते हैं क्या होता है ! बाई दि वे, आपके अंकल ड्रिंक करते थे ?''

वो सकपकाया, हिचकिचाया।

सावन्त ने एक अर्थपूर्ण निगाह परे विशाल लिकर कैबिनेट की तरफ डाली।

''करते तो थे !'' — शान्तनु कठिन स्वर में बोला।

''हमेशा या कभी कभार ?''

''जी !''

''रेगुलर शगल था, डेली ड्रिंकर थे या कभी कभार घूंट लगा लेते थे ?''

''थे तो रेगुलर ड्रिंकर ही ! शाम को तो गिलास थामे बिना नहीं ही रह पाते थे !''

''आई सी। कोई कम्पनी देने वाला था या अकेले पीते थे ?''

''इस सवाल का बेहतर जवाब तो अटवाल दे सकता है।''

सावन्त ने अटवाल की तरफ देखा।

''अकेले पीते थे।'' — अटवाल बोला।

''कभी आपको साथ न बिठाया ?''

''कभी नहीं।''

''कभी भी ड्रिंक्स शेयर करने को न बोला ? आखिर कम्पैनियन थे आप !''

''इस मामले में नहीं था।''

''पीने की कोई मिकदार मुकर्रर थी या जब चाहें, जितनी चाहें पीते थे ?''

''मिकदार मुकर्रर थी। नपने से नाप कर चार लार्ज पैग पीते थे, न कम न ज्यादा।''

''फिर तो हैवी ड्रिंकर हुए !''

अटवाल खामोश रहा।

सावन्त भी कुछ क्षण मनन की मुद्रा बनाये खामोश रहा, फिर वापिस भतीजे की तरफ आकर्षित हुआ।

''आपको''—उसने पूछा—''अपने दिवंगत अंकल की वसीयत की बाबत कोई जानकारी है?''

शान्तनु ने जवाब न दिया, उसने सशंक भाव से अटवाल की तरफ देखा।

''मैंने चाय बनाना बीच में ही छोड़ दिया था।''—अटवाल हड़बड़ाकर दिखाता बोला—''अभी जा के सबके लिए बनाता हूं।''

वो घूमा और लम्बे डग भरता वहां से रुखसत हो गया।

''आप''—पीछे सावन्त बोला—''अटवाल की मौजूदगी में वसीयत की बाबत कुछ कहना नहीं चाहते थे!''

''ठीक पहचाना आपने।''—शान्तनु तिरस्कारपूर्ण भाव से बोला—''है क्या चीज वो! यहां का स्टाफ ही तो है!''

''फिर भी आपको 'तुम' कहके बुला रहा था!''

''नालायकी है। बद्तमीजी है।''

''लगता है आप उसे कोई खास पसन्द नहीं करते।''

उसने उत्तर न दिया।

''बहरहाल अब तो ये यहां से बाहर होगा!''

''ये भी कोई कहने की बात है! सब-इन्स्पेक्टर साहब की हिदायत है''—उसने पुजारा की तरफ देखा—''जब तक केस की इनकी तफ्तीश खत्म नहीं हो जाती, ये यहां से न जाये...''

पुजारा ने अनुमोदन में सिर हिलाया।

''... वर्ना मैं तो इसे अभी निकाल बाहर करता।''

''अब जबकि हम निश्चित कर चुके हैं''—सावन्त बोला—''कि ये कत्ल का केस है तो अटवाल को, केस से सम्बन्धित हर किसी को उपलब्ध तो रहना पड़ेगा!''

शान्तनु का सिर सहमति में हिला।

''अब जरा वसीयत पर आइये। वसीयत है?''

''जी हां। ऐन चौकस, रजिस्टर्ड विल है।''

''कैसे मालूम? कभी अंकल ने बताया?''

''नहीं, उनके वकील ने बताया। आज खास इसी सिलसिले में मेरे से मिलने आया तो बताया।''

''वसीयत दिखाई?''

''फोटोकापी दिखाई।''

''आपने पढ़ी?''

''जी हां।''

''क्या लिखा था?''

वो हिचकिचाया।

''ये कोई छुपाने लायक बात नहीं। विल को प्रोबेट के लिए कोर्ट में पेश किया जाना होता है। तब कैसे छुपेगा क्या लिखा था! ऐसे मामलों में पुलिस के अपने बहुत अख्तियारात होते हैं। हमारा हुक्म होने पर वसीयत हमें दिखाने, उसके प्रावधान हमें दिखाने, वो वकील सिर के बल हमारे पास आयेगा। कुछ समझ में आया, जनाब?''

उसने सहमति में सिर हिलाया।

''तो बताइये वसीयत के बारे में। उसके मुताबिक कौन है वारिस?''

''वसीयत के मुताबिक चीफ बैनीफिशियेरी तो''—उसके स्वर में संकोच का पुट आया—''मैं ही हूं।''

''विरसे का साइज क्या है?''

''वकील का बीस बाइस करोड़ का अन्दाजा है। ये एस्टेट मिला के कोई दस बारह करोड़ की अचल सम्पत्ति और बाकी शेयर्स, डिबेंचर्स, फिक्स्ड डिपाजिट्स और सेविंग अकाउन्ट की सूरत में नकद।''

''आई सी। आपने खुद को चीफ बेनीफिशियेरी बताया, सोल बैनीफिशियरी नहीं, लिहाजा कुछ और लोगों को भी मकतूल की नियामतों से नवाजे जाने के प्रावधान हैं?''

''हां।''

''क्या?''

''स्टाफ को दो दो लाख रुपया। हाउसकीपर को पांच लाख रुपया। दिलीप नटके को पजेरो।''

''क्या!''

''अंकल का लिखत में हुक्म है कि उनकी मौत के बाद पजेरो का मालिक दिलीप नटके को माना जाये।''

''तीस लाख की कार का मालिक उस के मार्ट चलाने वाले को बना गये!''

''सैकंडहैंड है। फिर भी बीस-बाइस से कम नहीं।''

''बीस लाख भी कोई छोटी रकम नहीं होती। जो छोटे मोटे काम वो शख्स मकतूल के करता था, उस लिहाज से तो ये बहुत बड़ी फीस हुई!''

''अंकल अपनी मर्जी के मालिक थे, उन्होंने जो चाहा, जो मुनासिब समझा,

वो किया।''

''आपने कम्पैनियन शिवराज अटवाल को स्टाफ में गिना, यानी कि दो लाख का हकदार वो भी होगा?''

''नहीं।''

''नहीं?''

''नहीं। उसका वसीयत में जिक्र नहीं है। स्टाफ के हर शख्स का बाई नेम जिक्र है। उसका जिक्र नहीं है।''

''वजह?''

''सिवाय इसके और क्या होगी कि उसकी यहां मुलाजमत हालिया थी—सिर्फ एक साल हुआ था उसे यहां बतौर पेड कम्पैनियन, जबकि बाकी लोग कई कई सालों से अंकल की खिदमत में थे—अंकल ने अटवाल जैसे हालिया मुलाजिम को बाजरिया वसीयत किसी इनाम इकराम से नवाजना जरूरी न समझा।''

''ठीक।''

''अंकल ने बैनीफिशियेरीज से या पासिबल बैनीफिशियेरीज से मशवरा कर के तो विल नहीं बनायी थी न!''

''फिर तो आपको भी क्या पता होगा कि आपके अंकल की वसीयत में आपके लिए क्या प्रावधान थे!''

''पता तो नहीं था लेकिन मैं उनका इकलौता जीवित—जीवित और करीबी, सगा भतीजा— रिश्तेदार था, इस लिहाज से मेरा ये सोचना गैरवाजिब तो न होता कि अपना वारिस वो मुझे ही करार देते!''

''सही फरमाया आपने। लेकिन ऐसा क्यों था? शादी क्यों न की?''

''की थी। शादी के वक्त शादी की थी लेकिन बद्किस्मती कि बीवी फर्स्ट चाइल्ड बर्थ में चल बसी थी।''

''ओह!''

''जच्चा बच्चा दोनों खत्म। उस ट्रेजेडी के बाद उन्होंने फिर से गृहस्थी बसाने की कोई कोशिश न की। पैंतीस साल से ऊपर हो गये थे विधुर का जीवन जीते।''

''तभी आखिर कम्पैनियन की जरूरत महसूस की!''

''उन्होंने न की। मैंने की। मेरे कहने पर उन्होंने इस बाबत हामी भरी।''

''बहरहाल अब आप एक रईस और मालदार आदमी हैं।''

''नहीं।''

''क्या फरमाया?''

''अंकल की तमाम चल और अचल सम्पत्ति एक ट्रस्ट के हवाले है, चीफ बैनीफिशियरी होते हुए भी मैं न अचल सम्पत्ति को फरोख्त कर सकता हूं और न चल

सम्पत्ति को—कैपीटल अमाउन्ट को—हाथ लगा सकता हूं। मैं सिर्फ इनवैस्टमेंट से, चल सम्पत्ति से, हासिल होने वाले सालाना ब्याज का हकदार बनाया गया हूं।''

''कमाल है!''

शान्तनु खामोश रहा।

''लेकिन करोड़ों की कैपीटल का ब्याज भी तो लाखों में होगा!''

''वो तो है।''

''लिहाजा अंकल के छोड़े माल पानी का सुख तो आप पायेंगे ही!''

''किसी हद तक।''

''काफी हद तक।''

''आल राइट, काफी हद तक।''

''वसीयत में ट्रस्ट भंग होने के बारे में कोई प्रावधान नहीं?''

वो फिर हिचकिचाया।

''ओ, कम आन।''

''अगर मेरे घर कोई औलाद हो जाये तो उसके होने के एक साल बाद ट्रस्ट को भंग माना जायेगा और तमाम चल और अचल सम्पत्ति मेरी गार्जियनशिप में मेरी औलाद के हवाले होगी।''

''आपके कोई औलाद नहीं है?''

''नहीं है बद्‌किस्मती से।''

''शादी हुए कितना अरसा हो गया?''

''ग्यारह साल।''

''ओह! तो देखा जाये तो वसीयत के जरिये आपके अंकल ने आपसे अपनी नाराजगी जताई कि आप उन्हें ग्रैंडफादर न बना सके!''

''शायद।''

''आजकल तो फर्टिलिटी क्लीनिक्स भी हैं जो...''

''हमारे काम न आ सके।''

''प्रारब्ध का खेल है।''

''भले ही यही बात है लेकिन अगर वो कंसीव नहीं कर पा रही तो इसमें मेरी बीवी का तो कोई कसूर नहीं न!''

''उसका काहे को होगा... अगर वो बांझ नहीं है तो...''

''नहीं है। कई बार चैक कराया।''

''फिर उसका क्या दोष!''

''वही तो! लेकिन अंकल को उससे कोई हमदर्दी होने की जगह सख्त शिकायत थी। शिकायत क्या थी, इस वजह से बाकायदा उसे नापसन्द करते थे।''

''दैट्स टू बैड!''

शान्तनु खामोश रहा।

''अब आप एक जुदा सबजेक्ट पर आइये।''

उसने प्रश्नसूचक निगाह से इन्स्पेक्टर की तरफ देखा।

''लाश आपने बरामद की थी। कल शाम को पांच बजे जब आप यहां आये थे तो आपने अंकल को ऊपर बैडरूम में मरा पड़ा पाया था!''

''जी हां।''

''आमद की वजह क्या थी?''

''मैं पहले बयान कर चुका हूं।''

''फिर कीजिये।''

''कल सुबह साढ़े नौ बजे के करीब अंकल ने मुझे फोन किया था और शाम पांच बजे मुझे यहां आने का हुक्म दिया था क्योंकि वो मेरे से कोई इम्पार्टेंट बात डिसकस करना चाहते थे।''

''सुबह फोन किया पर शाम को आने को बोला?''

''मुझे भी अजीब लगा था इसलिये मैंने आफर किया था कि मैं जल्दी आ जाता था, बल्कि फौरन आ जाता था। उन्होंने मेरी पेशकश मंजूर नहीं की थी क्योंकि बकौल उनके वो नहीं चाहते थे कि मेरे काम का हर्जा होता। इसलिये शाम को आना ही ठीक था जबकि मैं अपने काम से निपट चुका होता।''

''काम! सुना है आप स्टाक ब्रोकर हैं! उससे सम्बन्धित काम?''

''जी हां।''

''दिन में काफी मसरूफ रहते हैं?''

''नहीं, लेकिन ये बात मैं अंकल को नहीं कहना चाहता था।''

''वजह!''

''मुझे निकम्मा करार देते। मेरे बाप न बन पाने की वजह से पहले ही खफा रहते थे, और खफा हो जाते।''

''अपने काम धन्धे के सिलसिले में आप कहीं ऑफिस मेनटेन करते हैं?''

''हां।''

''कहां?''

''घर में ही।''

''ओह! घर में ही। बहरहाल आपको शाम को यहां हाजिरी भरने का हुक्म हुआ!''

''हां।''

''क्योंकि आपके अंकल आपसे कोई इम्पार्टेंट बात डिसकस करना चाहते थे!''

''हां।''

''क्या इम्पोर्टेंट बात! इस बाबत कोई हिंट न दिया!''

''न, कोई हिन्ट न दिया।''

''आपने भी न पूछा?''

''मेरी मजाल न हुई।''

''लेकिन सोचा तो होगा कि आखिर क्या बात हो सकती थी!''

''हां, बहुत सोचा।''

''क्या सोचा?''

''यही कि अंकल किसी बात को, किसी मिसहैपनिंग को ले कर बहुत फिक्रमन्द थे। फोन पर बात करते वक्त फिक्र उनकी आवाज से मैंने साफ झलकती पायी थी।''

''हूं। तो पांच बजे आप यहां पहुंचे तो आपने अंकल को ऊपर बैडरूम में मरे पड़े पाया?''

''हां। डैड बॉडी से साफ जान पड़ता था कि उनको मरे बहुत टाइम हो चुका था।''

''फिर आपने क्या किया?''

''वही जो मेरे से अपेक्षित था। पुलिस को फोन किया। आगे जो किया आप लोगों ने किया इसलिये आपको खबर ही होगी कि क्या किया!''

''पुलिस को क्यों फोन किया? जब ये एक स्वाभाविक मौत का वाकया था...''

''उस वक्त मुझे ऐसा नहीं लगा था। उस वक्त तो वो मुझे कोई फौजदारी की वारदात लगी थी। कमरा अस्तव्यस्त था, अंकल औंधे मुंह फर्श पर पड़े थे, तब मैंने यही समझा था कि घर में कोई चोर घुस आया था जिसने वहां वो कांड कर डाला था जो अंकल की जान जाने की वजह बना था।''

''ओह!''

''बाद में जब मैंने खुद पर काबू पा लिया था तो मुझे सूझा था कि शायद अंकल ने जीटाप्लैक्स के ओवरडोज से आत्महत्या कर ली थी। फिर सूझा था कि जरूर ओवरडोज एक हादसा था।''

''ठीक। अभी यहां कैसे आये?''

''आप भूल रहे हैं कि मैं अब इस एस्टेट का, इस लॉज का मालिक हूं, मुझे यहां आने के लिए किसी वजह की जरूरत नहीं।''

''सही फरमाया आपने। मैं वाकई भूल गया था। आप हमें कुछ और बताना चाहते हैं?''

''आप कुछ और पूछना चाहते हैं?''

वार्तालाप वहीं समाप्त हो गया।

पुलिस वाले लॉज से बाहर निकले।

''दिलीप नटके!''—सावन्त विचारपूर्ण स्वर में बोला—''वो मकतूल की वसीयत में बतौर बैनीफिशियेरी दर्ज है और कल सुबह वो यहां आया हो सकता है।''

''हो तो बराबर सकता है!''—सब-इन्स्पेक्टर बोला।

''ऐसा बहुत बार हुआ है कि किसी वारिस से इन्तजार न हुआ और उसने वसीयत को फौरन अमल में लाने के लिए वसीयतकर्ता को खल्लास कर दिया।''

''उसको मकतूल राजपुरिया की वसीयत के प्रावधानों के बारे में कैसे मालूम हो सकता था?''

''मकतूल शराब का रसिया था, डेली ड्रिंकर था, हैवी ड्रिंकर था, ऐसे शख्स का क्या पता लगता है कि नशे में उसने कब क्या मुंह फाड़ा हो!''

''लेकिन, सर, मौकायवारदात के हालात की तर्जुमानी तो हमने ये की है कि वो किसी चोर का काम है!''

''उसको चोर का काम जाहिर करने के लिए कोई बड़ा करतब करने की कहां जरूरत है! मौकायवारदात पर खाली बेतरतीबी ही तो फैलानी थी!''

''कमलेश दीक्षित को बरी कर रहे हैं, सर!''

''हरगिज नहीं। लेकिन कत्ल के केस में हर सम्भावना पर विचार करना पड़ता है। मर्डर इनवैस्टिगेशन पर सिर्फ इस वजह से रोक नहीं लगाई जा सकती कि बतौर सस्पैक्ट एक कैण्डीडेट निगाह में आ गया है। आल्टरनेट कैन्डीडेट्स की पड़ताल भी जरूरी होती है। दिलीप नटके यूं समझो कि एक आल्टरनैट कैण्डीडेट है जो हमारी तवज्जो में आया है। ऐसा अभी कोई और भी हो सकता है। और के बाद और भी हो सकता है।''

''आप ठीक कह रहे हैं।''

''जिन लोगों के तुमने बयान हासिल किये हैं, उनमें दिलीप नटके शामिल है?''

''नहीं। उसकी तरफ तो अभी तवज्जो गयी जबकि वसीयत का जिक्र आया।''

''मैं उससे मिलना चाहता हूं।''

''चौकी चल के तलब करते हैं। उसका शोरूम चौकी से कोई ज्यादा दूर नहीं है।''

''ठीक है। वो परे सड़क से पार एक छोटा सा कॉटेज दिखाई दे रहा है, उसमें कौन रहता है?''

''आजकल तो एक किरायेदार अकेला रहता है जो कि खुद को लेखक बताता है।''

''लेखक! क्या लिखता है?''

''जासूसी नावल। हूडनइट्स।''

''अच्छा! क्या नाम है?''

''दिवाकर चौधरी।''

''कभी नाम नहीं सुना।''

''आप जासूसी उपन्यास पढ़ते हैं?''

''कभी कभार।''

''यही वजह होगी नाम न सुना होने की। कभी कभार पढ़ने वाला इस ट्रेड के सारे लेखकों के नाम से तो वाकिफ नहीं हो सकता न! फिर हो सकता है ये खास पापुलर भी न हो!''

''हो सकता है। इस कॉटेज की एक खिड़की का रुख इस लॉज की एंट्रेंस की तरफ है। कल शायद उसने कुछ देखा हो!''

''क्या देखा होगा! बड़ी हद किसी आये गये को ही तो देखा होगा! सर, एक तो यही जरूरी नहीं कि कोई आया गया था, दूसरे ये तो कतई जरूरी नहीं कि उस लेखक भीड़ू की तवज्जो उस आये गये की तरफ गयी हो!''

''बशर्ते कि तांक झांक उसका शगल न हो!''

''कैसे होगा! उसका कारोबार तो देखिये! वो कलम दावातिया है। अपना नावल लिखेगा या तांक झांक करेगा! और तांक झांक भी कैसी थैंकलैस! एक अड़सठ साल के बुजुर्गवार से कौन मिलने आया, इसमें उसकी क्या दिलचस्पी हो सकती है!''

''दम तो है तुम्हारी बात में! तुम कैसे जानते हो उसकी बाबत?''

''जाती तौर पर नहीं जानता, सर। लेकिन इन लाइन आफ ड्यूटी एकाध बार ऐसा कुछ हुआ कि वो चौकी की जानकारी में आया।''

''क्या हुआ!''

''वीकएण्ड्स पर काफी लोग बाग उससे मिलने आते हैं। शाम को आते हैं तो पार्टी का माहौल बन जाता है।''

''पार्टी का माहौल क्या मतलब?''

''हल्ला गुल्ला। शोर शराबा। खास तौर से लाउड म्यूजिक। पड़ोसियों को ऐतराज हुआ। एक बार तो खुद मकतूल अभयसिंह राजपुरिया ने एतराज किया।''

''उसने भी! क्रिस्टल लॉज से तो वो कॉटेज काफी फासले पर है!''

''खुला इलाका है न, सर! रात के वक्त ऊंची आवाज, खासतौर से लाउड म्यूजिक की, बहुत दूर तक फैलती है।''

''ठीक। मकतूल के एतराज ने क्या शक्ल अख्तियार की?''

''चौकी फोन कर दिया। आकर लाउड म्यूजिक बन्द करवाना पड़ा।''

''बस इतना ही वास्ता पड़ा लेखक से!''

''जी हां।''

''वैसे आदमी कैसा है?''

''कोई खास मिलनसार तो नहीं! ये मैं इस बिना पर कह रहा हूं कि छ: महीने से यहां रह रहा है, फिर भी लोकल वाकफियत कोई नहीं है। मार्केट में किसी से कोई छोटी मोटी 'हल्लो हल्लो' होती हो तो होती हो, इसके घर में, मुझे पक्की तौर पर मालूम है, किसी लोकल बाशिन्दे का आना जाना नहीं है। जो लोग आते हैं बाहर से ही आते हैं और वीकएण्ड पर ही आते हैं।''

''घर आने के बारे में यहां के किसी बाशिन्दे को शह नहीं देता होगा न! ऐसी आमद को अपने लेखन में विघ्न महसूस करता होगा!''

''यही बात होगी।''

''मैं सोचता हूं कि एक बार इससे बात कर लेने में क्या हर्ज है!''

''कोई हर्ज नहीं, सर। आप जब कहेंगे चौकी पर तलब कर लेंगे।''

फिर सावन्त की निगाह पैन होती हुई चारों तरफ घूमी।

''कितना एरिया होगा इस एस्टेट का?'' —फिर बोला।

''सर, ढ़ाई तीन एकड़ से कम तो क्या होगा!''

''चारों तरफ झाड़ियों की बाड़ है जो हदबन्दी ही करती होगी, सुरक्षा के लिए तो कतई काफी नहीं।''

''ये बात तो है, सर!''

''कोई भीतर घुस आना चाहे तो बन्दिश तो कोई नहीं! फ्रंट से आने की जरूरत ही नहीं। कहीं भी झाड़ियों को आजू बाजू धकेलो तो भीतर आने को बाड़ में से रास्ता तैयार।''

''जी हां।''

''एस्टेट में चारों तरफ इतने पेड़ हैं। उसकी ओट लेते दिन दहाड़े भी लॉज पर चुपचाप पहुंच जाना क्या बड़ी बात है!''

''कोई बड़ी बात नहीं।''

''अब चलो यहां से।''

सब चौकी पहुंचे।

वहां सावन्त ने वो बयानात देखने की इच्छा प्रकट की जो कि तहरीरी तौर पर दर्ज किये गये थे।

सब-इन्स्पेक्टर पुजारा ने वो बयान पेश किये।

सबसे पहला बयान मकतूल के भतीजे शान्तनु राजपुरिया का था जिसने कि लाश बरामद की थी। सावन्त ने उसमें ऐसा कुछ न पाया जो वो पहले ही शान्तनु की जुबानी नहीं सुन चुका था।

दूसरा बयान ब्रजेश सिंह नाम के एक व्यक्ति का था जो कि फौज से वक्त से पहले मैडीकल ग्राउन्ड्स पर रिटायर्ड मेजर था। वो गोरई का ही बाशिन्दा था जहां कि वो अपनी खूबसूरत बीवी महिमा सिंह के साथ रहता था। वो खुद को मकतूल का पर्सनल फ्रेंड बताता था और अपनी इसी कपैसिटी में कल क्रिस्टल लॉज गया था जहां से कि मकतूल से मुलाकात न हो पाने की वजह से वो उलटे पांव लौट आया था। उसके बयान में ऐसा कुछ नहीं था जो कि तफ्तीश में मददगार साबित होता।

तीसरा बयान गोविन्द सुर्वे नाम के एक व्यक्ति का था जो कि उस इलाके का पब्लिक पार्टी का कार्यकर्त्ता था जो कि उन दिनों आने वाले म्यूनीसिपल इलैक्शन के लिए अपनी पार्टी के उस इलाके में प्रचार में लगा हुआ था और उसी सिलसिले में वो कल सुबह राजपुरिया एस्टेट गया था। बकौल उसके कल सुबह दस बज कर पैंतीस मिनट पर वो क्रिस्टल लॉज के मेन डोर पर खड़ा था। उसने काल बैल बजाई थी तो कोई जवाब नहीं मिला था, कई बार दरवाजे पर दस्तक दी थी तो भी कोई जवाब नहीं मिला था। यानी उस लॉज के मालिक से, पब्लिक पार्टी के सम्भावित वोटर से, वो रूबरू नहीं मिल पाया था। उसने पार्टी का प्रचार लिटरेचर—इलैक्शन मैनीफैस्टो की सोलह पृष्ठ की एक बुकलेट, पार्टी प्रेसीडेन्ट का लम्बे लिफाफे में बन्द एक पत्र और एक पार्टी के स्थानीय प्रत्यार्थी की वोट के लिए अपील करता पत्र—दरवाजे में चिट्ठियों के लिए बनी एक झिरी के रास्ते भीतर डाल दिया था और वहां से रुखसत हो गया था।

''ये अहम बयान है।''—सावन्त शिकायतभरे लहजे से बोला—''तुमने इसका जिक्र ही न किया!''

''क्या अहम है, सर?''—पुजारा उलझनपूर्ण स्वर में बोला—''एक पोलिटिकल कैम्पेनर की रूटीन विजिट में क्या अहम है?''

''ये अहम है कि वो लॉज के मालिक से, अपने एक वोटर से, नहीं मिल

पाया था।''

''सर, आई डोंट अन्डरस्टैण्ड।''

''यू शुड। यू शुड। ठीक दस बजे मकतूल को पीछे अकेला छोड़कर कम्पैनियन अटवाल लॉज से रुखसत हुआ था। दस पैंतीस पर पब्लिक पार्टी के स्थानीय प्रचारक गोविन्द सुर्वे ने आकर काल बैल बजाई, दरवाजा खटखटाया तो मकतूल दरवाजे पर क्यों न पहुंचा?''

''वो... वो टायलेट में होगा!''

''मुमकिन है। लेकिन इस बयान में साफ दर्ज है कि प्रचारक काफी देर वहां ठहरा था। उसको भी ये बात, ये मामूली बात, सूझी थी कि शायद लॉज का मालिक टायलेट में था, इसलिये काफी देर वहां ठहर कर उसने दरवाजा खुलने का इन्तजार किया था, ऐसा तुम्हारे द्वारा रिकार्डिड इस बयान में ही दर्ज है। घण्टी टायलेट में भी सुनाई देती होगी, दरवाजे पर पड़ी दस्तक की आवाज भी टायलेट तक पहुंचती होगी, तो भी मकतूल ने जल्दी फारिग होने की कोशिश न की! वो टायलेट से निकल कर दरवाजे पर न पहुंचा! ऐसा क्यों?''

''वो बड़ा आदमी था, उसे पब्लिक पार्टी के कैम्पेनर की परवाह नहीं होगी!''

''तुम्हारी तवज्जो कहीं और जान पड़ती है।''

''नो, सर।''

''तो जरूर दिमाग का कोई फ्यूज उड़ गया है, उसने काम करना बन्द कर दिया है।''

''सर!''

''घन्टी क्या किसी शिनाख्ती तरीके से बजी थी, दरवाजे पर दस्तक किसी शिनाख्ती तरीके से पड़ी थी जिससे भीतर टायलेट में मौजूद लॉज के मालिक को पता चल गया कि दरवाजे पर पब्लिक पार्टी का कैम्पेनर था?''

''ओह!''

''वाट ओह?''

''आई एम सॉरी, सर।''

''मकतूल दरवाजे पर न पहुंचा, इसकी एक ही वजह दिखाई देती है।''

''क्या, सर?''

''नाओ, डू आई हैव टु ड्रा यू ए डायग्राम?''

''वो... वो भीतर मरा पड़ा था!''

''ऐग्जैक्टली। यूं कत्ल का टाइम पिनप्वायन्ट होता है। यूं हालात का इशारा साफ इस तरफ जाता है कि कत्ल कम्पैनियन के जाने और प्रचारक के आने के बीच के वक्फे में हुआ था। यानी कि कल सुबह दस बजे और दस बज कर पैंतीस के

बीच में हुआ था।''

"ब्रीलियंट, सर!''

"देयर इज नथिंग ब्रीलियन्ट इन इट। इट इज ऐन आर्डीनेरी, गार्डन वैरायटी आफ डिस्कशन।''

सब-इन्स्पेक्टर ने जोर से थूक निगली।

"अब किसी ऐसे शख्स को तलाश करो जिसका उन पैंतीस मिनटों में वहां लॉज पर फेरा लगा हो।''

"यस, सर।''

"मैं जरा बीच की सैर कर के आता हूं।''

"मैं साथ चलता हूं, सर।''

"जरूरत नहीं। अकेला मैं बैटर रिलैक्स कर पाऊंगा।''

सब-इन्स्पेक्टर खामोश हो गया।

इन्स्पेक्टर सावंत सच में ही वाक से रिलैक्सेशन महसूस करता था। वाक के लिए उसने जो रास्ता पकड़ा, संयोगवश उसी पर नटके का शोरूम निकला। शोरूम एक पन्द्रह गुणा पचास फुट की शाप थी जिसकी लम्बाई में लगभग लम्बाई जितना ही लम्बा सर्विस काउन्टर था और दायें बायें की दीवारों पर स्टोरेज रैक्स थे। बाहर एक पन्द्रह फुट लम्बा बोर्ड टंगा था जिसपर लिखा था :

के मार्ट

कम्प्यूटर असैसरीज एण्ड स्टेशनरी शाप

प्रोप्राइटर : दिलीप नटके

शोरूम के ऐन सामने, सड़क के पार, हनुमान मन्दिर था जिस तक पहुंचने के लिए बारह-तेरह सीढ़ियां तय करनी पड़ती थीं। मन्दिर को एक तरह से पहले माले पर बनाया गया था ताकि नीचे, सीढ़ियों के आजू बाजू, दुकानें निकाली जा पातीं जो कि आठ थीं। उनमें से एक कैमिस्ट शॉप थी, एक टी-स्टाल था, बाकी जनरल स्टोर और रैडीमेड कपड़ों की दुकानें थीं।

उसने शोरूम में कदम रखा।

उसकी आमद से खबरदार हुआ काउन्टर के पीछे से एक व्यक्ति एक स्टूल पर से उठा। सामने एक रौबदार व्यक्ति को खड़ा देख कर वो सकपकाया, उसका दायां हाथ मशीनी अन्दाज से अभिवादन के लिए उठा।

"नटके!''—सावन्त ने पूछा।

"क-क्या!''

"अरे, भई, दिलीप नटके हो तुम?''

''न-हीं। मैं यहां काम करता हूं। वो... वो... अभी...

एकाएक वो खामोश हो गया, उसकी निगाह बाहर को उठी।

सावन्त ने उसकी निगाह का अनुसरण किया तो पाया एक कोई चालीसेक साल का जींस टी-शर्टधारी, निहायत तन्दुरुस्त शख्स शोरूम के भीतर दाखिल हो रहा था।

''मैं देखता हूं, शिन्दे।'' —वो शुष्क स्वर में बोला।

पहले वाला व्यक्ति—मुलाजिम—सहमति में सिर हिलाता अपनी जगह से हिला और लम्बे काउन्टर के आखिरी सिरे पर जा खड़ा हुआ।

नवागन्तुक करीब आया, उसने सन्दिग्ध भाव से सावन्त पर ऊपर से नीचे तक निगाह दौड़ाई।

''मैं हूं नटके।'' —फिर पूर्ववत् शुष्क स्वर में बोला— ''क्या चाहिये?''

''ये'' —सावन्त उत्सुक भाव से बोला— ''बाबूराव शिन्दे तो नहीं था?''

''था तो क्या?''

''ओमवाडी का निवासी! सुरभि शिन्दे का पिता!''

''अरे, भई'' —वो झल्लाया— ''हो कौन तुम जो इतने सवाल कर रहे हो?''

''इन्स्पेक्टर अशोक सावन्त। मुम्बई पुलिस।''

''ओह!'' —तत्काल नटके का मिजाज बदला— ''क्या चाहते हैं, जनाब?''

''खास कुछ नहीं।'' —सावन्त सहज भाव से बोला— ''इत्तफाक से इधर से गुजर रहा था कि आपके शोरूम के साइन बोर्ड पर निगाह पड़ गयी। अब आ ही गया हूं तो दो मिनट बात करना चाहता हूं। कहां करें?''

''आइये।''

शोरूम के पिछवाड़े में एक छोटा सा, ऑफिसनुमा केबिन था जिसमें जा कर दोनों आमने सामने बैठे।

''मैंने पहचाना नहीं था आपको।'' —नटके बोला।

''क्या बड़ी बात है!'' —सावन्त सहज भाव से बोला— ''कभी बोरीवली थाने नहीं गये होंगे।''

''भगवान बचाये थाने, कोर्ट कचहरी, हस्पताल की हाजिरी से।''

सावन्त हंसा।

''अब चौकी के इंचार्ज आप हैं?'' —नटके उत्सुक भाव से बोला।

''मैं इन्स्पेक्टर हूं, भई। चौकी का इंचार्ज सब-इन्स्पेक्टर होता है।''

''ओह!''

''इधर की चौकी का इंचार्ज अभी भी सब-इन्स्पेक्टर गोपाल पुजारा ही हैं। मैं बोरीवली थाने से कल यहां हुई कत्ल की वारदात का स्पैशल इनवैस्टिगेशन ऑफिसर नियुक्त किया गया हूं।''

''क-कत्ल... कत्ल बोला!''

''हां। जो वारदात कल इधर हुई, वो हमें कत्ल का केस जान पड़ती है।''

''कमाल है!''

''सुना है मकतूल से—अभय सिंह राजपुरिया से—खूब वाकिफ थे!''

''था तो क्या!''

''कत्ल का केस हो तो मकतूल की जानकारी के दायरे में व्यापक पूछताछ करनी पड़ती है। तफ्तीश ऐसे ही होती है। क्लू ऐसे ही हाथ लगते हैं। लीड्स ऐसे ही मिलती हैं। आई बात समझ में?''

''मैं कत्ल की बाबत कुछ नहीं जानता।''

''आप बेतरतीब जवाब देंगे तो कैसे बात बनेगी? मेरे पहले सवाल का जवाब तो अभी आपने दिया नहीं।''

''राजपुरिया साहब से मेरी अच्छी वाकफियत थी।''

''क्रिस्टल लॉज में रेगुलर आना जाना था?''

''हां।''

''मिलने जुलने जाते थे? कर्टसी काल पर?''

''नहीं। बुलाये जाने पर जाता था। राजपुरिया साहब का हुक्म होता था तो तभी जाकर हाजिरी भरता था।''

''हाल में आखिरी बार कब बुलावा आया था?''

''सोमवार।''

''राजपुरिया साहब आपसे कैसे पेश आते थे?''

''बढ़िया पेश आते थे। जब जाता था पहले मेरा, मेरी फैमिली का हालचाल पूछते थे और फिर बताते थे कि क्यों बुलाया था। आदतन मेहरबान, सज्जन पुरुष थे। मुझे उनकी मौत का सख्त अफसोस है।''

पजेरो नाम कर के मरने वाले की मौत का अफसोस होना ही चाहिये था लेकिन शायद अभी उसे इस बात की खबर नहीं थीं।

या शायद थी। सच में मकतूल इतना मेहरबान शख्स था तो हो सकता है वसीयत की बाबत उसने खुद ही उसे कुछ बताया हो।

''मकतूल बहुत रईस आदमी बताया जाता था। खुद की आस औलाद कोई भी नहीं। इतना माल पानी किसके लिए छोड़ा होगा? किसी एक के लिए नहीं तो आपके खयाल में कैसे और किस किस में बँटेगा?''

''मैं क्या कह सकता हूं इस बारे में!''—लापरवाही से कन्धे उचकाता नटके बोला।

या तो वो बहुत मंझा हुआ अभिनेता था या उसे वाकई विरसे में अपनी हाजिरी की खबर नहीं थी।

''आपको''—सावन्त ने नया सवाल किया—''कमलेश दीक्षित नाम के उस लड़के की खबर थी जो अभी दस दिन पहले तक एस्टेट का मुलाजिम था?''

''थी तो सही!''

''वहां से डिसमिस किये जाने के बाद कहां गया?''

''क्या पता कहां गया!''

''इधर इलाके में कभी कहीं दिखाई न दिया?''

''न, एकबार भी नहीं। मेरे खयाल से जब वो लॉज की नौकरी से निकाला गया था, तब वो ये इलाका भी छोड़ गया था। कौन टिकता है ऐसी जगह जहां उसे बेइज्जत होना पड़ा हो!''

''ठीक! तो कत्ल की बाबत आप कुछ नहीं जानते?''

उसने दृढ़ता से इंकार में सिर हिलाया।

''ठीक है फिर।''—सावन्त उठता हुआ बोला—''मिल कर खुशी हुई...''

तभी केबिन का दरवाजा खुला और एक सजा धजा, लम्बे बालों वाला क्लीनशेव्ड, औरतों जैसी नजाकत वाला व्यक्ति चौखट पर प्रकट हुआ। आंखों पर वो मोटे फ्रेम वाला निगाह का चश्मा लगाये था।

''दिलीप भाई''—वो चहकता सा बोला—''मेरी आइटम आ गयी?''

''हाँ, चौधरी साहब।''—नटके उठता हुआ बोला—''आप बैठिये, मैं अभी हाजिर करता हूं।''

आगन्तुक ने सहमति में सिर हिलाया, नटके के लिए राह बनाने के लिए वो चौखट पर से हटा और फिर सावन्त की बगल में एक कुर्सी पर बैठ गया!

''सॉरी, मैंने आपकी मीटिंग में दखल दिया।''—वो सावन्त की तरफ घूम कर मुस्कराता हुआ बोला—''लेकिन मैं बहुत जल्दी में हूं।''

''नो प्राब्लम।''—सावन्त बोला—''मैं तो जा ही रहा था।''

''पुलिस वाले हैं?''

''कैसे जाना?''

''आपके जूतों से।''—वो हंसा—''खर्चा बचाते हैं आप लोग। वर्दी न भी पहनें तो जूते वही पहनते हैं जो कि वर्दी के साथ इशू होते हैं।''

सावन्त भी हंसा।

''अफसर हैं?''

''ये कैसे जाना ?''

''आपकी पर्सनैलिटी से, आपके रौबदाब से जाना। नटके, मैंने देखा कि, आपके साथ अदब से, इज्जत से पेश आ रहा था, किसी सिपाही हवलदार के साथ तो नहीं वो ऐसे पेश आने वाला !''

''ब्रावो ! युअर डिडक्टिव रीजनिंग इज स्ट्रांग। इसीलिये मिस्ट्री राइटर हैं।'' उसके चेहरे पर हैरानी के भाव आये।

''अब आपने ये कैसे जाना ?'' —उसने पूछा।

''पुलिस वालों के मुखबिर उड़ते पंछी भी होते हैं। समझ लीजिए कि एक उड़ते पंछी ने आकर कान में फूंक मारी।''

''यू टाक नाइस।''

तभी नटके वापिस लौटा। उसके हाथ में ए फोर साइज के कागजों के दो रिम थे जो उसने लेखक को सौंपे।

''थैंक्यू।'' —लेखक बोला— ''बिल बोलो।''

नटके ने तनिक हड़बड़ाते हुए रकम बताई।

जो कि लेखक ने अदा की।

''जनाब'' —लेखक सावन्त की तरफ घूमा— ''अफसर होने के मेरे अन्दाजे की तसदीक आपने की लेकिन कितने ऊंचे अफसर हैं, ये न बताया !''

''ऊंचा हूं ही नहीं।'' —सावन्त मुस्कराता हुआ बोला— ''इन्स्पेक्टर हूं बस। बोरीवली थाने से। अशोक सावन्त नाम है।''

''ओह ! मिस्टर मनीबैग्स के मर्डर की तफ्तीश के सिलसिले में आये होंगे !''

''मर्डर !''

''तभी तो आये।''

''लेकिन मर्डर !''

''नहीं है क्या ?''

''जान तो पड़ता है लेकिन आपको कैसे मालूम ?''

''कुछ उड़ते पंछी मेरे पर भी मेहरबान हैं।''

''कोई आपके कान में भी फूंक मार गया !''

''यही समझ लीजिये।''

''पुलिस का कारोबार समझ लेने से नहीं चलता, जनाब, जान लेने से चलता है। बताइये, आपको कैसे मालूम ?''

''भई, मैं रहस्यकथा लेखक हूं, हर वाकये में रहस्य सूंघना मेरी आदत है। जब राजपुरिया साहब की मौत की खबर लगी थी, तभी मेरे को कुछ खटकने लगा था। बार बार जेहन में एक ही खयाल आता था कि ये स्वाभविक मौत का मामला

नहीं था।''

''खुदकुशी!''

''नानसेंस! क्यों करेगा एक हंसता खेलता चहकता जिन्दगी को एनजाय करता शख्स!''

''तो मर्डर?''

''हां। आप कहिये नहीं है ऐसा!''

सावन्त खामोश रहा।

''कातिल के बारे में क्या कहते हैं?''—फिर बोला।

''मैं क्या कहूं?''—वो एकाएक उठ खड़ा हुआ—''आपका काम है, आप पता लगाइये कातिल कौन है और हमें भी, पब्लिक को भी बताइये।''

''फिर भी...''

''नाइस मीटिंग यू, सावन्त साहब।''

उसने एक उंगली से पेशानी को छू कर सावन्त का अभिवादन किया और लपकता हुआ वहां से रुखसत हुआ।

''ये दिवाकर चौधरी ही था न!''—पीछे सावन्त बोला—''जासूसी उपन्यास लेखक! जो राजपुरिया एस्टेट के सामने के छोटे से कॉटेज में रहता है?''

नटके ने अनमने भाव से हामी भरी।

''स्टेशनरी कोई खास थी?''

''हां। सफेद की जगह गुलाबी रंग की शीट्स। सनकी जान पड़ता है। गुलाबी कागज पर हरी स्याही से नावल लिखता है। गुलाबी शीट्स कहां मिलती हैं! बड़ी मुश्किल से इन्तजाम कर पाया।''

''हूं।''

तभी केबिन के दरवाजे पर बाबूराव शिन्दे प्रकट हुआ।

''खाना खाने जा रहा हूं।''—वो बोला।

''ठीक है।''—नटके बोला।

शिन्दे चौखट पर से गायब हो गया।

''कहां जाता है खाना खाने?''—पीछे सावन्त ने पूछा।

''घर।''—नटके ने उत्तर दिया—''ओमवाडी।''

''ओह! मैं चलता हूं।''

लपकता हुआ वो गैराज से बाहर सड़क पर पहुंचा।

वहां शिन्दे एक बदरंग सा स्कूटर स्टार्ट कर रहा था। वो वहां से रवाना होने ही लगा था कि सावन्त ने आवाज लगाई—''रुको! रुको एक मिनट।''

शिन्दे ठिठका। सवाल करती निगाह से उसने सावन्त की तरफ देखा।

''तुम्हारी बेटी'' — सावन्त करीब आकर बोला — ''सुरभि नाम है न !''

''हां।'' — शिन्दे कदरन खुश्क लहजे से बोला।

''नौकरी करती है ! शायद परेल में ऑफिस है ?''

''हां।''

''शाम को किस वक्त लौटती है ?''

''क्यों पूछते हो ?''

''मैं उससे बात करना चाहता हूं।''

''काहे को ?''

सावन्त ने घूर कर उसे देखा।

''काहे को ?'' — वो पूर्ववत असहिष्णुतापूर्ण भाव से बोला।

''मैं पुलिस ऑफिसर हूं।''—सावन्त के स्वर में सख्ती का पुट आया— ''इन्स्पेक्टर होता हूं बोरीवली थाने में।''

शिन्दे हड़बड़ाया।

''पुलिस का अब खयाल है कि राजपुरिया एस्टेट वाले अभय सिंह राजपुरिया का कत्ल हुआ है...''

शिन्दे और हड़बड़ाया, उसके नेत्र फैले।

''...और कातिल उनका बर्खास्तशुदा मुलाजिम कमलेश दीक्षित हो सकता है जिससे, मुझे पता चला है कि, तुम्हारी बेटी सुरभि के दोस्ताना ताल्लुकात हैं। हम कमलेश दीक्षित को पूछताछ के लिए हिरासत में लेना चाहते हैं लेकिन उसका मौजूदा पता हमें नहीं मालूम। वो पता तुम्हारी बेटी को मालूम हो सकता है ...''

''खामखाह !''

''खामखाह या नहीं खामखाह। मैं उससे बात करना चाहता हूं। कब लौटती है शाम को ?''

वो खामोश रहा।

''जवाब दो !''

''आज काम पर नहीं गयी।'' — शिन्दे दबे स्वर में बोला।

''यानी घर पर है ?''

''हां।''

''मैं मिलना चाहता हूं, तुम घर जा रहे हो, मेरे को भी ले के चलो।''

''क-कैसे ?''

''अरे, स्कूटर पर बैठाओ मेरे को।''

''आप... मेरे स्कूटर पर बैठोगे ?''

''और मैं क्या बोला !''

''ठीक है।''

कांखते कराहते स्कूटर ने दोनों को ओमवाडी पहुंचाया।

जहां सावन्त की सुरभि शिन्दे से मुलाकात हुई।

सुरभि कोई बाइस-तेइस साल की लम्बी, दुबली, सांवली रंगत वाली लड़की थी जो कि उस घड़ी एक सादा शलवार कमीज पहने थी और निहायत संजीदासूरत जान पड़ रही थी।

बाबूराव शिन्दे उन्हें बैठक में छोड़कर भीतर कहीं चला गया।

सावन्त ने युवती को अपना परिचय दिया।

जो कि उसने संजीदगी से बिना कोई प्रतिक्रिया जताये कबूल किया।

सावन्त ने उसे बताया कि वो क्या चाहता था।

वो खामोश रही।

''इलाके में ये जगविदित है''—सावन्त बोला—''कि तुम्हारा उस लड़के से—कमलेश दीक्षित से—अफेयर है, तुम उसकी गर्लफ्रेंड हो। इस लिहाज से ये नहीं हो सकता कि तुम्हें न मालूम हो कि वो शहर में कहाँ रहता है!''

''तो?''

''हमें उसका पता चाहिये।''

''क्यों?''

''वजह सामने आयेगी।''

''पहले ही सामने है। आप उसे गिरफ्तार करना चाहते हैं।''

''पूछताछ के लिए हिरा... बुलाना चाहते हैं।''

''गिरफ्तार करना चाहते हैं, क्योंकि उसे कातिल समझते हैं, लेकिन वो कातिल नहीं है।''

''इससे अच्छी बात और क्या हो सकती है! वो आये, बात करे, अपनी पोजीशन साफ करे और जाये। सिम्पल! क्या प्राब्लम है?''

''प्राब्लम ही प्राब्लम है। आयेगा तो थाने में ही बिठा लिया जायेगा। मैं क्या जानती नहीं!''

''अभी इतनी बद्अमनी नहीं है पुलिस के महकमे में।''

''इससे ज्यादा है। कत्ल के केस में किसी को भी अपनी सहूलियत के मुताबिक थाम लेते हैं और उसपर कातिल होने का बिल्ला जड़ देते हैं। कमलेश को थाम लिया तो उसके साथ भी ऐन यही होगा।''

''ये तुम्हारी खामखयाली है। ऐसा नहीं होगा।''

''जरूर होगा। मैं क्या पुलिस को नहीं जानती या पुलिस वालों को नहीं जानती!''

''जो जानती हो, गलत जानती हो। एक कत्ल के केस की तफ्तीश में व्यापक पूछताछ किया जाना लाजमी होता है। तुम्हारा दोस्त उस व्यापक पूछताछ के दायरे में है; बस, इतनी सी बात है।''

वो खामोश रही।

''वैसे जानती तो हो न उसका मौजूदा पता?

''नहीं जानती लेकिन...''

''क्या लेकिन?''

''जानती भी होती तो हरगिज न बताती।''

सावन्त ने अवाक् उसकी तरफ देखा।

युवती ने निडरता से उससे निगाह मिलाई।

''इतनी ढ़िठाई अच्छी नहीं, लड़की!''—सावन्त कर्कश स्वर में बोला—''जानती नहीं हो कि तुम्हें भी गिरफ्तार किया जा सकता है।''

''खामखाह!''

''मुजरिम की मदद करने वाला भी मुजरिम होता है।''

''मैंने किसी मुजरिम की कोई मदद नहीं की।''

''कर तो रही हो! उसका पता नहीं बता रही हो। हमारी उस तक पहुंच बनने में अड़ंगा लगा रही हो।''

''मुझे उसका कोई पता नहीं मालूम।'' —वो बोली और कस कर होंठ भींच लिये।

''तो मुलाकात कैसे होती है? पहले तो वो गोरई में ही था, अब मुलाकात कैसे होती है?''

''ये मेरा पर्सनल मामला है, मैं इस बाबत कुछ नहीं बोलूंगी।''

''पता तो हम जान के रहेंगे।''

''मेरे से नहीं। मेरे से नहीं।''

''ये तुम्हारा आखिरी फैसला है?''

''हां।''

''मैं फिर कहता हूं, पता तो हम जान के रहेंगे। तुम पुलिस की सलाहियात से वाकिफ नहीं हो।''

''लेकिन उनकी पैंतरेबाजियों से, उनकी नाजायज हरकतों से वाकिफ हूं।''

''नाजायज हरकतें!''

''मेरी निगरानी पर अपने आदमी लगा दोगे। इस उम्मीद में कि कभी तो मैं कमलेश से सम्पर्क करूंगी। लेकिन ऐसा नहीं होने वाला। ऐसा न होने पाये, इसी लिये मैं ऑफिस नहीं गयी।''

''क्या!''

''और तब तक जाऊंगी भी नहीं जब तक कि ये बखेड़ा निपट नहीं जाता। कराना मेरी निगरानी।''

''मैं... मैं तुम्हारे पिता को बुलाता हूं। शायद वो तुम्हें कुछ समझा पाये।''

''इस मामले में मैं किसी की नहीं सुनने वाली। मेरी जान चली जाये, कोई मेरे से कमलेश की बाबत कुछ नहीं कबुलवा सकता। मेरा पिता भी नहीं।''

''मैं तुम्हें गिरफ्तार करता हूं।''

''मुझे कोई ऐतराज नहीं। कीजिये।''

''मुझे अफसोस है कि प्यार का जज्बा तुम्हें गलत राह पर लगा रहा है।''

''अपनी राह मैं पहचानती हूं, मुझे उसपर से कोई नहीं डिगा सकता।''

''एक कातिल को प्रोटेक्ट करना...''

''साबित करके दिखाओ कि वो कातिल है। फिर उसे तलाश करने के लिए आप लोगों को कहीं नहीं जाना पड़ेगा। वो खुद ही पेश हो जायेगा।''

''बराबर करके दिखायेंगे ऐसा। और पुलिस का काम क्या है।''

''तो अफसर साहब, यहां टेम खोटी क्यों कर रहे हैं? जाइये, कीजिये न अपना काम!''

असहाय भाव से गर्दन हिलाता सावन्त वहां से रुखसत हुआ।

सावन्त चौकी वापिस लौटा।

सब-इन्स्पेक्टर पुजारा के ऑफिस में उसे एक फैंसी टी-शर्ट और जींसधारी नौजवान बैठा मिला। जो बार-बार अदा से अपने लम्बे बाल झटक रहा था और मशीनी अंदाज से चिंगम चबा रहा था। उम्र में वो तीसेक साल का जान पड़ता था।

''इन्स्पेक्टर सावन्त।'' —पुजारा बोला— ''इस चौकी के थाने से।''

युवक ने अहसान सा करते हुए सावन्त का अभिवादन किया।

सावन्त ने प्रश्नसूचक भाव से पुजारा की तरफ देखा।

''शिशिर खोटे।'' —पुजारा ने बताया— ''खोटे पोल्ट्री फार्म के मालिक का लड़का है।''

''खोटे पोल्ट्री फार्म!'' —सावन्त ने नाम दोहराया— ''कहां है?''

''राजपुरिया एस्टेट के करीब है।''

''यहां क्या कर रहा है?''

''गवाही देने आया है।''

''गवाही!''

''कातिल के बारे में।''

''ऐसा!''

''जी हां।''

सावन्त ने अपलक युवक की तरफ देखा।

युवक ने पूर्ववत् चिंगम चबाते बेबाक उससे निगाह मिलाई।

''तुम''—सावन्त बोला—''कैसे जानते हो ये कत्ल का मामला है?''

''सारे इलाके में चर्चा है।''—वो सहज भाव से बोला—''जिससे पूछो बोलेगा थाने से बड़ा पुलिस ऑफिसर आया ही इसलिये है क्योंकि ये कत्ल का मामला है। किसी ने राजपुरिया साहब को उनकी किसी दवा का ओवरडोज देकर मार डाला।''

''किसने?''

''जाहिर है कातिल ने।''

''तुम जानते हो कातिल कौन है?''

''खयाल तो है ऐसा।''

''खयाल!''

''तसदीक आप लोग करेंगे न!''

''कौन है कातिल?''

''राजपुरिया साहब का नौकर वो लड़का जिसे उन्होंने कोई डेढ़ हफ्ता पहले नौकरी से निकाला था। कमलेश दीक्षित।''

''वो कातिल है?''

''हां। बाकी आप तसदीक...''

''कैसे मालूम?''

''वो क्या है कि डेढ़ हफ्ता पहले इधर नौकरी से निकाला गया था तो तब इधर से ऐसे गायब हुआ था जैसे इधर कभी था ही नहीं। कभी इधर न दिखा। फिर भी कल सुबह इधर था।''

''अच्छा!''

''मैंने अपनी आंखों से देखा।''

''कब? कहां?''

''मेरे खयाल से ऐन उस हादसे के वक्त। कत्ल के वक्त। लॉज की पहली मंजिल की एक खिड़की से बाहर लटक कर नीचे कूदा और भाग गया। मैंने अपनी आंखों से देखा।''

''कैसे?''

''कैसे क्या मतलब?''

''अरे, भई, कैसे देख पाये? तुम्हारा पोल्ट्री फार्म तो राजपुरिया एस्टेट से

काफी फासले पर है न ! या नहीं है ऐसा ?''

''ऐसा ही है।''

''तो ?''

''दूरबीन से देखा न !''

''क्या !''

''बर्ड वाचिंग मेरी हॉबी है। हमारी रिहायश हमारे पोल्ट्री फार्म की चौहद्दी में ही है। सुबह के वक्त मैं अक्सर छत पर चढ़ कर बर्ड वाचिंग करता हूं। कल सुबह भी अपने इस शगल में मशगूल था जबकि बाजरिया दूरबीन मेरे को कुछ और ही दिखाई दे गया। क्रिस्टल लॉज की ऊपर की मंजिल की एक खिड़की से बाहर कूदता बर्खास्तशुदा मुलाजिम कमलेश दीक्षित दिखाई दे गया। बाई दि वे, मेरे को मालूम है कि खिड़की लॉज में मास्टर बैडरूम की दो खिड़कियों में से एक है।''

''तुम कमलेश दीक्षित को सूरत से पहचानते थे ?''

''हां।''

''ये भी मालूम था कौन था, क्या करता था ?''

''हां।''

''कैसे मालूम था ?''

''बस था, मालूम। ये छोटी सी जगह है, यहां हर कोई हर किसी को जानता है।''

''बस, इसी वजह से जानते थे ?''

''और क्या वजह होगी ?''

''तुम बताओ।''

''इसी वजह से जानता था।''

''ये कि वो राजपुरिया एस्टेट में नौकर था जहां से किसी वजह से नौकरी से निकाल दिया गया था ?''

''हां।''

''तुमने खिड़की से कूद कर फरार होते उसे साफ देखा था, साफ पहचाना था ?''

''हां।''

''इस बाबत तुम कल क्यों न बोले ?''

''कल इस बात का कहां किसी को इमकान था कि ये कत्ल का केस था !''

''हूं।''

''फिर कल मैं बहुत बिजी था।''

''इसलिये आज आये !''

''हां। एक जिम्मेदार शहरी की तरह अपना फर्ज निभाने।''

''या मौके का फायदा उठाने!''

''कैसा फायदा?''

''मरे हुए को और मारने!''

''क्या कह रहे हैं?''

''तुम्हारी कमलेश दीक्षित से कोई जाती रंजिश तो नहीं?''

''क्या बात करते हैं? मेरा उसका क्या एक लैवल है जो जाती रंजिश होगी!''

''यानी कि नहीं?''

''नहीं, कोई जाती रंजिश नहीं।''

''कोर्ट में, विटनेस बाक्स में खड़े होकर बयान दोहराना होगा। कर सकोगे?''

''क्यों नहीं! आइल डू एनीथिंग फार दि कॉज!''

''गुड!''—वो पुजारा की तरफ घूमा—''बयान दर्ज कर लिया?''

''अभी नहीं।''—पुजारा बोला।

''करो, और जाने दो।''

''यस, सर।''

शाम को सूरज ढले कमलेश दीक्षित के बारे में एक और शख्स एक और जगह हाजिरी भर रहा था।

जगह परेल का थाना थी और वो थाने के थानेदार दामोदर राणे के सामने पेश था क्योंकि उसकी जिद थी कि जो बोलेगा एसएचओ साहब को बोलेगा, उनसे नीचे किसी से बात नहीं करेगा।

वो एक पिद्दी सा आदमी था जो बड़े नर्वस भाव से एसएचओ के सामने बैठा बार बार पहलू बदल रहा था। उम्र में वो पैंतीस के करीब जान पड़ता था।

''तो''—एसएचओ उसे घूरता बोला—''तेरे को खास मेरे से मिलने का था?''

उसने जल्दी से सहमति में सिर हिलाया और परे देखने लगा।

''नाम बोले तो?''

''ज्ञानचन्द पंजाबी।''

''पंजाबी है?''

''नहीं, साहब जी, सिन्धी हूं झूलेलाल की मेहर से।''

''तो पंजाबी क्यों बोला?''

''जात है, जी, मेरी।''

''ओह! किधर रहता है?''

"इधर परेल में ही, साहब जी। सदानन्द चाल। रेलवे कॉलोनी के करीब। उधर की एक खोली में।"

"क्या करता है?"

"क्लीनर हूं, साहब जी, सुबह प्राइवेट कारों को, बाकी का दिन स्टेशन के सामने टैक्सियों को पटका मारता हूं।"

"इधर क्या मांगता है? काहे वास्ते आया?"

"इनाम के वास्ते आया, साहब जी।"

"इनाम! कैसा इनाम?"

"जो किसी मुजरिम के खिलाफ गवाही देने पर मिलता है। उसको गिरफ्तार करवाने पर मिलता है। साहब जी, पुलिस देती है न इनाम कातिल को पकड़वाने पर!"

"कौन कातिल?"

"जिसका हुलिया टीवी पर पुलिस के ऐड में बांचा गया। कम्प्यूटर से बनाया गया उसके थोबड़े का नक्शा कम्प्यूटर पर दिखाया गया।"

"तू कमलेश दीक्षित की बात कर रहा है जिसपर गोरई पुलिस चौकी पर कत्ल का केस दर्ज है और जिसकी पुलिस को तलाश है?"

"हां, साहब जी।"

"तेरे को मालूम है वो शख्स कहां है?"

"हां, साहब जी। तभी तो दौड़ा इधर चला आया उसकी बाबत गवाही देने! जब मेरी गवाही से कातिल पकड़ा जायेगा तो इनाम का हकदार हुआ न मैं झूलेलाल की मेहर से!"

"किस का कातिल?"

"साहब जी, जो टीवी पर दिखाया गया, बोला गया, उसका कातिल। गोरई की राजपुरिया एस्टेट करके जगह के मालिक अभय सिंह राजपुरिया साहब का कातिल।"

"तेरे को मालूम वो शख्स कहां है?"

"पक्की करके मालूम, साहब जी, तभी तो दौड़ा इधर चला आया। तभी तो मेरे को इनाम..."

"कहां है?"

"साहब जी, मेरा इनाम..."

"जवाब दे!"

एसएचओ यूं कड़क कर बोला कि नामोनिहाद गवाह के प्राण कांप गये।

"सदानन्द चाल में ही है, साहब जी।" —वो बड़ी मुश्किल से बोल पाया।

''अच्छा!''

''जी हां, साहब जी। वो बहुत बड़ी, चारमंजिला चाल है। डेढ़ सौ से ऊपर कमरे हैं उसमें।''

''उनमें से एक में वो शख्स है जिसकी बाबत आज टीवी पर ब्राडकास्ट है!''

''हां, साहब जी।''

''वो वहां रहता है?''

''हां, साहब जी। दूसरे माले के बायें बाजू की एक खोली में।''

''तूने अपनी आंखों से देखा?''

''हां, साहब जी।''

''पहचाना?''

''हां, साहब जी।''

''टीवी पर दिखाई गयी कम्पोजिट पिक्चर तो बड़े स्थूल अन्दाजे से बनायी गयी थी, फिर भी तूने पहचाना?''

''हां, साहब जी। तभी तो इनाम...''

''वो कल से गायब है। वो नौबत आज क्योंकर आयी?''

''अभी क्या बोलूं, साहब जी! बोले तो शायद वो अपनी खोली में ही बन्द था, बाहर नहीं निकला था। आज निकला तो इत्तफाक से, मेरी खुशकिस्मती से, मेरी उसपर निगाह पड़ गयी। अब इनाम...''

''तेरी खोली भी दूसरे माले पर है?''

''नहीं, साहब जी, चौथे पर। मैं तो बाई चानस तब दूसरे माले पर से गुजरा था क्योंकि झूलेलाल की मेहर मेरे पर होनी लिखी थी।''

''खोली का नम्बर बोल।''

''दो सौ चौबीस। साहब जी, अब मेरा इनाम मिल जाये तो मैं जाऊं।''

''कत्ल एक संगीन जुर्म होता है, उसके बारे में किसी को कोई ऐसी जानकारी हो जो केस को हल करने में मददगार साबित हो सकती हो तो एक लॉ अबाइडिंग सिटीजन की तरह, एक कर्तव्यपरायण नागरिक की तरह उसका फर्ज बनता है कि वो उसे पुलिस तक पहुंचाये...''

''साहब जी, मैंने पहुंचाई तो कर्तव्य का परायण बन के, इनाम पाने लायक नागरिक बनके! अब मेरा इनाम...''

''इन बातों का कोई इनाम नहीं होता।''

''इनाम नहीं होता!''—उसके स्वर में अविश्वास का स्पष्ट पुट आया।

''नहीं होता।''

''तो... क्या होता है?''

''शाबाशी! शाबाशी होती है। जो वो शख्स गिरफ्तार हो जायेगा तो मिलेगी।''

''मैं बेकार यहां आया!''—वो बड़बड़ाया।

''बेकार नहीं आया। एक अच्छा नागरिक होने का सबूत पेश करने आया।''

''इनाम कोई नहीं?''

''नहीं। लेकिन तेरे को फख्र होना चाहिए कि...''

''साहब जी, फख्र को भुना के आटा दाल चावल तो नहीं खरीदा जा सकता!''

''खबरदार!''—एसएचओ का स्वर कर्कश हुआ—''ज्यादा बढ़ बढ़ के मत बोल। साले, जानता नहीं किससे जुबानदराजी कर रहा है!''

''ढाबे वाला बिहारी मेरे को बोल भी रहा था कि मेरे को छापे वालों के पास जाना चाहिये था।''

''क्यों?''

''पुलिस वाले इनाम खुद खा जाते हैं।''

''ठहर जा, साले हरामी!''

''मेरा इनाम मार लिया आप लोगों ने। साईं झूलेलाल सब देख रहा है। वही अब मेरा इंसाफ करेगा। आपका भी...''

एसएचओ गुस्से से काल बैल बजाने लगा।

शुक्रवार : बारह अगस्त

सुबीर पसारी ने मुकेश माथुर के कक्ष में कदम रखा।

''गुड मार्निंग।''—वो बोला।

''वैरी गुड मार्निंग।''—मुकेश बोला—''बैठो। कॉफी आ रही है।''

''दैट्स गुड न्यूज।''

''लगता है—गुड, बैड ऑर इनडिफ्रेंट—कोई और भी न्यूज है!''

''है तो सही! तभी तो ऑफिस में कदम रखते ही सीधा यहां पहुंचा।''

''मेरे काम की?''

''हो सकता है।''

''क्या?''

तभी चपरासी कॉफी सर्व करने आया और रुखसत हुआ।

''खबर गोरई वाले मर्डर केस की बाबत है''—पसारी बोला—''जिसकी

तुम्हें खबर है।''

''हां। वहां अभय सिंह राजपुरिया नाम के एक बारसूख शख्स को उसके एक डिसमिस्ड सर्वेंट ने मार डाला। कल शाम तुम्हीं ने तो बताया था कि इलाके की पुलिस बतौर कातिल निर्विवाद रूप से उस सर्वेंट की शिनाख्त कर चुकी थी... क्या नाम था?''

''कमलेश दीक्षित।''

''हां, कमलेश दीक्षित। कल तुमने ये भी कहा था कि उसकी गिरफ्तारी महज वक्त की बात थी!''

''ठीक कहा था।''

''यानी गिरफ्तार हो गया?''

''हां। कल शाम परेल की एक चाल से गिरफ्तार हुआ।''

''कैसे?''

''किसी फैलो चाल डवैलर ने मुखबिरी की।''

''अब वो गिरफ्तार है?''

''हां। परेल थाने वालों ने गिरफ्तार किया और आगे बोरीवली थाने के सुपुर्द किया जिसकी ज्यूरिसडिक्शन की कि वो वारदात है।''

''गुनाह कबूल कर लिया?''

''ऐसे कोई करता है? जिसकी ऐसी मंशा होती है, वो छुप के नहीं बैठता, आत्मसमर्पण के लिए खुद ही थाने पहुंच जाता है।''

''वो क्या कहता है?''

''वही जो उससे अपेक्षित है।''

''कि वो बेगुनाह है?''

''हां।''

''तो ये है वो न्यूज?''

''हां।''

''इसमें मेरे काम की क्या बात है?''

''है न बात!''

''क्या?''

''तुम उसके वकील हो सकते हो।''

''वो कैसे? अपने डिफेंस के लिए वो मुझे रिटेन करना चाहता है?''

''चाहे भी तो नहीं कर सकता।''

''क्यों?''

''कड़का है। फीस नहीं भर सकता।''

''ऐसे लोगों के लिए कोर्ट वकील मुकर्रर करता है।''

''करता है लेकिन वो महज खानापूरी होती है। यूं कोर्ट द्वारा अप्वायन्ट किये गये वकील को एक फिक्स्ड आनरेरियम मिलता है जो बस चिड़िया का चुग्गा ही होता है। कौन इतने मामूली हासिल के लिए जांमारी करता है! मुलजिम की तरफ से कोर्ट में हाजिर होने की बस फारमलिटी ही पूरी करता है।''

''मैंने भी अक्सर ऐसा सुना है लेकिन पूरी तरह से यकीन कभी न आया।''

''कर ही लो। बहरहाल मेरा कहना ये है कि तुम इस मुलजिम को डिफेंड कर सकते हो।''

''कोर्ट की अप्वायन्टमेंट पर?''

''नहीं मुलजिम की अप्वायन्टमेंट पर।''

''वो क्या जानता होगा मेरे बारे में?''

''अब जान जायेगा न! तुम जनवाओगे तो जान जायेगा।''

''मैं क्यों जनवाऊंगा?''

''क्योंकि इस वक्त तुम्हें अपने पर फोकस की जरूरत है, तुम्हारी नवस्थापित लॉ फर्म को पब्लिसिटी की जरूरत है। ये एक मुअज्जित, बारसूख आदमी के कत्ल का मामला है, मीडिया की ढ़ेर कवरेज होगी जो कि तुम्हारे—हमारे—काम आयेगी।''

''वो सच में कातिल हुआ तो?''

''पुलिस का यही दावा है। वो लोग उसे मुलजिम के खिलाफ ओपन एण्ड शट केस बता रहे हैं, खम ठोक कर कहते हैं कि जैसे उसकी गिरफ्तारी महज वक्त की बात थी, वैसे उसका सजा पाना भी महज वक्त की बात है। मैंने केस को मोटे तौर पर स्टडी किया है। मेरी स्टडी ये कहती है कि उसके खिलाफ जो केस है, वो पूरी तरह से सरकमस्टांशल ईवीडेंस पर आधारित है और कोई काबिल वकील—जो कि तुम हो—हिम्मत करे, मेहनत करे—जो कि तुम कर सकते हो—तो प्रासीक्यूशन के केस की धज्जियां उड़ा सकता है। देख लेना जीत गये तो तुम्हारी वाहवाही हो जायेगी। फिर क्लायन्ट्स का जो अकाल यहां पड़ा हुआ है, वो भी खत्म हो जायेगा।''

''दिल को बहलाने के लिए गालिब खयाल अच्छा है।''

''खाली बैठ कर पस्ती में, डिप्रेशन में गोते लगाने से कुछ करना बेहतर होता है।''

''तुम क्या करोगे?''

''तुम्हारी हर मुमकिम मदद करूंगा। उस शख्स को कनविंस करूंगा कि वो कोर्ट अप्वायन्टिड वकील को कबूल करने से इंकार करे और तुम्हें अपना वकील

अप्वान्ट करे।''

''तो तुम्हरी ये कनसिडर्ड ओपीनियन है कि मुझे ये सोशल सर्विस जैसा काम करना चाहिये?''

''मौजूदा हालात में करना चाहिये।''

''ठीक है। ग्राउन्ड तैयार करो। मैं भी जो मेरे से होता है, करता हूं।''

''जो होगा, अच्छा होगा। नेक इरादों से ही नेक काम होते हैं। नो?''

''यस।''

बन्दी कमलेश दीक्षित एसीपी शरद ठाकरे के ऑफिस में उसके सामने बैठा हुआ था। उसका सिर झुका हुआ था और सूरत पर बद्हवासी थी।

उन दोनों के अलावा वहां इन्स्पेक्टर अशोक सावन्त और सब-इन्स्पेक्टर गोपाल पुजारा भी मौजूद थे।

गिरफ्तारी के वक्त खोली की तलाशी में और खुद बन्दी की तलाशी में जो सामान बरामद हुआ था, वो एसीपी के सामने मेज पर पड़ा था। वो सामान था :

एक आर्टीफिशल लैदर का घिस कर बदरंग हुआ बटुवा।

सिग्रेट का आधा खाली पैकेट और लाइटर।

कंघी।

रूमाल।

एक की-रिंग जिसमें एक ही चाबी थी जो कि उसकी चाल की खोली के ताले की थी।

और जो सबसे ज्यादा तवज्जो के काबिल आइटम थी, वो हजार हजार के बीस नोट थे।

अपनी गिरफ्तारी के वक्त वो लुंगी बनियान में था लेकिन खोली की तलाशी से पुलिस ने उसकी वो पोशाक—पतलून और बुशशर्ट—बरामद की थी जिसकी बाबत उसका दावा था कि उसने दो हफ्ते से नहीं पहनी थी। पतलून उस टाइप की थी जिसके पाहुंचे उलटे हुए होते थे। पुलिस ने पतलून से ज्यादा तवज्जो पाहुंचों पर दी थी जो कि कमलेश के लिए हैरानी की बात थी और जिसकी कोई वजह समझ पाना उस घड़ी उसके बूते से बाहर था। जूतों का उसके पास एक ही जोड़ा था और पोशाक के साथ उसको भी पुलिस ने अपने काबू में कर लिया था। उस सामान को उसके सामने एक पालीथीन के बैग में सील किया गया था और आगे लैबोरेट्री एग्जामीनेशन के लिए भिजवाया गया था।

एसीपी ने कई क्षण अपलक उसे देखा, उसे सिर उठाता न पाया तो कर्कश स्वर में बोला—''मेरी तरफ देखो।''

बन्दी ने सप्रयास सिर उठाया।

''अभय सिंह राजपुरिया के कत्ल के बारे में क्या जानते हो?''

''कुछ नहीं।''—बन्दी कठिन स्वर में बोला।

''जो नाम मैंने लिया, उसे तो जानते हो न?''

''जानता हूं।''

''कैसे जानते हो?''

''मैं उनकी मुलाजमत में रह चुका हूं।''

''कब तक थे मुलाजामत में?''

''अभी कोई... बारह दिन पहले तक।''

''कितना अरसा रहे?''

''दो महीने।''

''निकाले क्यों गये?''

''मालिक की मर्जी हुई।''

''और कोई वजह नहीं?''

''नहीं।''

''कत्ल की खबर है?''

''अब है।''

''अब है क्या मतलब? वारदात होते ही खबर न लगी?''

''नहीं।''

''जब मकतूल की कॉफी में जीटाप्लैक्स की ओवरडोज डाली थी तो न सूझा कि वो मर जायेगा?''

''मैंने ऐसा कुछ नहीं किया था।''

''तुम मौकायवारदात पर नहीं थे?''

''नहीं था।''

''खबर टीवी पर थी! अखबारों में थी!''

''मेरे पास टीवी नहीं है। मैं अखबार नहीं पढ़ता।''

''तो फिर कैसे लगी? कब लगी?''

''चाल के कुछ लोगों को चर्चा करते सुना।''

''तुम चर्चा में शामिल थे?''

''नहीं। मैं अपनी खोली में बन्द था। वो बाहर गलियारे में खड़े बातें कर रहे थे। ऊंचा बोल रहे थे इसलिये बातें मुझे सुनाई दी थीं।''

''असल में तो तुम्हें खबर लगने की जरूरत ही नहीं थी।''

''जी!''

"तुम्हें तो सबसे पहले खबर थी।"

"क्या कह रहे हैं, जनाब!"

"तुम्हें मालूम है क्या कह रहा हूं। कत्ल की खबर सबसे पहले किसको होती है? कातिल को होती है। जो कि तुम हो।"

"गलत। बिल्कुल गलत।"

"इसलिये तुम्हें तो टीवी से, अखबारों से, पड़ोसियों की किसी चर्चा से खबर लगने की जरूरत ही नहीं थी।"

"सरासर गलत। आप यूं मुझे कातिल करार नहीं दे सकते।"

"दे तो रहा हूं!"

"ये मुझ पर बेजा इलजाम है, मैंने कत्ल नहीं किया।"

"तुम्हारी मकतूल से रंजिश थी, उसने तुम्हें बेइज्जत किया था, चोर ठहराया था और दुत्कार कर खड़े पैर एस्टेट से निकाला था।"

"आप बात को बढ़ा चढ़ा के कह रहे हैं। बात सिर्फ इतनी थी कि वो मेरे लॉज में अनाधिकार प्रवेश से खफा थे और गुस्से में उन्होंने मुझे डिसमिस कर दिया था। और मैं कोई पहला मुलाजिम नहीं था जिसको कि ऐसे डिसमिस किया गया था। पता करके देखिये।"

"जुबानदराजी अच्छी कर लेते हो!"

बन्दी खामोश रहा।

"पढ़े लिखे हो?"

"ग्रेजुएट हूं।"

"फिर भी राजपुरिया एस्टेट में जनरल हैण्डीमैन की नौकरी करते थे!"

"मजबूरी थी। बेरोजगार फिरने से तो छोटी मोटी नौकरी करना भी बेहतर होता है। रिजक के लिए कुछ भी करने में कोई हर्ज नहीं होता। कोई काम छोटा बड़ा नहीं होता, उसकी बाबत सिर्फ सोच छोटी बड़ी होती है।"

"इतने ऊंचे खयालात हैं, फिर भी चोरी करने पहुंच गये!"

"मैंने पहले ही अर्ज किया कि ये मेरे पर बेजा इलजाम है।"

"तुम चोर नहीं? कातिल नहीं?"

"हरगिज नहीं।"

"लेकिन जेलबर्ड हो!"

"गलत और नाजायज तरीके से कोई भी जेल में बन्द कर दिया जा सकता है। महज जेल में बन्द रहे होने की वजह से कोई जेलबर्ड कहलाता है तो महात्मा गाँधी को कोई जेलबर्ड क्यों नहीं कहता! पंडित जवाहरलाल नेहरू को कोई जेलबर्ड क्यों नहीं कहता!"

''शट अप! तुम अपनी बराबरी गाँधी जी और पंडित जी से कर रहे हो!''

''नहीं कर रहा। महज एक मिसाल दे रहा हूं।''

''ऐसी नाजायज और वाहियात मिसाल भी मत दो। जो पूछा जाये उसका टु दि प्वायन्ट जवाब दो, दायें बायें की बकवास मत करो।''

बन्दी खामोश रहा।

''परसों सुबह तुम गोरई में थे?''

''नहीं।''

''आगे राजपुरिया एस्टेट, फिर क्रिस्टल लॉज गये थे?''

''नहीं।''

''तब कहां थे?''

''वहीं था जहां से हिरासत में लिया गया था। परेल में, रेलवे कालोनी के करीब सदानन्द चाल की अपनी खोली में।''

''बुधवार सारा दिन वहीं थे?''

''हां। किसी छोटे मोटे काम के लिए एकाध बार चाल से बाहर गया था लेकिन इलाके से बाहर नहीं गया था, परेल से बाहर नहीं गया था।''

''नौकरी से निकाले जाने के बाद कभी वापिस राजपुरिया एस्टेट गये थे?''

''नहीं, कभी नहीं।''

''सोच कर जवाब दो।''

''सोच कर ही जवाब दिया है। मैंने कभी उस तरफ का रुख तक नहीं किया था।''

''फिर जरूर वो तुम्हारा प्रेत होगा जिसे परसों सुबह किसी ने राजपुरिया एस्टेट में स्थित क्रिस्टल लॉज की पहली मंजिल पर के मास्टर बैडरूम की एक खिड़की से बाहर लटक कर नीचे कूदते देखा था!''

बन्दी बद्हवास दिखाई देने लगा।

''बुधवार''—एसीपी ने तपते लोहे पर चोट की—''क्रिस्टल लॉज में कत्ल की वारदात के दिन, यानी कि परसों, सुबह दस बजे के करीब तुम वहां के मास्टर बैडरूम की खिड़की से नीचे कूदते देखे गये थे।''

बन्दी ने बेचैनी से पहलू बदला।

''जवाब दो!''

''क-कौन कहता है?''

''अभी इस बात की अहमियत नहीं। अभी अहमियत इस बात की है कि जो कहता है, ठीक कहता है, पूरी जिम्मेदारी से कहता है, पूरे यकीन से कहता है, कसमिया कहता है, तहरीरी तौर पर कहता है।''

''आप चोर बहका रहे हैं। आप मेरे से अपना मनमाना बयान उगलवाने की कोशिश कर रहे हैं। ऐसा कोई आदमी है ही नहीं।''

''बराबर है।''

''अगर है तो झूठ बोल रहा है।''

''वो भला क्यों झूठ बोलेगा?''

''आप चाहेंगे तो क्यों नहीं बोलेगा?''

''तुम समझते हो हम तुम्हारे खिलाफ कोई झूठा गवाह खड़ा करने की कोशिश कर रहे हैं?''

''चोर बहकाने के लिए ऐसे करतब पुलिस वाले करते ही हैं। ये कोई नयी बात नहीं। आप निश्चय किये बैठे हैं कि कातिल मेरे को ठहरा के रहना है, अपनी इस जिद पर खरा उतरने के लिए आप कुछ भी कर सकते हैं।''

''क्यों?''

''क्योंकि यूं पुलिस का काम आसान होता है। आप लोग असली कातिल को तलाश करने की जरूरत से बचते हैं, मशक्कत से बचते हैं। कोई बलि का बकरा पकड़ा और पेश कर दिया, कोर्ट ने सजा सुना दी, कानून की तसल्ली हो गयी, मकतूल का इंसाफ हो गया, गाड़ी अगले स्टेशन। पुलिस केस की तफ्तीश नहीं करती, बड़े अफसर साहब, वो खूंटी तलाश करती है जिसपर पुलिस का कच्चा पक्का, औना पौना केस टांगा जा सके और इस मर्तबा मेरी बद्नसीबी कि वो खूंटी मैं हूं।''

''बहुत बोलते हो!''

''जिसपर जुल्म होता है, वो फरियाद तो करता ही है! जुबान खोले बिना कैसे होगी फरियाद!''

''जितना मुंह फाड़ने की इस वक्त जरूरत है, तुम उससे ज्यादा, कहीं ज्यादा फाड़ रहे हो। भूल रहे हो कि अभी तुम पर कोई चार्ज नहीं लगाया गया। अभी तुम गिरफ्तार भी नहीं हो, सिर्फ पूछताछ के लिए हिरासत में लिये गये हो।''

''अगर ऐसा है तो मेरे कपड़े जूते क्यों कब्जाये?''

''हमें यकीन दिलाओ कि तुम कातिल नहीं हो, अभी वापिस कर दिये जायेंगे। तुम्हें भी यहां से बाइज्जत रुखसत कर दिया जायेगा।''

''मैं कैसे यकीन दिलाऊं?''

''तो ये काम हमें करने दो। हम तुम्हें यकीन दिलाते हैं कि तुम्हें कातिल करार देने के लिए हमारे पास बहुत कुछ है—इतना कुछ है कि उसमें से कुछ को भी तुम नकार नहीं सकोगे।''

''आप कुछ भी कहिये मैं इस बात से पुरजोर इंकार करता हूं कि परसों सुबह

दस बजे मैं मौकायवारदात पर था या उसके करीब था।''

''ऐसा?''

''जी हां, ऐसा।''

''मैं तुम्हारे हौसले की दाद देता हूं लेकिन ज्यादा हौसला कई बार जान का जंजाल बन जाता है।''

''बने। वैसे जान को क्या कम जंजाल हैं! एक और सही।''

एसीपी हड़बड़ाया, उसने प्रश्नसूचक भाव से बारी बारी अपने मातहतों की तरफ देखा।

दोनों ने अनभिज्ञता से कन्धे उचकाये।

''हूं।''—एसीपी फिर बन्दी की ओर आकर्षित हुआ—''एस्टेट की नौकरी में तुम्हारी तनख्वाह कितनी थी?''

''छ: हजार।''—बन्दी बोला।

''खाना पीना रहना फ्री?''

''हां।''

''दो महीने नौकरी चली?''

''हां।''

''बीस हजार बना लिये?''

''तनख्वाह से न बनाये। और तरीकों से भी सेविंग की।''

''और कौन से तरीके! तुम तो उन दो महीनों से पहले भी बेरोजगार थे, अब भी बेरोजगार हो!''

''वो...वो...मटका...''

''नम्बर लगाया?''

''हां।''

''अक्सर खेलते हो मटका?''

''कभी कभार। जब हारना अफोर्ड करने की औकात हो।''

''औकात हुई—तनखाह की बदौलत—मटका खेला, हारने की जगह जीते?''

''हां।''

''यूं ये बीस हजार रुपये बने?''

''हां।''

''मटका जुआ है। गैरकानूनी है। उसको खेलना जुर्म है।''

''खिलाना भी तो जुर्म है, साहब! पुलिस की ऐन नाक के नीचे चलता है। क्यों नहीं रोकते?''

''तुम्हारा काम जवाब देना है, सवाल करना नहीं।''

बन्दी ने होंठ भींच लिये।

''अगर मैं कहूं कि ये रकम चोरी की है?''

''खामखाह! मैंने बोला न...''

''जो तुमने अपने भूतपूर्व एम्प्लायर का कत्ल करने के बाद उसके बैडरूम से चोरी की!''

''बिल्कुल झूठ!''

''कत्ल तुमने किया है।''

''नौकरी से निकाले जाने के बाद से मैंने मकतूल की शक्ल नहीं देखी।''

''गुनाह खुद अपनी जुबानी कुबूल कर लेने से सजा कम होती है। मालूम!''

''नहीं मालूम। मैं मालूम करना भी नहीं चाहता। क्योंकि मैं गुनहगार नहीं हूं।''

''ठीक है। अब आगे जो होता है, उसका इन्तजार करो।''

''मुझे कब तक यहां रुकना पड़ेगा?''

''रुकना तो पड़ेगा। जो कि इतना भी हो सकता है कि कभी जा ही न सको।''

''ये जुल्म है।''

''अभी नहीं है। अभी पुलिस प्रोसीजर है, बस।''

''अपने बचाव के लिए मैं वकील करना चाहता हूं।''

''कर सकते हो, फीस भरने की औकात है तो कर सकते हो।''

''ये बीस हजार...''

''इन्हें तो भूल ही जाओ।''

''जी!''

''मालखाने में जमा होंगे। तफ्तीश होगी कि ये मकतूल के यहां से चोरी गयी रकम तो नहीं!''

''कैसे साबित करोगे? इस पर मरने वाले का नाम लिखा है?''

''देखेंगे। चैक करेंगे। शायद लिखा हो!''

''मैं अपने आपको गिरफ्तार समझूं?''

''यही उचित होगा।''

''जबकि अभी आप कह रहे थे कि मैं गिरफ्तार नहीं हूं, मुझे पूछताछ के लिए हिरासत में लिया गया है।''

''तुम्हारी ढिठाई की वजह से हिरासत का वक्फा बढ़ाया जा रहा है।''

''ये जुल्म है। टिपीकल पुलिसिया जुल्म है...''

''पुलिसिया जुल्म तुमने अभी देखा कहां है! जब होगा तो दहशत से ही

प्राण निकल जायेंगे। अभी यहां मीठी मीठी बातें सुनाई दे रही है, इसलिये बौरा गये हो, भरमा गये हो। थाने पहुंचोगे, हवालात में बन्द होगे तो... सावन्त, बताओ इसे क्या होगा!''

''जेल की हवा खाये है, सर''—सावन्त क्रूर भाव से हंसता हुआ बोला—''जानता ही होगा!''

एसीपी भी हंसा।

मातहत सब-इन्स्पेक्टर पुजारा ने मुसाहिबी के तौर पर हंसी में अपने दोनों सीनियर अफसरों का साथ दिया।

''वो लड़की कहां है''—एसीपी बोला—''जिसे कल रात घर भेज दिया गया था लेकिन आज यहां हाजिरी भरने को बोला गया था?''

''मालूम करता हूं, सर।''—सावन्त बोला।

सुरभि शिन्दे थाने में मौजूद थी।

वो एक खाली ऑफिस में एक लेडी हवलदार के साथ बैठी हुई थी।

लेडी हवलदार ने सावन्त को उठ कर सैल्यूट ठोका।

''बाहर जाओ।''—सावन्त बोला—''बुलाने पर आना।''

वो वहां से रुखसत हो गयी।

सावन्त सुरभि के सामने एक कुसी पर बैठ गया।

''मैं इन्स्पेक्टर सावन्त।''—वो बोला—''कल भी मुलाकात हुई थी।''

सुरभि ने नर्वस भाव से सहमति में सिर हिलाया।

''अब क्या कहती हो?''

''किस बारे में?''

''गिरफ्तारी के बारे में! मैंने बोला था तुम्हारे यार का पता हम जान के रहेंगे...''

''आप जरा सभ्य भाषा का इस्तेमाल कीजिये, मेहरबानी होगी।''

''कि तुम्हारे ब्वायफ्रेंड का पता हम जान के रहेंगे।''

''मुझे उम्मीद नहीं थी।''

''कानून के हाथ बहुत लम्बे होते हैं।''

''अब मालूम पड़ गया।''

''अकेली आई हो?''

''पापा साथ हैं।''—सुरभि बोली—''बाहर वेटिंग हाल में बैठे हैं। आपके लोगों ने उन्हें यहां न आने दिया।''

''कोई बात नहीं। तुम उनके बिना भी यहां सेफ हो। सो रिलैक्स।''

उसकी उत्कण्ठा में कोई फर्क न आया।

"कमलेश की क्या पोजीशन है, सर?" —वो व्यग्र भाव से बोली।

"कैसी पोजीशन?"

"आप लोगों ने नाहक उसे पकड़ लिया, रात थाने में रखा, अब तो उसे जाने दीजिये।"

"अभी नहीं।"

"सर, जाने दीजिये न! वो बहुत अच्छा लड़का है। उसका कत्ल से न कोई लेना देना है, न हो सकता है।"

"तुम उससे प्यार करती हो, उसपर जान छिड़कती हो, तुम तो ऐसा कहोगी ही!"

"सर, गलत तो कुछ नहीं कह रही! जब आप जानते हैं कि मैं उससे प्यार करती हूं तो ये भी समझते होंगे कि मेरे से बेहतर उसे कौन जान सकता है! आप मेरा यकीन कीजिये, वो बहुत नेक, शरीफ, भला लड़का है, वो ऐसा वायलेंट कदम नहीं उठा सकता। वो कत्ल नहीं कर सकता। वो भी राजपुरिया साहब जैसे बारसूख, उम्रदराज शख्स का। आप मेरा यकीन कीजिये, उसका यकीन कीजिये और उसे छोड़ दीजिये, प्लीज।"

"माई डियर, ये कायदे कानून का मसला है। ऐसे मसलों पर जज्बात लागू नहीं होने दिये जा सकते।"

"देवा! देवा!"

"अब मैं तुमसे कुछ पूछना चाहता हूं, जिसकी वजह से कि तुम्हें यहां तलब किया गया है।"

"पूछिये।"

"कल रात तुम्हारी एक मुख्तसर सी मुलाकात लड़के से हुई थी। वो क्या कहता है कत्ल के बारे में?"

"अब क्या बोलूं! हैरान होता था। बार बार सवाल करता था कि कौन होगा कातिल, कौन होगा कातिल, किसने राजपुरिया साहब की हार्ट की मैडीसिन को कत्ल का हथियार बनाया! किसने उन जैसे सज्जन पुरुष को मार डाला!"

"सच कह रही हो?"

"बिल्कुल, सर। इसमें झूठ बोलने वाली कौन सी बात है!"

"तुम उसकी प्रियतमा हो, उसके दिल के करीब हो, तुम दोनों का दुख सुख सब सांझा है, कत्ल का जिक्र आने पर उसने कम से कम तुमसे तो सच नहीं छुपाया होगा!"

"कौन सा सच, सर?"

''कि कत्ल उसने किया था! जीटाप्लैक्स के ओवरडोज की वजह वो था!''

''हे भगवान!''

''ऐसा कोई हिन्ट ही दिया हो कि ये काम उसने किया था या हालात ऐसे बन गये थे कि उसके हाथों हो गया था!''

''सर, आप प्लीज मुझे जुबान देने की कोशिश न करें। मुझे कोई पट्टी पढ़ाने की भी कोशिश न करें। उसने ऐसा कुछ नहीं कहा था, उसने सिर्फ इस बात पर अफसोस जाहिर किया था कि बुजुर्गवार का कत्ल हो गया था।''

''मुजरिम की मदद करने वाला भी मुजरिम माना जाता है। मालूम?''

''बोला था आपने कल भी। क्या कहना चाहते हैं?''

''अगर उसकी खातिर झूठ बोल रही हो तो तुम्हारा अंजाम बुरा होगा। अगर उसपर कत्ल का इलजाम साबित हो गया तो उसके गुनाह की आंच तुम्हें भी झुलसाये बिना नहीं रहेगी। लिहाजा जब उसे बड़ी सजा होगी तो बतौर 'असैसरी आफ्टर दि फैक्ट' कोई छोटी मोटी सजा तुम्हें भी जरूर होगी।''

''हे भगवान! हे भगवान!''

''तुम जेल जाना चाहती हो?''

उसके शरीर ने जोर से झुरझुरी ली।

''जाहिर है कि नहीं चाहती हो लेकिन उसकी खातिर झूठ बोलोगी तो ऐन यही होगा। उसकी खातिर झूठ बोल कर तुम उसका तो कोई भला नहीं करोगी लेकिन अपना बुरा जरूर कर बैठोगी। मुहावरे की जुबान में इसे होम करते हाथ जलना कहते हैं।''

सुरभि खामोश रही।

''अब सोच समझ कर जवाब दो, क्या उस लड़के ने तुम्हारे सामने ऐसा कुछ बोला था जिससे जाहिर होता हो कि कत्ल उसने किया था?''

''नहीं।''

''पक्की बात?''

''हां।''

''उसने होशियारी बरती, ऐसा कुछ कहने से परहेज किया!''

''आपका खयाल गलत है। उसने ऐसा कुछ नहीं किया था। कमलेश ने आज तक मेरे से कुछ नहीं छुपाया, वो हर भली बुरी बात बेहिचक मेरे से शेयर करता था और मैं उससे शेयर करती थी। सच्ची दोस्ती का, सच्ची मुहब्बत का यही तकाजा होता है कि कोई पर्दादारी न हो, कोई दुई का भेद न हो। मैं सात जन्म यकीन नहीं कर सकती कि कमलेश ने कत्ल किया है।''

''मैं तुम्हारे विश्वास की कद्र करता हूं। अब मेरी आखिरी बात सुनो।''

''फरमाइये।''

''तुम्हें उससे बात करने का एक मौका और दिया जायेगा। प्राइवेट कर के। अकेले में। मुलाकात में कत्ल का जिक्र चलाना होगा। विश्वास का ऐसा माहौल पैदा करना होगा कि अगर उसने पहले कुछ छुपाया है तो अब न छुपाये। मुमकिन है इस बार वो अपना गुनाह कुबूल कर ले।''

''जब उसने कुछ किया ही नहीं तो...''

''देखेंगे। देखेंगे। बहरहाल जो कहा है, वो करना। ये तुमसे मेरी, मुम्बई पुलिस की, दरख्वास्त है। ओके?''

उसने सहमति में सिर हिलाया।

''दैट्स लाइक ए गुड गर्ल।''—सावन्त उठ खड़ा हुआ—''अभी थोड़ी देर यही बैठो, मैं मुलाकात का इन्तजाम करता हूं।''

सुरभि ने फिर सहमति में सिर हिलाया।

सावन्त वहां से रुखसत हो गया।

पुलिस की वो चतुर चाल न चली।

मुलजिम को उसकी गर्लफ्रेंड से अकेले में मुलाकात करने का मौका दिया गया। मुलाकात को पहले से ही कर के रखे गये इन्तजाम के जरिये बाकायदा मानीटर किया गया! गुप्त रूप से लगाये गये ट्रांसमिटर्स और स्पाई कैमराज के जरिये उस दस मिनट की मुलाकात की वीडियो और आडियो रिकार्डिंग तैयार की गयी जिसको बाद में कई कई बार देखा सुना गया।

सब बेकार।

मुलजिम ने एक बार भी कोई हिंट नहीं दिया था कि वो कातिल था।

लड़की को थाने से रुखसत कर दिया गया।

''चालाक लड़का है।''—एसीपी ने अपनी राय जाहिर की—''जेल में रह चुका है इसलिये पुलिसिया तौर तरीकों से वाकिफ हो सकता है। समझ गया हो सकता है कि उसकी सुरभि से प्रत्यक्षत: प्राइवेट मीटिंग मानीटर की जा रही थी इसलिये कत्ल में अपने रोल की बाबत कोई बात ज़ुबान पर लाने से उसने खास परहेज किया हो सकता है।''

''ऐसा है तो''—सावन्त बोला—''वो चालाक नहीं, बेहद चालाक लड़का है।''

''क्या बड़ी बात है!''

''उस रिकार्डिंग के ज़ेरेसाया आप इस बात को खातिर में लाने के ख्वाहिशमन्द नहीं जान पड़ते कि शायद वो बेगुनाह हो!''

''तुम्हें लगता है!''

''लगता तो नहीं!''

''है भी नहीं। अकेले शिशिर खोटे की गवाही ही कोर्ट में उसकी हालत खराब कर देगी। फिर उसके पास से बरामद हुए हजार हजार के बीस नोट! कहता है बचत की! मटके में जीते! कोई मानने की बात है! उसने जिक्र ही सुना होगा कि मुम्बई में मटका खेला जाता है, जब पूछा जायेगा कि दांव क्या होता है, कैसे लगाया जाता है, कहां लगाया जाता है, तो जरूरी नहीं कि कोई तसल्लीबख्श जवाब दे पायेगा। झूठ बोलना आसान होता है, झूठ पर कायम रहना बहुत मुश्किल होता है।''

''यू आर राइट, सर।''

''अभी लैब रिपोर्ट आने दो, मुझे पूरा यकीन है वो बिल्कुल ही इसके ताबूत में कील ठोक देगी।''

''आती ही होगी, सर।''

दो घन्टे में लैब रिपोर्ट एसीपी के ऑफिस में पहुंची।

उसमें दर्ज था :

मुलजिम के दायें पांव के जूते के सोल का पैटर्न मौकायवारदात से बैडरूम की खिड़की के नीचे की फूलों की क्यारी से उठाये गये प्लास्टर कास्ट में महफूज पैटर्न से हूबहू मिलता था।

मुलजिम की पतलून के मुड़े हुए पाउंचों में लाल धूल के कण पाये गये थे।

एसीपी की बात सच निकली थी।

उस रिपोर्ट ने वाकेई मुलजिम कमलेश दीक्षित के ताबूत में आखिरी कील ठोक दी थी।

''अब मुकर के दिखाये!''—एसीपी विजेता के से स्वर में बोला—''कहे कि परसों सुबह दस बजे वो राजपुरिया एस्टेट में नहीं विचर रहा था! और बाद में लॉज में कत्ल करके मकतूल के बैडरूम की खिड़की के रास्ते वहां से नहीं फरार हुआ था!''

मुलजिम कमलेश दीक्षित को फिर एसीपी के ऑफिस में हाजिर किया गया और उसे बाजरिया पुलिस लैब हासिल हुई नई जानकारी से अवगत कराया गया।

उसके चेहरे पर हवाईयां उड़ने लगीं।

''तुम कातिल हो।''—एसीपी पुरजोर लहजे से बोला—''मेरी फिर तुम्हें राय है...''

''मैं कातिल नहीं हूँ।''—कमलेश होंठों में बुदबुदाया।

''... अपना गुनाह अपनी ज़ुबानी कबूल कर लो, फायदे में रहोगे।''

''मैंने कत्ल नहीं किया।''

''हर बात तुम्हारे खिलाफ है। हर बात तुम्हारे कातिल होने की चुगली करती है।''

''मेरी बद्‌किस्मती।''

''तो तुम अपनी ज़ुबानी अपना गुनाह कबूल करने को तैयार नहीं!''

''हरगिज नहीं। मैंने कत्ल नहीं किया।''

''तुम्हें रिमांड के लिए ज्यूडीशियल मैजिस्ट्रेट के पास पेश किया जायेगा। रिमांड पर मर्डर सस्पेस्ट के साथ क्या बीतती है, जानते हो?''

बन्दी ने उत्तर न दिया।

''जानते ही होगे! आखिर जेल के मेहमान रह चुके हो। नहीं जानते हो तो सुन लो। कत्ल न किया होने की अपनी जिद पर कायम नहीं रह पाओगे।''

''आप एक बेगुनाह के साथ ज़ुल्म करेंगे?''

''देखना क्या करेंगे! अभी तो सेफ हो। बाई दि वे, तुम चाहो तो तुम्हारी गिरफ्तारी की खबर तुम्हारे मां बाप को की जा सकती है।''

''मां बाप नहीं हैं।''—बन्दी बुदबुदाया।

''किन्हीं रिश्तेदारों को! कोई भाई बहन! चाचा मामा!''

''मेरा कोई नहीं।''

''है नहीं या उनकी नेकनामी का खयाल है?''

''है ही नहीं।''

''इतना तनहा तो दुनिया में कोई नहीं होता!''

बन्दी खामोश रहा।

''अच्छा है। जब फांसी पर झूलोगे तो मातम मनाने वाला कोई नहीं होगा।''

''मैंने खून नहीं किया। मेरे को फांसी हुई तो... तो ये ज़ुल्म होगा।''

''दुआ करना अपने इष्टदेव से कि जज को दया आ जाये और तुम्हारी उम्र कैद से खलासी हो जाये...''

तभी एक हवलदार वहां पहुंचा।

एसीपी ने सिर उठा कर उसकी तरफ देखा।

हवलदार ने सैल्यूट मारा और फिर अदब से बोला—''एक वकील साहब आये हैं। अपने क्लायन्ट से मुलाकात की मांग कर रहे हैं।''

''क्लायन्ट!''—एसीपी हड़बड़ाया—''क्लायन्ट कौन?''

हवलदार ने कमलेश दीक्षित की तरफ इशारा किया।

''क्या?'' — एसीपी हैरानी से बोला, फिर बन्दी की तरफ घूमा — ''क्यों भई, तुमने वकील कब को कर लिया?''

बन्दी के चेहरे पर असमंजस के भाव आये।

''वकील कब को कर लिया, भई?''

बन्दी से जवाब देते न बना।

''उस लड़की ने — सुरभि शिन्दे ने, इसकी... वो ने'' — सावन्त बोला — ''कुछ किया होगा जिसे कि बयान के बाद घर भेज दिया गया था।''

''उस नन्हीं, नादान सी लड़की ने?''

''या उसके पिता ने — बाबूराव शिन्दे ने।''

''इतने हिमायती, फिर भी कहता है इसका कोई नहीं!'' — एसीपी वापिस हवलदार की ओर घूमा — ''है कौन वो?''

''ये कार्ड दिया है, साहब।'' — हवलदार ने आगे बढ़कर एक फैंसी विजिटिंग कार्ड एसीपी के सामने रखा।

एसीपी ने कार्ड उठा कर उसपर छपी इबारत पढ़ी — ''मुकेश माथुर, मैनेजिंग पार्टनर मुकेश माथुर एण्ड एसोसियेट्स, मैरीन ड्राइव, मुम्बई — 400 004।''

''मैं इसको जानता हूं।'' — इन्स्पेक्टर सावन्त जल्दी से बोला — ''नौजवान लड़का है। अभी कुछ महीने पहले तक वकीलों की एक बड़ी फर्म आनन्द आनन्द आनन्द एण्ड एसोसियेट्स में था जहां इसकी अप्रेंटिस जैसी हैसियत थी। अब अपनी फर्म खोल ली जान पड़ती है।''

''गोया तरक्की कर ली!''

''पता नहीं कैसे कर ली! इस काबिल दिखाई तो नहीं देता था!''

''तुम कैसे जानते हो इसे?''

''दो तीन बार कोर्ट में मिला। कभी कोई मिसल दाखिल कराता। कभी अपने किसी सीनियर की फाइलें सम्भाले उसके साथ।''

''हूं। हमें क्या करना चाहिये?''

''सर, सच में मुलजिम का वकील है तो उसे अपने क्लायन्ट से मिलने, मशवरा करने से रोका तो नहीं जा सकता!''

''हमें क्या जरूरत है रोकने की! इसका वकील वो नहीं होगा तो उस जैसा कोर्ट से अप्वायन्टिड कोई होगा।''

''तो बुलायें, सर?''

''यहां नहीं। यहां नहीं। मेरा उसके मत्थे लगना जरूरी नहीं। तुम बाहर जा के उससे मिलो। सच में इसका वकील निकले और मुलाकात की जिद बरकरार रखे तो पांच सात मिनट की मुलाकात का कहीं इन्तजाम कर देना।''

''ओके, सर।''

मुकेश माथुर को थाने के लॉकअप जैसे जंगले वाले एक कमरे में मुलजिम से मुलाकात का मौका मिला।

उसने कई क्षण अपलक कमलेश दीक्षित का मुआयना किया।

उस दौरान कमलेश बेचैनी से पहलू बदलता रहा।

''मेरा नाम एडवोकेट मुकेश माथुर है।'' — मुकेश बोला — ''कोर्ट में तुम्हें मैं डिफेंड करूंगा।''

''मैं आपको नहीं जानता।''

''अब जानोगे न!''

''अगर आप एमीकस क्यूरी के तौर पर कोर्ट से अप्वायंटिड वकील हैं तो...''

''पढ़े लिखे जान पड़ते हो।''

''ग्रेजुएट हूं।''

''अच्छा है। क्म्यूनीकेशन में सहूलियत होगी। नहीं, मैं तुम्हारे लिये कोर्ट से अप्वायंटिड वकील नहीं हूं। कोर्ट तो ऐसा कदम तब उठायेगा जब तुम कोर्ट में पेश किये जाओगे।''

''मैं... मैं आपकी फीस नहीं भर सकता।''

''नो प्राब्लम।''

''मेरे पल्ले बीस हजार रुपये थे लेकिन गिरफ्तारी के वक्त वो रकम पुलिस ने जब्त कर ली।''

''ऐसा ही होता है लेकिन बोला न, नो प्राब्लम।''

''अगर आप समझते हैं कि बाद में आपकी फीस भर पाऊंगा तो अभी ही जान लीजिये, ऐसा बाद में भी मुमकिन नहीं होने वाला।''

''कोई परेशानी नहीं। तुमसे फीस कमाना मेरा मकसद है ही नहीं।''

''तो क्या मकसद है आपका?''

''मैंने तुम्हारे केस को स्टडी किया है। तुम्हारे खिलाफ जो कुछ भी है, वो सरकमस्टांशल है, परिस्थितिजन्य है। कोई पुख्ता सबूत पुलिस के पास तुम्हारे खिलाफ नहीं है। अगर मेहनत से तुम्हारा डिफेंस तैयार किया जाये, जी जान से तुम्हारा केस लड़ा जाये तो कोर्ट का फैसला, मुझे पूरा यकीन है कि, तुम्हारे हक में होगा।''

''मेहनत आप करेंगे? जी जान से केस आप लड़ेंगे?''

''हां, भई। तभी तो तुम्हारे सामने बैठा हूं। लेकिन इतना जान लो, मैं कुछ करूंगा तो तभी करूंगा जबकि तुम मुझे यकीन दिलाओगे कि तुम बेगुनाह हो, तुमने

राजपुरिया एस्टेट के मालिक अभय सिंह राजपुरिया का कत्ल नहीं किया।''

''सर, कोई भी कसम उठवा लीजिये मैंने कत्ल नहीं किया। आप मेरी बात पर एतबार लायें तो लायें वर्ना खुद को बेगुनाह साबित करने का मेरे पास कोई जरिया नहीं है। होता तो वो मैं उन पुलिस वालों के सामने पेश कर चुका होता जिन्होंने कि मुझे गिरफ्तार किया था।''

''तुम कोई ऐसा गवाह पेश कर सकते हो जो कहे कि कत्ल के सम्भावित वक्त के आसपास तुम मौकायवारदात से बहुत दूर कहीं और थे?''

''नहीं, नहीं कर सकता।''

''कर सकते होते तो मेरे हाथ मजबूत होते।''

''सर, मैं फिर पूछ रहा हूं, आप क्यों मुझ पर मेहरबान हो रहे हैं? वकील लोग डाक्टरों की तरह ही होते हैं। जैसे डाक्टर साहबान फीस लिये बिना मरीज की शक्ल नहीं पहचानते, वैसे ही वकील साहबान भी...''

''मेरा मिजाज जरा जुदा है। फिलहाल। आगे का पता नहीं। बहरहाल तुम समझो कि मैंने गुड डीड आफ दि डे किया।''

''ओह!''

''तुम्हारे केस की बुनियाद, उसका ताना बाना ऐसा है कि थोड़ी सी ही कोशिश से उसे मीडिया की तवज्जो में लाया जा सकता है। मीडिया को यकीन हो गया कि तुम बेगुनाह तो तुम्हारे केस को भारी पब्लिसिटी मिलेगी और वो पब्लिसिटी काफी हद तक पुलिस के, प्रासीक्यूशन के हाथ बांध देगी। पब्लिक को तुम्हारे साथ हमदर्दी हो गयी तो कोई बड़ी बात नहीं कि 'कमलेश दीक्षित को इंसाफ दो' जैसी कोई कैम्पेन तुम्हारे लिये भी शुरू हो जाये। ऐसा हुआ तो तुम ओवरनाइट मीडिया के लाडले बन जाओगे।''

''मेरे खयाल से बतौर मेरे वकील आप भी।''

''ऐग्जैक्टली। इसी लाइन पर थोड़ा और विचार करोगे तो काफी हद तक समझ जाओगे कि क्यों मैं यहां हूं!''

''आप भी खुद पर मीडिया का फोकस चाहते हैं!''

''सिर्फ चाहने से कुछ नहीं होता। कुछ होगा तो तभी होगा जब तुम्हारे केस में मैं कुछ करके दिखाऊंगा। तुम्हें डिफेंड करना मेरे करियर का एक बहुत बड़ा दांव है इसलिये खुद सोचो कि अपनी तरफ से मैं क्या कोई कोशिश उठा रखूंगा!''

उसने इंकार में सिर हिलाया।

''और मैं समझता हूं कि तुम्हारा भी यहीं रवैया होना चाहिये।''

''क्यों नहीं होगा, सर! मेरी जान पर बनी है, क्यों नहीं होगा!''

''दैट्स गुड।''

''सर, मेरी बद्किस्मती ये है कि मेरी बैकग्राउन्ड ऐसी है कि मुझे विलेन करार देना बहुत आसान है।''

''क्या है तुम्हारी बैकग्राउन्ड? पहले उसी के बारे में बताओ।''

''मैं जेल की हवा खा चुका हूं।''

''कैसे? क्या किया था? संक्षेप में बयान करो।''

उसने किया।

''आई सी। अब वारदात से ताल्लुक रखता सब कुछ भी बयान करो।''

''जब मेरा वरदात से कोई ताल्लुक ही नहीं, तो बयान क्या करूं?''

''वारदात का एक सम्भावित वक्त पुलिस के एक्सपर्ट्स निर्धारित करते हैं। इस केस में वो क्या है, बाजरिया पुलिस, तुम्हें उसकी खबर लगी होगी। उस वक्त या उसके आसपास तुम राजपुरिया एस्टेट पर थे?''

''सर, मैंने पहले ही कहा कि...''

''मुझे याद है पहले तुमने क्या कहा! पहले तुमने कहा था कि तुम कोई गवाह नहीं पेश कर सकते जो कि कत्ल के वक्त के आसपास की तुम्हारी कहीं और हाजिरी स्थापित कर सकता हो। अब मेरा सवाल है तब तुम राजपुरिया एस्टेट या उसके आसपास थे या नहीं थे?''

''दोनों बातों में फर्क है?''

''हां। जरा सोचोगे, जरा दिमाग पर जोर दोगे तो समझ में आ जायेगा।''

''ओह!''

''अब जवाब दो। कत्ल के वक्त या उसके आसपास तुम राजपुरिया एस्टेट पर थे?''

''नहीं।''

''गोरई में?''

''नहीं।''

''तो कहां थे?''

''परेल में। वहां की सदानन्द चाल की अपनी खोली में।''

''साबित कर सकते हो?''

''नहीं।''

''वजह?''

''मेरी तबीयत खराब थी...''

''क्यों खराब थी एकाएक?''

''बद्परहेजी की वजह से।''

''ठीक से बोलो। एक बार में बोलो।''

''मंगलवार को मैं शालीमार सिनेमा में, जो कि ग्रांट रोड पर है, नाइट शो देखने गया था। बाद में उधर ही एक ढाबे पर खाना खाया जो कि हजम न हुआ। नतीजतन रात बहुत बेचैनी से कटी, दिन में भी सारा दिन खोली में कांखता कराहता, सोता जागता निढ़ाल पड़ा रहा। शाम को एक बार बाहर निकला तो थोड़ी दूर तक चलने पर ही जी फिर मिचलाने लगा। तबीयत फिर खस्ता होने लगी, तब मैंने रात के लिए डबल रोटी मक्खन और दूध की थैली खरीदी और वापिस लौट आया।''

''अगले दिन?''

''अगला दिन भी खोली में ही गुजरा अलबत्ता तबीयत काफी हद तक चौकस हो गयी।''

''डाक्टर के पास जाना न सूझा?''

''बीमार को सूझता ही है लेकिन मैंने जरूरत न समझी।''

''वजह?''

''ऐसी तबीयत मेरी कोई पहली बार खराब नहीं हुई थी। महीने डेढ़ महीने में खराब होती ही रहती है। जब पहली बार खराब हुई थी तो डाक्टर के पास गया था जिसने मुझे एक गोली प्रेस्क्राइब की थी जो कि मुझे माफिक आती थी। वो गोली मैं हमेशा पास रखता हूं। परसों तबीयत खराब हुई तो वही खाई।''

''बहरहाल बुधवार सुबह तुम्हारी राजपुरिया एस्टेट पर मौजूदगी मुमकिम नहीं थी!''

''किसी सूरत में नहीं थी।''

''पुलिस के पास एक गवाह है जिसका दावा है कि उसने तुम्हें बुधवार सुबह क्रिस्टल लॉज की पहली मंजिल की एक खिड़की से निकल भागते देखा था।''

''पुलिस ने भी उस गवाह का जिक्र किया था लेकिन वो यकीनी तौर पर उनकी चोर बहकाने की कोशिश थी। मुझे पूरा यकीन है कि असल में ऐसे किसी गवाह का कोई वजूद नहीं।''

''वजूद तो है!''

''होता तो उन्होंने उसका कोई नाम लिया होता, कोई परिचय दिया होता, कोई हिन्ट दिया होता कि जब उसने मुझे वहां देखा था, तब वो खुद कहां था, उसे ला कर मेरे सामने खड़ा किया होता।''

''वो ये सब कर सकते थे। क्यों नहीं किया, मैं नहीं जानता। अपनी किसी सोची विचारी स्ट्रेटेजी के तहत नहीं किया होगा। या खास उस वक्त, जबकि तुम्हारे सामने उसका जिक्र उठा था, तुम्हारे रूबरू कराने के लिए वो उपलब्ध नहीं होगा।''

''यानी कि गवाह सच में है!''—उसके स्वर में चिन्ता का पुट आया।

''हां। शिशिर खोटे नाम है।''

''जो''—तत्काल वो उत्तेजित हो उठा।—''करीबी पोल्ट्री फार्म के मालिक का लड़का है?''

''वही।''

''वो कहता है उसने मुझे देखा था?''

''दावे से।''

''झूठ बोलता है। बकवास करता है। बदला उतारने की नीयत से बंडल मारता है।''

''बदला! किस बात का?''

''हुई थी कोई बात मेरे और उसके बीच।''

''क्या बात? सस्पेंस मत फैलाओ। बोलो, क्या बात?''

''सुरभि पर बुरी नजर रखता था। एक बार राह चलते छेड़ भी दिया। फबतियां तो कसता ही रहता था, एक रोज आसपास किसी को न देखा तो पकड़ लिया। सुरभि ने रोते सुबकते मुझे बताया। मैंने धुन दिया साले हलकट को।''

''ओह। चौकी न पहुंचा?''

''नहीं ही पहुंचा।''

''क्यों?''

''क्या पता!''

''तो तुम्हारा खयाल है कि तुम्हारे खिलाफ गढ़ी हुई गवाही देकर वो अपनी तब की बेइज्जती का बदला उतार रहा है?''

''बराबर!''

''हूं।''

''वो, जाहिर है कि, अच्छा मौका हाथ आया जान कर अब यूं पलटवार कर रहा है जो जैसी मेरी बैकग्राउन्ड सामने है, उसमें चल भी सकता है।''

''क्या मतलब?''

''वो कहते नहीं है, सर, कि बद् भला बद्नाम बुरा!''

''कहते हैं। तुम क्या कहना चाहते हो?''

''सर, वो क्या है कि मेरे किरदार को स्याह काला पोतने के लिए एक तो मेरा जेलबर्ड होना ही कोई कम नहीं। दूसरे, जैसे मेरी बद्किस्मती को पुख्ता करने के लिए मुझे खड़े पैर राजपुरिया एस्टेट से डिसमिस किया गया—डिसमिस क्या किया गया, बेइज्जत कर के निकाला गया। इन्हीं बातों की वजह से कोई कुछ भी मेरे खिलाफ बक दे, लोग बाग यकीन कर लेते हैं। इन्हीं बातों की वजह से पुलिस मेरे खिलाफ है, बायस्ड है, इतना कि मेरी बेगुनाही की सम्भावना को खातिर में ही नहीं लाना चाहती।''

''न लाये। कोई परेशानी नहीं। ये बातें तुम्हारी दुश्वारी की बुनियाद बन सकती हैं, तुम्हें बिल्कुल ही क्रूसीफाई कर देने के काम नहीं आ सकतीं। गिरफ्तारी के लिए ये बातें काफी हो सकती हैं लेकिन बात गिरफ्तारी पर ही तो खत्म नहीं हो जाती! किसी को भी क्वेश्चनिंग के लिए हिरासत में ले लेना पुलिस के अधिकार क्षेत्र में आता है। लेकिन पुलिस भी इस बात से बाखूबी और बाकायदा वाकिफ है कि अमूमन ऐसे लोगों को उन्हें छोड़ देना पड़ता है, क्योंकि वो उनके खिलाफ कोई केस खड़ा करने में नाकाम रहते हैं। पुलिस मुलजिम के खिलाफ केस बना सकती है, उसे सजा नहीं दे सकती। सजा देना कोर्ट का काम है जहां सिर्फ शक की बिना पर किसी को कनडैम नहीं किया जा सकता। कोर्ट में बियांड आल रीजनेबल डाउट्स मुलजिम को गुनहगार साबित करके दिखाना पड़ता है और पुलिस बाजरिया सरकारी वकील हमेशा ही अपने इस मिशन में कामयाब नहीं हो जाती।''

''यानी मेरे लिये उम्मीद अभी बाकी है!''

''क्यों नहीं! बराबर! उम्मीद पर तो दुनिया कायम है, मेरे भाई। उम्मीद तो वो भी करते हैं कि छूट जायेंगे जो कि सच में गुनहागार होते हैं, तुम तो बेगुनाह हो... फिर पूछ रहा हूं, हो न!''

''खुदा मेरा गवाह है, मैंने कत्ल नहीं किया।''

''खुदा गवाही देने नहीं आ सकता।''

''मैंने कत्ल नहीं किया।''

''मुझे तुम्हारी बात पर यकीन है क्योंकि मेरा—वकील का—फर्ज है कि अगर उसका क्लायन्ट खुद को बेगुनाह बताता है तो वो उसकी बेगुनाही पर यकीन करे। लेकिन मेरे को यकीन आना काफी नहीं। यकीन कोर्ट को आना जरूरी है।''

''कैसे आयेगा?''

''कोशिश करने से आयेगा, भाई, और वो कोशिश मैं करूंगा।''

''कामयाब हो पायेंगे?''

''कोशिश भरपूर करूंगा। आगे प्रभु की इच्छा। आगे तुम्हारी किस्मत... बल्कि मेरी किस्मत।''

''मैं बेमौत मारा जाऊंगा।''

''ऐसी सोच बना कर रखोगे तो मौत आने से पहले मर जाओगे।''

''किस्मत ने साथ न दिया तो... फांसी होगी न!''

''तुम पर लगा जुर्म गम्भीर है। चोरी के इरादे लॉज में घुसे, मालिक को अपने नापाक इरादे में दखलअन्दाज होता पाया तो उसको निष्क्रिय करने के लिए उसकी कॉफी में जीटाप्लैक्स नाम की खतरनाक दवा की ओवरडोज मिला दी जो कि उसकी मौत की वजह बनी। यानी आर्थिक लाभ के तमन्नाई चोर ने लालच के

हवाले होकर जघन्य अपराध किया, एक निर्दोष बुजुर्गवार की जान ली।''

''यानी फांसी !''

''शायद न हो। क्योंकि आज कल रेयर केसिज में ही फांसी की सजा सुनाई जाती है।''

''तो फिर उम्र कैद !''

''शायद। लेकिन तुम इस लाइन पर मत सोचो। बेगुनाह हो तो अपनी सोच का फोकस बेगुनाही पर ही बना कर रखो, आगे भगवान भली करेंगे !''

''जब बेगुनाह को धर दबोचा गया, तब तो भगवान ने भली न की !''

''तुम्हारी सोच में नुक्स है। तुम भूल रहे हो कि तुमने अपने खिलाफ लगे आरोपों की सफाई देनी है, ऐसी सफाई देनी है जो कोर्ट को तुम्हारी बेगुनाही का यकीन दिला सके। सत्य का दीपक धुंधला सकता है, बुझ नहीं सकता। वो कुछ अरसे के लिए अपनी पवित्र रौशनी फैलाने में अक्षम हो सकता है लेकिन ऐसा सदा ही हुआ नहीं रह सकता, भले ही विरोधी लाख कोशिश कर लें। भगवान के घर देर है, अन्धेर नहीं। इसलिये भगवान पर भरोसा रखो, अपने आप पर भरोसा रखो, अपनी बेगुनाही पर भरोसा रखो और मुझ पर भरोसा रखो जिसकी सारी जिन्दगी का मूलमन्त्र ही ये है कि कोटि प्रयास करे किन कोय कि सत्य का दीप बुझे न बुझाये।''

''ऐसा ?'' — वो प्रभावित, आश्वस्त स्वर में बोला।

''हां।''

''अब एक बात, भले ही इतनी बातें हो चुकने के बाद बचकानी लगे, मुझे बताइये।''

''पूछो।''

''खुद आपका मेरे बारे में क्या खयाल है ?''

''देखो, भई, तुम बात को यूं समझो कि अगर क्लायंट कहता है कि वो बेगुनाह है तो उसके वकील का फर्ज बनता है कि वो उसे बेगुनाह मान कर आगे बढ़े, उसका डिफेंस तैयार करे।''

''क्लायन्ट झूठ बोल रहा हो तो ?''

''तुम झूठ बोल रहे हो ?''

''नहीं। लेकिन फिर भी मेरा सवाल है आपसे !''

''तो मेरा जवाब है कि क्लायन्ट खुदकुशी का तमन्नाई है।''

''ओह !''

''अगर मैं तुम्हारे इस दावे को मान के चलूं कि वारदात के वक्त तुम मौकायवारदात के करीब भी नहीं थे तो खिड़की की चौखट के आगे के प्रोजेक्शन पर मिले खरोंचों के निशानों के बारे में या नीचे क्यारी के कुचले गये फूलों के बीच

से बरामद जूते के निशानों की बाबत तो तुम्हारे से कुछ पूछना बेकार ही होगा!''

''वो निशान न मेरे बनाये बने थे, न बने हो सकते हैं।''

''प्लास्टर ऑफ पैरिस के घोल के जरिये क्यारी में से उठाई गयी जूते की छाप तुम्हारे दायें पांव के जूते से ऐन मिलती पायी गयी है।''

''ये नहीं हो सकता। ये भी पुलिस की कोई चाल है। उनके ऐसा दावा करने के पीछे कोई भेद है।''

''उनको बोला?''

''चिल्ला चिल्ला के बोला। लेकिन कौन सुनता!''

''तुम्हारी पतलून के पाहुंचों के टर्न में लाल धूल के कण पाये गये थे। वो धूल उस लाल बजरी से पैदा हुई थी जो कि लॉज के बाजू की एक राहदारी पर बिछी है। पुलिस का कहना है तुम उस बाजू के रास्ते लॉज पर पहुंचे थे इसलिये चलने से वो धूल उड़कर तुम्हारी पतलून के पाउंचों में समा गयी थी।''

''इतने से साबित हो गया कि मैं बुधवार मौकायवारदात पर था?''

''नहीं हुआ?''

''आपकी जानकारी के लिए वो पतलून मेरे जिस्म पर से नहीं उतारी गयी थी। वो पतलून कपड़ों की आलमारी में टंगी थी और उसे मैंने दो हफ्ते से दोबारा नहीं पहना था। वैसी पतलून मेरे पास एक ही है जिसे कि मैं कभी कभार ही पहनता हूं। मेरे पास दो जींस हैं, अमूमन मैं उन्हें ही पहनता हूं। कपड़े मैं खुद धोता हूं इसलिए उन्हें मैं कई कई बार पहनता हूं क्योंकि कपड़े धोबी से धुलवाना मैं अफोर्ड नहीं कर सकता और खुद जल्दी जल्दी धोना मेरे बस का नहीं।''

''क्या कहना चाहते हो?''

''मैं राजपुरिया एस्टेट में नौकरी करता था। वहां गैराज के ऊपर जो कमरा रहने के लिए मुझे मिला हुआ था, वो लॉज से काफी फासले पर था। मेरे कमरे में एक घन्टी लगी हुई थी जिसे बजा कर साहब मुझे बावक्तेजरूरत तलब करते थे। घंटी के जवाब में दिन भर में मुझे कई कई फेरे लगाने पड़ जाते थे। अपनी नौकरी के आखिरी दिनों में किसी दिन मैं वो मुड़े हुए पाउंचों वाली पतलून पहने होता तो एस्टेट की बाजू की राहदारी वाली वो लाल धूल का मेरे पाहुंचों में पड़ जाना क्या बहुत बड़ी बात थी?''

''नहीं।''

''जैसा कि मैंने कहा, मैंने वो पतलून दो हफ्तों से धोई नहीं थी, लेकिन अगर धोई भी होती तो क्या मुड़े हुए पाहुंचे उलटा कर धोई होती?''

''ऐसा तो कोई नहीं करता!''

''तो फिर?''

''भई, तुमने तो अपने केस को खुद ही बहुत बढ़िया डिफेंड कर लिया, तुम्हें मेरी क्या जरूरत है!''

''आप मजाक कर रहे हैं।''

''तुम्हारे खयाल से कातिल कौन हो सकता है?''

''कौन हो सकता है?''

''मैं तुमसे पूछ रहा हूं। माना कि कत्ल तुमने नहीं किया लेकिन कत्ल तो हुआ है! कत्ल हुआ है तो यकीनन कोई कातिल भी होगा! इस बाबत तुम्हारा क्या खयाल है?''

उसने कई क्षण उस बात पर विचार किया।

''मैं कुछ नहीं कह सकता।'' —फिर बोला।

''श्योर?''

''श्योर।''

''बुधवार दिन में लॉज में थोड़ी बहुत बाहरी आवाजाही का हिंट मेरे को मिला है। जैसे कि पब्लिक पार्टी का एक प्रचारक दस पैंतीस पर वहां पहुंचा था। पुलिस इस लाइन पर काम कर रही है और बयानात के जरिये पता लगाने की कोशिश कर रही है कि दिन में और कौन वहां आया था या आये थे!''

''इस सिलसिले में पुलिस की कोशिश कामयाब हुई तो आपको खबर लगेगी?''

''उम्मीद तो है! क्योंकि पुलिस इसे हाई फाई केस बनाने की कोशिश कर रही है इसलिये मीडिया से कुछ नहीं छुपा रही। मरने वाला बड़ा आदमी था इसलिये जल्द-अज-जल्द उसके कत्ल का केस हल कर लिया होने का यश लूटना चाहती है। इसलिये मीडिया को बाजरिया प्रैस कान्फ्रेंस केस की डेली प्रॉग्रेस से वाकिफ करा रही है। यूं उनकी तफ्तीश का नतीजा मेरे को भी मालूम होना लाजमी है। नहीं मालूम होगा तो मैं खुद अपनी तफ्तीश करूंगा।''

''आप करेंगे!''

''हां, भई। वकील को गवाहों से पूछताछ करनी ही पड़ती है। अपने गवाह खड़े करने पड़ते हैं, प्रासीक्यूशन के गवाहों को हिलाने की कोशिश करनी पड़ती है! खुद हाथ पांव हिलाये बिना कहीं कुछ होता है!''

''मैं आपका अहसानमन्द हूं कि आप मेरे लिये इतनी जहमत करेंगे जबकि मैं आपको कोई फीस भी अदा नहीं कर सकता।''

''उस बात को छोड़ो अब।''

''मैं बरी हो गया तो पुलिस को मेरे वो बीस हजार रुपये लौटाने पड़ेंगे जो कि उन्होंने मेरी खोली से बरामद कर के जब्त कर लिये थे। मैं जानता हूं वो रकम

आपकी फीस का पासंग भी नहीं होगी लेकिन वो मैं सौ सौ शुकरानों के साथ आपकी नजर कर दूंगा।''

''तुम जज्बाती हो रहे हो। मैंने कहा न, मैं फीस के लिए केस नहीं लड़ रहा।''

वो खामोश हो गया।

उसके चेहरे से गहन कृतज्ञता के भाव झलक रहे थे।

मुकेश ने कुछ कागजात उसके सामने रखे।

''अब साइन करो इधर।''—वो बोला।

''क्या है?''—वो तनिक हड़बड़ाया।

''वकालतनामा।''

''ओह! वकालतनामा।''

''साइन करोगे तो मुझे अपना वकील मुकर्रर कर पाओगे न!''

''ओह!''

उसने निसंकोच साइन किये।

मुकेश का आगे का काफी सारा वक्त थाने में ही गुजरा। उस दौरान उसने पुलिस के बनाये केस में उपलब्ध डाकूमेंट्स की कापियां हासिल कीं और उन बयानात के बारे में जानकारी हासिल की जो कि पुलिस ने इस सोच के तहत जमा किये थे कि उनका ताल्लुक या वारदात से था या हो सकता था।

पुलिस वो जानकारी, उसकी डिफेंस अटर्नी की हैसियत में, मुकेश को मुहैया कराने से इनकार नहीं कर सकती थी क्योंकि वो बाजरिया सरकारी वकील उसे वैसे भी हासिल कराये जाने का नियम था।

डाकूमेंट्स में जो तसवीरें शामिल थीं, वो थीं :

राजपुरिया एस्टेट का लांग शॉट।

क्रिस्टल लॉज का क्लोज अप।

मौकायवारदात—पहली मंजिल का मास्टर बैडरूम—की प्रवेश द्वार पर से ऊंचाई से ली गयी तसवीर जिसमें फर्श पर औंधे मुंह पड़ी लाश दिखाई दे रही थी।

उस खिड़की की तसवीर जिसके रास्ते मुलजिम मौकायवारदात से फरार हुआ बताया जाता था।

खिड़की की चौखट का क्लोज अप जिसमें प्रोजेक्शन की महीन धूल में बने खरोंचों के निशान दिखाई देते थे।

खिड़की के नीचे की फूलों की क्यारी का क्लोज अप जिसमें से फुट प्रिंट का प्लास्टर कास्ट उठाया गया था।

गुरुवार को हुए पोस्टमार्टम की रिपोर्ट।

बाकी कागजात में लॉज की दोनों मंजिलों का फ्लोर प्लान था।

और गवाहों के बयानात की फोटोकापी थीं।

उन गवाहों में प्रमुख थे :

हत्प्राण का भतीजा शान्तनु राजपुरिया, जिसने कि लाश बरामद की थी।

हत्प्राण का पेड कम्पैनियन शिवराज अटवाल जो कि उस रोज छुटटी पर था और सुबह दस बजे हत्प्राण को पीछे जीता जागता, सही सलामत छोड़कर लॉज से रुखसत हुआ था।

पब्लिक पार्टी नामक राजनैतिक पार्टी का स्थानीय प्रचारक गोविन्द सुर्वे जो कि सुबह दस पैंतीस पर लॉज पर पहुंचा था, घर के मालिक, अपनी पार्टी के सम्भावित वोटर से सम्पर्क स्थापित नहीं कर सका था इसलिये पार्टी का प्रचार साहित्य मुख्य द्वार में डाक के लिए बनी झिरी से भीतर डाल कर गया था।

कथित चश्मदीद गवाह शिशिर खोटे जिसने वारदात के टाइम के आसपास मुलजिम को लॉज के मास्टर बैडरूम की एक खिड़की से नीचे कूद कर मौकायवारदात से फरार होते देखा था।

बाकी गवाहों के जो नाम दर्ज थे, वो थे :

दिलीप नटके, कमला सारंगी, दिवाकर चौधरी, ब्रजेश सिंह।

दिवाकर चौधरी के बारे में दर्ज था कि वो उस छोटे से कॉटेज का मौजूदा निवासी था जो कि राजपुरिया एस्टेट के ऐन सामने था।

मुकेश ने सबसे पहले उसी से मिलने का फैसला किया।

काल बैल के जवाब में लेखक ने खुद कॉटैज का मेन डोर खोला।

''मिस्टर दिवाकर चौधरी!''—मुकेश ने संजीदगी से पूछा।

''जी हां!''—संन्दिग्ध भाव से चश्मे में से आगन्तुक को घूरता लेखक बोला।

''मैं एडवोकेट मुकेश माथुर।''—मुकेश ने उसे अपना एक विजिटिंग कार्ड थमाया।

''एडवोकेट!''—कार्ड पर सरसरी निगाह डालता वो बोला।

''डिफेंस अटर्नी। कमलेश दीक्षित का। जो कि करीबी राजपुरिया एस्टेट के मालिक अभय सिंह राजपुरिया के कत्ल के इलजाम में गिरफ्तार है।''

''हैरानी है।''

''किस बात की? उसकी गिरफ्तारी की?''

''नहीं, भई। इस बात की कि वो ऐसा हाई फाई डिफेंस अटर्नी ऐंगेज कर सका जो कि मैरीन ड्राइव पर ऑफिस मेनटेन करता है।''

मुकेश हंसा।

''आइये।''

''थैंक्यू।''

मेजबान के पीछे मुकेश भीतर दाखिल हुआ।

''दरवाजा खुद खोला''—मुकेश बोला—''लगता है अकेले रहते हैं।''

''हां, भई।''—वो बोला—''मैं लेखक हूं, लेखन वहीं बेहतर होता है जहां कोई डिस्टर्ब करने वाला न हो।''

''आजकल लेखन प्रॉग्रेस में है?''

''हां।''

''क्या लिखते हैं?''

''जासूसी नावल।''

''ओह! इसलिये इस कॉटेज में हैं! ताकि कोई विघ्न न आये, व्यवधान न आये! आप दिन रात सिर्फ लेखन में मन लगाये रह सकें!''

''नहीं, भई। इतना नहीं लिखता मैं। जासूसी नावल में लिखना कम पड़ता है, सोचना ज्यादा पड़ता है इसलिये डेलीब्रेशन के लिए टाइम ज्यादा दरकार होता है, एग्जीक्यूशन के लिए कम।''

''मैं समझा नहीं!''

''मेरा लिखने का एक फिक्स्ड शिड्यूल है—यूं समझो कि साढ़े दस से दो बजे तक का। बाकी टाइम मैं पढ़ने में और आइन्दा कहानी का तानाबाना बुनने में सर्फ करता हूं। आओ, और अच्छी तरह समझाता हूं।''

वो उस घड़ी एक बैठक में खड़े थे, लेखक उसे एक पीछे के कदरन छोटे कमरे में ले कर आया जो स्टडी की तरह सुसज्जित था। वहां एक विशाल खिड़की थी जिसके करीब एक राइटिंग टेबल लगी हुई थी। खिड़की क्रिस्टल लॉज की दिशा में खुलती थी। खिड़की से लॉज के प्रवेश द्वार का फासला काफी था लेकिन इतना ज्यादा नहीं था कि बाहर निगाह डालने पर लॉज की हर आवाजाही का नजारा न किया जा पाता, या आये गये को पहचाना न जा पाता।

''कॉटेज में एक बैठक और दो बैडरूम हैं।''—लेखक बोला—''एक बैडरूम बगल में है, दूसरा ये है जिसे कि मैंने स्टडी बना लिया है।''

''अपने लेखन की शिड्यूल्ड शिफ्ट आप यहां बैठ के लगाते हैं?''

''हां। वो क्या है कि सुबह मैं लेट उठता हूं इसलिये शिट-शेव-शावर से, न्यूजपेपर रीडिंग से, ब्रेकफास्ट से निपटते मुझे साढ़े दस बज जाते हैं। उसके बाद मैं यहां जम जाता हूं और दो बजे तक, यानी कि लंच की तलब लगने तक, नानस्टॉप अपनी स्क्रिप्ट पर काम करता हूं।''

''लांगहैण्ड में लिखते हैं ?''

''हां।''

''आजकल तो लेखक लोगों का अभिव्यक्ति का साधन लैपटॉप बना हुआ है !''

''तो, भई, समझ लो कि मैं आजकल का लेखक नहीं हूं। समझ लो मैं गुजरे दौर का कलम-दावातियां हूं। कागज काले करना पसन्द करता हूं।''

''ठीक ! ये खिड़की हमेशा खुली रहती है ?''

''दिन में। बशर्ते कि बारिश न हो रही हो। रात को बन्द करनी ही होती है।''

''परसों बुधवार तो बारिश का दिन नहीं था !''

''क्या कहना चाहते हो ?''

''यही कि खिड़की खुली ही रही होगी ! और आपकी नजर गाहे बगाहे बाहर पड़ती ही रही होगी !''

''वो तो है !''

''लिहाजा आपको सामने लॉज में आवाजाही की खबर होगी !''

''है तो सही।''

''किसी अजनबी को लॉज में दाखिल होते देखा ?''

''नहीं।''

''लिहाजा जिस किसी को भी देखा, वो आपका जाना पहचाना था ?''

''था तो ऐसा ही !''

''जैसे कि पब्लिक पार्टी का लोकल प्रचारक गोविन्द सुर्वे !''

''उसे तो नहीं देखा था मैंने !''

''वो दस पैंतीस पर लॉज पर पहुंचा बताया जाता है !''

''हो सकता है परसों यहां अपनी टेबल पर आकर बैठने में मुझे पांच दस मिनट की देरी हो गयी हो !''

''ऐसा !''

''हां। भई, ये मेरा पर्सनल शिड्यूल है जिसमें कोई हेर फेर करने का मुझे पूरा अख्तियार है। मैं साढ़े दस बजे अपना लेखन कार्य शुरू करता हूं, मैं साढ़े दस बजे यहां बैठा नहीं पाया जाऊंगा तो मुझे पुलिस तो नहीं पकड़ के ले जायेगी !''

''ठीक।''

''उस वक्त मेरे से कोई मिलने आ जाये तो मैं उसे ये कह के तो नहीं रुखसत कर सकता कि ये मेरा शिफ्ट लगाने का टाइम है ! या कर सकता हूं ?''

''नहीं।''

''कई बार ब्रेकफास्ट हैवी हो जाता है तो लंच का जी नहीं चाहता। तब मैं दो

बजे के बाद भी लिखता रहता हूं, शाम तक नहीं उठता। कभी तबीयत नासाज हो तो मैं शिफ्ट लगाता ही नहीं।''

''आप अपनी मर्जी के मालिक हैं, इस मामले में आप पर कोई बन्दिश आयद नहीं होती!''

''बिल्कुल!''

''लेकिन परसों की शिफ्ट ऐसी ही थी जैसी कि अमूमन होती है? सिवाय इसके कि उस सुबह यहां आ विराजने में थोड़ा लेट हो गये थे!''

''हां।''

''इस वजह से प्रचारक गोविन्द सुर्वे की लॉज पर आमद की आपको खबर न लगी!''

''अपनी आंखों से देखे न लगी लेकिन उसके पुलिस को दिये बयान से मैं वाकिफ हूं। और वो बयान ये कहता है कि वो शख्स दस पैंतीस पर यहां आया था।''

''फिर?''

''क्या फिर?''

''फिर किसकी आमद पर आपकी निगाह पड़ी?''

अपने लम्बे बालों में अपनी नाजुक उंगलियों की कंधी फिराते उसने कुछ क्षण उस बात पर विचार किया।

''भई, आमद पर निगाह नहीं पड़ी थी''—फिर बोला—''लेकिन किसी को वहां से निकल कर जाते मैंने देखा था।''

''किसको?''

''कमला सारंगी को।''

''वो कौन हुई?''

''इलाके की ही एक विधवा औरत है—नौजवान विधवा समझो क्योंकि अभी छत्तीस-सैंतीस साल की ही है—लॉज में अक्सर आती जाती देखी जाती है।''

''उसे आपने जाते देखा, आते न देखा!''

''हां। अब मैं हर वक्त खिड़की से बाहर ही तो नहीं झांकता रहता न! वो वहां आयी ही होगी तो लॉज से निकल कर गयी न!''

''यू आर राइट। उसकी अक्सर आमद की कोई वजह मालूम हो आपको?''

उसने इंकार में सिर हिलाया।

''कोई अन्दाजा हो?''

''अन्दाजा तो सारे इलाके को है।''

''क्या ?''

''बल्कि अन्दाजे हैं।''

''क्या ?''

''पता नहीं इस बाबत कुछ कहना मुनासिब होगा या नहीं !''

''आप बेहिचक कहिये। जो कुछ आप कहेंगे वो आपके और मेरे बीच ही रहेगा।''

''भई, एक तो यही अफवाह आम है कि लॉज के मालिक से उसकी सैटिंग है।''

''सैटिंग है !''

''अफेयर है।''

''मकतूल की उम्र अड़सठ साल बताई जाती है।''

''तो क्या हुआ ? जिस्म बूढ़ा हो जाये तो ख्वाहिशें तो बूढ़ी नहीं हो जातीं !''

''ऐन लेखकों वाली बात कही !''

''जासूसी लेखकों वाली। जासूसी उपन्यासों की बुनियाद बेवफाई, ब्लैकमेल, वसीयत जैसी जिस चन्द बातों पर होती है, उनमें बूढ़ा मर्द, जवान औरत भी है।''

''कहीं आपका इशारा इस तरफ तो नहीं कि वो बेवा औरत, जिसका नाम आपने कमला सारंगी बताया, राजपुरिया साहब की कातिल हो सकती है ?''

''मेरा कोई इशारा नहीं, खाली आब्जर्वेशन है। इशारे खुद समझो, नतीजे खुद निकालो।''

''खूबसूरत है ?''

''हां।''

''जवान ?''

''जवान हुए बिना खूबसूरत कैसे होगी ! फिर मैंने बोला न, अभी बस छत्तीस-सैंतीस साल की है।''

''ठीक ! जनाब, ये तो एक अन्दाजा हुआ न ! आपने 'अन्दाजे' बोला था। अब बहूवचन के खाते में भी कुछ फरमाइये।''

''ड्रग एडिक्ट है।''

''अरे ! ये भी सारे इलाके को मालूम है ?''

''अफवाह तो बराबर है। कोई माने या न माने।''

''अगर ड्रग्स की तलब उसे लॉज में लाती थी तो सप्लायर क्या खुद मकतूल हुआ ?''

''अगर ये वजह लॉज में आमद की थी तो और कौन होगा ?''

''मकतूल खुद ड्रग एडिक्ट था?''

''पता नहीं। अलबत्ता घूंट का रसिया तो बराबर था।''

''ये कैसे मालूम?''

''दिलीप नटके है न उसका सप्लायर! उसके ऐसे काम वो ही करता है!''

''वो क्यों?''

''भई, मरने वाला इतना बड़ा आदमी था, इलाके में उसका इतना शान मान सम्मान था, बोतल खरीदने के लिए वो क्या खुद जाकर ठेके पर खड़ा होता!''

''सही फरमाया आपने।''

''जैसे कमला सारंगी की इलाके में रिप्यूट है कि वो ड्रग एडिक्ट है, वैसे राजपुरिया साहब के बारे में ये बात जुबान पर लाने की किसी की मजाल नहीं हो सकती। ऐसा ही रौब रुतबा और रसूख था उनका इस इलाके में।''

''इसीलिए उनके कमला सारंगी से अफेयर की बात—अगर ऐसा अफेयर था—कोई जुबान पर नहीं लाता!''

''अभी आयी बात समझ में।''

''अगर इस औरत का मकतूल से अफेयर था तो क्या ये कत्ल की वजह हो सकती है?''

''माई डियर सर, यू आर जम्पिंग टु कनक्लूजंस। पहले इस बात की तो तसदीक करो, उसे स्थापित करो, कि अफेयर था, फिर आगे की बात सोचना।''

''बहरहाल आपने इस कमला सारंगी को लॉज में दाखिल होते न देखा लेकिन वहां से निकल कर जाते देखा!''

''हां।''

''टाइम का कोई अन्दाजा?''

''है न!''

''क्या?''

''ग्यारह दस।''

''इस लिहाज से प्रचारक के लॉज से जाने के थोड़ी देर बाद ही वो वहां पहुंची होगी!''

''जाहिर है।''

''फिर?''

''फिर साढ़े ग्यारह बजे दिलीप नटके पहुंचा।''

''दिलीप नटके! जो कि के मार्ट के नाम से स्टेशनरी शाप चलाता है?''

''और जो मकतूल का हनुमान जैसा मुरीद था।''

''मैंने भी ऐसा सुना है। सुना है लॉज में कैसा भी, कोई भी, काम हो, पहले

दिलीप नटके को याद किया जाता था जो कि अमूमन तो काम खुद ही कर देता था, न कर पाये तो अपनी जिम्मेदारी पर करा देता था।''

''बिल्कुल !''

''उसकी बाबत कोई और जिक्र के काबिल बात ?''

''रेस का रसिया है। घोड़ों पर रेगुलर दांव लगाता है और अमूमन हारता है। इसी वजह से अपने शोरूम से अच्छी कमाई होने के बावजूद हमेशा फाइनांशल क्राइसिस में रहता है। राजपुरिया साहब की वो जो इतनी सेवा करता था, उसकी वजह लोगबाग ये भी बताते हैं कि अक्सर उनसे माली इमदाद मांगता रहता था और कहते हैं कि उसे कभी नाउम्मीद भी नहीं होना पड़ता था।''

''मकतूल का कर्जाई था ?''

''यही समझ लो।''

''वो क्या करने आया था ?''

''एक कार्डबोर्ड का क्रेट छोड़ने आया था।''

''ये तो मालूम नहीं होगा कि क्रेट किस चीज का था !''

''तब नहीं मालूम था, अब मालूम है। पुलिस को वो क्रेट पैन्ट्री में पड़ा मिला था और नटके ने उसकी शिनाख्त की थी। वो विस्की का क्रेट था।''

''ओह ! आपने बोला ही था कि मकतूल का लिकर सप्लायर नटके था। वो बस क्रेट छोड़ के चला गया ?''

''थोड़ी देर रुका। शायद पेमेंट कलैक्ट करने के इरादे से। लेकिन आखिर तो चला ही गया।''

''क्योंकि मकतूल से भेंट न हो सकी !''

''और क्या !''

''क्योंकि तब मकतूल ऊपर बैडरूम में मरा पड़ा था और उसे इस बात की खबर नहीं लगी थी !''

''जाहिर है।''

''और किसे देखा ?''

''और ब्रजेश सिंह को देखा।''

''जो कि फौज से रिटायर्ड मेजर बताया जाता है !''

''वही।''

''वो कब आया गया ?''

''उसके आये गये का तकरीबन एक ही टाइम था। सवा बारह आया था और उलटे पांव ही लौट गया था।''

''वजह ?''

''मुझे क्या मालूम?''

''फिर तो ये भी नहीं मालूम होगा कि आया क्यों था?''

''कैसे मालूम होगा! पुलिस ने उसका भी बयान जरूर लिया होगा और उसने कोई वजह भी जरूर बताई होगी। मालूम करो।''

''मैं मालूम करूंगा। आप ब्रजेश सिंह से बाखूबी वाकिफ हैं!''

''नहीं, बाखूबी नहीं। उसमें किसी खूबी से तो मैं वाकिफ नहीं लेकिन उसकी कार में एक खूबी है जिसकी वजह से उससे सारा इलाका वाकिफ है।''

''कार की खूबी की वजह से! न कि उसकी खुद की किसी खूबी की वजह से!''

''हां।''

''क्या खूबी है कार में?''

''आवाज बहुत करती है। साइलेंसर खराब है पर ठीक नहीं कराता, रिप्लेस नहीं कराता। कार की वजह से उसके कहीं पहुंचने से पहले सबको पता चल जाता है कि ब्रजेश सिंह आ रहा था।''

''कमाल है!''

''एक कमाल और भी है।''

''वो क्या?''

उसके जवाब देने से पहले मुकेश ने उसकी आंखों में रंगीन डोरे तैरते देखे।

''बीवी बहुत खूबसूरत है।''

''वाह, जनाब! खास खूबी आखिर में बयान की!''

लेखक हंसा।

''उसकी खूबसूरती के खास जिक्र की कोई वजह?''

''उसका भी लॉज में आना जाना रहता था।''

''यानी परसों आपने उसे भी आते—या जाते—देखा था?''

''नहीं।''

''नहीं!''

''नहीं।''

''जब खूबसूरत बीवी के हसबैंड को देखा तो खूबसूरत बीवी को न देखा!''

''हसबैंड को देखा होने की वजह थी—जो कि उसकी सिग्नेचर ट्यून जैसी उसकी कार थी—जिसकी वजह से उसकी तरफ तवज्जो न भी जानी हो तो जाती थी। बीवी की खूबसूरती का तो ऐसा कोई लाउड स्पीकिंग किरदार नहीं था न!''

''क्या पता वो आई हो लेकिन आप अपने लेखन में मसरूफ रहे हों इसलिए उसकी तरफ आपकी तवज्जो न गयी हो!''

"हो सकता है।"

"उसकी आमद की कोई वजह आपके जेहन में हो!"

"है तो सही एक वजह लेकिन पता नहीं जिक्र करना मुनासिब होगा या नहीं!"

"अगर बात आपके और मेरे बीच में रहे तो क्या गैरमुनासिब होगा!"

"ठीक।"

"तो बताइये वजह?"

"मेरे खयाल से तो वो भी राजपुरिया साहब की फैन क्लब की चार्टर्ड मेम्बर थी।"

"तौबा! इतना उम्रदराज शख्स क्या इतना भारी वूमेनाइजर था!"

"अब मैं क्या बोलूं! लेकिन ब्रजेश सिंह के चले जाने के बाद जिसको मैंने वहां पहुंचते देखा, अगर मुझे पहले से न मालूम होता कि वो मकतूल के भतीजे की बीवी थी तो मैं यही कहता कि... अब क्या कहता! छोड़ो! कलयुग है, भाई, जो न हो जाये थोड़ा है।"

"आप भतीजे की बीवी की बात कर रहे थे। परसों उसका भी फेरा लॉज में लगा था?"

"हां। मानसी राजपुरिया नाम है। साढ़े बारह से थोड़ा पहले पहुंची थी। लेकिन लौटी कब थी, मुझे खबर नहीं लगी थी।"

"उसके बाद!"

"उसके बाद की किसी आवाजाही की मुझे कोई खबर नहीं। तब मेरी तवज्जो मुकम्मल तौर से अपने कथानक के उस प्रसंग की तरफ हो गयी थी जो पहले सैट नहीं हो पा रहा था इसलिये मेरी तवज्जो भटकती रही थी लेकिन आखिर सैट हो गया था।"

"कब तक आप अपने उस प्रसंग में तल्लीन रहे?"

"ढाई बजे तक।"

"उस दौरान ये तो जरूरी नहीं न कि कोई आया गया था ही नहीं! खाली आपको उसकी खबर नहीं लगी थी!"

"हां।"

"हूं। जनाब, आप जासूसी उपन्यास लेखक हैं..."

तभी कहीं फोन की घंटी बजी।

"एक्सक्यूज मी।"—वो उठा और बगल का बन्द दरवाजा खोलकर उसके पीछे गायब हो गया।

तुरन्त फोन की घन्टी बजनी बन्द हुई।

दो मिनट बाद लेखक वापिस लौटा।

"फोन उधर बैडरूम में है?" —मुकेश बोला।

"हां।"

"बजे तो सुनने के लिए उठके जाना पड़ता है?"

"जाहिर है।"

"वहां से लॉज की तरफ झांका जा सकता है?"

"नहीं।"

"फिर तो ये भी वजह हो सकती है उस रोज आपके किसी की लॉज में आवाजाही पर निगाह न पड़ने की!"

"हो तो सकती है!"

"उस रोज आप यहां से उठ कर कोई फोन काल रिसीव करने गये थे?"

"हां। जहां तक मुझे याद पड़ता है दो बार उठ के जाना पड़ा था।"

"उस दौरान हो सकता है कोई आया हो, गया हो!"

"बिल्कुल हो सकता है, भई।"

"हूं।"

"फोन बजने से पहले कुछ कह रहे थे!"

"हां। जनाब, आप जासूसी उपन्यास लेखक हैं। जासूसी उपन्यास तो कत्ल के बिना चलता नहीं! आपने तो कत्ल भी करवाना होता है, उसमें मिस्ट्री भी घोलनी होती है और फिर किसी युक्तिसंगत तरीके से कातिल को गिरफ्तार भी दिखाना होता है। लिहाजा इन बातों से ताल्लुक रखती आपकी सूझबूझ का आम आदमी की सूझबूझ से उम्दा होना लाजमी है। परसों आपके पड़ोस में एक कत्ल हुआ, उससे ताल्लुक रखते कई किरदार इत्तफाकन आपकी जानकारी में आये, उनके कुछ कार्यकलाप आपकी जानकारी में आये। जो हुआ, उसे आप अपने नावल के प्लॉट के दायरे में हुआ तसलीम करें तो आपके खयाल से कातिल कौन हो सकता है?"

"वो तो मकतूल का डिसमिस्ड मुलाजिम कमलेश दीक्षित है जो कि गिरफ्तार है।"

"जनाब, वो पुलिस का खयाल है, मैंने आपका खयाल पूछा है।"

"मेरे उपन्यास का कातिल मेरी मर्जी का होता है—मैं जिस किरदार को चाहूं, बतौर कातिल प्रोजेक्ट कर सकता हूं—यहां कातिल मेरी मर्जी का तो नहीं हो सकता!"

"सर, आई वांट टु गेन बाई दि बैनीफिट आफ युअर सुपीरियर जजमेंट। दिस इज ए हाइपौथेटिकल क्वेश्चन। मेरा सवाल है कि बतौर मिस्ट्री राइटर आपकी आला सूझबूझ क्या कहती है कि कातिल कौन हो सकता है?"

"जैलस हसबैंड।"

"ईर्ष्यालु पति! हसद का मारा खाविन्द!"

"वही। अगर मकतूल सच में औरतखोर था तो किसी जैलस हसबैंड का कातिल होना तर्क की कसौटी पर ऐन खरा उतरता है।"

"आई सी। लेकिन जो शख्स गिरफ्तार है, उसका दर्जा तो जैलस हसबैंड वाला नहीं बनता!"

"अब मैं क्या कहूं! तुमने मेरी हाईपौथेटिकल राय पूछी, वो मैंने बता दी।"

"जिन लोगों का आपने जिक्र किया, उनमें तो इस कैटेगरी में एक ही कैण्डीडेट दिखाई देता है!"

"ब्रजेश सिंह!"

"जी हां। बकौल आपके खूबसूरत बीवी का खाविन्द। कमला सारंगी का हसबैंड कोई है ही नहीं क्योंकि विधवा है और मानसी राजपुरिया मकतूल की औलाद जैसी है। लिहाजा जैलस हसबैंड तो एक ही हुआ!"

"तुम्हें क्या पता! मुझे क्या पता! किसी को क्या पता!"

"ये भी ठीक है। हर किसी की हर किसी को खबर हो, ये तो नहीं मुमकिन!"

"ऐग्जैक्टली। अब जाओ, जा कर ऐसी तमाम औरतों को तलाश करो जो खूबसूरत हों, शादीशुदा हों और मकतूल के हरम की रौनक हों।"

"मुझे यकीन नहीं आता कि मकतूल ऐसा शख्स था।"

"बिना उसको जाने!"

"कोई इतना उम्रदराज शख्स ऐसा रंगीन मिजाज हो और उसके बारे में कहीं कोई जिक्र न हो, खुसर पुसर न हो, कैसे हो सकता है!"

"देखना, अब जिक्र भी होगा, खुसर पुसर भी होगी। मैंने बोला था कि वो इस इलाके का इतना मुअज्जिज शख्स था कि उसकी जिन्दगी में ऐसी बातों की बाबत मुंह खोलने की किसी की मजाल नहीं हो सकती थी। फिर भी कोई मुंह खोलता तो थू थू उसी पर होती कि वो ऐसे महान व्यक्ति के बेदाग चरित्र पर कीचड़ उछाल रहा था।"

"कमलेश दीक्षित—जो शख्स गिरफ्तार है, जिसे कातिल मान कर पुलिस चल रही है—परसों सुबह आपने उसको न देखा! न चोरों की तरह एस्टेट में दाखिल होते, न बाद में फरार होते!"

"मैंने नहीं देखा था क्योंकि उसका एस्टेट में आना जाना, अगर हुआ था तो, साढ़े नौ, दस बजे के करीब हुआ था और उस वक्त तक अभी मैं यहां अपनी राइटिंग टेबल पर नहीं पहुंचा होता। लेकिन मेरे देखने न देखने से क्या होता है! पुलिस के केस का दारोमदार मेरी ही आब्जर्वेशंस पर तो मुनहसर नहीं है! जब उनके पास

शिशिर खोटे की सूरत में एक चशमदीद गवाह है...''

''सिर्फ इस बात का कि दस सवा दस बजे के करीब कमलेश दीक्षित एस्टेट से फरार होते देखा गया था। वो कत्ल का गवाह नहीं है।''

''लेकिन कोरोबोरेटिंग इवीडेंस, जो उस लड़के के खिलाफ है...''

''पुलिस की इन्टरप्रेटेशन कहती है कि खिलाफ है लेकिन पुलिस का वर्शन ही सदा शाश्वत सत्य नहीं होता। पुलिस के साथ प्राब्लम ये है कि वो केस बनाती है, अक्सर गढ़ कर बनाती है, और उसकी इस कार्यप्रणाली के बेगुनाह अक्सर शिकार होते हैं।''

''तुम्हारी निगाह में वो लड़का बेगुनाह है?''

''आप बात को यूं समझिये कि अगर वो कहता है कि वो बेगुनाह है तो उसके वकील के तौर पर, डिफेंस अटर्नी के तौर पर, उसकी बात पर यकीन लाना मेरा फर्ज है।''

''भले ही वो झूठ बोलता हो!''

''क्लायन्ट की जुबान पर एतबार न लाना उसपर जुल्म है।''

''आई रिपीट, भले ही वो झूठ बोलता हो!''

''इस बात को भी आप यूं समझिये कि क्लायन्ट सच्चा हो या झूठा, गुनहगार हो या बेगुनाह, उसे फेयर डिफेंस हासिल करने का अख्तियार हर हाल में है, ये उसका कानूनन हक है।''

''तुम्हें मुजरिम क्लायन्ट को डिफेंड करने से कोई ऐतराज नहीं?''

''सख्त ऐतराज है। लेकिन मेरे पास कोई जादू की छड़ी नहीं जिसको लहरा कर केस की प्रिलिमिनेरी स्टेज में मैं जान सकूं कि मेरा क्लायन्ट मुजरिम है। यहां मैं फिर फर्ज का हवाला देना चाहता हूं—अपने क्लायन्ट पर, उसके बयान पर ऐतबार करना मेरा फर्ज है। ऐतबार न करने का मतलब ये होगा कि उसके खिलाफ फैसला कोर्ट तो सुनाते सुनाते सुनायेगा, पहले मैंने ही सुना दिया। क्या ऐसा होना चाहिये?''

''नहीं, ऐसा तो नहीं होना चाहिये!''

''सो देयर!''

''हूं।''

कुछ क्षण खामोशी रही।

''वो लड़का''—फिर लेखक संजीदा लहजे से बोला—''बेगुनाह निकले तो मुझे खुशी होगी।''

''आप उसे जानते है?''—मुकेश ने पूछा।

''नहीं। लेकिन उस लड़की को जानता हूं जिसका वो सूटर बताया जाता है। सुरभि बहुत अच्छी लड़की है, उसका पिता बाबूराव शिन्दे—जो कि दिलीप

नटके का मुलाजिम है—बहुत भला आदमी है। लड़के के साथ कुछ बुरा हुआ तो ये सुरभि के साथ कहीं ज्यादा बुरा होगा।''

''सब ठीक होगा। खुदा के घर देर है, अन्धेर नहीं है। बुरा वक्त किसी का भी आ सकता है लेकिन टल भी तो जाता ही है!''

''ये बात तो ठीक है!''

''आपने मुझे बहुत समय दिया, बहुत सहयोग दिया, अब एक मेहरबानी और कीजिये।''

''बोलो।''

''बुधवार की लॉज की आवाजाही का एक बड़ा उम्दा टाइम टेबल आपने ड्रा किया है। अगर ये मुझे तहरीरी तौर पर हासिल हो जाये तो ट्रायल के दौरान मेरे बहुत काम आयेगा।''

''मुझे कोर्ट में पेश होना पड़ेगा?''

''आप एनडोर्स कर के देंगे तो नहीं होना पड़ेगा।''

''फिर मुझे क्या एतराज है!''

''थैंक्यू।''

मुकेश मैरीन ड्राइव वापिस लौटा।

वो लॉबी में लिफ्ट का इन्तजार कर रहा था जबकि एक लिफ्ट का दरवाजा खुला और उसमें से नकुल बिहारी आनन्द ने बाहर कदम रखा।

मुकेश पर निगाह पड़ी तो वो ठिठके।

मुकेश ने सादर उनका अभिवादन किया।

''कैसा चल रहा है?''—वो बोले।

''ठीक चल रहा है, सर।''—मुकेश ने अदब से जवाब दिया।

''आखिर!''

मुकेश जानता था कि बुजुर्गवार का तंज कहां मार कर रहा था, फिर भी वो जानबूझ कर अंजान बनता बोला—''आई डोंट अन्डरस्टैण्ड, सर।''

''मैं गोरई वाले केस की बात कर रहा था जिसमें कि तुम डिफेंस अटर्नी के रोल में हो।''

''आपको उस केस की वाकफियत है?''

''पूरी। डिस्ट्रिक्ट का डीसीपी मेरा दोस्त है।''

''ओह!''

''ओपन एण्ड शट केस है। कोर्ट में फेस लूज करोगे। मुंह की खाओगे।''

''ओपन एण्ड शट कैसे? मुलजिम ने गुनाह कबूल कर लिया?''

''नहीं। लेकिन उससे क्या होता है !''

''कुछ नहीं होता ?''

''नहीं होता। कोर्ट में हर मुलजिम की यही दुहाई होती है कि वो बेगुनाह है।''

''बराबर होती है, सर, लेकिन कोर्ट्स के रिकार्ड्स इस बात के गवाह हैं कि वो दुहाई हमेशा गलत नहीं होती।''

''इस बार सरासर गलत है। मुलजिम के खिलाफ तमाम सबूत ऐसे हैं, जिनमें से एक को भी वो नहीं नकार सकता। उसका दाना''—वृद्ध ने मुकेश को घूरा—''नौजवान, जोशीला वकील भी नहीं नकार सकता। उसके खिलाफ शिशिर खोटे की सूरत में चश्मदीद गवाह है जो निर्विवाद रूप से मौकायवारदात पर उसकी मौजूदगी को मोहरबन्द करता है। मौकायवारदात बैडरूम की खिड़की के बाहर नीचे गुलाब की क्यारियों में जो जूते की छाप पायी गयी थी, वो उसके खुद के दायें पांव के जूते के सोल से हूबहू मिलती पायी गयी है। ऊपर खिड़की के प्रोजेक्शन पर बने खरोंचों के निशान स्थापित करते हैं कि कत्ल के बाद वो ही वहां चौखट पर चढ़ कर नीचे कूदा था और तब उसका एक पांव नर्म खाद वाली क्यारी में जा पड़ा था।''

''ये पुलिस की हालात की तर्जुमानी है।''

''अभी और ऊपर से वो उन बीस हजार रुपयों की अपने पास मौजूदगी की कोई सफाई नहीं दे सकता जो गिरफ्तारी के वक्त उसके पास से बरामद हुए।''

''सर, आई बैग टु से, ये भी पुलिस की हालात की तर्जुमानी है। सफाई वो दे चुका है।''

''जो कि झूठी है, गढ़ी हुई है, नाकाबिलेएतबार है। जो बात सच है और एतबार में आने के काबिल है वो ये है कि वो रकम चोरी की है, चोरी के नापाक इरादे से ही वो लॉज में घुसा और जब रंगे हाथों पकड़ा गया तो खून से हाथ रंग बैठा।''

''लॉज में एक ही शख्स था जिसको उसने मार डाला, फिर खिड़की के रास्ते फरार होने का क्या मतलब ?''

वृद्ध हड़बड़ाये, उन्होंने उस बात पर कुछ क्षण विचार किया।

''क्योंकि''—फिर पुरइसरार लहजे से बोले—''एकाएक कोई वहां पहुंचा था और वो सीढ़ियों के रास्ते ऊपर आ रहा था। उसकी आमद की आहट पा कर तुम्हारे क्लायन्ट ने खुद को फंस गया महसूस किया था इसलिये मजबूरन वो खिड़की के रास्ते फरार हुआ था।''

''सर, आई बो टु युअर रिमार्केबल डिडक्टिव रीजिंनग।''

''फिर वो किसी पोलिटिकल पार्टी का... शायद पब्लिक पार्टी का... कैम्पेनर भी है... क्या नाम था उसका ?''

''गोविन्द सुर्वे।''

''हां, गोविन्द सुर्वे। वो जब मकतूल को अपनी पार्टी का कैम्पेन लिटरेचर डिलीवर करने लॉज पर पहुंचा था तो उसे घन्टी का भीतर से कोई जवाब नहीं मिला था। क्यों न मिला? क्योंकि घर का मालिक भीतर मरा पड़ा था। कैम्पेनर की गवाही गवाह शिशिर खोटे की गवाही को कम्पलीमेंट करती है, एनडोंस करती है।''

''सर, हो सकता है तब मालिक किसी वजह से फौरन दरवाजे पर आने की पोजीशन में न हो! मसलन टायलेट में हो!''

''माई डियर, कैम्पेनर को ये मामूली बात सूझी थी। इसीलिये उसने एक रीजनेबल टाइम तक इन्तजार किया था और फिर घंटी बजाई थी। मालिक उस वक्त जिन्दा होता तो तब तो दरवाजे पर पहुंचा होता!''

''सर, इतने से तो...''

''वाट इतने से तो! ये तो देखो कि जिसे तुम इतना सा कह रहे हो, वो किसके खिलाफ है! एक जेलबर्ड के खिलाफ है। जिसे कि जेलबर्ड होने की वजह से ही कोई मुलाजमत में रखने का तैयार नहीं था। एक सज्जन पुरुष तैयार हुआ तो समझो उसने खता खाई। अपनी दयालु प्रवृत्ति का इजहार उसने न किया होता तो बेचारा आज जिन्दा होता।''

''सर, गुस्ताखी की माफी के साथ पूछ रहा हूं, आपकी उस केस में इतनी दिलचस्पी क्यों है? आप उस केस की इतनी बारीकियों से क्योंकर वाकिफ हैं?''

''क्योंकि आनन्द आनन्द आनन्द एण्ड एसोसियेट्स उस केस में पब्लिक प्रासीक्यूटर्स हैं।''

''जी!''

''दैट्स ए फैक्ट।''

''आपकी इतनी बड़ी फर्म वहां के जूडीशियल कोर्ट के पैनल आफ लायर्स पर है!''

''पैनल पर होना जरूरी नहीं होता। आनन्द आनन्द आनन्द एण्ड एसोसियेट्स की कोई हैसियत है, कोई रिप्यूट है, कोई स्टैंडिंग है। हम डिस्ट्रिक्ट के डीसीपी को कहें कि किसी पर्टीकुलर केस में पब्लिक प्रासीक्यूटर हम होना चाहते हैं तो डीसीपी क्या कहेगा?''

''क्या कहेगा?''

''कहेगा—यस, सर। बाई आल मींस, सर। नो!''

''यस। लेकिन सर, ये आपके रुतबे और रसूख से बहुत नीचे का काम है!''

''जो कि ऐज ए स्पैशल केस हमें कबूल है।''

''ऐज ए स्पैशल केस! सर, वाट इज स्पैशल इन दि केस?''

''हम अपने एक नौजवान, एक कामयाबी से ऐंठे इतराये हुए एक्स एसोसियेट को सबक सिखाना चाहते हैं...''

''आप हैडमास्टर हैं, मुझे बैंच पर खड़ा करना चाहते हैं ?''

''... कि सितारों से आगे जहां और भी हैं, अभी इश्क के इम्तहां और भी हैं।''

''तीन साल मैंने आपके जेरेसाया काम किया, ऐसी जुबान बोलते मैंने आपको पहले तो न सुना !''

''अब सुन लिया न ! अब पुराने वक्त को याद करते हुए हमसे एक सबक लो।''

''क्या ?''

''अपने क्लायन्ट को बोलो अपना गुनाह कुबूल कर ले वर्ना कोर्ट में उसका तो जो होगा, वो होगा ही, आनन्द आनन्द आनन्द एण्ड एसोसियेट्स के हाथों तुम्हारी ऐसी फजीहत होगी कि एक अरसा हजम नहीं कर पाओगे।''

''कोर्ट में आप... आप पेश होंगे ?''

''देखना, क्या होता है !''

तत्काल वृद्ध मुकेश से विमुख हुए और लम्बे डग भरते बाहर को चल दिये।

जड़ मुकेश मुंह बाये उन्हें जाता देखता रहा।

शनिवार : तेरह अगस्त

अगले रोज मुलजिम कमलेश मेहता को रिमांड के लिए ज्यूडीशियल मैजिस्ट्रेट के कोर्ट में पेश किया गया। वो महज एक रूटीन थी जिसमें किसी तरह की कोई अड़चन आने की कोई गुंजाइश नहीं थी। पुलिस ने आठ दिन के रिमांड की दरख्वास्त लगाई जो कि कुबूल हो गयी। उस सिलसिले में मुलजिम के वकील की अपनी हैसियत में मुकेश ने महज इतनी दखलअन्दाजी की कि इस बात पर भरपूर जोर दिया कि मुलजिम के जेल रिकार्ड के मद्देनजर रिमांड में उसको पुलिस थर्ड डिग्री का शिकार होना पड़ सकता था। लिहाजा उस बाबत उसको कोई सुरक्षा प्रदान किये जाने की जरूरत थी।

मैजिस्ट्रेट ने रूटीन के तौर पर आर्डर सुना दिया कि रिमांड के तहत पुलिस के सुपुर्द किये जाने से पहले मुलजिम का मैडीकल एग्जामीनेशन कराया जाये और मैडीकल एग्जामिनर की रिपोर्ट फाइल की जाये।

मुलजिम को सोमवार बाइस अगस्त को केस की प्रिलिमिनेरी हियरिंग के लिए अदालत में पेश किये जाने के हुक्म के साथ रिमांड की सुनवाई खत्म हो गयी।

सोमवार : बाईस अगस्त

सोमवार बाईस अगस्त को रिमांड की अवधि की समाप्ति पर मुलजिम कमलेश दीक्षित को फिर कोर्ट में पेश किया गया। फरदर रिमांड की कोई दरख्वास्त प्रासीक्यूशन की तरफ से न पेश की गई तो मुलजिम के खिलाफ केस की सुनवाई शुरू हुई।

पब्लिक प्रासीक्यूटर की हैसियत से आनन्द आनन्द आनन्द एण्ड एसोसियेट्स की तरफ से जो वकील पेश हुआ, वो फर्म के नाम के 'एण्ड एसोसियेट्स' वाले हिस्से का प्रतिनिधित्व करने वाला फर्म का जूनियर पार्टनर सपन सोलंकी था जिससे मुकेश अच्छी तरह से वाकिफ था। वो काबिल, नौजवान वकील था और उसे ट्रायल वर्क का खास तजुर्बा था।

प्रिलिमिनेरी हियरिंग के दौरान, जाहिर था कि, नकुल बिहारी आनन्द साहब ने कोर्ट में अपनी हाजिरी जरूरी नहीं समझी थी—उस स्टेज पर उनका पट्ठा सपन सोलंकी ही मुकेश माथुर जैसे नौसिखिये को पछाड़ सकता था।

सपन सोलंकी ने बड़ी दक्षता से केस की रूपरेखा बयान की, मुलजिम और मकतूल का परिचय कोर्ट में दोहराया, मौकायवारदात को तफसील से बयान किया और उसकी कई तसवीरें रिकार्ड के लिए कोर्ट में पेश कीं। फिर उसने मैडीकल रिपोर्ट के हवाले से स्थापित किया कि कत्ल बुधवार दस तारीख की सुबह दस और एक के बीच किसी वक्त हुआ था लेकिन लाश की बरामदी शाम पांच बजे से पहले मुमकिन नहीं हो पायी थी। इस वजह से कत्ल के वक्फे को मैडीकली संक्षिप्त नहीं किया जा सकता था लेकिन कुछ ऐसे साक्ष्य उपलब्ध थे जो स्थापित करते थे कि मकतूल सुबह दस बजे जिन्दा था और सम्भावना थी कि दस पैंतीस तक उसकी हत्या हो चुकी थी।

''प्रासीक्यूशन आगे ये स्थापित करेगा''—सपन सोलंकी सुसंयत स्वर में आगे बढ़ा—''कि मुलजिम कमलेश दीक्षित राजपुरिया एस्टेट का मुलाजिम था, दो महीने तक मुलाजिम रहा था और फिर अपनी किसी नाफर्मानी की वजह से, एम्पलायर को नाकाबिलेबर्दाश्त किसी हरकत की वजह से, कत्ल से दस दिन पहले खड़े पैर नौकरी से निकाल दिया गया था। प्रासीक्यूशन का दावा है कि उस तौहीन

की रंजिश को नौजवान मुलजिम, जोश में होश खो कर एक्ट करने की फितरत वाला मुलजिम, अपने मन में पाले रहा था और फिर किसी प्रतिकार की नीयत से, एक खतरनाक और नापाक इरादे के साथ वारदात के दिन चोरों की तरह एस्टेट में दाखिल हुआ था, आगे लॉज की पहली मंजिल पर स्थित मास्टर बैडरूम में पहुंचा था जहां उसने जीटाप्लैक्स नामक दवा को हथियार बनाकर एस्टेट के मालिक को अपने रास्ते से हटाया था और फिर चोरी को अंजाम दिया था।''

अगला आधा घन्टा सरकारी वकील ने उसकी गिरफ्तारी का, उसके खिलाफ गवाहों का वसीह खाका इतने प्रभावशाली अन्दाज से खींचा कि मैजिस्ट्रेट समेत सब जनाबेहाजरीन ने पूरी तन्मयता से उसको सुना।

सिवाय मुलजिम कमलेश दीक्षित के जो कि उस दौरान पहलू बदलता रहा, जमहाईयां लेता रहा, दांतों से नाखून काटता रहा।

''योर ऑनर''—फिर सपन सोलंकी बोला—''गवाहों के बयानात के जरिये अपना केस आगे बढ़ाने और आखिर मुलजिम का जुर्म निर्विवाद रूप से स्थापित कर दिखाने से पहले मैं उपलब्ध मैडीकल इवीडेंस के एक पहलू को खास तौर से हाईलाइट करना चाहता हूं। जैसा कि मैडीकल एग्जामिनर के खुद के बयान के जरिये आगे सामने आयेगा, वो ये है कि बावजूद इसके कि मकतूल को उसकी हार्ट की मैडीसिन जीटाप्लैक्स का हैवी, घातक, डोज दिया गया था, उसकी मौत वस्तुत: दम घुटने से हुई थी। यानी कि मौत का मूल और स्थापित कारण जीटाप्लैक्स का ओवरडोज नहीं, सफोकेशन था। जीटाप्लैक्स के ओवरडोज से मकतूल मरा नहीं था, सिर्फ बेहोश हुआ था। उस वक्त के हालात की टैक्नीकल तर्जुमानी यूं होती है कि जीटाप्लैक्स की ढेरों गोलियां मिली कॉफी पीने के बाद मकतूल जब धराशायी हुआ था तो अपनी तत्काल बेहोशी की हालत में वो फर्श पर पड़े एक कुशन पर मुंह के बल जा कर पड़ा था। उस कुशन की खूबी थी कि उसमें रूई या फोम नहीं भरा हुआ था, पंख भरे हुए थे जिसकी वजह से वो हद से ज्यादा नर्म था—इतना कि जब मकतूल मुंह के बल उसपर गिरा तो उसका मुंह मुकम्मल तौर पर कुशन में धंस गया। नतीजतन बेहोशी में उसका दम घुट गया और वो जान से हाथ धो बैठा।''

सोलंकी एक क्षण को ठिठका और फिर आगे बढ़ा—''अब यहां एक सवाल उठता है—जो कि डिफेंस ने भी उठाया तो मुझे कोई हैरानी नहीं होगी—कि वो कुशन किसी इत्तफाक के तहत या मकतूल और कातिल में हुई किसी हाथापायी, धींगामुश्ती के तहत फर्श पर पड़ा था या मकतूल के दवा से बेहोश होकर धराशायी होने के बाद मुलजिम ने जानबूझ कर उसे बेहोश पड़े मकतूल के मुंह के नीचे रखा था ताकि जो काम गोलियां नहीं कर सकी थीं, वो वो कुशन कर देता। योर ऑनर, दोनों ही हालात में ये कत्ल का केस बनता है और उसके लिए मुलजिम

जिम्मेदार है। मुलजिम ने जो भी हरकत की, कत्ल के इरादे से की, जो हुआ वो कत्ल था और कत्ल के सिवाय कुछ नहीं था। इत्तफाक से मुलजिम के खिलाफ कोई चश्मदीद गवाह नहीं है लेकिन ये बात उसको कत्ल का मुजरिम करार देने में आड़े नहीं आने वाली क्योंकि उसके खिलाफ बेहद पुख्ता और न झुठलाये जा सकने लायक परिस्थितिजन्य सबूत हैं। योर ऑनर, इन ड्यू कोर्स वुई विल बी पुटिंग अप स्ट्रांगेस्ट सरकमस्टांशल ईवीडेंस टु प्रूव बियांड आल रिज़नेबल डाउट्स दैट दिस मैन—कमलेश दीक्षित—डेलीब्रेटली कमिटिड ए मर्डर इन प्रॉसेस ऑफ कमिटिंग ए रॉबरी। लिहाजा मुझे पूरा यकीन है कि ये अदालत मुलजिम कमलेश दीक्षित को कत्ल का मुजरिम करार देते हुए बेहिचक सैशन सुपुर्द करेगी।''

''जवाब में''—मैजिस्ट्रेट बोला—''डिफेंस अटर्नी कुछ कहना चाहते हैं?''

''सिवाय इसके कुछ नहीं, योर ऑनर''—मुकेश बोला—''कि प्रासीक्यूशन का मुकम्मल केस परिस्थितिजन्य सबूतों पर आधारित है और ऐसे सबूत हमेशा सही और सच्ची राह ही नहीं दिखाते, ज्यूडीशियरी का अपना रिकार्ड इस बात का गवाह है कि वो अक्सर राह दिखाने की जगह राह से भटकाते पाये गये हैं। सरकमस्टांशल ईवीडेंस इज नैवर दि बैस्ट ईवीडेंस। क्योंकि वो शाश्वत सत्य नहीं होता और जो शाश्वत सत्य नहीं होता, उसकी कई इन्टरप्रेटेशन मुमकिन होती हैं। जिस सबूत के कई पहलू हों, उसको अकाट्य सबूत क्योंकर करार दिया जा सकता है! अब ये ट्रायल की प्रॉग्रेस ही बतायेगी कि अपनी ओपनिंग स्टेटमेंट के जरिये पेश किया गया प्रासीक्यूशन का दावा हकीकत कितना है, गुमान कितना है।''

मैजिस्ट्रेट ने उस बात पर विचार किया, फिर बोला—''इस बाबत मुलजिम का क्या कहना है? वो अपने जुर्म का इकबाल करता है?''

''नो, योर ऑनर, माई क्लायन्ट प्लीड्स नॉट गिल्टी।''

मैजिस्ट्रेट ने कमलेश की तरफ देखा।

कमलेश ने मजबूती से इंकार में सिर हिलाया।

''प्रासीक्यूशन अपना केस प्रस्तुत करे।''

सबसे पहले पुलिस का फोटोग्राफर पेश हुआ जिसने कि मौकायवारदात की तसवीरें खींची थीं और जिसने रिकार्ड में दाखिल की गयी तसवीरों की प्रमाणिकता की पुष्टि की।

उसके बाद शिवराज अटवाल की पेशी हुई।

उसे सत्य भाषण की शपथ ग्रहण कराई जा चुकने के बाद सपन सोलंकी उससे सम्बोधित हुआ—''आपका नाम शिवराज अटवाल है, मकतूल अभय सिंह राजपुरिया की जिन्दगी में आप उसके पेड, सैलरीड कम्पैनियन थे?''

''यस, सर।'' —गवाह ने जवाब दिय।

''कितने अरसे से?''

''एक साल से।''

''मकतूल कैसा आदमी था?''

''ऑब्जेक्शन, योर ऑनर'' —मुकेश बोला— ''इस बात का केस से कोई ताल्लुक नहीं कि मरने वाला कैसा आदमी था।''

''प्रासीक्यूशन ये स्थापित करना चाहता है, योर ऑनर'' —सोलंकी बोला— ''कि वो एक नेक, भला, मुअज्जिज, खानदानी आदमी था जिसकी किसी से कोई अदावत नहीं थी, कोई वैर नहीं था। लिहाजा ये मुमकिन नहीं कि किसी पहले से चली आ रही रंजिश या दुश्मनी के तहत उसका कत्ल हुआ हो।''

''ओवररूल्ड!'' —मैजिस्ट्रेट बोला— ''गवाह जवाब दे।''

''राजपुरिया साहब'' —अटवाल बोला— ''बहुत ही भले, देवतास्वरूप व्यक्ति थे। उनकी किसी से ऐसी दुश्मनी की मैं सपने में भी कल्पना नहीं कर सकता कि नौबत खूनखराबे तक आ जाती।''

''फिर भी आ गयी!''

जवाब में अटवाल ने कमलेश दीक्षित की तरफ आंखें तरेरीं।

''आप मुलजिम को पहचानते हैं?''

''जी हां।''

''वो इस कोर्ट में मौजूद है?''

''जी हां।''

''इशारे से बताइये, कहां मौजूद है!''

उसने आदेश का पालन किया।

''कौन है वो?''

''नाम कमलेश दीक्षित है। कोई तीन हफ़्ते पहले तक ये एस्टेट का मुलाजिम था।''

''फिर क्या हुआ?''

''निकाल दिया गया। मुलाजमत से डिसमिस कर दिया गया।''

''वजह?''

''ऑब्जेक्शन!'' —मुकेश बोला— ''डिसमिसल की वजह की फर्स्ट हैण्ड नालेज इस गवाह को नहीं हो सकती। ये एम्पलायर और एम्पलाई के बीच की बात थी, इस बाबत ये गवाह जो कुछ भी कहेगा, वो सुनी सुनाई बात होगी।''

''आई सबमिट, योर ऑनर, कि गवाह को फर्स्ट हैण्ड नालेज थी।'' —सोलंकी पुरजोर लहजे से बोला —''वजह खुद मकतूल ने गवाह के

रूबरू बयान की थी।''

''ऑब्जेक्शन ओवररूल्ड।''—मैजिस्ट्रेट बोला।

''आप''—सोलंकी फिर गवाह की तरफ मुखातिब हुआ—''मुलजिम के नौकरी से निकाले जाने की वजह से वाकिफ थे, इस वजह से वाकिफ थे क्योंकि वो वजह खुद मकतूल ने आपको बताई थी। से यस ऑर नो!''

''यस।''—अटवाल बोला—''राजपुरिया साहब ने खुद मुझे बताया था कि वो कमलेश दीक्षित को निकाल बाहर कर रहे थे क्योंकि...''

''योर ऑनर! योर ऑनर!''—मुकेश ने तीव्र प्रतिवाद किया—''इट्स स्टिल हियरसे इवीडेंस।''

''मैं सवाल को दूसरे तरीके से पूछता हूं।''—मैजिस्ट्रेट के रूलिंग जारी कर पाने से पहले सोलंकी जल्दी से बोला—''मिस्टर अटवाल, क्या आपको मुलजिम कमलेश दीक्षित ने अपनी यकायक बर्खास्तगी की कोई वजह बताई थी?''

''नहीं।''—अटवाल बोला।

मुकेश ने विजेता के से भाव से अपने विपक्षी की तरफ देखा।

''बर्खास्तगी की कोई वजह न बताई हो''—सोलंकी बड़े धीरज के साथ बोला—''यही बताया हो कि वो क्यों नौकरी छोड़कर जा रहा था?''

''मेरी ऐसी कोई बात मुलजिम से नहीं हुई थी।''—अटवाल बोला।

''आपको इस बारे में कुछ मालूम है तो मकतूल के बताये ही मालूम है... जिसे कि डिफेंस अटर्नी ने हियरसे ईवीडेंस का दर्जा दिया और उसपर अपना एतराज दर्ज कराया!''

''मैंने इस बाबत राजपुरिया साहब को मुलजिम से बात करते भी तो सुना था!''

''ओह! बात करते भी सुना था!''

''जी हां। वो क्या है कि राजपुरिया साहब ने मुलजिम को पहली मंजिल पर के मास्टर बैडरूम से निकलते पाया था—जहां पर कि बिना इजाजत आवाजाही की उसे सख्त मनाही थी...''

''आपको कैसे मालूम?''

''मैं वहां करीब ही मौजूद था।''

''करीब ही कहां?''

''बाजू के बैडरूम में जो कि राजपुरिया साहब की लायब्रेरी के तौर पर इस्तेमाल होता था।''

''आप वहां क्या कर रहे थे?''

''राजपुरिया साहब की बुक्स की एहतियात कर रहा था।''

''वो काम आप करते थे?''

''जी हां। वो बुक्स का बड़ा वैल्युएबल, दुर्लभ कलैक्शन है, उसकी डस्टिंग, अपकीपिंग वगैरह के बारे में राजपुरिया साहब मेरे सिवाय किसी और का ऐतबार नहीं करते थे।''

''इस वजह से उस काम में मसरूफ उस घड़ी आप वहां थे?''

''जी हां।''

''आगे बढ़िये।''

''मैं वहां था जबकि मुझे राजपुरिया साहब के जोर जोर के बोलने की आवाज आयी थी। मैं बाहर निकला था तो मैंने उन्हें मास्टर बैडरूम के दरवाजे पर मुलजिम के रूबरू पाया था। वो बेहद गुस्से में थे और मुलजिम पर गरज बरस रहे थे कि क्यों वो बैडरूम के भीतर घुसा था। फिर उन्होंने अपने उसी मूड में खड़े पैर उसकी डिसमिसल का हुक्म सुना दिया था।''

''मुलजिम पर उसकी क्या प्रतिक्रिया हुई थी?''

''मुझे तो भाव खाने को तैयार लगा था।''

''भाव खाने से क्या मतलब है आपका?''

''भड़कने को, गुस्सा दिखाने को, कोई बद्ज़ुबानी करने को तैयार लगा था।''

''ऑब्जेक्शन!''—मुकेश बोला—''मैं नहीं समझता कि गवाह माइन्ड रीडर है।''

''मैं नहीं हूं।''—गवाह ने प्रतिवाद किया—''उस वक्त जो मुझे लगा, वो मैंने बोला।''

''हो सकता है जो लगा, वो गलत लगा!''

''जी हां, हो सकता है।''

मुकेश खामोश हो गया।

''प्रोसीड, मिस्टर अटवाल।''—सोलंकी बोला।

''मैंने पहले ही कहा कि मुझे... मुझे मुलजिम तब भाव खाने को तैयार लगा था।''

''भाव खाया?''

''नहीं।''

''यानी कि जब्त किया! जैसे तैसे अपने किसी सम्भावित वायलेंट रियेक्शन को कन्ट्रोल किया!''

''आई ऑब्जेक्ट, योर ऑनर''—मुकेश बोला—''सरकारी वकील साहब अपने गवाह को ज़ुबान देने की कोशिश कर रहे हैं।''

''आई विदड्रा माई कवेश्चन।''—सोलंकी तनिक धूर्त भाव से बोला—''मिस्टर अटवाल, आप मेरे दूसरे सवाल की तरफ तवज्जो दीजिये। आप बुधवार, दस अगस्त को अपने जेहन में लाइये जिस रोज कि राजपुरिया साहब का कत्ल हुआ था।''

''यस, सर।''—अटवाल बोला।

''अपनी एस्टेट पर मुलाजमत में बुधवार आपका वीकली ऑफ होता है?''

''जी हां।''

''जबकि सारा दिन आप एस्टेट से बाहर रहते हैं?''

''जरूरी नहीं। कभी मैं कहीं नहीं भी जाता।''

''लेकिन जो दिन इस वक्त जिक्र में हैं, उस दिन आप सारा दिन बाहर थे?''

''जी हां।''

''रवाना कब हुए थे?''

''यही कोई दस बजे।''

''कैसे?''

''अपनी कार पर।''

''आपके पास कार है?''

''जी हां।''

''मंजिल क्या थी?''

''फोर्ट और आसपास की दो तीन जगह।''

''फोर्ट यानी कि वो इलाका जो गोरई से मीलों दूर मुम्बई का साउथ एण्ड है?''

''जी हां।''

''जब लॉज से रवाना हुए थे तो पीछे कौन था?''

''राजपुरिया साहब थे।''

''सिर्फ राजपुरिया साहब थे? उनके अलावा वहां और कोई नहीं था?''

''जी हां।''

''अकेले?''

''बिल्कुल!''

''आपकी रवानगी के वक्त वो लॉज में कहां थे? क्या कर रहे थे?''

''नीचे ड्राईंगरूम में थे। वहां एक राइटिंग टेबल है जिसपर बैठे कोई लिखा पढ़ी कर रहे थे।''

''आप एक साल से बतौर कम्पैनियन मकतूल के साथ थे, इस लिहाज से आप मकतूल की रोजमर्रा की एक्टिविटीज, रूटीन कार्य कलापों से बाखूबी वाकिफ

होंगे!''

''जी हां, था तो सही!''

''ऐसे सांझे रहन सहन में कुछ ऐसी बातें भी निगाह में आ जाती हैं जो कि नहीं आनी चाहिये। नहीं?''

''मैं समझा नहीं!''

''मैं मिसाल दे कर समझाता हूं। क्या आप इस बात से वाकिफ थे कि मकतूल अपने वैल्युएबल्स, खास तौर से कैश, कहां रखता था?''

''जनाब, मैं अपने एम्पलायर पर कोई जासूसी तो नहीं करता था...''

''मैंने ऐसा कहा भी नहीं। मैंने महज ये कहा कि लम्बी एसोसियेशन में, एक छत के नीचे रहते खामखाह कुछ बातें निगाह में आ जाती हैं। जो मैंने अब कहा, उसके मद्देनजर मेरे सवाल का जवाब दीजिये।''

''मेरे खयाल से आपको ऐसे सवाल मकतूल के भतीजे शान्तनु राजपुरिया से करने चाहियें।''

''मिस्टर अटवाल, पे अटेंशन टु वाट आई एम सेईंग। मैंने आपका खयाल नहीं पूछा, राय नहीं पूछी कि मुझे अपनी क्वेश्चनिंग कैसे कन्डक्ट करनी चाहिये।''

''स-सॉरी।''

''मैंने आपसे ये पूछा है कि मकतूल राजपुरिया साहब अपना कैश पैसा घर में कहां रखते थे?''

''ओह! घर में कहां रखते थे!''

''जी हां।''

''मैं समझा था कि...''

''जो समझने लायक है, वो अब आप समझ चुके हैं। जवाब दीजिये।''

''योर ऑनर''—मुकेश बोला—''मुझे इस सवाल की कोई उपयोगिता दिखाई नहीं देती। आई थिंक इट इज इररेलेवेंट।''

''रेलेवेंस बराबर है। डिफेंस अगर धीरज रखे तो वो अभी सामने आ जायेगी।''

''इस आश्वासन के तहत''—मैजिस्ट्रेट बोला—''ऑब्जेक्शन खारिज की जाती है। गवाह जवाब दे।''

''राजपुरिया साहब अपना कैश किसी एक जगह नहीं रखते थे।''—गवाह बोला—''जो जगह उन्हें माकूल और मुनासिब जान पड़ती थी, वहां रख देते थे। जैसे कि किसी दराज में, किसी शैल्फ में, किसी बैग में, किसी कैबिनेट में। यहां तक कि किसी कुशन या तकिये के नीचे।''

''लिहाजा कैश के मामले में बहुत केयरफ्री नेचर थी उन की?''

''क्योंकि उन्होंने लॉज में कभी चोरी चकारी का खतरा महसूस नहीं किया था—इसी वजह से दिन के वक्त लॉज का मेन डोर अमूमन खुला रहता था—उनके इर्द गिर्द के तमाम लोग ऊंचे मैयार वाले थे, भरोसे के थे, सिवाय...''—उसकी निगाह स्वयंमेव मुलजिम की दिशा में उठी।

''केयरफुल, मिस्टर अटवाल, यू डोंट हैव टु नेम नेम्स।''

''सॉरी, सर।''

''कैश के तौर पर घर में अमूमन कितनी रकम होती थी?''

''मैं कैसे बता सकता हूं!''

''सवाल ऐग्जैक्ट अमाउन्ट की बाबत नहीं है। आपसे सिर्फ आपका अन्दाजा पूछा जा रहा है जो कि घर के रहन सहन के स्टैण्डर्ड के मद्देनजर घर के एक बाशिन्दे की हैसियत में आपको हो सकता है। अपना अन्दाजा बताइये।''

''मेरा अन्दाजा तो यही है कि... कि रकम... अच्छी खासी होती होगी!''

'' 'अच्छी खासी रकम' कम्पैरिटिव टर्म है, तुलनात्मक संज्ञा है। इसका मतलब जुदा लोगों के लिए जुदा हो सकता था। जिस रकम को कोई एक जना अच्छी खासी माने, वो दूसरे को मामूली जान पड़ सकती है; जो एक जने को मामूली जान पड़े, वो दूसरे जने को विपुल धनराशि जान पड़ सकती है। इसलिये अपने अन्दाजे को जरा फोकस में लाइये, उसका कोई साइज मुकर्रर कीजिये। कितनी कैश अमाउन्ट एक टाइम में लॉज में मौजूद रहती होगी! पांच हजार! दस हजार! बीस हजार! पचास हजार! एक लाख! या और ज्यादा?''

''मेरे खयाल से चालीसेक हजार तो घर में एक टाइम पर कैश में होते ही होंगे!''

''किसी एक जगह पर महफूज नहीं, मुख्तलिफ जगहों पर? ऐसी जगहों पर जिन का जिक्र अभी आपने किया?''

''जीहां।''

''ऐसी एक रकम—जैसे कि बीस हजार रुपये—मास्टर बैडरूम में भी कहीं उपलब्ध थी?''

''ऑब्जेक्शन!''—मुकेश बोला—''दिस इज अज्यूमिंग फैक्ट्स नाट इन इवीडेंस।''

''जब मकतूल कैश रकमें जगह जगह रखने का आदी था तो ऐसी एक जगह मौकायावारदात लॉज का मास्टर बैडरूम भी तो हो सकती है!''

''हो सकते में और होने में फर्क होता है। प्रासीक्यूशन साबित करके दिखाये कि कोई रकम बैडरूम में कहीं उपलब्ध थी और वो न कम न ज्यादा, बीस हजार रुपये थी।''

''मुलजिम के पास से बीस हजार की रकम बरामद हुई थी।''

''प्रासीक्यूशन यही साबित करके दिखाये कि जो रकम मुलजिम के पास से बरामद हुई थी वो मकतूल की मिल्कियत थी, वो मौकायवारदात पर कहीं उपलब्ध थी।''

''बट इट स्टैण्ड्स टु रीजन...''

''नो, इट डज नाट। प्रासीक्यूशन की रीजनिंग तब तक खोखली और बेबुनियाद है जब तक कि वो पहले साबित न कर के दिखाये कि कोई रकम मौकायवारदात पर उपलब्ध थी। उपलब्ध थी तो वो रकम ऐन बीस हजार रुपये थी, हजार हजार के नोटों में थी और वही—आई रिपीट, वही—हजार हजार के बीस नोट गिरफ्तारी के वक्त मुलजिम के पोजेशन में पाये गये थे।''

सोलंकी गड़बड़ाया।

''हूं।''—मैजिस्ट्रेट ने विचारपूर्ण हूंकार भरी—''आई थिंक आई विल सस्टेन दि ऑब्जेक्शन। प्रासीक्यूशन अपनी प्रेजेंट लाइन आफ क्वेश्चनिंग की या तो कोई बुनियाद खड़ी करे या इससे किनारा करे।''

''यस, योर ऑनर।''—सोलंकी कदरन दबे लहजे से बोला, फिर वो उस टेबल पर पहुंचा जहां मौकायवारदात से कब्जे में लिया गया साक्ष्य का दर्जा रखने वाला साजोसामान पड़ा था, उसने वहां से पोलीथीन में सीलबन्द सफेद रंग का चौकोर कुशन उठाया और उसे अटवाल के सामने करता बोला— ''बरायमेहरबानी इस कुशन की तरफ तवज्जो दीजिये।''

''यस, सर।''—गवाह बोला।

''आप इसे पहचानते हैं?''

''जी हां। ये राजपुरिया साहब के बैडरूम का कुशन है।''

''वो कुशन, जो फर्श पर औंधे मुंह पड़े राजपुरिया साहब के मुंह के नीचे दबा पाया गया था?''

''वो कुशन या वैसा कुशन।''

सोलंकी सकपकाया।

''क्या कहना चाहते हैं?''

''बैडरूम में ऐसे कुशन और भी थे। एक तो, आप जानते ही होंगे, फर्श पर लाश से परे लुढ़का पड़ा पाया गया था।''

''ठीक। ठीक। लेकिन मैं आपको विश्वास दिलाता हूं कि ये कोई एक कुशन नहीं, वो कुशन है जो मकतूल के मुंह के नीचे दबा पाया गया था।''

''अगर''—मुकेश बोला—''ऐसा विश्वास सरकारी वकील साहब ने दिलाना है तो इस बाबत गवाह से सवाल करने का क्या मतलब हुआ?''

''मैं ये स्थापित करना चाहता हूं''—सोलंकी बोला—''कि गवाह इसे बैडरूम के एक कुशन के तौर पर पहचानता है।''

''डिफेंस तसदीक करने को तैयार है कि ये वही कुशन है।''

सोलंकी हड़बड़ाया।

''डिफेंस तसदीक करने को तैयार है!''—वो बोला।

''यस। दि डिफेंस स्टिपुलेट्स दैट दिस इज दि सेम कुशन।''

''फिर तो बात ही खत्म हो गयी...''

''बात नहीं खत्म हो गयी—बात तो अभी दूर तक पहुंचेगी—ये बात खत्म हो गयी।''

''मेरा यही मतलब था।''—फिर सोलंकी ने जल्दी से जोड़ा—''अब गवाह से मैं नया सवाल करता हूं।''—उसने मेज पर से पोलीथीन में सीलबन्द शीशी उठाई—''मिस्टर अटवाल, अब ये देखिये ये क्या है!''

''जीटाप्लैक्स की''—गवाह बोला—''उस दवाई की, जो कि राजपुरिया साहब रेगुलर खाते थे— बॉटल है।''

''किस मिकदार में रेगुलर खाते थे?''

''एक गोली रोज।''

''ज्यादा खा जाते, इरादतन या गैरइरादतन ज्यादा खा जाते तो क्या होता?''

''वही... वही जो हुआ।''

''जान से जाते?''

''डाक्टर का ऐसा ही कहना था।''

''पुलिस की तफ्तीश कहती थी कि उन्होंने बतौर ओवरडोज आठ गोलियां खायी थीं। क्या ओवरडोज का ये साइज जान लेने के लिए काफी था?''

''अगर डाक्टर की मानें तो काफी से ज्यादा था।''

''ऑब्जेक्शन, योर ऑनर!''—मुकेश बोला—''गवाह को डाक्टर की जगह बयान देने के लिए उकसाया जा रहा है।''

''मैं डाक्टर को पेश कर सकता हूं।''—सोलंकी बोला।

''करो।''

''बाद में। फिलहाल मैं इतना ही स्थापित करना चाहता हूं कि इस वक्त मेरे हाथ में आलायकत्ल है।''

''आई स्ट्रांगली ऑब्जेक्ट। योर ऑनर, ये सरासर गलतबयानी है। अपनी ओपनिंग स्टेटमेंट में सरकारी वकील खुद तसलीम करके हटे हैं कि मकतूल की मौत दम घुटने से हुई थी तो फिर ये आलायकत्ल क्योंकर हुआ?''

''सस्टेंड!''—मैजिस्ट्रेट बोला।

''योर ऑनर'' —सोलंकी बोला— ''इन गोलियों के ओवरडोज ने कत्ल की बुनियाद बनाई थी, ग्राउन्ड तैयार की थी। इन गोलियों के ओवरडोज से मकतूल होश न खो बैठा होता, जा के मुंह के बल कुशन पर न गिरा होता तो हो सकता है वैसे आनन फानन जान से न गया होता जैसे कि गया। तो हो सकता है कि किसी करिश्माई तरीके से उसे कोई फौरी डाक्टरी इमदाद हासिल हो गयी होती और वो जान से गया ही न होता।''

''ये लॉजिक गैरजरूरी है।'' —मुकेश बोला— ''एक ही सांस में ब्लो हॉट, ब्लो कोल्ड जैसी है। प्रासीक्यूशन को वंस फार आल फैसला करना चाहिये कि जीटाप्लैक्स की गोलियों का ओवरडोज निश्चित रूप से जानलेवा था या नहीं था। अगर जानलेवा था तो रिकार्ड में दर्ज अपनी ओपनिंग स्टेटमेंट में सुधार करे, जानलेवा नहीं था तो मौकायवारदात से बरामद जीटाप्लैक्स की गोलियों की इस शीशी को आलायकत्ल करार देने से बाज आये।''

''दि प्वायन्ट इज वैल टेकन।'' —मैजिस्ट्रेट बोला— ''लेकिन कत्ल को अंजाम दिये जाने में जीटाप्लैक्स के ओवरडोज के रोल को नकारा नहीं जा सकता।''

''न नकारा जाये।'' —मुकेश बोला— ''डिफेंस को थियेट्रिकल्स के साथ इसको बतौर सबूत पेश किये जाने से कोई ऐतराज नहीं। सरकारी वकील साहब जीटाप्लैक्स की इस बॉटल को जितने फुंदने लगाना चाहते हैं, बाखुशी लगायें लेकिन इसको आलायकत्ल करार देकर अपनी ही कही बात को झुठलाने की नादान कोशिश न करें।''

मैजिस्ट्रेट का मिजाज देख कर सोलंकी ने तत्काल पैंतरा बदला।

''मुझे इस गवाह से और कुछ नहीं पूछना।'' —वो बोला— ''गवाह डिफेंस के हवाले हैं।''

मुकेश उठ कर गवाह के कठघरे पर पहुंचा। उसने कई क्षण अपलक गवाह का मुआयना किया।

अटवाल विचलित दिखाई देने लगा और पहलू बदलने लगा।

जो कि अपेक्षित था। गवाह को डिफेंसिव करने का, मुकेश जानता था कि, डिफेंस अटर्नीज का यही तरीका होता था।

''प्रासीक्यूशन का'' —मुकेश बोला— ''पुलिस का खयाल है कि मुलजिम चोरी के इरादे से लॉज में दाखिल हुआ था जहां उसने मकतूल को अपने मंसूबे में विघ्न के तौर पर मौजूद पाया था तो विघ्न दूर करने के लिए उसने मकतूल की कॉफी में जीटाप्लैक्स की अतिरिक्त गोलियां मिला दी थीं। आपका क्या खयाल है?''

''मेरा खयाल'' —गवाह बोला— ''पुलिस से जुदा क्योंकर होगा?''

''ऐसा मुलजिम ने कैसे किया? कब किया?''

''जरूर तभी किया जबकि राजपुरिया साहब टायलेट में थे। मुलजिम लॉज का मुलाजिम रह चुका था, वो राजपुरिया साहब की कॉफी वाली रूटीन के बारे में, जीटाप्लैक्स के बारे में जानता था। अपनी जानकारी का उसने फायदा उठाया।''

''कॉफी के मग में जीटाप्लैक्स की आठ अतिरिक्त गोलियां डाल दीं?''

''जाहिर है।''

''जो कि घातक ओवरडोज साबित हुआ?''

''ये भी जाहिर है।''

''लेकिन चोर का मिशन तो घर के मालिक को वक्ती तौर पर रास्ते से हटाना था, फिर उसने घातक ओवरडोज का आसरा क्यों लिया?''

गवाह ने पनाह मांगती निगाह से सरकारी वकील की ओर देखा।

''क्योंकि''—सोलंकी बोला—''उसे घातक डोज की कोई वाकफियत नहीं थी। वो नहीं जानता था कि कितनी गोलियां क्या रंग दिखातीं! उसने अन्दाजन जो अतिरिक्त गोलियां कॉफी के मग में डाली थीं वो आठ थीं जो कि छ: भी हो सकती थीं, दस भी हो सकती थीं।''

''आप गवाह की तरफ से जवाब दे रहे हैं!''

''क्योंकि इस बाबत गवाह की जानकारी कमजोर है और कमजोर जानकारी को सप्लीमेंट करना मुझे जरूरी दिखाई देता है।''

''गुड! फिर तो आप ही जवाब दीजिये कि मकतूल जब टायलेट से वापिस लौटा तो क्यों उसकी इस हकीकत की तरफ तवज्जो न गयी कि कॉफी के मग में अतिरिक्त गोलियां मौजूद थीं?''

''क्योंकि शातिर मुलजिम ने ऐसा इन्तजाम किया था कि वो गोलियां न दिखाई देतीं।''

''क्या किया था?''

''गोलियों को कूट दिया था।''

''क्या!''

''उनको कूट कर चूरा कर डाला था और ब्राउन रंग की गोलियों का चूरा ब्राउन रंग की कॉफी में हिलमिल गया था।''

''कैसे वो गोलियों को चूरा...''

''मैं वही पहुंच रहा हूं। आपकी जानकारी के लिए पुलिस को वाल कैबिनेट के टॉप पर एक टार्च पड़ी मिली थी जिसके गोल तले को गोलियों को चूरा बनाने की दिशा में मूसल की तरह इस्तेमाल किया गया था। तले पर चूरे के अवशेष लगे पाये गये थे, इस बात की तसदीक पुलिस के टैक्नीशियन ने की है। आप चाहें तो उससे सवाल कर सकते हैं।''

''जरूरत नहीं। मुझे आपकी बात पर ऐतबार है।''

''थैंक्यू।''

''टार्च पर कोई फिंगरप्रिंट्स पाये गये थे?''

''पाये गये थे लेकिन एक्सपर्ट ने उन्हें शिनाख्त के काबिल नहीं पाया गया था। जीटाप्लैक्स की शीशी पर के प्रिंट्स की तरह ही टार्च पर के कुछ फिंगरप्रिंट्स भी आपस में गड्ड मड्ड थे।''

''यानी वो फिगर प्रिंट्स...''

''कोर्ट की राय में''—मैजिस्ट्रेट बोला—''वकील साहबान अब आपसी जुबानदराजी को लगाम दें।''

''यस, योर ऑनर।''—दोनों वकील बोले।

''डिफेंस के पास इस गवाह के लिए कोई और सवाल है?''

''है, योर ऑनर।''—मुकेश बोला।

''प्रोसीड।''

''मकतूल''—मुकेश फिर गवाह की ओर आकर्षित हुआ—''मिस्टर राजपुरिया सख्तमिजाज थे?''

''थे तो सही!''—गवाह ने तनिक हिचकिचाते हुए जवाब दिया।

''बद्‌मिजाज?''

''नहीं, हरगिज नहीं। ये उन पर बेजा इलजाम है। राजपुरिया साहब सख्तमिजाज थे, रोबीले थे, सहज ही छा जाने वाले थे लेकिन बद्‌मिजाज नहीं थे।''

''जमा, एस्टेट के मालिक थे, बाहैसियत शख्स थे, रुतबे और रसूख वाले शख्स थे! ऐसे शख्स के रूबरू कोई मुलजिम जैसी हैसियत और पर्सनैलिटी वाला शख्स तो निगाह मिलाने की ताब नहीं ला पाता होगा। नहीं?''

''जी हां।''

''जब मुलजिम को नौकरी से फौरी बर्खास्तगी का हुक्म सुनाया गया था, तब उनका मिजाज कैसा था?''

''ऑब्जेक्टिड, योर ऑनर।''—सोलंकी बोला—''ये सवाल पहले ही पूछा जा चुका है और इसका जवाब दिया जा चुका है।''

''मैं अपने सवाल को दूसरे ढंग से पूछता हूं। मिस्टर अटवाल, डायरेक्ट एक्जामिनेशन में आपने कहा था कि अपनी डिसमिसल के वक्त मुलजिम आपको भाव खाने को तैयार लगा था; भड़कने को, गुस्सा दिखाने को, कोई बद्‌जुबानी करने को तैयार लगा था लेकिन साथ ही ये भी कहा था कि हो सकता था जो लगा था, गलत लगा था। ठीक?''

''जी हां।''

"अब वंस फार आल फैसला कीजिये कि अपनी बर्खास्तगी पर मुलजिम भड़का था या नहीं भड़का था, उसने भाव खाया था या नहीं खाया था?"

अटवाल ने तुरन्त जवाब न दिया। उसने उस बात पर लम्बा विचार किया।

"गवाह जवाब दे।"—जज सख्ती से बोला।

"वो अपसैट हुआ था।"—अटवाल कठिन स्वर में बोला—"लगता है पहले मैंने ओवररियेक्ट किया था जिसका कि मुझे अफसोस है। अब मैं अच्छी तरह से रीक्लैक्ट करके कह सकता हूं कि मुलजिम अपसैट तो हुआ था लेकिन भड़कने या भाव खाने वाली कोई बात नहीं थी।"

"किसी बद्तमीजी पर न उतर आया?"

"नो, सर।"

"कोई धमकी-वमकी जारी करने लगा हो?"

"नो, सर।"

" 'देख लूंगा' जैसी जुबान बोलने लगा हो जिससे कि कोई नौकरी से निकाले जाने से हुई तौहीन का बदला लेने का मंसूबा झलकता हो?"

"नैवर, सर।"

"उसको नौकरी से निकाला गया और वो निकल गया?"

"जी हां।"

"एक छोटी औकात, छोटी हैसियत वाले बेबस इंसान की तरह?"

"यही समझ लीजिये।"

"लिहाजा जो आपने पहले कहा, वो मुलजिम के किरदार को काला रंगने की कोशिश थी, चरित्रहनन की कोशिश थी!"

"जनाब, मैंने सॉरी बोल तो दिया!"

"जो कि मुलजिम पर आपका अहसान है!"

गवाह से जवाब देते न बना।

"थैंक्यू। यू आर एक्सक्यूज्ड।"

प्रासीक्यूशन का अगला गवाह पब्लिक पार्टी का लोकल प्रचारक गोविन्द सुर्वे था।

वो एक आम हुलिये वाला, सूरत से टपोरी लगने वाला अधेड़ व्यक्ति था।

सोलंकी ने उससे नाम, पता, कारोबार, वगैरह के बारे में रिकार्ड के लिए रूटीन सवाल किये और फिर पूछा—"पुलिस के रोजनामचे के मुताबिक तुम्हारा बयान है कि वारदात वाले रोज तुम सुबह दस बज कर पैंतीस मिनट पर क्रिस्टल लॉज पहुंचे थे?"

"हां।"—सुर्वे संजीदगी से बोला।

"आने वाले कमेटी के इलेक्शन की रू में अपनी पार्टी के प्रचार के सिलसिले में?"

"हां। बरोबर।"

"राजपुरिया साहब को अपनी एक वोट के तौर पर कल्टीवेट करने के लिए?"

"हां। यही मेरा काम था। वोटरों से डोर टु डोर सम्पर्क करना। उनके विचारार्थ उन्हें पार्टी का प्रचार साहित्य सौंपना।"

"प्रचार साहित्य में क्या शामिल था?"

"तीन आइटम थीं। एक पार्टी के इलैक्शन मैनीफैस्टो की सोलह पेज की बुकलेट, एक पार्टी प्रेसीडेन्ट का लम्बे लिफाफे में बन्द एक पत्र और एक पार्टी के लोकल कैंडीडेट का वोट के लिए अपील का पत्र।"

"पार्टी प्रेसीडेंट का पत्र, लोकल कैंडीडेट का पत्र उन दोनों के नाम छपे लिफाफों में था?"

"नहीं। दोनों पत्र बिना छपे, प्लेन लिफाफों में थे।"

"ऐसा क्यों?"

"छपे हुए लिफाफे खत्म हो गये थे। और लिफाफे छपने को भेजे हुए थे लेकिन उनके डिलीवर होने में अभी टेम था। तब तक प्लेन, बिना छपे लिफाफों से काम चलाया गया था।"

"यानी जब तक कोई लिफाफा खोला न जाता, ये नहीं जान पड़ सकता था कि भीतर क्या था?"

"जाहिर है।"

"ठीक। तुम लॉज पर पहुंचे, फिर अपने काम को अंजाम देने के लिए तुमने क्या किया?"

"काल बैल बजाई न! जवाब न मिला तो दरवाजे को नॉक भी किया बरोबर।"

"इन दोनों कामों की कतई कोई प्रतिक्रिया सामने न आयी?"

"नक्को। बोले तो ऐसा सन्नाटा था कि लगता था कि मैं साला कब्रिस्तान में खड़ेला था।"

"सुर्वे, ये अदालत है। यहां जो बोलने का, सभ्य भाषा में बोलने का, अदब से बोलने का।"

"सॉरी बोलता है न, बाप!"

"तो एस्टेट पर तुम्हें कोई दिखाई न दिया?"

"ऐसीच था, बाप। कोई सा... कोई परिन्दा पर मारता न लगा।"

"लॉज में भी सन्नाटा था?"

"मरघट जैसा।"

"कोई आवाज नहीं! कोई हलचल नहीं! कोई एक्टिविटी नहीं!"

"कतई नहीं।"

"फिर तुमने क्या किया?"

"मैं सोचा राजपुरिया साहब टायलेट में होयेंगा, इस वास्ते थोड़ा टेम वेट किया और फिर काल बैल बजाई, फिर डोर को नॉक किया, फिर भी जवाब न मिला तो मैं कैम्पेन की तीनों आइटम उधर डोर में डाक के लिए बनी झिरी में छोड़ा और लौट पड़ा।"

"वापिसी में कोई मिला?"

"नक्को, बाप। न कोई एस्टेट के भीतर में मिला, न बाहर सड़क पर मिला।"

"वहां कैम्पेन के लिए पहली बार गये थे?"

"नहीं। तीन चार बार पहले भी गया कोई बीस दिन के टेम में।"

"पहले कभी ऐसा हुआ कि तुमने उधर जा कर घन्टी बजाई हो और जवाब न मिला हो?"

"कभी नहीं। फर्स्ट बैल पर हमेशा जवाब मिला।"

"ऐसा पहली बार हुआ कि बार बार घन्टी बजाने पर भी, बार बार दरवाजा खटखटाने पर भी भीतर से दरवाजे पर कोई न पहुंचा?"

"हां।"

"अमूमन दरवाजा कौन खोलता था?"

"अटवाल साहब खोलता था या उधर जो हाउसकीपर करके है...नाम बोले तो..."

"शिवालिका अत्रे।"

"हां, शायद यही नाम।"

"ऐसा कभी न हुआ कि राजपुरिया साहब ने खुद दरवाजा खोला हो?"

"हुआ न! पण एक बार ही हुआ।"

"आई सी। तो वारदात वाले दिन—बुधवार, दस तारीख की सुबह—जब तुम्हें लॉज के भीतर से कोई जवाब न मिला तो तुमने क्या सोचा?"

"तब तो यही सोचा, बाप, कि भीतर में कोई थाइच नहीं पण अभी मेरे को मालूम न कि..."

"सुर्वे, जो पूछा जाये, सिर्फ उसका जवाब दो।"

"सॉरी बोलता है न, बाप!"

"तो तुमने सोचा कि भीतर कोई था ही नहीं?"

''बरोबर, बाप।''

''होता तो यकीनन दरवाजे पर पहुंचा होता?''

''काहे वास्ते न पहुंचता, बाप! घन्टी सुनता, डोर पर नॉक सुनता तो क्या कान लपेट के बैठा रहता! अभी मेरे को किधर मालूम था कि राजपुरिया साहब भीतर कान लपेट के नहीं, कफन लपेट के... देवा! सॉरी बोलता है, बाप।''

''योर विटनेस!''

''नो क्वेश्चन।''—मुकेश बोला।

अगला गवाह शिशिर खोटे था।

ऐंठा हुआ सा वो गवाह के कठघरे में पहुंचा और यूं उसने शपथ ग्रहण की प्रक्रिया पूरी की जैसे अदालत पर अहसान कर रहा हो।

''आपका नाम शिशिर खोटे है''—सरकारी वकील सोलंकी उससे मुखातिब हुआ—''आप राजपुरिया एस्टेट के नजदीकी खोटे पोल्ट्री फार्म के मालिक हैं?''

''मालिक का बेटा हूं।''

''एक ही बात नहीं?''

''आप कहते हैं तो... है।''

''रिहायश कहां पर है?''

''फार्म पर ही। भीतर ही एक रिहायशी बंगला है।''

''मुलजिम से वाकिफ हैं?''

''मुलजिम?''

''अपराधी! क्रिमिनल! जो गिरफ्तार है। जिसपर कत्ल का केस है। जिसकी सुनवाई इस वक्त इस अदालत में हो रही है। जो अदालत में मौजूद है। जो वो...उधर बैठा है। जिस का नाम कमलेश दीक्षित है। मुलजिम की बाबत कोई बात जानने से रह गयी हो तो बोलो...''

''ऑब्जेक्शन, योर ऑनर।''—मुकेश बोला—''प्रासीक्यूशन अटर्नी अपने ही गवाह से जिरह कर रहे हैं।''

''जिरह नहीं कर रहा''—सोलंकी बोला—''गवाह को मुलजिम के मायने समझा रहा हूं जिन्हें समझने में वो दिक्कत महसूस करता जान पड़ रहा है।''

''ओवररूल्ड।''—मैजिस्ट्रेट बोला।

''जवाब दीजिये।''—सोलंकी फिर गवाह से मुखातिब हुआ।

''नहीं।''—गवाह बोला।

''क्या नहीं?''

''नहीं जानता।''

मुकेश सम्भल कर बैठा। गवाह का जवाब अपेक्षित नहीं था।

''क्या मतलब है आपका ?''—सोलंकी बोला—''आपने मुलजिम को पहले कभी नहीं देखा ?''

''बहुत बार देखा।''

''तो फिर ये क्यों कहा कि आप मुलजिम को नहीं जानते ?''

''मेरी उससे कोई दुआ सलाम नहीं है, दोस्ती नहीं है, खाली कभी कभार यहां वहां आते जाते देखा है।''

''आप ये कहना चाहते हैं कि आप उसे सूरत से पहचानते हैं लेकिन आपकी उससे वाकफियत नहीं है ?''

''हां।''

''हालिया कब देखा था उसे ? कहां देखा था ?''

''कत्ल के रोज ही देखा था, दस अगस्त वाले बुधवार सुबह दस बजे के करीब लॉज के फर्स्ट फ्लोर के बैडरूम की एक खिड़की...''

आगे उसने वही सब कुछ दोहरा दिया जो कि पुलिस को दिये उसके बयान में दर्ज था।

''योर विटनेस।''—सोलंकी बोला।

''मैंने गवाह से ज्यादा कुछ नहीं पूछना।''—उठकर खड़ा होता मुकेश बोला—''बस, एकाध रूटीन सवाल ... मिस्टर खोटे आपने इस कोर्ट में सच बोलने की शपथ ग्रहण की है इसलिये स्वाभाविक तौर पर आपसे उम्मीद की जाती है कि मेरे एक सिम्पल सवाल का सीधा और सच्चा जवाब दोगे। ठीक ?''

''हां।''

''गुड। तो मेरा सवाल ये है कि क्या ये सच नहीं है कि आप मुलजिम कमलेश दीक्षित को नापसन्द करते हैं ?''

''नहीं, ये सच नहीं है।''

''तो क्या सच है ? मुलजिम आपको पसन्द है ? ही इज ए मैन आफ्टर योर ओन हार्ट ?''

''दिस इज फैंसी टाक, सर। आई डोंट सब्सक्राइब टु दैट। मैं सिम्पल बात को सिम्पली कहना चाहता हूं।''

''कहिये।''

''मुलजिम ...हां, मुलजिम...मुलजिम मुझे ठीक ठाक लड़का लगता है।''

''फिर ये नौबत क्योंकर आयी कि इलाके की सुरभि शिन्दे नाम की लड़की को लेकर अदावत का ऐसा माहौल पैदा हुआ कि आपको लड़की की तरफ कोई

गैरजरूरी तवज्जो देने से बाज आने को बोला गया?''

''ये बात सच नहीं है।''

''क्या सच नहीं है? ये सच नहीं है कि आप इलाके की लड़की सुरभि शिन्दे पर बुरी नजर रखते थे, उसपर वल्गर रिमार्क्स पास करते थे, एक बार उसे राह चलते पकड़ तक लिया था जिसकी वजह से मुलजिम कमलेश दीक्षित ने आपको ठोक दिया था?''

उसके मुंह से बोल न फूटा।

''झूठ बोलने का कोई फायदा नहीं होगा।''—मुकेश ने चेताया—''ये न भूलिये कि इस सिलसिले में आपके सामने भुक्तभोगी सुरभि शिन्दे को ला कर खड़ा किया जा सकता है।''

''सब''—गवाह बुदबुदाया—''एक गलतफहमी के तहत हुआ था।''

''क्या कहा? ऊंचा बोलिये।''

''वो... वो सब एक गलतफहमी के तहत हुआ था।''

''लेकिन हुआ था?''

''हं-हां।''

''फिर भी कहते हैं कि आपकी मुलजिम से कोई वाकफियत नहीं थी! जिससे मार खा चुके हैं, उससे वाकिफ होने से इंकार करते हैं!''

वो खामोश रहा, उसने बेचैनी से पहलू बदला।

''चलिये जाने दीजिये। अब ये बताइये, आपकी निगाह में सुरभि कैसी लड़की है?''

''अच्छी लड़की है।''

''आपको पसन्द है?''

''ऑबजेक्टिड''—सोलंकी तत्काल बोला—''इररैलेवैंट।''

''सस्टेंड।''—मैजिस्ट्रेट बोला।

''आई विदड्रा माई क्वेश्चन।''—मुकेश बोला।

''डिफेंस ने गवाह से और कुछ पूछना है?''

''जी हां, पूछना है। और कहना है। ये कहना है, योर ऑनर, कि गवाह मुलजिम से खुन्दक खाया हुआ शख्स है, इसके मन में हमेशा उस अपमान का बदला लेने की ख्वाहिश घर किये थी जो कि इसका मुलजिम के हाथों हुआ था। क्योंकि फेस टु फेस, खम ठोक कर मुलजिम का मुकाबला करने में सक्षम ये नहीं था इसलिये ये घात लगा कर, छुप कर वार करने का मौका हासिल होने का इन्तजार करता रहा। और वो मौका इसके हाथ मकतूल अभय सिंह राजपुरिया के कत्ल की सूरत में आया। ज्यों ही इसे खबर लगी कि उस कत्ल की वारदात का प्राइम

सस्पैक्ट इसका दुश्मन कमलेश दीक्षित था, इसने उस मौके को अपना बदला लेने के लिए भुनाने का फैसला कर लिया और अपने इस नापाक इरादे पर अमल करते हुए मुलजिम के खिलाफ झूठी, गढ़ी हुई, गवाही देने का फैसला किया...''

''ऑब्जेक्शन...''

''इसने मुलजिम को वारदात के दिन क्रिस्टल लॉज के करीब हरगिज नहीं देखा था''—मुकेश गरजा—''उस बाबत इसने जो कहा था, बदले की भावना से प्रेरित होकर कहा था।''

''ये झूठ है।''—गवाह भी भड़के लहजे में बोला—''मैंने जो देखा था, वही बयान किया था और यूं एक नागरिक के तौर पर अपना फर्ज निभाया था और पुलिस की और कानून की मदद करने की कोशिश की थी। मुझे मेरी कांशस ने प्रेरित किया था कि मेरी खामोशी की वजह से एक गुनहगार का अपने गुनाह की सजा पाने से बच निकलना गलत था, अन्धेर था। ये बात सच है कि कभी मुलजिम के हाथों मुझे बेइज्जत होना पड़ा था लेकिन वो एक भूली बिसरी बात थी जिसका मेरी मुलजिम के खिलाफ आज की गवाही से कोई रिश्ता नहीं। मेरी अन्तरात्मा ने मुझे राह दिखाई इसलिये मैंने गवाही दी और अपना फर्ज निभाया। मेरा काम बस इतना था जो कि मैंने किया। अब कोर्ट मेरी बात को माने या न माने, ये कोर्ट की मर्जी है। अगर कोर्ट को मेरी गवाही झूठ जान पड़ती है तो वो उसे खारिज कर दे। बस इतनी सी तो बात है!''

''इतनी सी बात नहीं है। झूठी गवाही देना जुर्म है।''

''मैंने कोई जुर्म नहीं किया। मैंने कोई झूठी गवाही नहीं दी।''

''आई एक्सपैक्ट दि कोर्ट टु ड्रा हिज ओन कनक्लूजंस इन दिस मैटर। यू मे स्टैप डाउन।''

''क-क्या ?''

''मुझे और कुछ नहीं पूछना। कठघरा छोड़ सकते हो।''

''ओह !''

शिशिर खोटे की गवाही के दौरान शान्तनु राजपुरिया और सुरभि शिन्दे कोर्ट के प्रवेश द्वार के करीब गलियारे में खड़े थे। दोनों के चेहरे पर उत्कण्ठा के भाव थे और दोनों खामोशी से, बेचैनी से पहलू बदल रहे थे।

''इस गवाह की गवाही कुछ ज्यादा ही टाइम ले रही है।''—एकाएक शान्तनु बोला।

सुरभि ने संजीदगी से सहमति में सिर हिलाया।

''मुझे तुम्हारे से हमदर्दी है।''

सुरभि की भवें उठीं।

''तुम्हारा नाम तो खामखाह इस केस में घसीटा जा रहा है।''

''क्या किया जा सकता है!'' —सुरभि दार्शनिकतापूर्ण भाव से बोली।

''किया जा तो सकता था! पुलिस चाहती तो...''

''कोर्ट में खड़े हैं... अब क्या फर्क पड़ता है!''

''मजबूरन खड़े हैं। बद्‌मजा जिम्मेदारी के तौर पर खड़े हैं।''

''एक सज्जन पुरुष जान से चले गये, जहान से चले गये, ये भी तो ठीक नहीं होगा कि उनका कातिल सजा पाने से बच जाये!''

''वो तो है।''

''तो फिर मजबूरी क्या! जहमत क्या! फार दि कॉज हमें भुगतनी चाहिये।''

''वो तो भुगत ही रहे हैं लेकिन मैं अपने बारे में नहीं, तुम्हारे बारे में सोच रहा था।''

''मेरे बारे में!''

''हां। मुम्बई से बाहर तुम्हारे कोई रिश्तेदार हैं?''

''खेड में एक मौसी है।''

''मेरे खयाल से तुम्हारे पिता को कुछ अरसे के लिए तुम्हें वहां भेज देना चाहिये।''

''क्यों?''

''यहां तो उंगलियां ही उठेंगी, बातें ही बनेंगी कि एक हत्या के अपराधी से तुम्हारा...अफेयर है।''

''मुझे परवाह नहीं। मुझे परवाह नहीं कि कोई क्या कहता है। मुझे मालूम है कि कमलेश अपराधी नहीं है और यकीन है कि आखिर बाइज्जत बरी होगा।''

''जज्बाती बात है।''

''जज्बाती बात है! आपको कमलेश के बेगुनाह होने पर शक है?''

शान्तनु ने उत्तर न दिया, वो परे देखने लगा।

''लगता है यही बात है।''

''वो क्या है कि...''

''आपका शक बेबुनियाद है। आप इस बाबत खुद किसी नतीजे पर पहुंचने की जगह पुलिस की लाइन टो कर रहे हैं। वो गिरफ्तार है, पुलिस उसे कातिल करार दे रही है, उसपर कत्ल का मुकदमा चल रहा है, आपको ये बातें कमलेश के खिलाफ राय कायम करने के लिए उकसा रही हैं, न कि आपकी अपनी सोच, अपनी सूझबूझ, अपना बैटर जजमेंट ऐसा सुझा रहा है। हकीकत यही है कि कमलेश कातिल नहीं है। दुनिया की कोई ताकत मुझे उसके कातिल होने का यकीन नहीं दिला सकती।''

''दुनिया की ताकतें कोर्ट में उसके हक में बयान देने नहीं आ सकतीं। तुम्हारी आस्था, तुम्हारा विश्वास उसके खिलाफ खड़े मजबूत केस को नहीं हिला सकता।''

''सर, मैं बेअदबी नहीं करना चाहती लेकिन आपके बार बार ये हिंट ड्राप करने से, कि कमलेश कातिल है, मुझे सख्त एतराज है। आप मेरी भावनाओं को चोट पहुंचा रहे हैं।''

''तुम छोटी हो, नादान हो, दुनियादारी की बहुत सी बातों को अभी नहीं समझती हो...''

''अगर ये सब आप कमलेश के कातिल होने की सम्भावना के सन्दर्भ में कह रहे हैं तो मैं समझना भी नहीं चाहती। आस्था को, विश्वास को किसी प्रमाण की जरूरत होती ही नहीं है। आस्था खुद अपने आप में प्रमाण है और मेरे प्यार में मेरी आस्था ये कहती है कि कमलेश बेगुनाह है।''

''मैं तुम्हारी आस्था की, तुम्हारे विश्वास की कद्र करता हूं लेकिन आस्थाओं से, विश्वास से केस तो हल नहीं होते! कातिल तुम्हारा ब्वायफ्रेंड नहीं भी है तो कोई तो है न! और वो अगर पकड़ा जायेगा तो कानूनी प्रक्रिया से ही तो पकड़ा जायेगा — जो कि इस घड़ी भी प्राग्रेस में है!''

सुरभि खामोश रही।

''चलो, मान लिया कमलेश दीक्षित कातिल नहीं है। लेकिन मैं फिर कहता हूं, कोई तो कातिल है न! आखिर कत्ल तो हुआ है न! अंकल खुद तो अपने कातिल नहीं हो सकते थे! या हो सकते थे?''

''खुदकुशी करना खुद अपना कातिल होना ही होता है।''

''खुदकुशी अब आउट आफ कवेश्चन है। याद करो अटवाल की गवाही के दौरान सरकारी वकील ने क्या कहा था?''

''क्या कहा था? आपका किस बात की तरफ इशारा है?''

''जीटाप्लैक्स की गोलियों के ओवरडोज को टार्च से कूट कर उनका चूरा बना दिया गया था ताकि चूरा कॉफी में हिलमिल जाता। अंकल ने खुदकुशी की होती तो इस हरकत की क्या जरूरत थी?''

''आप... ठीक कह रहे हैं।''

''तो फिर कौन होगा कातिल?''

''कोई भी हो सकता है। क्या पता किसको क्या रंजिश थी राजपुरिया साहब से! क्या पता किसको क्या फायदा था राजपुरिया साहब की मौत से!''

''अंकल इतने सज्जन पुरुष थे...''

''दुश्मन सत् जनों के भी होते हैं। देवता पुरुषों के भी होते हैं। और किसी के माथे पर कोई इश्तिहार नहीं लगा होता कि कौन किसकी मौत का तमन्नाई है!''

''अपनी उम्र के लिहाज से बड़ी सयानी बातें कर रही हो!''

सुरभि खामोश रही।

''बहरहाल तुम्हारे सिवाय हर किसी का ऐतबार इसी बात पर है कि ये काम किसी चोर का था और वो चोर एस्टेट का डिसमिस्ड मुलाजिम कमलेश दीक्षित था जो कि गिरफ्तार है, जिसपर कि इस घड़ी कत्ल का मुकद्दमा चल रहा है।''

''आप फिर वहीं पहुंच गये!''

''अन्दर गवाही तुम्हारी भी होगी। वहां भी तुमने यही जिद ठानी कि कातिल कोई और है तो देख लेना, सब तुम पर हसेंगे।''

''मुझे परवाह नहीं। मेरी जिद यकीनन यही होगी कि कातिल कोई और है।''

तभी दरवाजे पर कोर्ट का चपरासधारी कर्मचारी प्रकट हुआ जो बुलन्द आवाज में बोला—''शान्तनु राजपुरिया हाजिर हो!''

शान्तनु जाकर गवाह के कठघरे में खड़ा हुआ।

ऐन उस घड़ी दिलीप नटके ने कोर्ट में कदम रखा। कुछ क्षण उसकी निगाह पैन होती हुई सारे कोर्ट में घूमी, शान्तनु पर ठिठकी और फिर भटक गयी। फिर वो पीछे की बैंचों में से एक पर जा बैठा।

उसे वहां पहुंचा देख कर शान्तनु के चेहरे पर वितृष्णा के भाव आये। वो अंकल की उस शख्स पर कई मामलों में निर्भरता को कतई नापसन्द करता था और ये बात तो उसे और भी नापसन्द थी कि वो शख्स अंकल की विल का—भले ही ज्यादा महत्वपूर्ण नहीं—बैनीफिशियेरी था। अब उसे इस बात से भी —खामखाह—खुन्दक थी कि ऐन उसकी गवाही के वक्त वो वहां पहुंचा था, जैसे कि कोर्ट में गवाही देना कोई रुतबा कम करने वाला मसला हो।

''मैं आपकी तवज्जो''—सरकारी वकील कह रहा था—''बुधवार दस अगस्त के दिन यानी कि वारदात के दिन की तरफ दिलाना चाहता हूं। उस रोज लाश आपने बरामद की थी?''

''जी हां।''—शान्तनु ने जवाब दिया।

''शाम पांच बजे? जबकि आप मकतूल से—अपने अंकल से—मिलने लॉज पर पहुंचे थे?''

''जी हां।''

''वहां जाने का इत्तफाक कैसे हुआ था?''

''अंकल का बुलावा था।''

''जिसके तहत आप शाम पांच बजे वहां पहुंचे?''

''मुझे शाम पांच बजे ही आने का हुक्म हुआ था।''

''कब?''

''उसी रोज सुबह। उसी रोज सुबह साढ़े नौ बजे मेरे पास उनका फोन आया था कि मैं शाम पांच बजे लॉज पर पहुंचूं क्योंकि वो मेरे से कोई जरूरी बात करना चाहते थे।''

''क्या बात करना चाहते थे ?''

''इस बाबत उन्होंने फोन पर कुछ नहीं बोला था।''

''आपने तो पूछा होगा !''

''नहीं।''

''वजह ?''

''अंकल से सवाल करना बेअदबी होती।''

''बहरहाल शाम पांच बजे आप लॉज पर पहुंचे !''

''जी हां। अलबत्ता एकाध मिनट इधर या उधर हो सकता है।''

''लॉज में कैसे दाखिल हुए ?''

''जैसे कि हुआ जाता है। फ्रंट डोर से दाखिल हुआ।''

''फ्रंट डोर तब लाक्ड नहीं था ?''

''जी नहीं, बन्द था—जैसे कि दिन के वक्त हमेशा होता था—लेकिन लॉक्ड नहीं था।''

''आई सी। दाखिल होते ही सबसे पहले आपकी तवज्जो में कौन सी बात आयी ?''

''मुझे करीबी टेबल पर दो बन्द चिट्ठियां पड़ी दिखाई दीं जो कि हैरानी की बात थी।''

''हैरानी की बात किस लिये ?''

''मैंने बोला न, चिट्ठियां बन्द थीं। शाम हो गयी थी और चिट्ठियां बन्द की बन्द वहां पड़ी थीं।''

''ये बात आपको गैरमामूली लगी ?''

''जी हां। वो डाक से आयी चिट्ठियां नहीं थीं क्योंकि उन पर डाक टिकट या डाकखाने की गोल मोहर नहीं लगी हुई थी। कोई दस्ती उन चिट्ठियों को वहां छोड़कर गया था...''

''गोविन्द सुर्वे। अब आपको ये बात मालूम है। आपने उसका बयान सुना ही था।''

''जी हां। वो चिट्ठियों को झिरी में से भीतर डाल कर गया था, भीतर मेज पर नहीं छोड़ कर गया था। मेरी निगाह में ये अजीब बात थी कि अंकल ने फर्श पर से चिट्ठियां उठाईं और उन्हें बिना खोले, बिना पढ़े मेज पर डाल दिया।''

''किसी पोलिटिकल पार्टी का प्रचार करती चिट्ठी पढ़ने में उनकी दिलचस्पी

नहीं होगी !''

''चिट्ठी से ये कहां जान पड़ता था कि वो किस की तरफ से थी ?''

''साथ में इलेक्शन मैनीफैस्टो की बुकलेट थी, शायद उसने सुझाया !''

''और ये किसने सुझाया कि वो बुकलेट और वो दो चिट्ठियां एक साथ वहां पहुंची थीं ? चिट्ठियों का बुकलेट से कोई रिश्ता था ?''

''आप ठीक कह रहे हैं। तो आपकी निगाह में कोई अपने नाम आयी चिट्ठी को फौरन न पढ़े, ये मुमकिन है लेकिन ये देखने के लिए खोले भी नहीं कि चिट्ठी भेजने वाला कौन था, ये मुमकिन नहीं !''

''ऐग्जैक्टली।''

''आई सी। फिर ?''

''फिर मैंने लॉज में अंकल की तलाश शुरू की। इस सिलसिले में आखिर मास्टर बैडरूम में भी मेरे कदम पड़े और...और...''

''आपने अपने अंकल को वहां मरे पड़े देखा ?''

''जी... जी हां।''

''कैसे जाना कि मरे पड़े थे ? कोई एग्जामिनेशन किया ?''

''एग्जामिनेशन की जरूरत ही नहीं थी। अन्धे को दिखाई दे रहा था कि... अब क्या बोलूं! मेरे को तो बैडरूम में कदम रखते ही, लाश के निगाह में आने से भी पहले, लगने लगा था कि वहां मौत बसी थी। मेरे तो प्राण ही निकल गये थे।''

''हूं। अब मैं आपको एक तसवीर दिखाता हूं। ये तसवीर कोर्ट के रिकार्ड का हिस्सा है और एग्जिबिट के तौर पर ड्यूली मार्क्ड है। ये दरवाजे पर से लिया गया बैडरूम का शॉट है, लिहाजा ऐन वही कुछ दर्शाता है जो आपने दरवाजे पर से देखा होगा। आप इस बात की तसदीक करते हैं ? आप तसदीक करते हैं कि आपकी वहां विजिट के टाइम मौकायवारदात ऐन वैसी ही स्थिति में था जैसी कि इस तसवीर में दर्ज है ?''

''जी हां।''

''लाश फर्श पर ! औंधे मुंह ! मुंह कुशन में !''

''जी हां।''

''फिर आपने क्या किया था ?''

''फौरन पुलिस को फोन किया था। आगे जो कुछ किया था पुलिस ने किया था। मसलन सबसे पहले तो यही तसदीक की थी कि अंकल सच में मर चुके थे।''

''फिर ?''

''फिर पुलिस की प्रोसीजरल कार्यवाही।''

''योर विटनेस।''

सहमति में सिर हिलाता मुकेश उठ कर खड़ा हुआ।

''आपने अभी कहा''—वो गवाह से मुखातिब हुआ—''कि आपके अंकल ने फर्श पर से चिट्ठियां उठाईं और उन्हें मेज पर रख दिया!''

''जी हां।''—शान्तनु बोला।

''आप कैसे जानते हैं कि ये काम आपके अंकल ने किया?''

''और कौन करता!''

''आप मेरे से पूछ रहे हैं?''

''जब लॉज में और कोई था ही नहीं...''

''ये भी आप कैसे जानते हैं?''

वो गड़बड़ाया।

''जब मैं कुछ जानता ही नहीं''—फिर झुंझलाया सा बोला—''तो फिर क्यों मैं यहां हूं? क्यों मेरी गवाही हो रही है?''

''आप खफा हो रहे हैं। मैं सिर्फ ये अर्ज करना चाहता था कि शायद चिट्ठियां आपके अंकल ने नहीं, किसी और ने उठा कर मेज पर रखी हों...''

''और किसने?''

''मसलन कातिल ने!''

''कातिल तो मास्टर बैडरूम की खिड़की के रास्ते भागा था!''

''अगर वो कातिल था। अगर कातिल कोई और...''

''योर ऑनर''—सोलंकी बोला—''दि प्रोसीडिंग्स आर गोईंग वाइड अपार्ट। मुझे इस बात की कोई रेलेवेंस दिखाई नहीं देती कि चिट्ठियां मकतूल ने खुद उठा कर मेज पर रखीं या किसी और ने। ये इस ट्रायल का कोई महत्वपूर्ण मुद्दा है तो डिफेंस अटर्नी बरायमेहरबानी बतायें कि क्योंकर है!''

''इससे लॉज में किसी तीसरे शख्स की मौजूदगी का इशारा मिलता है?''—मुकेश बोला।

''कौन तीसरा शख्स?''

''असली कातिल।''

''जो कि इतना नीट और आर्डरली शख्स था कि उसे चिट्ठियां फर्श पर गिरी पड़ी होना गवारा न हुआ, उसने चिट्ठियों को उठा कर मेज पर रखा और अपनी नफासतपसन्दगी का इजहार किया!''

''वजह कोई भी रही हो, उसने ऐसा बराबर किया हो सकता है।''

''फिर कौन असली कातिल! नाम लो उसका!''

''आई विल डू बैटर दैन दैट। आई विल डिसक्न्टीन्यू दिस लाइन आफ क्वेश्चनिंग।''

''थैंक गॉड!'

''शान्तनु जी''—मुकेश फिर गवाह से मुखातिब हुआ—''आपने अभी कोर्ट को बताया कि वारदात वाले दिन आप लॉज पर इसलिये गये थे क्योंकि आपको मकतूल का बुलावा था। मकतूल ने आपको फोन करके एक खास टाइम पर लॉज में पहुंचने को बोला था?''

''जी हां।''—गवाह बोला।

''फोन पर मकतूल ने असल में क्या कहा था? किन अल्फाज में आपको ये बात कनवे की गयी थी?''

''योर ऑनर''—सोलंकी बोला—''मैं अपने फाजिल दोस्त को टोकना नहीं चाहता लेकिन ये बात मेरी समझ से बाहर है कि अपने इस सवाल से वो क्या हासिल करना चाहते हैं, क्या स्थापित करना चाहते हैं! दूसरे, जवाब में जो कुछ भी सामने आयेगा, उसका दर्जा सुनी सुनाई बात का होगा।''

''मैं गवाह को क्रॉसक्वेश्चन कर रहा हूं।''—मुकेश तनिक अप्रसन्न भाव से बोला।

''ऐसा कोई रूल मेरी जानकारी में नहीं है जिसके तहत हियरसे इवीडेंस अगर क्रॉसक्वेश्चनिंग के दौरान सामने आये तो वो एडमिसिबल होती हो।''

''रूलिंग जारी करना सरकारी वकील का नहीं, कोर्ट का काम है। कोर्ट चाहे तो मुलजिम की खातिर, फेयर ट्रायल की खातिर किसी भी स्थापित रूल को किसी भी हद तक नजरअन्दाज कर सकता है और उससे बाहर जा कर सुनवाई कर सकता है।''

''लेकिन...''

''सरकारी वकील साहब ये न भूलें कि यहां सुनवाई किसी चोरी बटमारी के केस की नहीं हो रही, एक कत्ल के केस की हो रही है, जिसमें इसी मुल्क के एक नागरिक की जान दांव पर लगी है। अगर ये स्माल टैक्नीकलिटी के तहत सजा पा जाता है तो ये इंसाफ नहीं, जुल्म होगा।''

''मेरे फाजिल दोस्त कानून और जज्बात को आपस में गड्ड मड्ड कर रहे हैं। इंसाफ की प्रक्रिया ने स्थापित तरीके से ही लागू होना होता है। वो तरीका, वो प्रोसीजर अक्यूज्ड टु अक्यूज्ड वेरी नहीं कर सकता। किसी एक मुलजिम के लिए स्थापित कानूनी प्रक्रिया से किनारा नहीं किया जा सकता।''

''मुद्दा किनारा करने का नहीं है, आनरेबल कोर्ट का उदार होना है।''

''कोर्ट को अख्तियार है उदारता प्रदर्शित करने का लेकिन उदारता की भी कोई ठोस वजह होनी चाहिये। और वजह के तौर पर जज्बात को भड़काना और इस बात को हाईलाइट करना, कि मुलजिम की जान दांव पर लगी है, नाजायज है। इस

सिलसिले में मौजूदा मुलजिम के साथ कुछ खास या लीक से हट कर नहीं हो रहा है। हर मर्डर सस्पैक्ट के साथ ऐसा ही होता है।''

''मुलजिम का अपराध साबित होना अभी बाकी है।''

''जो आग में हाथ देता है वो नहीं कह सकता कि उसे मालूम नहीं था कि आग जलाती है।''

''अभी ये साबित होना भी बाकी है कि मुलजिम का हाथ आग में है। दूसरे, हियरसे ईवीडेंस पर कोई बैन नहीं लगा हुआ। जिस सुनी सुनाई बात पर एतराज खड़े किये जा रहे हैं, ये न भूला जाये कि वो मकतूल के मुंह से निकली बात थी जो कि डिफेंस के लिए ही नहीं, प्रासीक्यूशन के लिए भी अहम हो सकती है।''

''डिफेंस को क्या मालूम?''

''सुने बिना प्रासीक्यूशन को भी क्या मालूम?''

''आर्डर!''—मैजिस्ट्रेट बोला—''आई विल काल दैट एनफ। इस प्वायन्ट पर दोनों वकील साहबान खामोश हो जायें और कोर्ट की रूलिंग की तरफ तवज्जो दें। डिफेंस ने गवाह से जो सवाल पूछा है, कोर्ट उसका जवाब सुनने को तैयार है। जवाब सुन कर ही कोर्ट फैसला करेगा कि वो रिकार्ड में दाखिल किये जाने योग्य है या नहीं है। गवाह जवाब दे।''

''सवाल ये था, मिस्टर राजपुरिया''—मुकेश ने उसे याद दिलाया—''कि फोन पर आपके अंकल ने आपको क्या कहा था?''

''बस यही कहा था''—शान्तनु कठिन स्वर में बोला—''कि मैं पांच बजे लॉज पर पहुंचूं और शाम की चाय उनके साथ शेयर करूं।''

''महज चाय शेयर करने को तो नहीं बुलाया होगा!''

''जाहिर है।''

''तो बुलावे की क्या वजह बताई थी?''

''कोई वजह नहीं बताई थी।''

''कुछ तो कहा होगा?''

''बस, यही कहा था कि एक जरूरी बात डिसकस करनी थी।''

''लेकिन इस बाबत कुछ नहीं कहा था कि वो जरूरी बात क्या थी?''

''जी हां।''

''आपने पूछा नहीं क्योंकि, जैसा कि डायरेक्ट एग्जामिनेशन में आपने कहा, पूछना बेअदबी होता लेकिन आप पढ़े लिखे, इंटेलीजेंट आदमी हैं, बजातेखुद कोई वजह तो सोची होगी?''

''मेरी सोच ने तो कोई प्राब्लम ही सुझाई थी जो कि एकाएक आन खड़ी हुई थी और जो अंकल को पशेमान कर रही थी।''

''ये आपको अंकल के उस वक्त के मिजाज से, गुफ्तगू के लहजे से लगा?''

''जी हां।''

''लेकिन प्राब्लम का कोई जिक्र न किया, कोई हिंट तक न दिया?''

''हिंट की बात पर कहूं तो बिल्कुल तो ऐसा नहीं था!''

''तो कैसा था?''

''मुझे लगा था कि...''

''योर ऑनर''—सोलंकी बोला—''अब तक की सारी गवाही अन्दाजों की बिना पर चल रही है। ये कोर्ट का वक्त जाया करने की एक्सरसाइज के सिवाय और कुछ नहीं।''

मैजिस्ट्रेट का सिर सहमति में हिला।

''डिफेंस को''—वो बोला—''प्रासीक्यूशन के एतराज पर तवज्जो देने की हिदायत दी जाती है।''

''यस, योर ऑनर।''—मुकेश अपने लहजे में ज्यादा से ज्यादा अदब घोलता बोला—''मैं इस लाइन आफ क्वेश्चनिंग को इस बात पर खत्म करता हूं कि गवाह मकतूल के अर्जेंट बुलाने पर लॉज पर गया क्योंकि वहां कोई प्राब्लम आन खड़ी हुई थी जिसकी बाबत मकतूल अपने भतीजे से बात करना चाहता था। क्या सरकारी वकील साहब गवाह के इस बयान से सहमत हैं?''

''गवाह ने अर्जेंट वाली कोई बात नहीं कही थी''—सोलंकी सावधान स्वर में बोला—''वर्ना प्रासीक्यूशन सहमत है।''

''इस बात से भी कि उस रोज लॉज में किसी बात को लेकर कोई टेंशन का माहौल था, वहां किसी अनहोनी के होने की बुनियाद बन रही थी, कोई मिस्ट्री व्याप्त थी...''

''आई स्ट्रांगली ऑब्जेक्ट, योर ऑनर। ये सब डिफेंस की गैरजरूरी ड्रामेबाजी है। दिस इज अज्यूमिंग दि फैक्ट्स नाट इन ईवीडेंस। दिस इज इररैलेवैंट, इनकम्पीटेंट एण्ड इममैटीरियल।''

''दि ऑब्जेक्शन इज सस्टेंड।''—मैजिस्ट्रेट बोला—''कोर्ट को भी ऐसा ही जान पड़ रहा है कि डिफेंस अटर्नी अननैसेसरी थियेट्रिकल्स का सहारा ले रहे हैं।''

''आई एम सॉरी, योर ऑनर।''—नकली खेद जताता मुकेश बोला—''मैं अपने वो कमैंट्स वापिस लेता हूं जो प्रासीक्यूशन को नागवार गुजरे और गवाह से अपना अगला सवाल करता हूं। मिस्टर राजपुरिया, क्या ये सच है कि आपके अंकल बहुत दबंग, बहुत सख्तमिजाज और अपनी पसन्द नापसन्द पर खास जोर रखने वाले आदमी थे?''

''जी हां, सच है।''—शान्तनु बोला—''वो ऐसे ही थे।''

''ऐसा मिजाज हो तो दुश्मन बनते देर नहीं लगती?''

''मुझे अंकल से किसी की दुश्मनी की कोई खबर नहीं।''

''जरूर नहीं होगी। हो सकता है ऐसी दुश्मनी उनकी किसी के साथ हो भी नहीं। लेकिन सम्भावना तो है न! मैं नहीं समझता कि आप अपने अंकल की जाती जिन्दगी के हर पहलू से वाकिफ होंगे।''

गवाह का सिर स्वयमेव इंकार में हिला।

''आपकी और उनकी उम्र में एक जनरेशन का फर्क था, लिहाजा ऐसी बहुत बातें होंगी उनकी जाती जिन्दगी से ताल्लुक रखती जिन्हें वे आप पर उजागर नहीं करते होंगे। मैं आपको अपनी बात एक मिसाल दे कर समझाता हूं। फर्ज कीजिये आपके अंकल की जिन्दगी में उनका किसी से अफेयर था...''

''बट दिस इज प्रीपोस्चरस!''—शान्तनु भड़क कर बोला—''अंकल अड़सठ साल के थे।''

''और सच्चरित्रता और सदाचार के आधारस्तम्भ थे। आई ग्रांट इट आल टु यू। मैं उनके चरित्र पर कोई लांछन नहीं लगा रहा, महज एक हाईपॉथेटिकल बात कह रहा हूं। मैंने कहा है फर्ज कीजिये... बस, फर्ज कीजिये कि...''

''एक वाहियात बात को फर्ज करने का भी क्या मतलब हुआ!''

''मतलब आगे आयेगा न!''

''ठीक है। फर्ज किया।''

''अगर मकतूल का किसी शादीशुदा औरत से अफेयर हो तो उस औरत के खाविन्द का दर्जा आटोमैटिकली मकतूल के दुश्मन का हुआ या न हुआ?''

''यूं तो हुआ!''

''फिर ये कहना तो ठीक नहीं न कि मकतूल का कोई दुश्मन नहीं था, कोई दुश्मन नहीं हो सकता था?''

''हं-हां।''

''तो फिर ये क्यों नहीं हो सकता कि कातिल वो दुश्मन था, वो हसद का मारा खाविन्द था, न कि ये बद्नसीब नौजवान जिसपर कि इस वक्त कत्ल का मुकद्दमा चल रहा है?''

''आई ऑब्जेक्ट, योर ऑनर।''—सोलंकी पुरजोर लहजे से बोला—''ऐसे किसी शख्स का कोई वजूद नुमायां नहीं। ऐसा कोई शख्स महज मेरे फाजिल दोस्त की कल्पना की उपज है। खयाली पुलावों से शक उपजाया जा सकता है लेकिन हकीकत को नहीं झुठलाया जा सकता। और हकीकत ये है कि मुलजिम कातिल है, उसको कातिल साबित करने के लिए इस अदालत के सामने पर्याप्त सबूत उपलब्ध हैं

और उसका सख्त से सख्त सजा पाना महज वक्त की बात है। बतौर कातिल डिफेंस के पास कोई आल्टरनेट कैंडीडेट है तो मैं मांग करता हूं—बल्कि चैलेंज करता हूं—कि वो उसका नाम लें। उसको अदालत में पेश करें और अकाट्य सबूतों की बिना पर उसे कातिल साबित करके दिखायें वर्ना चीप थियेट्रिकल्स से बाज आयें।''

तब तक मुकेश का मतलब हल हो चुका था। उसने वैकल्पिक हत्यारे की सम्भावना खड़ी कर दी थी, भले ही उसपर कोई ऐतबार लाता या न लाता।

''थैंक्यू, मिस्टर राजपुरिया''—वो बोला—''यू मे स्टैप डाउन।''

प्रासीक्यूशन का अगला गवाह पुलिस का मैडीकल एक्सपर्ट था। उसका नाम डाक्टर वी.आर. सालवी था और वो एक भारी भरकम जिस्म वाला, उम्रदराज शख्स था। उसका आत्मविश्वास उसके अपने काम में प्रवीणता की चुगली करता था और बतौर गवाह अदालत में पेश होने का उसका स्टाइल ऐसा था जैसे वो उसका रोजमर्रा का काम था।

बड़ी सन्तुलित और सरल भाषा में उसने मकतूल के अपने मैडीकल एग्जामीनेशन का नतीजा कोर्ट में बयान किया।

सोलंकी ने जब विशेष रूप से मकतूल की मौत की वजह की बाबत सवाल किया तो वो बोला—''मौत की वजह निश्चित रूप से जीटाप्लैक्स की गोलियों का ओवरडोज ही था। गोलियों के कोई भग्नावशेष मेदे में नहीं पाये गये थे इसलिये बाजरिया पोस्टमार्टम मेदे के एग्जामिनेशन से ये कहना मुमकिन नहीं था कि गोलियों के ओवरडोज का क्या साइज था?''

''लेकिन''—सोलंकी बोला—''साइज एक दूसरे तरीके से भी तो साबित हुआ है?''

''जी हां। एक गवाह के मुताबिक सोमवार रात आठ बजे के करीब सौ गोलियों की कपैसिटी वाली जीटाप्लैक्स की एक नयी बॉटल हत्प्राण को डिलीवर की गयी थी। उस दवा की उसकी खुराक एक गोली रोजाना की थी इसलिये जाहिर था कि उस बॉटल को उसने मंगलवार सुबह खोला था और उसमें से निकाल कर एक गोली खायी थी। उसी तरह अपनी रूटीन के मुताबिक एक गोली उसने बुधवार सुबह दस बजे के करीब अपनी कॉफी की तैयारी में अपने कॉफी के मग में डाली। इस लिहाज से बॉटल में अट्ठानवे गोलियां बाकी पायी जानी चाहिये थीं लेकिन पुलिस ने नब्बे पायी थीं। ये बात भी स्थापित करती है कि ओवरडोज का साइज आठ गोली था। यानी जिस गोली की बाबत उसे चौबीस घन्टे में एक खाने की हिदायत थी वो उसने एक ही बार में नौ खा ली थीं।''

''और यहीं उसकी मौत की वजह बनी थी?''

''जी हां।''

''ओवरडोज का साइज इतना न होता, कम होता तो बच जाते?''

''शायद बच जाते। साइज हाफ होता तो यकीनन बच जाते।''

''हाफ, यानी चार अतिरिक्त गोलियां!''

''जी हां।''

''इतने ओवरडोज से क्या होता?''

''पहले परेशानी महसूस करते, घबराहट महसूस करते, दिल की धड़कन तेज हो जाती, एक्सैसिव स्वीटिंग होती और फिर बाकायदा तड़पते लेकिन इतने ओवरडोज से जान से यकीनन न जाते। बिना किसी डाक्टरी इमदाद के भी बड़ी हद दो घन्टे में नार्मल हो जाते।''

''इसका क्या ये मतलब न हुआ कि कातिल''—सोलंकी ने जानबूझकर ठिठक कर इलजाम लगाती निगाह से मुलजिम को देखा—''गोलियों के घातक ओवरडोज से वाकिफ था?''

''मुमकिन है कि था।''

''ऑब्जेक्शन, योर ऑनर''—मुकेश बोला—''जब प्रासीक्यूशन अपनी ओपनिंग स्टेटमेंट में पहले ही ये स्थापित कर चुका है कि मकतूल की मौत दम घुटने से हुई थी तो जीटाप्लैक्स के ओवरडोज पर—उसकी घातक तासीर पर—इतना जोर देने का क्या मतलब हुआ?''

''कत्ल का केस दोनों हालात में है।''—सोलंकी बोला।

''मेरी ऑब्जेक्शन का ये मुद्दा नहीं है। मेरी ऑब्जेक्शन का मुद्दा ये है कि प्रासीक्यूशन जब खुद ही पहले कह चुका है कि मौत दम घुटने से हुई तो अब बाजरिया इस गवाह ये क्यों साबित करना चाहता है कि मौत जीटाप्लैक्स के ओवरडोज से हुई! इसका क्या डिफेंस ये मतलब लगाये कि मकतूल दो बार मरा! क्या ऐसा मुमकिन है?''

''ओवरडोज से जान जाने की ग्राउन्ड तैयार हुई, दम घुटने से जान गयी। यहां ये बात खास तौर से गौरतलब है कि मकतूल अगर ओवरडोज के हवाले न होता तो दम घुटने से उसकी जान हरगिज न जाती। तो यकीनन उसने कुशन में धंसा अपना मुंह उठाया होता या कुशन परे फेंका होता। वो ऐसा न कर सका क्योंकि ओवरडोज के असर में मुंह के बल गिरते वक्त वो होश में नहीं था। नतीजतन कुशन में मुंह धंसा होने की वजह से बेहोशी में ही उसका दम घुट गया था। डाक्टर सालवी के बयान से साफ जाहिर है कि यूं दम न घुटा होता तो भी उसकी मौत निश्चित थी।''

''डाक्टर साहब का ये दो जमा दो चार जैसा नतीजा है, योर ऑनर। हकीकतन हयूमन कांस्टीच्यूशन मैन टु मैन डिफर करता है। हो सकता है मकतूल तड़पता,

जिन्दगी और मौत के बीच एक नाजुक डोर से बन्धा झूलता लेकिन ओवरडोज को झेल जाता। आखिरकार झेल जाता। इस सूरत में ओवरडोज के जिम्मेदार शख्स को क्योंकर कातिल करार दिया जाता जबकि कातिल वो शख्स था जिसने ओवरडोज की वजह से बेहोश हो गये, वक्ती तौर पर बेहोश हो गये, मकतूल के मुंह के नीचे कुशन सरकाया ताकि उसका दम घुट जाता और बेहोशी में ही वो मर जाता। योर ऑनर, डिफेंस दावा करता है कि कातिल वो शख्स था जिसने बेहोश मकतूल के मुंह के नीचे कुशन सरकाया था।''

''ऐसे किसी शख्स का वजूद न सामने है, न होना मुमकिन है। ये डिफेंस की कोरी कल्पना की उपज है, एक सिम्पल एण्ड स्ट्रेट केस में पेंच डालने की डैस्प्रेट कोशिश है। अव्वल तो ऐसा कोई था ही नहीं, था तो वो भी मुलजिम कमलेश दीक्षित ही था जो कि मकतूल की जान जाने की दोहरी गारन्टी चाहता था और इसी वजह से उसने मरते मकतूल के मुंह के नीचे कुशन सरकाया। योर ऑनर, उसकी ये हरकत उसके खिलाफ केस को और संगीन बनाती है।''

''क्या प्रासीक्यूशन ये साबित कर सकता है कि मेरे क्लायन्ट ने ऐसा कुछ किया था?''

''क्या डिफेंस ये साबित कर सकता है कि उसने ऐसा कुछ नहीं किया था?''

''कर सकता है। मैं मुलजिम को बतौर गवाह पेश कर सकता हूं। वो कठघरे में खड़ा होकर शपथ ग्रहण करके ये कहेगा कि उसने ऐसा कुछ नहीं किया था।''

''डिफेंस का पढ़ाया तोता कुछ भी कह सकता है।''

''दैट्स दि लिमिट, योर ऑनर, टु विच आई स्ट्रांगली ऑब्जेक्ट...''

''आर्डर!''—मैजिस्टेट बोला—''बोथ काउन्सल्स मस्ट रिफ्रेन फ्राम पर्सनैलिटीज। प्रासीक्यूशन का तोते वाला रिमार्क रिकार्ड में दर्ज न किया जाये।''

''आई एम सॉरी, योर ऑनर।''—सोलंकी अपनी धूर्तता छुपाता बोला—''डिफेंस की खातिर मैं वाकये का एक और आल्टरनेट पेश करता हूं।''

''प्रोसीड।''

''आल्टरनेट डिफेंस के इस दावे पर आधारित है कि मकतूल को जीटाप्लैक्स का जो ओवरडोज खिलाया गया था, किसी करिश्माई तरीके से वो उसे हज्म कर सकता था। और ये महज एक इत्तफाक था कि जब वो औंधे मुंह फर्श पर गिरा था तो एक कुशन उसके मुंह के नीचे आ गया था जो कि फर्श पर लुढ़का पड़ा था। ओके नाओ, मिस्टर माथुर? आर यू हैपी नाओ?''

''आगे बढ़ो।''—मुकेश शुष्क स्वर में बोला।

''अब मेरा डाक्टर सालवी से सवाल है''—सोलंकी वापिस गवाह से सम्बोधित हुआ—''डाक्टर साहब, कोई किसी को धक्का दे और धक्का खाने

वाला रेलवे ट्रैक पर जा गिरे और उसके ऊपर से ट्रेन गुजर जाये तो धक्का देने वाला धक्का खाने वाले के भीषण, जानलेवा अंजाम से क्या ये करके बरी हो सकता है कि उसने तो महज एक छोटा सा धक्का दिया था?''

''आई एम सॉरी टु से, सर'' — डाक्टर सालवी बोला — ''इस सवाल का जवाब बतौर मैडीकल एक्सपर्ट मेरी गवाही के स्कोप में नहीं आता।''

सोलंकी हड़बड़ाया।

''वैसे भी ये बेमानी है।'' — मुकेश बोला — ''ये मिसाल ही बेमानी है। डिफेंस ने कभी कबूल नहीं किया कि मुलजिम ने मकतूल को 'धक्का' दिया था, उसने जीटाप्लैक्स के ओवरडोज के जरिये मकतूल को मौत के रास्ते पर धकेला था।''

सोलंकी और हड़बड़ाया।

''दि कोर्ट'' — मैजिस्ट्रेट बोला — ''वुड लाइक टु हियर प्रासीक्यूशन ऑन दिस प्वायन्ट।''

''योर ऑनर'' — सोलंकी अपनी हड़बड़ाहट छुपाता सावधान स्वर में बोला — ''अभी मैं इतना ही कहना चाहता हूं कि अपने क्लायन्ट के डिफेंस में मिस्टर माथुर को कुछ भी कहने का, कोई भी थ्योरी प्रस्तुत करने का अख्तियार है और इस गवाह से अपनी पूछताछ का ट्रैक बदलना चाहता हूं।... डाक्टर साहब, बहरहाल मकतूल की मौत की वजह दम घुटना थी और इस मामले में विलेन आफ पीस ये'' — सोलंकी ने पोलीथीन में लिपटा कुशन गवाह के मुआयने के लिए पेश किया — ''सफेद रंग का, चौकोर, पंखों की स्टफिंग वाला कुशन था?''

''जी हां।'' — गवाह बोला।

''आप कैसे जानते हैं ये वो ही कुशन है?''

''पुलिस ने इसे मेरे सामने मौकायवारदात से कब्जे में लेकर पोलीथीन में सील किया था और सील के स्थान पर सब-इन्स्पेक्टर गोपाल पुजारा ने खुद साइन किये थे और मेरे साइन कराये थे।''

''आई सी।''

''इसका गिलाफ एक रोयेंदार फैब्रिक का है जिसके महीन धागे मरने वाले की नासिकाओं से भी बरामद हुए थे जो कि अपने आप में सबूत है कि उसकी मौत कुशन में मुंह धंसने की वजह से हुई थी। हकीकतन वो मौकायवारदात पर पड़ा भी इसी हालत में पाया गया था।''

''मुंह के बल फर्श पर गिरा हुआ? मुंह इस कुशन में धंसा हुआ?''

''जी हां।''

''मौत से पहले वो यूं कितना अरसा पड़ा रहा होगा?''

''कोई ज्यादा अरसा नहीं। बस, कुछ ही मिनट।''

''बहरहाल, वन वे आर दि अदर, मुलजिम मौत की वजह था। हम ये मान के चलें कि जीटाप्लैक्स के ओवरडोज के लिए वो जिम्मेदार था, सिर्फ वो जिम्मेदार था, और कोई जिम्मेदार हो ही नहीं सकता था तो वो और सिर्फ वो मौत की वजह था। न वो मकतूल की कॉफी के मग में जीटाप्लैक्स की अतिरिक्त गोलियां डालता, न मकतूल उस ओवरडोज के असर में होश खो कर कुशन पर गिरता और न उसका दम घुटता जो कि आखिर उसकी मौत की वजह बना!''

''ऑब्जेक्टिड, योर ऑनर!''—मुकेश पुरजोर लहजे से बोला—''दिस काल्स फार दि कनक्लूजन आफ दिस विटनेस। आई डोंट थिंक दिस विटनेस इस क्वालीफाइड टु मेक सच कनक्लूजंस। प्रासीक्यूशन को गवाह को अपनी पसन्दीदा जुबान देने की कोशिश नहीं करनी चाहिये।''

''आन दिस प्वायन्ट दि कोर्ट विल मीट दि डिफेंस हाफ वे।''—मैजिस्ट्रेट संजीदगी से बोला—''विटनेस क्वालीफाइड डाक्टर है इसलिये डाक्टरी पर आधारित कोई नतीजा निकालने में सक्षम है। अलबत्ता कोर्ट इस बात पर डिफेंस का अनुमोदन करता है कि पब्लिक प्रासीक्यूटर को गवाह को अपनी पसन्दीदा जुबान देने की कोशिश नहीं करनी चाहिये। प्रासीक्यूशन मे प्रोसीड नाओ।''

''मुझे इस गवाह से और कुछ नहीं पूछना।''—सोलंकी बोला—''गवाह डिफेंस के हवाले है।''

मुकेश उठ कर गवाह के कठघरे पर पहुंचा।

''डाक्टर साहब''—वो सुसंयत स्वर में बोला—''मौकायवारदात पर आपने मकतूल को जिस हाल में पड़े देखा था, उससे क्या ये जाना जा सकता था कि मकतूल बेहोश होकर कुशन पर गिरा था या कुशन उसके सिर के नीचे बाद में सरकाया गया था?''

गवाह ने उस बात पर विचार किया।

''आपका मतलब है''—फिर बोला—''कि मरने वाला जब बेहाश होकर गिरा था तो सिर से पांव तक फर्श पर ही ढ़ेर हुआ था, उसका मुंह इत्तफाकन कुशन पर नहीं जा पड़ा था...''

''जा पड़ने के लिए कुशन वहां था ही नहीं।''

''किसी ने बाद में वो कुशन उसके औंधे मुंह के नीचे सरका दिया था?''

''मेरा यही मतलब है।''

''ये एक मुश्किल सवाल है। और इसका जवाब भी मैं समझता हूं कि मेरी मैडीकल एक्सपर्टाइज के स्कोप में नहीं आता।''

''फिर भी कोशिश कीजिये जवाब देने की!''

''मेरे को''—वो तनिक हिचकता हुआ बोला—''अपने एग्जामीनेशन के दौरान मकतूल के माथे पर एक हल्की सी चोट का निशान भी दिखाई दिया था जो कि किसी पक्की जगह पर माथा जा टकराने से बना हो सकता था।''

''पक्की जगह जैसे कि मास्टर बैडरूम का फर्श?''

''मुमकिन है।''

''लिहाजा जब मकतूल जीटाप्लैक्स का ओवरडोज हजम करने के बाद मुंह के बल धराशायी हुआ, तब फर्श पर कुशन मौजूद नहीं था?''

''मैं अन्तर्यामी नहीं हूं, मैं इस बारे में कुछ नहीं कह सकता। खुदा ने मुझे तीसरी आंख से नवाजा होता तो मैं वैसे ही बोल देता कि कातिल कौन था।''

''गवाह सवाल का टु दि प्वायन्ट जवाब दे।''—मैजिस्ट्रेट सख्ती से बोला—''और पर्सनल कमैंट्स से परहेज करे।''

''सॉरी, सर।''

''काल मी योर ऑनर।''

''सॉरी, योर ऑनर।''

''डिफेंस मे प्रोसीड।''

''आपने अभी कहा कि मकतूल के माथे पर चोट का निशान था?''—मुकेश बोला।

''जी हां।''—गवाह ने जवाब दिया।

''हालिया? ताजा बना हुआ?''

''ऐसा ही जान पड़ता था।''

''जो कि माथा कुशन से जा कर टकराने से बन सकता था?''

''नहीं।''

''लिहाजा जब मकतूल धराशायी हुआ था, तब फर्श पर कुशन मौजूद नहीं था?''

''योर ऑनर''—सोलंकी बोला—''प्रासीक्यूशन को डिफेंस के इस नतीजे से मुकम्मल नाइत्तफाकी है। माथे पर चोट का निशान उस वारदात से पहले बना हो सकता है।''

''लेकिन''—मुकेश आवेश से बोला—''आपके गवाह ने खुद उसे हालिया बताया! ताजा बताया!''

''तो भी जरूरी नहीं कि निशान बैडरूम के फर्श से माथा जा टकराने से बना था।''

''तो कैसे बना था? क्या मकतूल वारदात से पहले भी कहीं धड़ाम फर्श पर गिरा था? क्या वो अपने ही —देखे भाले, जाने पहचाने—घर में गिरता पड़ता ही

रहता था?''

''मकतूल एक उम्रदराज शख्स था—हैवीसैट था, और अड़सठ साल का था—ऐसे शख्स का कभी लड़खड़ा जाना, कहीं टकरा जाना कोई बड़ी बात नहीं। डोमेस्टिक एक्सीडेंट्स होते ही रहते हैं जो कि बुजुर्गों के साथ ही नहीं, नौजवानों के साथ भी हो जाते हैं। किसी की भी बेध्यानी में किसी ओवरहैड शैल्फ का खुला पल्ला माथे से टकरा सकता है, चौखट से टकरा सकता है, कोई चीज कहीं से माथे पर आकर गिर सकती है। मकतूल की माथे की मामूली चोट की सौ वजह हो सकती हैं और जिस एक खास वजह को स्थापित करने की कोशिश डिफेंस कर रहा है, प्रासीक्यूशन उसे सिरे से खारिज करता है।''

''वजह इतनी आसानी से खारिज होने वाली नहीं।''—मुकेश गर्जा—''वजह सौ हो सकती हैं तो एक सौ एक भी हो सकती हैं। और एक सौ एकवीं वजह ये है कि मकतूल जब औंधे मुंह फर्श पर गिरा था, तब फर्श पर कोई कुशन मौजूद नहीं था।''

''नहीं भी था तो क्या हुआ?''

''तो ये हुआ कि कुशन मकतूल के मुंह के नीचे बाद में सरकाया गया। और जिस किसी ने भी ये काम किया वो ही कातिल था।''

''आप फिर पहुंच गये उसी जगह पर!''

''क्या खराबी है इस जगह में?''

''ऐसे किसी शख्स का वजूद नुमाया नहीं।''

''इतने से ये साबित नहीं होता कि ऐसा कोई शख्स था ही नहीं।''

''ऐसा कोई शख्स था तो प्रासीक्यूशन चैलेंज करता है कि डिफेंस उसे आइडेन्टिफाई करे, पेश करे।''

''ये काम डिफेंस का नहीं, पुलिस का है। पुलिस का ये स्थापित स्टाइल है कि अपनी तफ्तीश के शुरुआती दौर में किसी एक सस्पैक्ट को थाम लेते हैं और अपनी ड्यूटी, अपनी जिम्मेदारी मुकम्मल हो गयी मान लेते हैं। जो बातें सस्पैक्ट के खिलाफ जाती हैं, उनको गांठ बांध लेते हैं और जो हक में होती हैं, उन्हें नजरअन्दाज कर देते हैं।''

''लेकिन यहां तो हर बात सस्पैक्ट के खिलाफ है। उसकी मौकायवारदात के करीब मौजूदगी का गवाह उपलब्ध है, जो फुट प्रिंट मौकायवारदात की खिड़की के नीचे की फूलों की क्यारी में बना पाया गया था, वो गवाह के जूते का है। खिड़की पर खरोंचों के निशान गवाह के जूतों से बने थे। उस मुफलिस, बेहैसियत शख्स के पोजेशन में बीस हजार रुपये की रकम पायी गयी थी जिसकी अपने पास मौजूदगी का वो कोई माकूल, यकीन में आने वाला जवाब नहीं दे सकता। कैसे... कैसे इतने

पुख्ता सबूतों पर मकतूल के माथे पर बना एक मामूली चोट का निशान भारी पड़ सकता है!''

मुकेश से जवाब देते न बना।

''डिफेंस ने गवाह से कुछ और पूछना है?''

मुकेश का सिर स्वयमेव इंकार में हिला।

''यू मे प्रोसीड।''—मैजिस्ट्रेट सरकारी वकील से बोला।

प्रासीक्यूशन का अगला गवाह फॉरेंसिक एक्सपर्ट पवन सहगल था।

कठघरे में खड़े होकर उसने उस केस के सिलसिले में अपने द्वारा अंजाम दिये गये कामों की संक्षिप्त रूपरेखा बयान की।

सोलंकी ने सबसे पहले उससे कुशन के बारे में सवाल किया।

''ये''—गवाह बोला—''दो गुणा दो फुट का, सफेद कवर वाला, चौकोर कुशन है जिसमें पंछियों के पंखों की स्टफिंग है...''

''ठीक! ठीक!''—सोलंकी जल्दी से बोला—''यूं तो आपने ये बयान किया न कि कुशन प्रोडक्शन में कैसा था, कैसा बना हुआ था, अब इस बारे में भी कुछ कहिये कि मौकायवारदात पर उसको आपने किस कंडीशन में पाया था?''

''कुशन की कंडीशन में मैंने कोई खास खूबी या खामी नहीं पायी थी। मैंने कुशन को वैसा ही पाया था आम हालात में जैसा कि उसे होना चाहिये था।''

''लिहाजा बाद में उसे देखकर ये नहीं कहा जा सकता था कि उसमें मरने वाले का मुंह धंसा रहा था?''

''नहीं कहा जा सकता था। न ऐसा कहा जा सकना मुमकिन था। वो कुशन ऐसा था कि दबाव पड़ने पर दबता था लेकिन दबाव के हटते ही वापिस अपनी ओरीजिनल सूरत अख्तियार कर लेता था।''

''यानी वो मकतूल के मुंह के नीचे दबा न पाया गया होता तो यहां बतौर एग्जिबिट किसी काम का न होता!''

''जी हां।''

''ओके। अब मुलजिम की इस पोशाक पर आइये जो कि उसकी गिरफ्तारी के वक्त उसकी खोली से बरामद की गयी थी। मेरा सवाल खासतौर से उलटे पाहुंचों वाली पतलून की बाबत है। उसके बारे में आप क्या कहते हैं?''

''उस पतलून के पाहुंचों में पर्याप्त मात्रा में लाल धूल के कण पाये गये थे जो कि कच्चे रास्तों पर बिछाई जाने वाली लाल बजरी की उपज होते हैं।''

''दोनों पाहुंचों में?''

''जी हां।''

''ऐसी लाल बजरी एस्टेट में कहीं बिछी थी?''

''जी हां। बाजू की एक राहदारी में, जो कि चौहद्दी की बाड़ से लेकर लॉज तक आती थी, वैसी लाल बजरी बिछी पायी गयी थी।''

''कोई बजरी बिछी बाजू की उस राहदारी पर चलता लॉज तक पहुंचा, लॉज में दाखिल हुआ और ऊपर मास्टर बैडरूम में पहुंचा!''

''मुमकिन है।''

''लिहाजा यूं—बाजरिया पतलून—मौकायवारदात पर मुलजिम की मौजूदगी की तसदीक होती है!''

''ऑब्जेक्टिड आन थ्री काउन्ट्स।''—मुकेश बोला—''एक तो मौकायवारदात पर मिले धूल के कणों में कोई कैलेंडर नहीं लगा हुआ था, कोई घड़ी नहीं लगी हुई थी जो ये स्थापित करती कि ऐन कत्ल के वक्त मुलजिम मौकायवारदात पर मौजूद था। दूसरे, ये हरगिज नहीं स्थापित होता कि बजरी बिछी बाजू की राहदारी पर चलने वाला इकलौता शख्स मुलजिम था...''

''लाल धूल के कण इसी की पतलून के पाहुंचों में पाये गये थे।''—सोलंकी ने जिद की।

''क्योंकि इसी की पतलून को चैक किया गया था। न मुड़े पाउंचों वाली पतलून पहनने वाला ये अकेला शख्स था, न लाल बजरी कोई ऐसी शै थी जो कहीं और किसी और राहदारी पर न बिछाई जा सकती हो।''

''यू सैड थ्री काउन्ट्स!''

''यस। तीसरे, लाल धूल की बाबत कोई कनक्लूसिव बयान देता इस गवाह का काम नहीं है।''

''ये एक परिस्थितिजन्य सबूत है। जिसका रिकार्ड में आना जरूरी है।''

''लेकिन ...''

''ऑब्जेक्शन ओवररूल्ड।''—मैजिस्ट्रेट बोला—''दि स्टेटमेंट में बी टेकन इन रिकार्ड।''

''थैंक्यू, योर ऑनर।''—सोलंकी विजेता के से स्वर में बोला और फिर गवाह से मुखातिब हुआ —''अब मुलजिम के उन जूतों पर आइये जो कि पतलून की तरह ही उसकी गिरफ्तारी के वक्त उसकी खोली से बरामद किये गये थे। उनकी बाबत आप क्या कहते हैं?''

''मैंने उन जूतों के दायें पांव के सोल का मिलान सोल के उस प्लास्टर कास्ट से किया था जो कि मौकायवारदात की एक खिड़की के नीचे की फूलों की क्यारी में से उठाया गया था और दोनों छाप हूबहू मिलती पायी थीं।''

''आई सी। योर ऑनर, वो प्लास्टर कास्ट और वो जूता दोनों एग्जिबिट के

तौर पर इस वक्त कोर्ट में उपलब्ध हैं। डिफेंस अटर्नी की इच्छा हो तो वो कम्पैरिजन खुद कर के देख सकते हैं।''

मुकेश सहमति में सिर हिलाता उठा और उस टेबल पर पहुंचा जिसपर ऐसी आइटम्स में प्लास्टर कास्ट और जूता भी मौजूद था। उसने दोनों चीजों का बारीक, लम्बा मुआयना किया जिसके दौरान मैजिस्ट्रेट उतावले भाव से बार बार वाल क्लॉक पर निगाह डालता रहा।

मुकेश उस सिलसिले में प्रासीक्यूशन के क्लेम में कोई खोट न निकाल पाया। लिहाजा वो उसके क्लायन्ट के ताबूत में ठुकी सबसे मजबूत कील थी।

उसने दोनों आइटम वापिस टेबल पर रख दीं।

''डिफेंस ने'' — मैजिस्ट्रेट बोला — ''गवाह से कोई सवाल करना है?''

''नो, योर ऑनर।'' — मुकेश बोला।

''दि कोर्ट इज एडजर्न्ड फार लंच ब्रेक।''

अदालत उठ गयी।

मुकेश भी उठा और दरवाजे की ओर बढ़ा।

''सर!''

मुकेश ठिठका, उसने घूम कर देखा तो पाया सुरभि शिन्दे उससे मुखातिब थी।

''यस!'' — वो बोला।

''मैं कमलेश से मिलना चाहती हूं।''

''इस वक्त ये मुनासिब नहीं होगा। कोर्ट के पोस्ट लंच सैशन में तुम्हारी गवाही होने वाली है, देखने वालों को गलत सिग्नल पहुंचेगा।''

''ओह! तो शाम को! कोर्ट का आज का काम काज वाइन्ड अप होने के बाद!''

''कह नहीं सकता। सब कोर्ट की कार्यवाही पर डिपेंड करता है। कोर्ट के मिजाज पर डिपेंट करता है।''

''ये तो नाजायज बात है! जब मैं हवालात में उससे मिल सकती थी तो यहां क्यों नहीं मिल सकती?''

''यहां की बात जुदा है।''

''क्या जुदा है?''

''तुम्हारा दर्जा प्रासीक्यूशन की विटनेस का है। और तुम्हारा ब्वायफ्रेंड डिफेंस के पाले में है। तुम उससे गुफ्तगू करती पायी गयीं तो बहुत अटकलें लगेंगी, जो कि ठीक नहीं होगा।''

उसके चेहरे पर आश्वासन के भाव न आये।

''मिलना क्यों चाहती हो ?'' —मुकुश तनिक उत्सुक भाव से बोला।

उसने सकपका कर सिर उठाया।

''मैं'' —फिर बोली— ''उसे विश्वास दिलाना चाहती हूं कि मैं उसके साथ हूं और हर हाल में साथ रहूंगी ... साथ निभाऊंगी।''

''ये विश्वास उसे तुम्हारे दिलाये बिना भी है। नहीं होगा तो तुम्हारी तरफ से मैं दिला दूंगा... अब मुझे जाने दो। पुलिस उसको कोर्ट के लॉक अप में बन्द करने के लिए ले जा रही है, मैंने भी उससे कुछ बात करनी है।''

लड़की को पीछे खड़ा छोड़ कर मुकेश कमलेश दीक्षित की दिशा में लपका। करीब पहुंच कर उसने कमलेश को ले जाते हवलदार को उसकी बांह पकड़ कर रोका और बोला— ''मेरे को दो मिनट अपने क्लायन्ट से बात करना है।''

हवलदार हिचकिचाया फिर चेतावनीभरे स्वर में बोला— ''बोले तो दो मिनट! ज्यास्ती नहीं।''

''ठीक है।''

बन्दी को मुकेश के हवाले छोड़ कर हवलदार परे हट गया।

''कोर्ट के प्रीलंच सैशन में'' —मुकेश जल्दी से बोला— ''जो कुछ कहा गया, वो तुमने सुना ?''

कमलेश ने सहमति में सिर हिलाया।

''तो फिर नोट किया होगा कि मैंने पुलिस के मैडीकल एग्जामिनर को और फॉरेंसिक एक्सपर्ट को जानबूझ कर ज्यादा क्रॉसक्वेश्चन नहीं किया था। लेकिन ये बात अन्धे को दिखाई देती थी कि उनकी गवाहियों में दम था और प्रासीक्यूशन तुम्हारे खिलाफ एक मजबूत केस खड़ा करने के लिए समझो कि उधार खाये बैठा है। तुम्हारे खिलाफ उसका बुनियादी केस बहुत स्ट्रांग है इसलिये इस स्टेज पर डिफेंस का अपने सारे पत्ते खोल देना उनके हाथ मजबूत करना होगा।''

''मतलब ?''

''मतलब समझो। इस कोर्ट से तुम बरी नहीं हो जाने वाले। कत्ल के केस में इस कोर्ट का काम फैसला सुनाना नहीं होता, सिर्फ ये फैसला करना होता है कि केस को सैशन सुपुर्द करने के लिए पर्याप्त साक्ष्य उपलब्ध हैं या नहीं।''

''जो आप कहते हैं कि हैं ?''

''हां।''

''इसलिये केस सैशन में लगेगा ?''

''जरूर लगेगा। इसलिये मेरी स्ट्रेटेजी ये है कि केस में तुम्हारे हक में जो स्ट्रांग प्वायंट्स हैं, उनकी चर्चा यहां करने की जगह सैशन कोर्ट में की जाये। चर्चा यहां की गयी तो प्रासीक्यूशन केस की सैशन में सुनवाई होने तक उनकी कोई काट सोच

लेगा। मेरी स्ट्रेटेजी उनको यूं एडवांस तैयारी का मौका नहीं देगी और मुझे उम्मीद है कि यूं डिफेंस को फायदा पहुंचेगा। समझे?''

बन्दी ने मशीनी अंदाज से सहमति में सिर हिलाया लेकिन उसकी सूरत से न लगा कि वो कुछ समझा था।

''वक्त का तोड़ा है। अब तुम कुछ कहना चाहते हो तो बोलो।''

''मुझे फूलों की क्यारी से उठाया गया जूते का निशान बहुत फिक्र में डाल रहा है।''

''डालना ही चाहिये। वो तुम्हारे खिलाफ बड़ा सबूत है। प्रासीक्यूशन का दावा है कि वो निशान तुम्हारे जूते से बना है जबकि तुम कहते हो कि तुम वहां थे ही नहीं।''

''आपके जेहन में मेरे खिलाफ उस सबूत की कोई काट है?''

''अगर तुम ये स्थापित कर पाते कि तुम कहीं और थे तो बात ही क्या थी! लेकिन तुम ऐसा नहीं कर सकते। इसलिये कोई काट तो सोचनी ही पड़ेगी। अब ये बताओ वो जूता तुमने कब, कहां से खरीदा था?''

बन्दी ने बताया।

''अब जाओ, हवलदार उतावला हो रहा है। एक बात याद रखना, कुछ भी बीते, हौसला बुलन्द रखना। मुहिम जंग का हो या जिन्दगी का, जीतना है तो हौसला जरूरी है। तुमने अपना हौसला पस्त हो जाने दिया तो मैजिस्ट्रेट को तुम्हारे माथे पर ही लिखा दिखाई दे जायेगा कि तुम गुनहगार हो। ऐसा होना चाहिये?''

''नहीं।''

''तो समझो सच्चे का बोलबाला, झूठे का मुंह काला। जाओ।''

भारी कदमों से कमलेश दीक्षित हवलदार की ओर बढ़ा।

पोस्टलंच सैशन में बतौर गवाह पहली पेशी सुरभि शिन्दे की हुई।

कठघरे में पहुंचते ही सबसे पहले उसने आंखों में दिल रख कर कमलेश दीक्षित की तरफ देखा—यूं जैसे उसे अपने गहन प्यार का अश्वासन दिया।

मुलजिम जज्बाती हो उठा दिखाई देने लगा।

कोर्ट क्लर्क लाल कपड़े में लिपटी गीता को लेकर कठघरे पर पहुंचा।

तीव्र अनिच्छा दर्शाते, फांसी लगने के अन्दाज से, सुरभि ने शपथ ग्रहण की।

''आप मुलजिम से कब से वाकिफ हैं?''—फिर सरकारी वकील सोलंकी ने अपना पहला सवाल पूछा।

''तभी से''—सुरभि बोली—''जबकि उसने गोरई में कदम रखा था। तकरीबन तीन महीने से।''

''आपको मुलजिम से प्यार हो गया?''

''जी हां।''

''वो प्यार जो कि पहली नजर का प्यार कहलाता है?''

''ऑब्जेक्शन, योर ऑनर।'' — मुकेश बोला — ''प्यार पहली नजर का था या दूसरी नजर का था या दसवीं नजर का था, इस बात का केस से कोई रिश्ता नहीं।''

''मैं अपना सवाल वापिस लेता हूं।'' — मैजिस्ट्रेट की रूलिंग से पहले ही सोलंकी बोल पड़ा — ''बहरहाल प्यार ने आनन-फानन आपके दिल में गहरी पैठ बना ली। इतनी गहरी कि कि आप मुलजिम को दिलोजान से चाहने लगीं!''

वो खामोश रही।

''आपकी खामोशी को आपकी हामी समझा जायेगा।''

''समझा जाये।'' — वो गुस्से से बोली — ''मुझे कोई परेशानी नहीं।''

''प्यार में बड़ी ताकत होती है। कहते हैं प्यार की खातिर इंसान कुछ भी करने को तैयार हो जाता है। नहीं?''

''हो जाता है तो क्या?''

''आप भी यूं तैयार हो सकती हैं?''

''हो सकती हूं तो क्या?''

''आप झुंझला रही हैं। चिढ़ कर बोल रही हैं। होस्टाइल अंदाज से बोल रही हैं।''

''ऐसी कोई बात नहीं है। मैं वैसे ही बोल रही हूं जैसे बोलना मुझे आता है।''

''चलिये ऐसे ही सही। अब ये बताइये कि मुलजिम के लिए अपने गहरे प्यार के जेरेसाया क्या आप उसकी खातिर झूठ बोल सकती हैं?''

''मैं कुछ भी कर सकती हूं।''

''मैंने स्पैसिफिक सवाल पूछा है, उसका स्पैसिफिक जवाब दीजिये।''

''स्पैसिफिक जवाब ही दिया है। 'कुछ भी' में सब कुछ शामिल होता है।''

''झूठ बोलना भी?''

''जो नतीजा निकालना है, वो आप खुद निकालिये, मैंने जो कहना था, कह दिया।''

''योर ऑनर'' — मुकेश बोला — ''गवाह को जुबान देने की कोशिश की जा रही है। उसके बयान के अलफाज को तोड़ मरोड़ कर, उनसे मनमाफिक मतलब निकालकर गवाह पर थोपने की कोशिश की जा रही है। मिस्टर पब्लिक प्रासीक्यूटर इस ट्राईंग टु पुट वर्ड्स इन हिज ओन विटनेसिज माउथ।''

''दिस विटनेस हैज टर्न्ड होस्टाइल...''

''सरकारी वकील साहब को महज ऐसा लगता है, इसलिये लगता है क्योंकि अभी तक इन्होंने गवाह से एक भी जायज सवाल नहीं पूछा है। सरकारी वकील साहब बड़े नाजायज तरीके से कोर्ट के रिकार्ड में ये सरकाने की कोशिश कर रहे हैं कि गवाह मुलजिम की खातिर झूठ बोल सकता है, गवाह का वो बयान झूठा होगा जो कि अभी हुआ ही नहीं। आई सबमिट दैट दिस इज एन अनचैरिटेबल एक्ट आन दि पार्ट आफ पब्लिक प्रासीक्यूटर। ये घोड़े के आगे बग्घी जोतने जैसा काम है।''

''दि ऑब्जेक्शन आफ डिफेंस इस वैल टेकन।'' —मैजिस्ट्रेट बोला— ''सरकारी वकील को राय दी जाती है कि वो अपने सवाल को किसी जुदा तरीके से रीफ्रेम करे।''

''यस, योर ऑनर। मिस शिन्दे, आप मुलजिम से प्यार करती हैं?''

''मैं इस सवाल का जवाब दे चुकी हूं।'' —सुरभि बोली।

''मुलजिम के साथ दुख सुख बांटती हैं?''

''प्यार में ऐसा ही होता है।''

''हर बात शेयर की जाती है?''

''हर चीज शेयर की जाती है। प्यार करने वालों में सब सांझा होता है। भौतिक भी, लौकिक भी और अलौकिक भी।''

''जैसे कोई खयाल! कोई हरकत! कोई वारदात! कोई करतूत!''

''सब में सब शामिल है।''

''लिहाजा मुलजिम ने अपने चोरी के इरादे की बाबत भी आपको बताया था!''

''वाट नानसेंस!''

''मैं नानसेंस बोल रहा हूं?''

''और क्या कर रहे हैं? आप समझते हैं आप अपनी कोई पसन्दीदा बात मेरे से कहलवा लेंगे!''

''मैं ऐसा कर रहा हूं?''

''और क्या कर रहे हैं? ऐसी जबरदस्ती करनी है तो मुलजिम को सीधे ही फांसी पर क्यों नहीं टांग देते? ट्रायल की क्या जरूरत है?''

''गवाह जुबान को लगाम दे।'' —मैजिस्ट्रेट डपट कर बोला।

सुरभि ने होंठ भींच लिये।

''और कोर्ट में धृष्ट भाषा बोलने के लिए माफी मांगे वर्ना उसपर कन्टैम्प्ट आफ कोर्ट का चार्ज लगेगा।''

''मैं... माफी मांगती हूं।''

''पब्लिक प्रासीक्यूटर टु दि प्वायन्ट सवाल पूछें।''

''टु दि प्वायन्ट सवाल ही पूछा था, योर ऑनर।''—सोलंकी बोला—''लेकिन टु दि प्वायन्ट जवाब तो न मिला न!''

''सवाल फिर पूछें। अब टु दि प्वायन्ट जवाब कोर्ट सुनिश्चित करेगा।''

''थैंक्यू योर ऑनर...''

आगे सरकारी वकील ने जो कहा, उसने सबको चौंका दिया।

''अब मुझे गवाह से और कुछ नहीं पूछना। गवाह ने अत्यन्त असहिष्णुतापूर्ण ढंग से कोर्ट में जो कुछ कहा मैं समझता हूं उससे कोर्ट वो नतीजा खुद निकल सकता है जिसे मैं बाजरिया इस गवाह स्थापित कर पाने में नाकाम रहा।''

''दैट विल बी एनफ।''—मैजिस्ट्रेट सख्ती से बोला—''डिफेंस ने गवाह से कुछ पूछना है?''

''यस, योर ऑनर।''—मुकेश बोला, फिर सहानुभूतिपूर्ण भाव से गवाह से मुखातिब हुआ—''मिस शिन्दे, प्रासीक्यूशन ने अभी जो सवाल आप पर बड़ी शिद्दत से थोपने की कोशिश की, वही मैं आपसे करने जा रहा हूं। आप मुलजिम की खातिर झूठ बोल सकती हैं?''

''मैं झूठ नहीं बोलती।''—सुरभि दृढ़ता से बोली—''कभी झूठ नहीं बोलती।''

''लेकिन आप मुलजिम से प्यार करती हैं!''

''सच्चा प्यार अच्छी, सभ्य, सुसंस्कृत बातों के लिए प्रेरित करता है, वाहियात बातों के लिए नहीं।''

''मैं आपके जज्बात की कद्र करता हूं, फिर भी आप समझें कि आपके झूठ बोलने से मुलजिम का कोई भला होगा तो क्या आप झूठ बोलेंगी?''

''नहीं। दूसरे, मैं किसी ऐसे झूठ से वाकिफ नहीं जिससे कि मुलजिम का कोई भला हो सकता हो।''

''आई सी। मुलजिम कैसा लड़का है?''

''ऑब्जेक्शन!''—सोलंकी बोला—''दिस विटनेस इज नो एक्सपर्ट अपॉन ह्यूमन कैरेक्टर स्टडी।''

''आई विल रीफ्रेज माई क्वेश्चन। मिस शिन्दे, आपकी राय में, आपकी जाती राय में मुलजिम कैसा लड़का है?''

मैजिस्ट्रेट ने यूं सरकारी वकील की तरफ देखा जैसे कि वो फिर एतराज कर सकता हो। उसने ऐसा न किया तो मैजिस्ट्रेट ने उसकी तरफ से तवज्जो हटा ली।

''अच्छा लड़का है।''—सुरभि बोली।

''आपसे अच्छा अच्छा पेश आता था?''

''जी हां।''

''प्यार से! अनुराग से! नम्रता से!''

''जी हां।''

''कभी उसे उग्र होते देखा?''

''कभी नहीं।''

''एस्टेट में अपनी मुलाजमत के दौर में कभी अपने एम्पलायर, मकतूल अभय सिंह राजपुरिया का जिक्र करता था?''

''हां। अक्सर!''

''क्या कहता था?''

''यही कि भले आदमी थे। सज्जन पुरुष थे।''

''उसको पसन्द थे?''

''इस बाबत अपनी पसन्द नापसन्द कील ठोक कर उसने कभी जाहिर नहीं की थी।''

''कभी कोई शिकायत हुई बताई हो!''

''कभी नहीं।''

''उसके मुलाजमत से निकाल दिये जाने के बाद आपकी कभी मुलजिम से मुलाकात हुई?''

''जी हां, हुई।''

''कितनी बार?''

''सिर्फ एक बार।''

''कब?''

''एक हफ्ते बाद। इतवार के दिन। शायद सात तारीख थी।''

''कहां?''

''परेल में।''

''जहां कि मुलजिम रहता है?''

''जी हां।''

''लिहाजा छुट्टी वाले दिन आप खास तौर से उससे मिलने परेल गयीं!''

''जी हाँ।''

''इतवार को अपने ऑफिस से आपकी छुट्टी होती है?''

''जी हां।''

''तब पीछे गोरई का कोई जिक्र उठा?''

''वो कहता था अब गोरई जाना उसे अच्छा नहीं लगता था। जैसे बेआबरू हो कर उसे एस्टेट से निकलना पड़ा था, उसकी इलाके में सबको खबर थी। कहता था कैसे वो वहां अपना मुंह दिखा सकता था!''

''लिहाजा एस्टेट में जो बर्ताव उसके साथ हुआ था, उससे वो खफा था? भड़का हुआ था? बदले की भावना रखता था?''

''नहीं, बिल्कुल नहीं। ऐसी कोई बात नहीं थी।''

''आगे उसका क्या इरादा था?''

''मुम्बई से बाहर दूर कहीं नौकरी तलाश करने का इरादा था। जहां कि किसी को उसके अतीत की खबर न होती, उससे कोई लेना देना न होता।''

''ऐसा कभी न कहा कि वो कम से कम एक बार तो गोरई, और आगे राजपुरिया एस्टेट, लौटना चाहता था?''

''वो किस लिये?''

''एस्टेट में चोरी करने के लिए!''

''ओ माई गॉड! नैवर! कमलेश इतना ह्यूमीलियेटिड था कि गोरई के करीब भी नहीं फटकना चाहता था।''

''कत्ल की वारदात वाले दिन—यानी कि बुधवार, दस अगस्त को—वो आपको गोरई में मिला था?''

''नहीं। जब वो गोरई कभी न लौटने की जिद ठाने था...''

''ठीक। ठीक। फिर भी अगर उसके कदम गोरई में पड़े होते तो क्या वो आपसे मिलता?''

''जरूर मिलता। जरूर जरूर मिलता।''

''कहां मिलता?''

''हमारे घर आकर मिलता। मेरे उससे कैसे सम्बन्ध थे, इस बाबत मेरे माता पिता से कुछ छुपा नहीं था। बहुत जल्द हम शादी करने वाले थे। वो बेहिचक हमारे घर आ सकता था। मेरे मां बाप की तरफ से उसके आने पर कोई रोक टोक नहीं थी।''

''लेकिन ऐसी कोई आमद नहीं हुई थी?''

''जी हां।''

''जो ये स्थापित करती थी कि उसका गोरई लौटना नहीं हुआ था?''

''जी हां।''

''थैंक्यू। दैट्स आल।''

सुरभि कठघरा छोड़ने लगी तो एकाएक सोलंकी बोला—''अभी जरा रुकिये।''

वो ठिठकी।

''मैं रीएग्जामिनेशन में गवाह से एकाध सवाल करना चाहता हूं।''

''इजाजत है।''—मैजिस्ट्रेट बोला।

''मिस शिन्दे''—सोलंकी सुरभि से सम्बोधित हुआ—''आपने अभी जो मुलजिम का उच्चकोटि का कैरेक्टर असैसमेंट पेश किया, जो बेदाग चरित्र प्रमाणपत्र उसके लिए जारी किया वो सब महज तीन महीने की वाकफियत का नतीजा है?''

''योर ऑनर''—तत्काल मुकेश ने ऐतराज जाहिर किया—''दिस अमाउन्ट्स टू क्रॉसक्वेश्चनिंग। ये रीएग्जामिनेशन नहीं, क्रासएग्जामिनेशन है। दूसरे, डिफेंस ने गवाह से ऐसा कुछ नहीं पूछा था जिसकी रीएग्जामिनेशन दरकार हो।''

''योर ऑनर, डिफेंस अटर्नी मुझे ट्रायल प्रोसीजर सिखाने की कोशिश कर रहे हैं। मैंने एक सिम्पल सवाल पूछा है, उन्हीं तथ्यों पर आधारित सवाल पूछा है जो कि अदालत के रिकार्ड में हैं। गवाह ने खुद इस बात की तसदीक की है कि उसकी मुलजिम से कुल जमा वाकफियत तीन महीने की है। इस बिना पर मुझे ये पूछने का अधिकार है कि क्या ये मुख्तसर सा वक्फा कम्पलैक्स और कम्पलीट कैरेक्टर असैसमेंट के लिए काफी है? मैं गवाह से सवाल करता हूं। मिस शिन्दे, क्या अभी कुछ क्षण पहले इसी कठघरे में खड़े होकर अपने बयान में आपने खुद ये नहीं कहा था कि मुलजिम से आपकी वाकफियत महज तीन महीने की थी? कहा था या नहीं कहा था?''

''कहा था।''—सुरभि कठिन स्वर में बोली।

''जब मुलजिम ने आपको बताया था कि वो मुम्बई से बाहर कहीं, दूर कहीं नौकरी तलाश करने का इरादा रखता था तो उसके इस इरादे की आप पर क्या प्रतिक्रिया हुई थी?''

''क्या प्रतिक्रिया हुई थी क्या मतलब?''

''सुनकर आप खुश हुई थीं? उसके इरादे से इत्तफाक जाहिर किया था? बोला था उसने सही फैसला किया था?''

''नहीं।''

''तो क्या किया था?''

''रिक्वेस्ट की थी, फरियाद की थी कि वो मुम्बई छोड़ कर न जाये।''

''क्योंकि वो ऐसा करता तो जोड़ी टूट जाती, दो प्रेमी बिछुड़ जाते?''

''हां।''

''उसने क्या जवाब दिया था?''

''उसने कहा था कि वो अपने फैसले पर फिर से विचार करेगा।''

''उसके नौकरी से निकाले जाने के बाद से सात तारीख के इतवार वाली आपकी उससे आखिरी मुलाकात थी?''

''हां।''

''उसके बाद आप कभी उसके रूबरू नहीं हुई थीं?''

''हां।''

''थैंक्यू, मिस शिन्दे। नाओ यू मे स्टैप डाउन।''

उसके बाद उन पुलिस वालों के—जैसे कि इन्स्पेस्टर अशोक सावन्त, सब-इन्स्पेक्टर गोपाल पुजारा, जिनपर की केस की तफ्तीश की जिम्मेदारी थी, बयान हुए लेकिन उनमें नया कुछ सामने न आया। न ही मुकेश ने उन गवाहों से क्रॉसक्वेशचन में कुछ पूछने की कोशिश की।

आखिर केस की सुनवाई खत्म हुई।

''इस अदालत ने तमाम गवाहों के बयानात सुने।''—मैजिस्ट्रेट बोला—''दोनों पक्षों के वकीलों की जिरह को सुना। तमाम मुद्दों पर गौर करने के बाद ये अदालत इस नतीजे पर पहुंची है कि मुलजिम पर बुनियादी केस बनता है, शुरुआती दौर में उसको अपराधी करार देने के लिए पर्याप्त सबूत उपलब्ध हैं। इस अदालत ने मूलरूप से यही निर्धारित करना होता है कि कत्ल का अपराध हुआ है और अपराधी इस अदालत में पेश है। लिहाजा मुलजिम कमलेश दीक्षित को मुजरिम करार देते हुए ये अदालत इस केस को सैशन सुपुर्द करती है।''

बैंचों की पिछली कतार में बैठी सुरभि सुबकने लगी।

हाल खाली होने लगा।

मुकेश सुरभि के पास पहुंचा।

सुरभि ने सिर उठाया और डबडबाई आंखों से उसकी तरफ देखा।

''हौसला रखो।''—मुकेश आश्वासनपूर्ण स्वर में बोला—''तुमने अपनी गवाही में ऐसा कुछ नहीं कहा जो कमलेश के खिलाफ जाता हो या उसके डिफेंस में कोई फच्चर डाल सकता हो।''

''ले-लेकिन ...''

''बाकी जो कुछ हुआ, वो अपेक्षित था।''

''आ-आगे क्या होगा?''

''जो होगा, अच्छा होगा। कमलेश पर भरोसा रखो, उसकी बेगुनाही पर भरोसा रखो, भगवान पर भरोसा रखो। भगवान के घर देर है, अन्धेर नहीं। नहीं?''

''हं-हां।''

''सो बी ए ब्रेव गर्ल!''

उसने सुरभि का कन्धा थपथपाया और उससे अलग हुआ।

अदालत के दरवाजे पर उसे सोलंकी मिला।

मुकेश को देख कर वो बाहर जाता ठिठका, नाहक मुस्कराया।

''हैरानी है!''—फिर बोला।

''किस बात की?''—मुकेश सहज भाव से बोला।

''डिफेंस ने अपना कोई गवाह पेश न किया! है ही नहीं या किसी स्ट्रेटेजी के तहत किया नहीं?''

''किया नहीं।''

''ऐसा?''

''हां।''

''वजह?''

''मैजिस्ट्रेट आनन्द आनन्द आनन्द एण्ड एसोसियेट्स का रौब खाये बैठा था। गहरा रंग चढ़ा जान पड़ता था उसपर इतने सारे आनन्दों का। नतीजतन केस को सैशन सुपुर्द करने का इरादा पहले से ही बनाये था। क्या फायदा होता गवाह पेश करने का! अलबत्ता नुकसान हो सकता था।''

''नुकसान कैसा?''

''तुम्हें डिफेंस की तैयारियों की खबर लग जाती। फिर सब का तोड़ पहले से ही सोच लेते सारे आनन्दों से मशवरा करके।''

''ओह!''

''अब मैं सैशन में अपने पत्ते खोलूंगा और एलीमेंट आफ सरपराइज का बैनीफिट उठाऊंगा।''

''वैरी क्लैवर आफ यू। क्या करोगे, इस बाबत?''

मुकेश केवल मुस्कराया।

''अरे, मैं जनरल बात पूछ रहा हूं!''

''कातिल के तौर पर आल्टरनेट कैन्डीडेट खड़ा करूंगा।''

''कोई जैलस हसबैंड! हसद का मारा पति!''

''वो भी।''

''यानी कि और भी हैं?''

''कई हैं।''

''फेंक रहे हो।''

''देखना।''

''कोई एक नाम लो।''

मुकेश फिर मुस्कराया।

''काफी सयाने हो गये हो!''

''तुम्हारे जैसा ही हूं—क्योंकि उसी उस्ताद का पढ़ाया हूं जिसके तुम हो।''

''ठीक! लेकिन अगली बार ये बराबरी खत्म हो जायेगी।''

''अच्छा! वो कैसे?''

''सैशन में बड़े आनन्द साहब खुद प्रेजेंट होंगे।''

''मैं उनके आशीर्वाद का अभिलाषी बन कर वहां उनका स्वागत करूंगा। अलबत्ता अर्जुन की तरह चरणों में तीर चला कर प्रणाम नहीं कर सकूंगा...''

''सी यू।''

बिना मुकेश पर दोबारा दृष्टिपात किये सोलंकी लम्बे डग भरता गलियारे में आगे बढ़ गया।

सपन सोलंकी ऑफिस वापिस लौटा।

श्यामली ने बताया कि बड़े आनन्द साहब उसी के इन्तजार में ऑफिस में मौजूद थे। तत्काल वो बिग बॉस के हुजूर में पेश हुआ।

''बैठो।''—वृद्ध संजीदा लहजे से बोले।

''थैंक्यू, सर।''

''कोर्ट में कैसी बीती?''

''अच्छी बीती, सर। केस सैशन सुपुर्द है।''

''गुड!''

''लेकिन, सर, मुकेश माथुर का मिजाज, उसका ओवरकंफीडेंस मुझे चिंता में डाल रहा है।''

''मतलब? कोर्ट में कोई खास करतब कर दिखाया?''

''ऐसा तो कुछ न कर सका। तकरीबन टाइम रूटीन आब्जेक्शंस ही रेज करता रहा...''

''और क्या करता? इतना मजबूत केस है। कैसे हिलाता?''

''गुस्ताखी माफ, सर, मजबूत तो है लेकिन परफेक्ट नहीं है। डिफेंस कोई कत्ल का विश्वसनीय, वैकल्पिक कैंडीडेट खड़ा कर पाया तो... प्राब्लम होगी।''

''कर सकता है?''

''कहता तो है!''

''तो किया क्यों नहीं?''

''कहता है सैशन में करेगा, अभी अपने पत्ते नहीं खोलना चाहता।''

''ब्लफ है।''

सोलंकी अदब से खामोश रहा।

''पल्ले कुछ है तो कोर्ट में पेश न करने का क्या मतलब?''

''सर, मतलब बताने के लिए गुस्ताख बात जुबान पर लानी पड़ेगी।''

''लाओ।''

''ज्यूडीशियल मैजिस्ट्रेट को आनन्द आनन्द आनन्द एण्ड एसोसियेट्स के कब्जे में बताता है।''

''नानसेंस!''

''अब क्या बोलूं, सर!''

''मैंने केस को बहुत बारीकी से स्टडी किया है। केस कितना भी पर्फेक्ट हो, उसमें छोटे मोटे छेद डिफेंस निकाल ही लेता है लेकिन छेद पुख्ता बुनियाद को नहीं हिला सकते।''

''सर, ये बात क्या मुलजिम को मालूम नहीं होगी?''

''क्यों नहीं होगी?''

''उसके खिलाफ इतने सबूत हैं, मौकायवारदात पर उसकी मौजूदगी निर्विवाद रूप से स्थापित होती है फिर भी मैं कोर्ट में जब भी उसपर निगाह डालता था, फिक्रमन्द होने की जगह, अपने अंजाम से डरा होने की जगह उसको निश्चिन्त, बेखौफ, बेपरवाह पाता था।''

''ड्रामा है। माथुर ने सिखाया पढ़ाया होगा कि वो ऐसा पोस्चर बना कर रखे।''

''हो सकता है। सर, मेरे मन में एक शंका है।''

''क्या?''

''वो मौकायवारदात से खिड़की के रास्ते क्यों फरार हुआ?''

''ये कोई बड़ी बात नहीं। रेगुलर रास्ते पर, सीढ़ियों के रास्ते पर या ग्राउन्ड फ्लोर पर कोई होगा,वो उधर का रुख करता तो देख लिया जाता इसलिये खिड़की के रास्ते फरार हुआ।''

''लेकिन लॉज में दूसरा कोई तो था ही नहीं! पेड कम्पैनियन शिवराज अटवाल नहीं था क्योंकि उस रोज उसका वीकली आफ था और वो सुबह दस बजे ही लॉज से रुखसत हो गया था। हाउसकीपर शिवालिका अत्रे वारदात से पिछली रात को ही कल्याण चली गयी थी क्योंकि वहां से उसकी मां के सीढ़ियों पर से गिर गयी होने की खबर आयी थी। मिसरानी की सुबह सवेरे ही खबर आ गयी थी कि उसे बुखार चढ़ गया था, नहीं आने वाली थी। कैजुअल स्टाफ एक माली और एक क्लीनर वुमेन भी बुधवार को हफ्तावारी छुट्टी करते थे। वारदात की सुबह मकतूल घर में अकेला था, लॉज में उसके सिवाय कोई नहीं था। ये बात खास तौर से मुलजिम के खिलाफ है क्योंकि ये स्थापित करती है कि इसी बात से शह पा कर उसने लॉज में घुसने की जुर्रत की। सर, घर के मालिक की मौत के बाद तो लॉज में बस वो ही वो था...''

''तुम प्रचारक को भूल रहे हो।''

''ओह! प्रचारक! लेकिन वो लॉज में तो दाखिल नहीं हुआ होगा!''

''उसकी आमद की आवाज तो ऊपर पहुंची होगी! आखिर उसने घन्टी

बजाई थी, दरवाजे पर दस्तक दी थी!''

''सर, खिड़की से कूद कर भागने की जगह वो उसके चले जाने का इन्तजार कर सकता था!''

''यू आर टाकिंग नानसेंस। यू युअरसैल्फ आर रेजिंग ए प्राब्लम बट नाट अप्लाईंग युअर माइन्ड टु इट।''

''सर!''

''ऊपर मास्टर बैडरूम में मौजूद मुलजिम के पास ये जानने का कौन सा जरिया था कि बाहर कौन आया था?''

''ओह! आई एम सॉरी, सर।''

''फिर कातिल की जगह खुद को रख के, उस घड़ी की थॉट ट्रेन को रीकंस्ट्रक्ट करने की कोशिश करो। वो लड़का खून से हाथ रंग के हटा ही था कि उसे अहसास हुआ था कि नीचे कोई था। ऐसे में उसका पैनिक में आ जाना क्या बड़ी बात थी!''

''कोई नहीं, सर।''

''उस वक्त अहमतरीन खयाल उसके जेहन में सिवाय इसके क्या होता कि उसे जल्द-अज-जल्द वहां से कूच कर जाना चाहिये था!''

''इसलिये पैनिक में वो खिड़की कूद कर वहां से फरार हुआ!''

''ऐग्जैक्टली।''

''यू आर एब्सोल्यूटली राइट, सर। मुझे अफसोस है कि इतनी सी बात मेरे जेहन में न आई।''

''नैवर माइन्ड दैट नाओ। देखो, मैंने पहले ही कहा कि, ऐसा कोई केस हण्ड्रेड पर्सेंट फूलप्रूफ नहीं होता। उसमें छोटे मोटे झोल हो सकते हैं—होते हैं—लेकिन वो उसके ओवरआल इफेक्ट को खारिज नहीं कर सकते। ये बात स्थापित है कि मकतूल को उसकी जान लेने की नीयत से जीटाप्लैक्स नामक दवा का ओवरडोज दिया गया था। ओके?''

''यस, सर।''

''इसमें इस बात की क्या अहमियत बनी कि वो ओवरडोज था या ओवर-ओवरडोज था?''

''कोई नहीं।''

''जान चार गोली से जाती, आठ गोली से जाती या बारह गोली से जाती, ओवरडोज तो ओवरडोज ही हुआ न!''

''जी हां।''

''अहमियत इस बात की है कि जीटाप्लैक्स एक खतरनाक दवा थी जिसका ओवरडोज घातक साबित हो सकता था, हुआ था। जीटाप्लैक्स का ओवरडोज

मकतूल की मौत की वजह था और वो ओवरडोज मकतूल को गिरफ्तार मुलजिम ने एडमिनिस्टर किया था जिसकी कि मौकायवारदात पर मौजूदगी निर्विवाद रूप से स्थापित है।''

''यू आर राइट, सर।''

''मकतूल पर इलजाम है कि उसने मौकायवारदात से हजार हजार के नोटों में बीस हजार रुपये चुराये जो कि—हालात का मजबूत इशारा है कि—बैडरूम में फर्श पर लुढ़के पड़े मकतूल के बटुवे में थे। इस बात की क्या अहमियत है कि वो रकम मुलजिम ने कत्ल करने से पहले चोरी की या कत्ल करने के बाद की! अहमियत इस बात की है कि चोरी हुई और उस चोरी के इरादे से ही वो लॉज में दाखिल हुआ था!''

''राइट, सर।''

''मुलजिम खुद अपनी जुबानी अपना गुनाह कबूल न करे तो पुलिस क्राइम को जिस ढंग से रीकंस्ट्रक्ट करती है उसमें किसी छोटी मोटी विसंगति का होना, किसी छोटे मोटे झोल का सरक आना स्वाभाविक होता है। कोई माई का लाल कैमरा शूट की तरह एग्जीक्यूशन आफ क्राइम को हण्डर्ड पर्सेंट एक्यूरेसी से रीकंस्ट्रक्ट नहीं कर सकता। लेकिन छोटी मोटी विसंगतियों की वजह से कोई फेयरली वैल रीकंस्ट्रक्टिड केस खारिज नहीं हो जाता। फालोड?''

''यस, सर।''

''सो पे बैटर अटेंशन टु दि केस इन हैण्ड। अपने दिमाग को फोकस में रखो, सुपीरियर जजमेंट को अप्लाई करो, माथुर कुछ नहीं कर सकता। सैशन में वो कोई ग्रैंडस्टैण्ड खड़ा कर सकता है लेकिन खड़ा रख नहीं सकता। आनन्द आनन्द आनन्द एण्ड एसोसियेट्स के खिलाफ खड़ा हो कर कुछ कर दिखाने के जनूनी जज्बे के अलावा उसके पास कुछ नहीं है।''

''यस, सर। राइट, सर।''

केस की बाबत वैसी ही मन्त्रणा मुकेश माथुर एण्ड एसोसियेट्स के ऑफिस में मुकेश और सुबीर पसारी में हो रही थी।

''क्या पोजीशन है सफाई के वकील साहब की केस में?''—पसारी ने तनिक उपहासपूर्ण स्वर में पूछा।

''कमजोर है।''—मुकेश संजीदगी से बोला—''फिलहाल तो प्रासीक्यूशन का केस ही मजबूत जान पड़ता है।''

''मुलजिम कोर्ट में मौजूद था, उसको भी तो इस बात की खबर होगी!''

''क्यों न होगी? पढ़ा लिखा है, समझदार है, क्यों न होगी?''

''वो अपने डिफेंस में क्या कहता है?''

''जो कहता है, सिम्पल है, सरल है। 'मैंने कत्ल नहीं किया। मैं मौकायवारदात पर नहीं था। मैं कत्ल की बाबत कुछ नहीं जानता' ।''

''सारे मुलजिम कहते हैं।''

''वही तो!''

''कोर्ट में जिरह के दौरान तुम्हारा कहीं भी कोई अपर हैण्ड नहीं बना था?''

''एक बार मामूली सी लीड मिली थी जब मैंने ये स्थापित करने की कोशिश की थी कि कातिल कोई हसद का मारा खाविन्द हो सकता था...''

''जैलस हसबैंड!''

''वही। मुझे एक गवाह ने बताया था कि लॉज में इलाके की औरतों का आना जाना होता रहता था। इसी बात को लीड बना कर मैंने जैलस हसबैंड वाली थ्योरी सरकाई थी लेकिन वो मैजिस्ट्रेट को मुतमईन नहीं कर सकी थी।''

''क्यों?''

''क्योंकि मकतूल समाज का आधारस्तम्भ था, बहुत प्रतिष्ठित आदमी था वगैरह और अड़सठ साल का था।''

''अस्सी अस्सी साल के बाहैसियत बड़े लोग औरतखोरी में लिप्त देखे गये हैं।''

''सैशन में रखने के लिए ऐसी कोई मिसाल सुझाना।''

''और?''

''और मैंने शिशिर खोटे नाम के सरकारी गवाह को—जिसका कि वारदात के दिन मुलजिम को एस्टेट में देखा होने का दावा है—हिलाने की कोशिश की थी कि वो मुलजिम के हाथों हुए अपने अपमान का बदला लेने के लिए उसके खिलाफ झूठी गवाही दे रहा था लेकिन बात छोटा मोटा शक ही उपजा सकी थी, पुरजोर कुछ स्थापित नहीं कर सकी थी।''

''आई सी। आगे क्या इरादा है? क्या करोगे आगे?''

''मेरे पास ये एक टाइम टेबल है''—मुकेश ने पसारी को लेखक दिवाकर चौधरी से हासिल हुआ दस्तखतशुदा पर्चा दिखाया—''जो वारदात के दिन लॉज में कई लोगों की आवाजाही की तसदीक करता है। मेरा जोर इस बात पर होगा कि कातिल इनमें से भी कोई हो सकता है।''

''दिस इज गुड स्ट्रेटेजी। इस सन्दर्भ में एक बात मुझे सूझी है।''

''क्या?''

''इस लिस्ट के लिहाज से तो सस्पैक्ट्स बहुत ज्यादा बनते हैं। सस्पैक्ट्स जब जरूरत से ज्यादा हों तो किसी एक पर फोकस बन पाना मुश्किल होता है। मेरे

खयाल से एडवांस तैयारी के तौर पर सस्पैक्ट्स की तादाद घटाने के लिए कुछ करना चाहिये।''

''क्या करना चाहिये ?''

''पोलिटिकल पार्टी के कैम्पेनर गोविन्द सुर्वे की ओर तवज्जो देनी चाहिये।''

''मैं समझा नहीं।''

''मैं समझाता हूं। मेरे को मालूम हुआ है कि उस वार्ड में पब्लिक पार्टी की कैम्पेन के लिए एक ही पार्टी कार्यकर्ता जिम्मेदार है जो कि गोविन्द सुर्वे है। संयोग से कत्ल से ताल्लुक रखते तमाम लोग उसी वार्ड में बसते हैं। वो ही अपनी पार्टी के प्रचार के लिए उधर सबको अप्रोच करता है।''

''तो ?''

''तो समझो। कत्ल के सम्भावित वक्त पर अगर कोई सस्पैक्ट पार्टी प्रचारक गोविन्द सुर्वे के रूबरू था तो कैसे वो कातिल हो सकता था !''

''हूं।'' — मुकेश ने लम्बी, विचारपूर्ण हूंकार भरी — ''बात सुनने में बहुत दमदार लगती है, मेरे भाई, लेकिन व्यवहारिक कोई ज्यादा नहीं है। जरूरी नहीं है कि बुधवार, दस अगस्त के अपने वार्ड के मार्निंग के राउन्ड में वो सभी सस्पैक्ट्स के द्वारे पहुंचा हो। पार्टी का प्रचार उसका रोज का काम है, वो एक ही मार्निंग में सारा वार्ड कवर करता हो, न ये जरूरी है, न मुमकिन है।''

''बात तुम्हारी ठीक है, लेकिन वो सारे सस्पैक्ट्स से नहीं मिला होगा तो कुछ से तो मिला होगा ! न होने से तो इतना होना भी कोई बुरा नहीं। यूं कोई सस्पैक्ट तो इलीमीनेट होगा ! किसी का तो यूं पता लगेगा कि वो कत्ल के वक्त के आसपास कैम्पेनर को रिसीव करने के लिए घर पर नहीं था !''

''यार, मुझे नहीं लगता कि कुछ हासिल होगा। लेकिन मैं ट्राई करूंगा ये लाइन।''

''गुड। आई विश यू आल दि बैस्ट।''

''थैंक्यू।''

गुरुवार : पच्चीस अगस्त

गुरुवार पच्चीस अगस्त को सुबह दस बजे मुकेश जेल में जाकर अपने क्लायन्ट से मिला और उससे खोद खोद कर कई तरह के कई सवाल पूछे। जब वो जेल से रुखसत हुआ तो वो अपने उस प्रयत्न से सन्तुष्ट था — इतना कि एक लीड को तो

फौरन कनफर्म करने का उसने मन बनाया।

वो चकाला में परसीवाडा रोड पर स्थित एक पते पर पहुंचा। वहां उसने एक इमारत की दूसरी मंजिल के एक फ्लैट का दरवाजा खटखटाया।

लुंगी बनियान पहने एक नौजवान ने दरवाजा खोला।

''क्या है?''—वो रुखाई से बोला।

''धर्मेश उमाठे से मिलना है।''—मुकेश बोला।

''किसने मिलना है?''

मुकेश ने अपना एक विजिटिंग कार्ड निकाल कर उसे थमाया।

युवक ने बहुत बारीकी से कार्ड का मुआयना किया और बीच बीच में यूं सिर उठा कर मुकेश की तरफ देखा जैसे कार्ड का नहीं, किसी तसवीर का मुआयना कर रहा हो।

''क्या मांगता है?''—फिर वो बोला।

''जो मांगता है''—मुकेश ने धीरज से जवाब दिया—''धर्मेश उमाठे से मांगता है।''

''इधरीच ठहरने का।''

युवक ने उसके मुंह पर दरवाजा बन्द कर दिया।

मुकेश प्रतीक्षा करने लगा।

थोड़ी देर बाद जब दरवाजा खुला तो चौखट पर जींस और टी-शर्ट पहने वही युवक प्रकट हुआ। अब उसने बाल भी संवार लिये थे और लगता था कि मुंह भी धोया था। इतने से ही वो काफी स्मार्ट लगने लगा था।

''आओ।''—वो बोला।

मुकेश भीतर दाखिल हुआ।

युवक ने उसे एक कुर्सी पर बिठाया और खुद उसके सामने एक स्टूल पर बैठा।

''मेरे को तुम्हारा नाम थोड़ा लेट स्ट्राइक किया।''—वो बोला, अब उसका लहजा पहले जैसा रुखा नहीं था—''बोले तो तुम वो भीड़ू है जो कमलेश दीक्षित को कोरट में डिफेंड करता है।''

मुकेश ने सहमति में सिर हिलाया।

''कैसे मालूम है?''—फिर पूछा।

''छापे में आया न!''—वो बोला—''टीवी में भी एक न्यूज चैनल पर एक छोटा सा क्लिप था।''

''ओह!''

''मैं है धर्मेश उमाठे। अभी बोलो, क्या मांगता है?''

मुकेश ने बताया।

मुकेश गोरई पहुंचा।

वहां उसने नटके का शोरूम के मार्ट तलाश किया जो कि उसे बताया गया था कि बड़े हनुमान मन्दिर के सामने था।

संयोगवश नटके उस घड़ी शोरूम के प्रवेश द्वार पर उसकी एक चौखट से लगा खड़ा था।

मुकेश कार से बाहर निकला, उसने हनुमान मन्दिर की ओर देखा, हौले से सिर नवाया और फिर वापिस घूमा।

नटके ने प्रश्नसूचक नेत्रों से उसकी तरफ देखा।

''मेरे को'' —मुकेश बोला— ''दिलीप नटके से मिलना है।''

''काहे वास्ते?''

''बोलूंगा न!''

''अभी बोलो। मैं हूं दिलीप नटके।''

''यहीं?''

नटके हिचकिचाया।

''तुम'' —फिर बोला— ''उस छोकरे के वकील हो जिसने राजपुरिया साहब का कत्ल किया!''

''जिस पर'' —मुकेश ने संशोधन किया— ''कातिल होने का शक है।''

''एक ही बात नहीं?''

''नहीं।''

''नहीं?''

''नहीं। हमारे मुल्क का कानून कहता है कि ए पर्सन इज इनोसेंट अनटिल ही इज प्रूवन गिल्टी बियांड आल रीजनेबल डाउट्स।''

''बोले तो!''

''हर व्यक्ति को तब तक बेगुनाह जाना जाता है जब तक कि उसका गुनाह निर्विवाद रूप से सिद्ध न हो जाये।''

''ओह! साबित कर लोगे बेगुनाह उस छोकरे को?''

''कोशिश तो पूरी है।''

''भले ही गुनाहगार हो!''

''वो कहता है वो बेगुनाह है।''

''उसके कहने से क्या होता है!''

''मैं उसका वकील हूं, मेरे लिये उसके ही कहने से होता है। अपने क्लायन्ट

की बात पर यकीन लाना मेरा फर्ज है।''

''ओह ! आओ।''

नटके मुकेश को अपने कबूतर के दड़बे जैसे ऑफिस में ले कर आया।

''सोमवार को दोपहरबाद मैंने भी कोर्ट का फेरा लगाया था।'' — नटके बोला — ''वहां मैंने तुम्हें गवाहों से जिरह करते देखा था, इस वास्ते मालूम कि तुम उस छोकरे के वकील हो। नाम नहीं मालूम।''

''मुकेश माथुर।'' — मुकेश ने उसके सामने टेबल पर अपना एक विजिटिंग कार्ड रखा।

नटके ने कार्ड उठा कर उसका मुआयना किया, सहमति में सिर हिलाया और फिर सवालिया निगाह से मुकेश की तरफ देखा।

''आपको'' — मुकेश बोला — ''अन्दाजा तो हो ही गया होगा कि मैं यहां क्यों आया हूं !''

''छोकरे के वकील हो तो उसी की वजह से आये होगे !''

''उसी की वजह से आया हूं।''

''क्या चाहते हो ?''

''वो क्या है कि मेरे को उम्मीद थी कि प्रासीक्यूशन आपको बतौर अपना गवाह कोर्ट में पेश करेगा और क्रॉसक्वेश्चनिंग में मुझे भी आपसे चन्द सवाल करने का मौका मिलेगा। लेकिन ऐसा न हुआ इसलिये मैं यहां आया हूं कि शायद आप ऐसा कुछ जानते हों जो कि कमलेश दीक्षित के डिफेंस में मददगार साबित हो सकता हो।''

''मैं कुछ नहीं जानता।''

''इतनी जल्दी में जवाब न दीजिये...''

''नहीं, भई, मैं कुछ नहीं जानता।''

''शायद जानते हों लेकिन आपको खबर न हो !''

''ऐसा कहीं होता है !''

''होता तो है ! और नहीं तो यही स्थापित करने का मौका मुझे दीजिये कि ऐसा होता है। शायद कोई ऐसी बात गुफ्तगू के दौरान निकल आये जिसकी अहमियत आपको न मालूम हो लेकिन जो डिफेंस के काम की हो !''

''ये टाइम जाया करने वाली बातें हैं। मुझे यहां बहुत काम है और उम्मीद करता हूं कि तुम्हें भी होगा...''

''है, जनाब। और वो काम ही मैं यहां कर रहा हूं।''

''भई, तुम वकील हो, मैं तुमसे बातों में नहीं जीत सकता।''

''आप प्लीज इसे — एक मामूली पूछताछ को — हारजीत का मसला न

बनाइये। एक नौजवान की जान दांव पर लगी है, उसका लिहाज कीजिये।''

''मैं क्या लिहाज करूं! उसने जो करतूत की है, उसका खामियाजा तो उसे ही भुगतना पड़ेगा न!''

''अभी ये साबित होना बाकी है कि कातिल वो है।''

''तुम तो ऐसा कहोगे ही! उसके वकील जो ठहरे!''

''वकील के हाथ में ऐसी कोई भौतिक या अलौकिक शक्ति नहीं होती कि वो गुनहगार को बेगुनाह साबित कर दिखाये। उसको कोर्ट में अपने क्लायन्ट की बेगुनाही तथ्यों के आधार पर यूं साबित करके दिखानी पड़ती है कि प्रासीक्यूशन के इलजामों को लगाम लगे और फैसला करने वाला जज मुतमईन हो। इस सिलसिले में भरपूर कोशिश करना मेरा फर्ज है, अपने क्लायन्ट के हक में कोई सबूत खोद निकालना मेरी ड्यूटी है।''

''तो, भई, करो अपनी ड्यूटी, किसने रोका है?''

''वही कर रहा है। इसी के तहत आप नहीं जानते तो आपकी जानकारी में ला रहा हूं कि कत्ल जैसे जघन्य अपराध के केस में इरादतन कोई जानकारी छुपा कर रखना कानून के खिलाफ होता है।''

वो हड़बड़ाया, फिर हंसा।

''कमाल के आदमी हो! अभी तो दरख्वास्त करते जान पड़ रहे थे, अभी धमकाने पर उतर आये!''

''ये आपकी खामखयाली है...''

''और ये तुम्हारी खामखयाली है कि मैं ऐसा कुछ जानता हूं जो कि उस मुलजिम छोकरे के डिफेंस में मददगार साबित हो सकता है। मैं उसके हक में भी कुछ नहीं जानता और, शुक्र मनाओ कि, उसके खिलाफ भी कुछ नहीं जानता। फिर भी तुम समझते हो कि मैं कुछ जानता हूं तो ऐसा समझने की वजह बताओ।''

''मैंने सुना है कि आप राजपुरिया साहब से बहुत अच्छी तरह से वाकिफ थे और आपका क्रिस्टल लॉज में अक्सर आना जाना होता था!''

''हां, ठीक सुना है। सारा इलाका जानता है इस बात को।''

''आप राजपुरिया साहब के जनरल ऑड जाब मैन थे, उनके हुक्म पर वो काम भी करने लॉज पर पहुंच जाते थे जो कि आपके नहीं होते थे!''

''बिल्कुल ठीक। मेरे मन में उनकी इज्जत थी, वो भी बावक्तेजरूरत मेरे काम आते थे, मुझे खुशी होती थी हमेशा कि कोई काम हो तो उसको अंजाम देने की इज्जत वो मुझे बख्शते थे।''

''कभी कमलेश दीक्षित के बारे में भी आपसे कोई बात की थी?''

''उन्होंने नहीं की थी लेकिन कुछ न कुछ जानने की जिद पकड़े हो इसलिये

बताता हूं, मैंने की थी।''

''क्या?''

''यही कि वो लड़का जेली था, सूरत से ही काईयां और बेईमान लगता था इसलिये भरोसे के काबित नहीं था। वो उसे अपनी मुलाजमत में रखेंगे तो कोई बड़ी बात नहीं कि आगे चल कर उन्हें पछताना पड़ता। और, देख लो, वही बात हुई।''

''सूरत से तो नहीं लगता वो ऐसा!''

''कैसा?''

''काईयां और बेईमान।''

''तुम्हें नहीं लगता न!''

''मेरे खयाल से है भी नहीं ऐसा।''

''तुम्हारे खयाल पर मेरा कोई जोर है?''

''नहीं।''

''मेरे खयाल पर तुम्हारा क्या जोर है?''

''ठीक! आपने कहा कि राजपुरिया साहब बावक्तेजरूरत आपके काम आते थे। क्या काम आते थे? कैसे काम आते थे? मिसाल के तौर पर बताइये कुछ!''

''ये मेरे और उनके बीच की बात थी। मैं बताना जरूरी नहीं समझता। कोई मिसाल देना भी जरूरी नहीं समझता। खासतौर से उनकी मौत के बाद।''

''वारदात वाले दिन आप लॉज पर गये थे?''

''कौन कहता है?''

''काला चोर कहता है लेकिन क्या ये सच नहीं है कि उस रोज—बुधवार, दस तारीख को—सुबह साढ़े ग्यारह बजे आप लॉज पर गये थे?

वो खामोश हो गया, कई क्षण खामोश रहा।

''हां, गया था।''—फिर बोला।

''बुधवार को?''

''हां, भई। बोला तो!''

''जबकि पहले आपने कहा था कि लॉज पर आखिरी बार आप सोमवार आठ तारीख को गये थे?''

''कब कहा था?''

''वारदात से अगले रोज। गुरुवार को।''

''किसको कहा था?''

''इंस्पेक्टर अशोक सावन्त को कहा था।''

''तुम्हें क्या मालूम?''

''ये मामूली बात है। इसको छुपा के रखने की पुलिस के पास कोई वजह नहीं

थी। खासतौर से मुलजिम के वकील से छुपा कर रखने की।''

''हूं।''—वो कुछ क्षण खामोश रहा, फिर बोला—''इस बाबत मैं इन्स्पेक्टर सावन्त से अपनी खता बख्शवा चुका हूं। अब मेरी कांशस क्लियर है।''

''दैट्स गुड। देयर इज नथिंग लाइक ए क्लियर कांशस। लेकिन पहले गलतबयानी क्यों की ?''

''भई, कत्ल का मामला था, मैं नहीं चाहता था मेरा नाम उससे जुड़ता।''

''चाहत कामयाब तो न हुई आपकी ?''

''दिवाकर चौधरी की वजह से। मेरे को किधर मालूम था कि इतना मुंह फाड़ेगा !''

''गये क्या करने थे ?''

''कब ? आठ को या दस को ? मेरा मतलब है तुम्हारा सवाल मेरे सोमवार के फेरे की बाबत है या बुधवार के ?''

''दोनों की ही बाबत बताइये ? आठ को कब गये थे ?''

''दिन ढले। कोई साढ़े सात बजे।''

''क्या करने ?''

''उनकी दवा पहुंचाने। फोन आया था कि जीटाप्लैक्स खत्म थी। मैं फौरन सौ टेबलेट्स की एक बॉटल पहुंचा कर आया।''

''कैसे पहुंचाई ?''

''उन्हीं को सौंपी। उस वक्त वो घर पर थे।''

''अब बुधवार पर आइये। बुधवार, कत्ल के रोज, साढ़े ग्यारह बजे आप क्रिस्टल लॉज गये थे ?''

''अब जब तुम्हें मालूम ही है तो हां।''

''क्या करने गये थे ?''

''विस्की का एक क्रेट छोड़ने गया था। राजपुरिया साहब का हुक्म था इसलिये।''

''राजपुरिया साहब विस्की आपकी मार्फत मंगवाते थे ?''

''और क्या इतना बड़ा आदमी खुद जा कर ठेके पर हाजिरी भरता !''

''तब लॉज में कौन था ?''

''कोई भी नहीं। मैंने कुछ अरसा भीतर इस उम्मीद में इन्तजार किया था कि राजपुरिया साहब करीब ही कहीं गये होंगे, लौट आयेंगे। ऐसा न हुआ तो क्रेट को पैंट्री में रख के मैं लौट आया।''

''जबकि उस घड़ी राजपुरिया साहब ऊपर अपने बैडरूम में मरे पड़े थे।''

''तब मुझे क्या पता था !''

"आप ऊपर न गये!"

"सवाल ही नहीं पैदा होता था। वैसे भी वो राजपुरिया साहब के नीचे होने का स्थापित वक्त होता था। किसी काम से वो ऊपर चले गये होते तो उलटे पांव नीचे ही लौटते। ऐसा न हुआ तो मैंने समझा कहीं बाहर थे।"

"दरवाजा खुला था?"

"दिन में खुला ही होता था।"

"फिर तो आपने काल बैल भी नहीं बजाई होगी!"

"भई, मैं दोनों हाथों से विस्की का क्रेट सम्भाले था। फिर ड्राईंगरूम तक दाखिले की मुझे इजाजत थी।"

"क्योंकि आप मकतूल के खास थे!"

"खास वास मुझे नहीं मालूम। उन्हें मेरी, मेरे सेवाभाव की कद्र थी, बस।"

"इसलिये तीस लाख की पजेरो के वारिस बना गये!"

"जिसकी तुम्हें तकलीफ है!"

"मुझे क्यों होने लगी?"

"आओ"—एकाएक वो उठ खड़ा हुआ—"तुम्हें बाहर तक छोड़ के आऊं।"

"आप तकलीफ न कीजिये।"—मुकेश भी उठा—"बाहर का रास्ता मुझे मालूम है। आपसे सहयोग तो न प्राप्त हो सका, मिस्टर नटके, फिर भी शुक्रिया।"

उसने खामोशी से सहमति में सिर हिला कर शुक्रिया कबूल किया।

मुकेश लेखक दिवाकर चौधरी के कॉटेज पर पहुंचा।

लेखक ने दरवाजा खोला।

"नमस्ते, जनाब!"—मुकेश मधुर स्वर में बोला।

"वकील साहब!"—लेखक बोला।

"जी हां।"

"एडवोकेट मुकेश माथुर। यही नाम बताया था न!"

"जी हां।"

"आओ।"—वो दरवाजे पर से हटा।

"मैंने डिस्टर्ब तो नहीं किया?"—भीतर दाखिल होता मुकेश बोला।

"नहीं, भई, सच पूछो तो मैं तो कोई बहाना ही तलाश कर रहा था काम बन्द करने का।"

"आई सी।"

वो मुकेश को अपनी स्टडी में लेकर आया।

''बैठो।''—फिर बोला—''मैं कॉफी बनाता हूं।''

''जनाब, आप जहमत न कीजिये...''

''तो क्या करूं? खुद भी न पिऊं?''

''ओह!''

''पांच मिनट।''

''ठीक है।''

पांच मिनट से पहले लेखक कॉफी बना कर लाया।

मुकेश ने कृतज्ञ भाव से कॉफी कुबूल की।

''अब कैसे आये?''—फिर लेखक ने उत्सुक भाव से पूछा।

''अपने क्लायन्ट की ही खातिर आया, जनाब। इस उम्मीद में आया कि शायद आप उसके डिफेंस में मेरी कोई मदद कर सकें।''

''अरे, भई, मैं ऐसी कोई मदद कर सकता होता तो उस लड़के की खातिर खुद ही तुम्हारे पास पहुंच गया होता। बेचारा नौजवान लड़का... खामखाह कत्ल के भंवरजाल में फंस गया।''

''भंवरजाल!''

''और क्या! अगर बेगुनाह है तो उसके लिए तो भंवरजाल ही हुआ! किसी दूसरे की करतूत में नाहक लपेटा गया!''

''आपको उससे हमदर्दी है?''

''मेरे को हर विपन्न, साधनहीन नौजवान से हमदर्दी है जिसके आगे कि सारी जिन्दगी पड़ी होती है लेकिन सिरे तक पहुंच पाने में फच्चर पड़ जाता है।''

''दैट्स वेरी नोबल थॉट!''

''मैं उसकी कोई मदद कर सकूं, इस बाबत तुम्हारे जेहन में कोई तरीका हो तो बोलो।''

''आप मेरे क्लायन्ट से वाकिफ थे?''

''भई, इतना ही वाकिफ था कि उसको एस्टेट के हालिया मुलाजिम के तौर पर पहचानता था। वो एस्टेट में आता जाता, मार्निंग में वाक करता या दौड़ लगाता दिखाई देता था। कभी राह चलते मिल जाता था तो अदब से अभिवादन करता था। लेकिन कभी कोई बातचीत हुई हो, ऐसा तो नहीं था!''

''ओह!''—मुकेश के स्वर में मायूसी का पुट आया—''मैं तो समझता था कि आपकी उससे कोई दुआ सलाम रही होगी और आपसे मैं जान पाऊंगा कि उसने आपसे कभी अपने एम्पलायर की बाबत—मकतूल अभय सिंह राजपुरिया की बाबत—कोई बात की थी।''

''नहीं''—लेखक ने मजबूती से इंकार में सिर हिलाया—''ऐसा कभी

नहीं हुआ था।''

''ओह! हमारी पिछली मुलाकात में आपने बतौर कातिल जैलस हसबैंड वाली थ्योरी पर काफी जोर दिया था। इस दौरान आपके जेहन में क्या कोई दूसरा मर्डर सस्पैक्ट उबरा?''

''भई, इस वारदात की तरफ खयाल तो मुतवातर रहा मेरा। इसमें कैटेलिस्ट का काम तुम्हारे उस कमेंट ने भी किया कि प्लॉट मेरे उपन्यास का होता तो मैं सम्भावित कातिल जिसको चुनता!''

''किसी को चुना?''

''चुना तो सही!''

''किसको?''

''भई, नाजुक मसला है, किसी का नाम लेना मुनासिब होगा?''

''क्यों न होगा? आपने किसी पर कोई इलजाम नहीं लगाना है, सिर्फ अपनी सोच को ज़ुबान देना है।''

''ऐसा है तो यूं समझो कि मेरा एतबार दिलीप नटके पर है।''

''वो कातिल हो सकता है?''

''एक तरीके से हो सकता है।''

''कौन से?''

''रेस का रसिया होने की वजह से वो हमेशा आर्थिक दबाव में रहता है। मुझे ये भी मालूम है कि रेस वो महालक्ष्मी के एक रेगुलर बुकी के जरिये खेलता है जहां नकद में, एडवांस में दांव का पैसा जमा कराना जरूरी नहीं होता। लेकिन हार की सूरत में एकाउन्ट को जल्द-अज-जल्द ऐट पार लाना पड़ता है। रकम बड़ी हो जाये, उसकी अदायगी में आनाकानी होने लगे तो बुकी के बाउन्सर, क्लैक्टर आकर डिफाल्डर के हाथ पांव तोड़ देते हैं, जान तक से मार देते है। जैसा नटके की लत का हाल है, उसमें उसका किसी बड़ी रकम का कर्जाई हो चुका होना कोई बड़ी बात नहीं।''

मुकेश ने सहमति में सिर हिलाया।

''अब फर्ज करो कि उसे किसी तरीके से मालूम था कि मरने वाला—राजपुरिया—अपनी वसीयत के तहत उसके नाम कोई बड़ी रकम छोड़ के जाने वाला था तो क्या वो अपनी जान पर मंडराता अपने बुकी का खतरा टालने के इरादे से उस रकम को फौरन हासिल करने के लिए कोई कदम नहीं उठा सकता था?''

''कदम! यानी कि कत्ल!''

''और कैसे रकम उसे फौरन हासिल होती! मकतूल हट्टा कट्टा, तन्दुरुस्त

आदमी था, अपनी आयी मौत तो वो न जाने कब मरता !''

''ठीक। लेकिन ये महज एक थ्योरी है जिसकी कोई बुनियाद भी सुझा सकें तो कोई बात बने !''

''बुनियाद खुद खोजो। मैंने तुम्हें एक रास्ता सुझाया है, उसपर चल कर कोई नतीजा खुद निकाल के दिखाओ।''

''कोशिश तो मैं बराबर करूंगा लेकिन कामयाबी सन्दिग्ध है।''

''दैट्स टू बैड। फार यू। फार युअर क्लायन्ट।''

''आपकी थ्योरी की बुनियाद मुझे आप सुझा पाते, नटके के किरदार की बाबत कोई कारआमद क्लू मुझे आपसे हासिल हो पाता तो मुझे खुशी होती।''

उसने इंकार में सिर हिलाया। इस प्रक्रिया में उसके लम्बे बाल उसके चेहरे पर छाये जिन्हें उसने बड़ी नजाकत से समेट कर परे किया।

''सॉरी !'' — फिर बोला।

''ओके।'' — मुकेश उठ खड़ा हुआ — ''इजाजत चाहता हूं। कॉफी का शुक्रिया। मुझे वक्त देने का शुक्रिया।''

''मुझे तुम्हारे क्लायन्ट से हमदर्दी है'' — लेखक उठ कर उसके साथ चलता बोला — ''और उसके लिए तुम्हारे एफर्ट्स से मैं प्रभावित हूं...''

तभी भीतर फोन की घन्टी बजने लगी।

वो ठिठका।

''मैं'' — फिर बोला — ''तुम्हारी कामयाबी की दुआ करूंगा।''

''थैंक्यू।''

अगला आधा घन्टा मुकेश ने राजपुरिया एस्टेट की इंस्पेक्शन में गुजारा।

तदोपरान्त वो कमला सारंगी के आवास पर पहुंचा।

उसे कबूल करना पड़ा कि अपनी उम्र के लिहाज से वो बहुत खूबसूरत और ठस्सेदार औरत थी।

मुकेश ने उसे अपना परिचय दिया तो वो उसे ड्राईंगरूम में ले आयी।

''मैं आपको डिस्टर्ब करने की माफी चाहता हूं'' — मुकेश आदरपूर्ण स्वर में बोला — ''लेकिन अपना केस तैयार करने के लिए केस से सम्बन्धित लोगों से मेरा कोई पूछताछ करना जरूरी है।''

''मैं सम्बन्धित लोग नहीं हूं।'' — वो शुष्क स्वर में बोली।

''हैं तो सही आप ! कत्ल के रोज आपकी लॉज में विजिट स्थापित है।''

''कैसे स्थापित है ?''

''किसी ने उस रोज सुबह ग्यारह बज कर दस मिनट पर आपको लॉज से

निकल कर जाते देखा था।''

''किसने देखा था?''

''ये बात अहम नहीं। आप बताइये, आप क्या कहती हैं? आप लॉज पर गयी थीं?''

''गयी थी तो क्या?''

''क्यों गयी थीं?''

''मुझे वहां कोई काम था।''

''क्या?''

''इससे तुम्हें कोई मतलब नहीं होना चाहिये। वो मेरा निजी काम था।''

''हुआ?''

''कैसे होता! लॉज में कोई था ही नहीं।''

''फिर भी आप काफी अरसा वहां ठहरी थीं।''

''कौन कहता है?''

''मेरा सवाल आपसे है...''

''क्यों है? जिसने मुझे वहां से जाते देखा था, जाकर उसी से पूछो कि मैं वहां कितना अरसा ठहरी थी।''

''उसने आपको आते नहीं देखा था।''

''देख लेता तो उसे मालूम होता कि मैं ठहरी ही नहीं थी।''

''उलटे पांव लौट आयी थीं?''

''हां।''

''ऐसा मुमकिन तो नहीं!''

''क्यों मुमकिन नहीं?''

''अगर आपका आना जाना एक ही टाइम हुआ होता तो जिसने आपको लॉज से लौटते देखा था, उसने पहुंचते भी देखा होता!''

''वो थोड़ी देर के लिए अन्धा हो गया होगा!''

''आप बड़े तीखे जवाब दे रही हैं!''

''कुछ और पूछना है?''

''पूछना तो है लेकिन आप बता कहां रही हैं! मुझे खुशी होती कि लॉज में अपनी विजिट के प्रयोजन पर आप कोई रोशनी डालतीं!''

''वो मेरा निजी मामला है, मैं उसे तुम से—किसी से भी—डिसकस नहीं करना चाहती।''

''जो मामला निजी नहीं है, उस बाबत तो कुछ कहेंगी!''

''ऐसा कौन सा मामला है?''

''आपका मार्निंग वाक का शगल है!''

''है तो क्या? मार्निंग वाक पर कोई पाबन्दी है? इलाके में कर्फ्यू लगा है?''

''एक गवाह का कहना है कि रोज सुबह आप लांग वाक के लिए निकलती हैं लेकिन वाक यहां से राजपुरिया एस्टेट तक ही होती है...''

''क्या मतलब?''

''आपको अपनी वाक लॉज पर कर्टेल कर के लॉज के पिछले दरवाजे से चोरों की तरह भीतर दाखिल होते अक्सर देखा गया है...''

''कौन कहता है ऐसा?'' — वो फिर भड़की — ''नाम लो उस कमीने का। मुंह नोच लूंगी।''

''सारी मैम, मैं ऐसी फौजदारी की वजह नहीं बनना चाहता।''

''वही कुत्ता होगा जो कहता है उसने वारदात के दिन मुझे लॉज से निकलते देखा था। और वो कौन है, इसका अन्दाजा लगा लेना कोई मुश्किल काम नहीं।''

''क्या अन्दाजा लगाया आपने?''

''वही होगा जो लॉज के सामने के कॉटेज में रहता है, खुद को लेखक कहता है और जैसा सड़ेला खुद है, वैसे सड़ेले नावल लिखता है।''

''आप उसके खिलाफ हैं?''

''जो मेरे खिलाफ वाही तवाही बके, मुझे उसकी आरती उतारनी चाहिये!''

''तो आप इस बात से इंकार करती हैं कि...''

''हां, इंकार करती हूं। और खबरदार जो ये बात मेरे सामने — किसी और के सामने भी — दोबारा अपनी जुबान पर लाये।''

''आप शान्त हो जाइये, मैडम, मैं हो गया खबरदार।''

''हद हो गयी ये तो मुंह फाड़ने की! मैं लॉज में छुपकर जाती हूं। देखो तो, जैसे मेरा मरने वाले से अफेयर था।''

''नहीं था?''

''शट अप!''

''तो ये अफवाह है कि मार्निंग वाक पर निकली आप...''

''चण्डूखाने की गप्प है।''

''एक अफवाह और भी है जो इलाके में आम है।''

''अच्छा, और भी है?''

''जी हां।''

''वो क्या है?''

''आप ड्रग एडिक्ट हैं।''

''क्या!''

"आप ड्रग्स लेती हैं और सप्लाई का सोर्स क्रिस्टल लॉज है।"

वो उछल कर खड़ी हुई।

"गैट आउट आफ माई हाउस।" —वो गरज कर बोली।

"लेकिन, मैम..."

"गैट-आउट-आफ-माई-हाउस-दिस-मिनट!"

"अच्छी बात है।"

मुकेश ने उसके आवास से बाहर कदम रखा तो उसके पीछे रौद्र रूप धारण किये घर की मालकिन ने इतनी जोर से दरवाजा बन्द किया कि चौखट थरथरा गयी।

मुकेश ओमवाडी पहुंचा जहां कि शान्तनु राजपुरिया रहता था।

काल बैल के जवाब में दरवाज़ा मानसी ने खोला।

मुकेश ने अपना परिचय दिया।

मालूम पड़ा कि पति घर पर नहीं था, किसी जरूरी काम से कहीं गया हुआ था।

"मैं दो मिनट आपसे बात करना चाहूंगा।" —मुकेश विनयपूर्ण स्वर में बोला।

"किस विषय में?" —मानसी ने पूछा।

"केस के ही विषय में।"

"उस विषय में मेरे हसबैंड की कोर्ट में गवाही हुई तो थी!"

"वो प्रिलिमिनेरी हियरिंग थी, उसमें गवाही ज्यादा विस्तार से नहीं होती। विस्तार में जाने पर मैजिस्ट्रेट टाइम जाया होने का एतराज करता है।"

"ओह!"

"इसलिये..."

"आइये।"

"थैंक्यू।... दौलतखाना अच्छा है आपका!"

"छोटा है।"

"है तो अब तो आपको क्रिस्टल लॉज में रहने की चायस है।"

"इस चायस को अंकल की जान पर तो तरजीह नहीं दी जा सकती!"

"सही फरमाया आपने।"

"अब बोलिये, क्या चाहते हैं? ... लेकिन जो कहियेगा, एक बात को ध्यान में रख के कहियेगा।"

"जी!"

"केस में आपके और हमारे इन्टरेस्ट ऐन उलट हैं। आप मुलजिम के वकील

हैं इसलिये आपकी हरचन्द कोशिश उसको बरी कराने की होगी जबकि हमारी दिली ख्वाहिश है कि वो कम्बख्त छोकरा जल्दी से जल्दी अपनी करतूत की सजा पाये।''

''आप तो ये निश्चित किये भी बैठी हैं कि वो ही कातिल है!''

''मैं अकेली कहती हूं। सारा इलाका कहता है। पुलिस कहती है। गोरई का बच्चा बच्चा कहता है।''

''मुजरिम का जुर्म निर्धारित करना बच्चों का काम नहीं, पुलिस का भी काम नहीं, आपका तो बिल्कुल नहीं।''

''आप ये बातें जाने दीजिये। आपका कारोबार है अपने क्लायन्ट की खातिर प्रत्यक्ष को झुठलाना। लेकिन ये प्रैक्टिस कोर्ट के लिए रिजर्व रखिये। यहां ऐसी बातें करना हमारे जले पर नमक छिड़कना होगा।''

''मैं आपके जज्बात की कद्र करता हूं और...सॉरी बोलता हूं।''

''आगे बढ़िये।''

''सुनने में आया है कि वारदात के दिन आप भी लॉज पर गयी थीं!''

मानसी ने अपलक मुकेश की तरफ देखा।

''ये बात स्थापित है कि उस रोज साढ़े बारह बजे से थोड़ा पहले आप लॉज पर गयी थीं।''

''कैसे स्थापित है?''

''एक गवाह है जिसने आपको एस्टेट पर पहुंचते, लॉज में दाखिल होते अपनी आंखों से देखा था।''

''हूं।''—उसके चेहरे पर चिन्ता के भाव झलके लेकिन तुरन्त गायब हुए—''पुलिस को ये बात मालूम है?''

''पुलिस एक व्यापक फोर्स है, उसके व्यापक साधन हैं, जब मुझे मालूम है तो उन्हें क्यों न मालूम होगी!''

उसका सिर स्वयमेव सहमति में हिला।

''तो क्या जवाब है आपका?''

''हां, मैं उस रोज लॉज पर गयी थी।''

''वजह?''

''कोई खास नहीं। उधर से गुजर रही थी, सोचा अंकल से मिलती चलूं।''

''बस, यही वजह थी?''

''हां।''

''अंकल को लॉज में न पाया तो इन्तजार किया?''

''कोई खास नहीं। जल्दी ही लौट आयी थी।''

''ये न सोचा कि घर खाली पड़ा था, मेन डोर लाक्ड नहीं था, वहां कोई

चोरी-चकारी हो सकती थी!''

''घर ऐसी हालत में कोई पहली बार नहीं था। अंकल की इधर ऐसी रिप्यूट थी कि चोरी चकारी के इरादे से लॉज में घुसने की किसी की मजाल नहीं हो सकती थी। मजाल क्या, किसी को खयाल तक नहीं आ सकता था।''

''बावजूद इसके कि सब जानते थे कि दिन के टाइम वो खुला दरबार होता था!''

''खुला दरबार होता था लेकिन खाली दरबार नहीं होता था। कोई न हो तो अंकल तो वहां होते ही थे। उस दिन भी थे ही लेकिन...''

उसने अवसादपूर्ण भाव से गर्दन हिलाई।

''ऊपर बैडरूम में मरे पड़े थे!''

''हां। देखो तो, चोरी की—कत्ल की—मजाल भी हुई तो उस गोली मार देने के काबिल लड़के की हुई जिसपर रहम खा कर अंकल ने जिसे नौकरी दी। कमीने ने...''

तभी काल बैल बजी।

''एक्सक्यूज मी।''—मानसी बोली और दरवाजा खोलने चली गयी। जब लौटी तो उसका पति उसके साथ था।

शान्तनु की मुकेश पर निगाह पड़ी तो वो ठिठका, सकपकाया।

मुकेश ने मुस्कराते, अभिवादन करते उठने का प्रयत्न किया।

''बैठो, बैठो।''—तत्काल शान्तनु बोला।

''थैंक्यू।''

शान्तनु अपनी पत्नी के साथ उसके सामने सोफे पर बैठ गया।

''कैसे आये?''—फिर उसने पूछा।

''मैं गोरई आया हुआ था''—मुकेश बोला—''एकाध सवाल जेहन में था जिसकी बाबत आपसे बात करने चला आया।''

''कोर्ट में पूछताछ में कोई कसर रह गयी थी?''

''रह ही गयी थी वर्ना क्या आप लोगों को डिस्टर्ब करने यहां आता!''

''मालूम था हम यहां रहते थे?''

''आप इलाके के प्रतिष्ठित लोग हैं, जिस पहले शख्स से पूछा, उसने बता दिया आप कहां रहते थे!''

''अरे, भई, हम मामूली लोग हैं। प्रतिष्ठित अंकल थे।''

''ऐसा भी है तो समझ लीजिये कि बड़ के पेड़ की छाया का सुख आपको भी प्राप्त था।''

''चलिये ऐसे ही सही। अब कहिये क्या कहना चाहते हैं?''

''कुछ पूछना चाहता हूं...''

''भई, कुछ कहोगे तो कुछ पूछोगे न! या इशारों से पूछना चाहते हो?''

''न-हीं।''

''तो पूछो जो पूछना है!''

''आपने कोर्ट में अपनी गवाही के दौरान कहा था आपके अंकल ने अपने बुलावे की कोई वजह आपको नहीं बताई थी, बस यही कहा था कि एक जरूरी बात डिसकस करनी थी। वो क्या जरूरी बात थी, इस बाबत आपने सवाल नहीं किया था क्योंकि ऐसा करना बेअदबी होती। लेकिन आपने अपनी अक्ल से, अपनी सूझबूझ से ये नतीजा बराबर निकाला था कि कोई प्राब्लम एकाएक आन खड़ी हुई थी जो अंकल को पशेमान कर रही थी। ठीक?''

''हां।''

''शान्तनु जी, विद हम्बल रिक्वेस्ट, मेरा आपसे ये सवाल है कि उत्सुकतावश ही, सस्पेंस के हवाले होकर ही कोई वजह खुद सोचने की आपने कोशिश तो जरूर की होगी! ऐसे मामलात में इंसान अपनी अटकलें, अपने अन्दाजे लगाता ही है। लिहाजा आपने भी कोई तो अन्दाजा जरूर लगाया होगा!''

शान्तनु ने हिचकिचाते हुए इंकार में सिर हिलाया।

''कमलेश को एस्टेट के करीब—या हो सकता है भीतर कहीं—भटकते देखा होगा''—मानसी बोली —''इसी बात ने उन्हें पशेमान किया होगा!''

''मुमकिन है लेकिन ये कोई मेजर वजह नहीं। अंकल दबंग आदमी थे, उनका रौब था, जलाल था, एक मामूली छोकरे की ऐसी मामूली हरकत से तो वो खुद भी निपट सकते थे। पुलिस आकर कमलेश को थामती तो वो ही लोग उसे सीधा कर देते। ट्रैसपासिंग के इलजाम में गिरफ्तार कर के हवालात में बन्द कर देते। बिना वजह कहीं भटकना—जिसे लॉयटरिंग कहते हैं—भी तो क्राइम है! इतनी मामूली बात के लिए उन्होंने आपको तलब किया हो, ये तो तर्क की कसौटी पर खरा हीं उतरता! फिर भी ऐसा था तो इस मामूली बात को सीक्रेट रखने की क्या जरूरत थी? वो फोन पर ही इस मसले को डिसकस कर सकते थे या तभी लॉज पर पहुंचने को कह सकते थे। शाम को आने का हुक्म तो इस बात की तरफ इशारा करता है कि आपके अंकल के जेहन में कोई ऐसी डिसकशन थी जो कि शाम को ही मानीखेज साबित हो सकती थी। आपका इस बाबत क्या खयाल है?''

''अंकल सनकी मिजाज के थे।''—जवाब फिर मानसी ने दिया—''छोटी मोटी बातों को भी ड्रामेटाइज करने की कोशिश करते थे। बात में मिस्ट्री का, सस्पेंस का पुट सरकाते थे तो उन्हें एक अजीब से संतोष की अनुभूति होती थी। बस, इतनी सी बात थी।''

''लेकिन बात थी कमलेश की बाबत ही ?''

''मेरे खयाल से हां।''

''आप''—मुकेश शान्तनु की तरफ घूमा—''मैडम की बात से सहमत हैं ?''

''दम तो है बात में !''—शान्तनु संजीदगी से बोला।

''लेकिन दम की कनफर्मेशन के लिए कोई सबूत तो होना चाहिये !''

''मैंने कहा दम है, लेकिन ये नहीं कहा कि मुद्दा कमलेश ही था।''

''ओह ! तो आपकी निगाह में कोई और कैण्डीडेट है !''

''है तो सही !''

''कौन ?''

शान्तनु हिचकिचाया।

''ओ, कम आन, सर।''

''दिलीप नटके। अब मेरा दिल ये गवाही देता है कि अंकल नटके के बारे में कोई बात करना चाहते थे।''

''अब ! 'अब' पर जोर है आपका !''

''हां। जो बात मुझे देर से सूझी, वो ये है कि नटके के इलाके में मशहूर अंकल के लिए सेवाभाव में उसका निजी स्वार्थ भी था। नटके का लाइफ स्टाइल ऐसा है कि हमेशा रोकड़े की किल्लत में रहता है। वो अंकल से अक्सर माली इमदाद हासिल करता रहता था।''

''आपको कैसे मालूम ? अंकल ने बताया ? या खुद नटके ने बताया ?''

''किसी ने न बताया। इत्तफाक से मालूम हुआ। एक बार मैं लॉज पर था तो अंकल ने अपने बैडरूम से उनके रीडिंग ग्लासिज लाने के लिए मुझे ऊपर भेजा था। मैं बैडरूम में गया था तो चश्मा मुझे वहां की वाल कैबिनेट के एक दराज में मिला था। वहां इत्तफाकन मुझे अंकल के नाम जारी किये नटके के चार पोस्टडेटिड चैक पड़े दिखाई दिये थे।''

''पोस्टडेटिड चैक !''—मुकेश सम्भल कर बैठा—''अंकल के नाम ? नटके के जारी किये हुए ! उसके साइनशुदा !''

''हां।''

''क्या मतलब हुआ इसका ?''

''इसके सिवाय और क्या मतलब मुमकिन है कि अंकल से माली इमदाद नटके को कोई चैरिटी के तौर पर हासिल नहीं होती थी। जो रकम अंकल नटके को देते थे, वो कर्जे की सूरत में होती थी जिसके बदले में नटके अंकल को पोस्टडेटिड चैक देता था।''

''फिर ये नटके पर अंकल का कोई अहसान तो न हुआ!''

''कहां हुआ!''

''फिर भी अंकल ने नटके को अपनी वसीयत का बैनीफिशियेरी बनाया! कीमती पजेरो कार उसके नाम कर दी!''

''मेरे खयाल से वसीयत पहले की थी जिसको तब्दील करने का अंकल को मौका नहीं लगा होगा।''

''हो सकता है। बहुत से काम ऐसे होते हैं जो कोई सोचता है आज करता हूं, कल करता हूं लेकिन आलस की वजह से या मसरूफियत में टलते जाते हैं।''

शान्तनु ने सहमति में सिर हिलाया।

''तो वो चैक अब पुलिस के कब्जे में हैं?''

''नहीं।''

''नहीं! तो कहां हैं?''

''पता नहीं। पुलिस ने वारदात के बाद मौकायवारदात की भरपूर तलाशी ली थी, वो चैक बरामद नहीं हुए थे।''

''ये बात आपको यकीनी तौर पर मालूम है?''

''देखो, पुलिस ने इस बाबत कुछ नहीं कहा था क्योंकि उन्हें उन चैकों के वजूद की खबर नहीं थी। लेकिन अगर वो चैक बरामद हुए होते तो उनका जिक्र जरूर आया होता, तो और नहीं तो कम से कम नटके से उस बाबत पूछताछ जरूर हुई होती। मुझे यकीनी तौर पर मालूम है कि नटके से ऐसी कोई पूछताछ नहीं हुई थी।''

''आपने पुलिस को चैक्स की बाबत न बताया?''

''नहीं।''

''क्यों?''

''वो वाकया वारदात से तीन चार दिन पहले का था। उतने में हो सकता है नटके का घोड़ा लग गया हो और उसने नकद रकम चुकता करके अंकल से चैक वापिस ले लिये हों!''

''या किसी तरीके से नटके ने वो चैक चोरी कर लिये हों!''

''सच पूछो तो मेरे जेहन में यही था।''

''इसीलिए आपने कहा कि आपके खयाल से अंकल नटके के बारे में आपसे बात करना चाहते थे?''

''हां।''

''उसका लिहाज करते थे इसलिये इस बाबत खुद ही उसके गले न पड़ गये!''

''हां। नटके ने अंकल से कर्जा लिया हुआ था, इस बात का सबूत वो चैक ही थे। जब सबूत ही गायब हो गया तो कैसे वो नटके को अपना कर्जाई साबित करते !''

''ठीक।''

''मेरे खयाल से इसी बाबत अंकल मेरे से मशवरा करना चाहते थे कि वो रकम कैसे वसूली जा सकती थी !''

''रकम कितनी थी ?''

''एक लाख साठ हजार रुपये। जो चार पोस्टडेटिड चैक मैंने देखे थे, वो चारों चालीस चालीस हजार रुपये के थे।''

''ये तो बड़ी गम्भीर बात बताई आपने ! ये तो बतौर कातिल नटके की कैंडीडेचर की तरफ भी गम्भीर इशारा है !''

''इशारा ही है, सबूत तो कोई नहीं !''

''वो वारदात के दिन लॉज पर गया था।''

''ये कोई अहम सबूत नहीं। क्यों गया था, ये अब जगविदित है।''

''विस्की का क्रेट छोड़ने गया था।''

''हां। अहम सबूत तमाम के तमाम कमलेश दीक्षित के खिलाफ हैं। और उन सबूतों के सामने सिर्फ ये बात कहीं नहीं ठहरती कि वारदात के दिन इत्तफाक से नटके का लॉज में फेरा लगा था।''

''लेकिन गायबशुदा चैक !''

''मैंने बोला न, मुमकिन है नटके ने कैश में रकम चुका कर वो चैक वापिस लिये हों !''

''इस बाबत उससे सवाल होना चाहिये।''

''करना। तुम डिफेंस अटर्नी हो, उसको बतौर विटनेस कोर्ट में समन करना और सवाल करना। अख्तियार है तुम्हें।''

''मैं जरूर करूंगा।''

''लेकिन देख लेना, मुलजिम फिर भी कमलेश दीक्षित ही साबित होगा।''

''देखेंगे। अब मेरे एक आखिरी सवाल का जवाब दीजिये ?''

''पूछो वो भी ?''

''आपको नैतिक तौर पर इस बात पर एतबार है कि अंकल की फोन काल का कत्ल से कोई रिश्ता था ?''

''जरूरी नहीं। अगर कातिल कमलेश दीक्षित है तो जरूरी नहीं।''

''दिलीप नटके हो तो ?''

''बहुत दूर की, बहुत ही दूर की कौड़ी है लेकिन लाखों में से एक चांस के

तहत अगर नटके कातिल है तो अंकल की फोन काल का रिश्ता उनके कत्ल से हो सकता है।''

''हूं। अब एक आखिरी सवाल...''

''अभी भी आखिरी! अभी पूछ नहीं चुके?''

''सोशल।''

''ओह! बोलो!''

''मेजर ब्रजेश सिंह कहां रहते हैं?''

शान्तनु ने बताया।

''थैंक्यू, सर। थैंक्यू, मैडम।''

मुकेश वहां से रुखसत हुआ।

मुकेश निर्देशित पते पर पहुंचा।

पति पत्नी दोनों घर में मौजूद थे।

मुकेश ने आंख भर कर पत्नी महिमा सिंह को देखा। उसे कबूल करना पड़ा कि वो वाकेई निहायत खूबसूरत थी, फिल्म स्टार लगती थी।

ब्रजेश सिंह ने बड़े अर्थपूर्ण भाव से खंखार कर गला साफ किया।

मुकेश ने सप्रयास बीवी पर से निगाह हटाई और अपना परिचय दिया।

तत्काल ब्रजेश सिंह के चेहरे पर गहन असहिष्णुता के भाव आये।

''क्या चाहते हो?''—वो शुष्क स्वर में बोला।

''आपसे चन्द सवाल करना चाहता हूं।''

''कैसे सवाल?''

''राजपुरिया साहब के कत्ल से ताल्लुक रखते सवाल।''

''क्यों करना चाहते हो?''

''जवाब कत्ल के हल में, कातिल को पकड़वाने में मददगार साबित हो सकते हैं।''

''कत्ल हल हो चुका है। कातिल पकड़ा जा चुका है।''

''उसका गुनाह साबित होना अभी बाकी है।''

''हो जायेगा। महज वक्त की बात है।''

''वारदात वाले दिन आप लॉज पर गये थे।''

''कौन कहता है?''

''कोई तो कहता ही है। बरायमेहरबानी इस बात की या हामी भरिये या इससे इंकार कीजिये।''

''कोई जरूरत नहीं। ये अदालत नहीं है।''

''जब अदालत में ये सवाल होगा ...''

''खामखाह ! मेरा अदालत में पेशी से क्या मतलब !''

''मैं डिफेंस का वकील हूं, मैं बतौर विटनेस आपको अदालत में तलब कर सकता हूं। ये मतलब !''

''नानसेंस ! मैं नहीं समझता कि तुम्हें ऐसी कोई अथारिटी है।''

''आपको कोर्ट से समन जारी होगा। पेश नहीं होंगे तो इसे अदालत की अवमानना माना जायेगा। फिर वारन्ट जारी होगा। फिर भी पेश नहीं होंगे तो नानबेलेबल वारन्ट जारी होगा।''

वो तिलमिलाया।

''मैं फौजी अफसर हूं।'' — फिर रौब से बोला — ''फौज से मेजर रिटायर हुआ हूं।''

''जनरल भी रिटायर हुए होते तो इस मामले में अदालत की अवमानना न कर पाते।''

वो और तिलमिलाया।

''कहने का मतलब ये है कि आप अदालत में पेशी से इंकार नहीं कर पायेंगे।''

उसने बेचैनी से पहलू बदला।

''जब वो नौबत आयेगी'' — फिर बोला — ''तो देखूंगा कि क्या कर पाऊंगा, क्या नहीं कर पाऊंगा।''

''आपको कबूल करने में एतराज क्या है कि आप वारदात वाले दिन दोपहर बारह बजे के करीब लॉज पर गये थे ?''

''मैं जरूरी नहीं समझता।''

''समझना तो चाहिये !''

''क्यों ?''

''आपकी लॉज में विजिट का टाइम कत्ल के पुलिस द्वारा निर्धारित सम्भावित टाइम स्लैब से मैच करता है। कत्ल दस और एक के बीच हुआ बताया जाता है...''

''इसलिये कातिल मैं !''

''या आपकी बीवी।''

''क्या !''

''ये भी'' — मुकेश ने ब्लफ का सहारा लिया — ''आपके आगे पीछे ही वहां पहुंची थीं।''

''वाट नानसेंस !''

''आगे या पीछे ?''—महिमा सिंह बोली।

मुकेश हिचकिचाया। जवाब उसे नहीं मालूम था। और जवाब न देना उसकी बात कच्ची कर सकता था।

''पीछे।''—वो दिलेरी से बोला।

वो खामोश हो गयी।

मुकेश ने मन ही मन चैन की सांस ली।

महिमा सिंह की शक्ल बता रही थी कि उसका तुक्का चल गया था।

''इस बात की तसदीक करने वाला एक गवाह उपलब्ध है।''—उसने तपते लोहे पर चोट की।

''जिसकी गवाही''—माथे पर बल डालता ब्रजेश सिंह बोला—''मुझे या मेरी बीवी को कातिल साबित कर दिखायेगी !''

''नहीं, लेकिन कोई जवाबदेही जरूरी बराबर बना देगी। आपको कोर्ट में बताना पड़ेगा कि क्यों आप लॉज पर गये थे ! आपकी बीवी को भी।''

''यानी कि हमारे पास चायस है !''

''चायस ?''

''जवाब तुम्हें दें या कोर्ट को। नो ?''

''यस, बट...''

''मिस्टर... वाट डिड यू से युअर नेम वाज ?''

''मुकेश माथुर। सिम्पल नाम है, दो मिनट में भूल जाने वाला तो नहीं है !''

''यस मुकेश माथुर। यू डोंट टेक ए हिंट, मिस्टर माथुर !''

''यू डोंट वांट माई प्रेजेंस हेयर !''

''नाओ, यू अन्डरस्टैण्ड।''

''ठीक है !''—मुकेश उठ खड़ा हुआ—''कोर्ट में मुलाकात होगी, मेजर साहब।''

''देखेंगे।''

''आपसे भी, मैडम।''

बीवी ने जवाब न दिया।

वो पब्लिक पार्टी के लोकल ऑफिस में पहुंचा।

मेजर ब्रजेश सिंह के घर से निकलने के बाद जिस पहले शख्स से उसने पार्टी के ऑफिस का पता पूछा था, वो पता बताने की जगह उसे वहां तक छोड़ के गया था।

गोविन्द सुर्वे वहां मौजूद था।

वो एक अपने हमउम्र व्यक्ति से बातें कर रहा था, मुकेश को उसने पता नहीं क्या समझा कि उसे आया देख कर वो खुद ही वहां से उठ कर चला गया।

''हल्लो!''—मुकेश बोला—''मैं एडवोकेट मुकेश माथुर।''

''मालूम।''—गोविन्द सुर्वे लापरवाही से बोला—''कोरट में देखा न!''

''गुड!''

''क्या मांगता है?''

''तुमसे कुछ बात करना है।''

''करो।''

''बैठ के करूं तो कैसा रहे?''

''बैठो।''

''थैंक्यू।''

''अभी बोलो।''

''मैं राजपुरिया साहब के कत्ल के सिलसिले में तुमसे बात करना चाहता था।''

''कोरट से बाहर?''

''क्या हर्ज है?''

''ठीक है। करो।''

''थैंक्यू। जरा दस अगस्त के दिन को अपने जेहन में लाओ।''

''कहां लाऊं?''

''भई, उस दिन की सुबह की तरफ ध्यान दो। ये वो दिन है जबकि क्रिस्टल लॉज में अभय सिंह राजपुरिया साहब का कत्ल हुआ था...''

''मैं कोरट में सब बोला न, जो मेरे को मालूम था!''

''कत्ल की बाबत बोला। लॉज में अपनी मार्निंग की विजिट की बाबत बोला। मैं उस टाइम के बाद की तुम्हारी मूवमेन्ट्स के बारे में कुछ जानना चाहता हूं।''

''इतनी पुरानी बात... किधर कुछ याद होयेंगा!''

''कितनी पुरानी बात! साल छ: महीने हो गये! दो हफ्ते पहले की तो बात है!''

''बोले तो''—उसका लहजा एकाएक कर्कश हुआ—''मेरे से भाव खा के बात नहीं करने का।''

''अरे, कौन भाव खा के बात कर रहा है? मैं तो...''

''मेरे को हैइच नहीं कोई बात करने का।''

''लेकिन...''

''अभी मैं इधर बिजी। फुरसत के टेम आना।''

''फुरसत के टाइम!''

''एक दो दिन में शाम के टेम चक्कर लगाना। अभी निकल लो।''

मुकेश ने अपलक उसे देखा।

''सुनाई में लोचा क्या? सुना नहीं मैं क्या बोला?''

''सुना।''—मुकेश धीरज से बोला—''अभी तुम भी सुनो कि मैं क्या बोलता हूं। मैं यहां से सीधा बोरीवली थाने जाऊंगा, जिसके अन्डर यहां की चौकी आती है, और राजपुरिया मर्डर केस के स्पैशल इनवैस्टिगेटिंग ऑफिसर से मिलूंगा। मैं उससे तुम्हारी बाबत, तुम्हारे इस घड़ी के नाजायज, वाहियात मिजाज की बाबत बात करूंगा तो फौरन कोई जिम्मेदार पुलिस वाला यहां पहुंचेगा जो तुम्हें पकड़ कर थाने ले कर जायेगा। फिर जैसा मिजाज तुम मुझे यहां दिखा रहे हो, वो वहां भी दिखाओगे तो जो कुछ यहां मैं तुमसे रिक्वेस्ट से पूछ रहा हूं, वहां पेंदा ठोक के पूछा जायेगा। समझ में पड़ा कुछ?''

वो तिलमिलाया, हड़बड़ाया, विचलित दिखाई दिया, फिर सम्भला और तमक कर बोला—''लूट मची है! मैं बालपाण्डे साहब का आदमी हूं जो कि पार्टी का इधर का कैण्डीडेट है...''

''उसको जब पता चलेगा कि पुलिस का मामला है तो उसकी भी तुम्हें यही राय होगी कि जो पूछा जाये उसका जवाब दो। तुम्हारा बालपाण्डे साहब समझदार आदमी होगा तो इलैक्शन के दिनों में तुम्हारे जैसे पंगेबाज की तरफदारी से परहेज करेगा। क्या!''

वो ठण्डा पड़ गया।

''अभी बोले तो...क्या मांगता है?''

''तुम को दस अगस्त का दिन याद आना मांगता है।''

''और?''

''उस दिन मार्निंग में अपनी कैम्पेन ड्यूटी के तहत जो किया, याद आ गया?''

''हां।''

''उस रोज तुम्हारी तरह लॉज में बहुत लोगों का फेरा लगा था। उन सबके कोर्ट में बयान हुए थे— जैसे कि कमला सारंगी, दिलीप नटके, शान्तनु राजपुरिया, मेजर ब्रजेश सिंह, खुद तुम। याद करके बताओ कि अपने प्रचार के राउन्ड के दौरान तुम इन लोगों में से किसी के रूबरू हुए थे? किसी को दस्ती पार्टी का प्रचार साहित्य दिया था? दिया था तो किसे दिया था?''

''उस रोज के मेरे शिड्यूल में दो ही जने और थे। एक शान्तनु राजपुरिया

और एक कमला सारंगी। शान्तनु राजपुरिया—या उसकी बीवी—मेरे को घर पर नहीं मिला था, मैं अपना कैम्पेन लिटरेचर उनके फ्रंट यार्ड में डाल कर आया था, लेकिन कमला सारंगी मुझे मिली थी। इत्तफाक से जब मैं उसके यहां पहुंचा था तो वो घर के बारह ही खड़ी थी, मैंने वहीं खड़े होकर उससे बात की थी और उसे कैम्पेन लिटरेचर थमाया था।''

''कितने बजे?''

''सवा बारह बजे।''

''पक्की कर के याद है?''

''हां।''

''दिलीप नटके से, मेजर ब्रजेश सिंह से उस रोज नहीं मिले थे?''

''नहीं। वो दोनों उस रोज के मेरे शिड्यूल में नहीं थे।''

''रूबरू तुमने सिर्फ कमला सारंगी से बात की थी?''

''हां।''

''और कोई इत्तफाकन दिखाई दिया हो! राह चलता या अपने ठीये पर?''

''न।''

''थैंक्यू, सुर्वे। बस इतनी सी बात थी। नहीं?''

''हां।''

सोमवार : बारह सितम्बर

कमलेश दीक्षित के केस की सैशन में सुनवाई की तारीख से एक दिन पहले सुरभि शिन्दे उससे जेल में जाकर मिली।

उसने कमलेश को बहुत उदास, बहुत पस्त पाया।

''हौसला रखो।''—वो भर्राये कण्ठ से बोली—''मैं तुम्हारे साथ हूं।''

उसने गमगीन अन्दाज से सहमति में सिर हिलाया।

''बस, अब कुछ दिन की बात है।''

''वो तो है ही...''

''फिर सब दुश्वारियां दूर हो जायेंगी।''

''... जान के साथ लगी दुश्वारियां हैं न! जान नहीं रहेगी तो दुश्वारियां भी नहीं रहेंगी।''

''देवा! जान क्यों नहीं रहेगी?''

''जब फांसी पर झूलूंगा तो...''

''खबरदार, जो ऐसी मनहूस बात अपनी जुबान से निकाली !''

''जो सच है...''

''नहीं सच है। मेरी खातिर नहीं तो अपनी खातिर अपनी नैगेटिव सोच को लगाम दो।''

''लेकिन...''

''कोई लेकिन वेकिन नहीं। तुम्हें कुछ हो गया तो मैं... मैं जहर खा लूंगी।''

''अरे, नहीं !''

''मैं सच कह रही हूं। मैं तुम्हारे बिना अपनी जिन्दगी की कल्पना नहीं कर सकती।''

''इतना प्यार करती हो मुझे से !''

''तो क्या कमाल करती हूं ! तुम नहीं करते ?''

''करता हूं। तुमसे कहीं ज्यादा करता हूं।''

''ये तो खैर नहीं हो सकता। बेतहाशा, बेपनाह प्यार औरत ही कर सकती है।''

''आई बड़ी औरत। अभी नाक पोंछने का शऊर नहीं।''

''मैं बालिग हूं। चार साल हो गये बालिग हुए।''

''नन्हीं मुन्नी गुड़िया हो।''

''जैसी भी हूं, तुम्हारी हूं। और तुम मेरे हो। मैं तुम्हारे बिना''—सुरभि का कण्ठ फिर भर्रा गया— ''अपने जीवन की कल्पना नहीं कर सकती।''

''मैं क्या कर सकता हूं !''

''ठीक ! हम दोनों एक दूसरे के लिए बने हैं। तुम हो तो मैं हूं। तुम नहीं तो मैं नहीं।''

''मैं तुम्हारा अहसानमन्द हूं कि...''

''चुप करो। मुहब्बत में कोई किसी पर अहसान नहीं करता...''

तभी परे खड़े हवलदार ने इशारा किया कि मुलाकात का वक्त खत्म था।

''जाती हूं।''—वो उठ खड़ी हुई— ''एक वादा करो ?''

''क्या ?''

''मन में निराशा नहीं लाओगे। मौत का खयाल भी नहीं करोगे।''

''ठीक है।''

''देख लेना, सैशन से तुम बाइज्जत बरी होंगे। गणपति बप्पा बहुत जल्द तुम्हारे सब संकट, तमाम दुश्वारियां दूर करेंगे।''

''मैं उस दिन का इन्तजार करूंगा।''

''मेरा विश्वास कहता है ज्यादा इन्तजार नहीं करना पड़ेगा। जाती हूं।''

शिवराज अटवाल अपने डेंटल सर्जन के क्लीनिक में हाजिरी भर रहा था।

अपनी अप्वायन्टमेंट के टाइम पर वो उसकी डेंटिस्ट चेयर पर मौजूद था।

दस तारीख के बाद उसी रोज चैक अप के लिए उसका वहां बुलावा था।

डाक्टर का नाम विनीत पारेख था।

''मिस्टर अटवाल'' — डाक्टर अपना काम करता बोला — ''आपकी दस अगस्त की लास्ट अप्वायन्टमेंट के बाद से ही मैं आपके बारे में सोच रहा था। कत्ल को महीना होने को आ रहा है, फिर भी इस खयाल से मेरे शरीर में झुरझुरी दौड़ जाती है कि ऐसे ही जब आप यहां मेरी डेंटल चेयर पर लेटे हुए थे, क्रिस्टल लॉज में तब आपका एम्पलायर अपने बैडरूम में मरा पड़ा था।''

अटवाल ने अवसादपूर्ण भाव से सहमति में सिर हिलाया।

''ओवरकंफीडेंस में मारा गया बेचारा। समझता था वो इलाके का इतना बड़ा आदमी था कि कोई उसकी तरफ टेढ़ी आंख नहीं उठा सकता था, कत्ल तो बहुत दूर की बात थी। जबकि यूं समझो कि कोई टहलता हुआ आया और मार के टहलता हुआ चलता बना। कोई रोकने वाला नहीं, कोई टोकने वाला नहीं। एस्टेट की रखवाली के लिए दो सिक्योरिटी गार्ड रख लेता, कोई अलार्म सिस्टम इंस्टाल करवा लेता, कोई सीसीटीवी कैमरा सर्वेलेंस का ही इन्तजाम करवा लेता तो क्यों वो नौबत आती !''

''ठीक।''

''आपके तो छक्के छूट गये होंगे उसे बैडरूम में मरा पड़ा देख कर !''

''लगता है आपने पेपर में या टीवी पर न्यूज को ठीक से फालो नहीं किया। लाश मैंने नहीं बरामद की थी। शाम को मेरे लॉज पर लौटने से पहले ये काम राजपुरिया साहब का भतीजा कर चुका था।''

''ओह, हां। माई मिस्टेक। भतीजा, शायद शान्तनु नाम था !''

''हां।''

''वो शाम को अंकल से मिलने आया था तो मालूम पड़ा था कि अंकल तो सुबह से लॉज में मरा पड़ा था !''

''हां।''

''बड़ा सदमा पहुंचा होगा बेचारे को !''

''पहुंचना ही था। राजपुरिया साहब उसके सरपरस्त थे, वो उनकी इतनी इज्जत करता था। यूं तो कोई गैर दुनिया से उठ जाये तो दुख होता है, राजपुरिया साहब तो फिर उसके सगे अंकल थे।''

''यू सैड इट, मिस्टर अटवाल। बहरहाल पुलिस ने भी काबिलेतारीफ फुर्ती और मुस्तैदी दिखाई जो इतनी जल्दी कातिल को गिरफ्तार कर लिया। क्या नाम था?''

''कमलेश दीक्षित।''

''हां, कमलेश दीक्षित। एस्टेट का मुलाजिम रह चुका था न! सुना है राजपुरिया साहब ने खड़े पैर बहुत बेइज्जत करके नौकरी से निकाला था!''

''खड़े पैर निकाला था लेकिन बेइज्जत करके निकालने वाली कोई बात नहीं थी। राजपुरिया साहब सख्तमिजाज आदमी थे, डिसिप्लिन के कायल थे, अपने मिजाज के मुताबिक उन्होंने सख्ती बरती थी, बस।''

''हूं। सुना है उस छोकरे के खिलाफ केस में कोर्ट में आपकी भी गवाही हुई थी!''

''हां। लोअर कोर्ट में हुई थी। हो सकता है सैशन में भी हो।''

''सैशन का ट्रायल को बड़ा माना जाता है, मिस्टर अटवाल, क्या पता आपकी तसवीर पेपर में! या आप टीवी पर दिखाये जायें!''

''अरे, कहां! रूटीन गवाह की कौन परवाह करता है!''

तदोपरान्त दस मिनट अटवाल को बोलना बन्द करना पड़ा।

डेंटिस्ट अपना काम करता रहा और साथ साथ केस पर अपना तबसरा जारी करता रहा, उसकी बाबत अपने खयालात जाहिर करता रहा।

उस दौरान अटवाल का मुंह पूरा खुला रहा।

''क्या खयाल है''—डाक्टर अपने काम से निपटा तो उसने उत्सुक भाव से पूछा—''फांसी होगी!''

''पता नहीं।''—अटवाल बोला—''शायद न हो।''

''क्या मतलब? छूट जायेगा?''

''छूट कैसे जायेगा? इतने अकाट्य सबूत उसके खिलाफ हैं, छूट कैसे जायेगा?''

''लेकिन आपने कहा फांसी शायद न हो!''

''फांसी न हो कहा न! ये तो नहीं कहा न कि सजा न हो! जज को रहम आ गया, उसने फांसी की सजा न सुनायी तो उम्र कैद तो यकीनन होगी।''

''ओह! मैं समझा फांसी नहीं होगी कह कर आप कह रहे हैं कि बरी हो जायेगा।''

''नो चांस।''

''कितना टाइम उसने एस्टेट में काम किया था?''

''दो महीने।''

''इतने में तो आप उससे खूब अच्छी तरह से वाकिफ हो गये होंगे !''

''हां।''

''कैसा था मिजाज का ?''

''ठीक ही था।''

''कोई होमीसिडल टेंडेंसी झलकती थी मिजाज से ?''

''नहीं, बिल्कुल नहीं। उसके मिजाज में ऐसा कुछ होता तो क्या वो राजपुरिया साहब की पैनी, तजुर्बेकार निगाह में आने से बचा होता ! दो दिन में निकाल बाहर करते।''

''कमाल है फिर भी ! एस्टेट में एक कातिल बसा हुआ था और किसी को अहसास न हुआ !''

''होता है। कई बार जो चीज ऐन आंखों के सामने हो, वही दिखाई नहीं देती।''

''सही कहा आपने।''

''बाई दि वे, पूछताछ के लिए पुलिस क्या आपके पास भी पहुंची थी ?''

''मेरे पास !'' — डेंटिस्ट तनिक हड़बड़ाया।

''हां।''

''मेरे पास किस लिये ?''

''मैंने अपने बयान में दस अगस्त की—यानी कि वारदात वाले दिन की—अपनी यहां अप्वायन्टमेंट के बारे में पुलिस को बताया था। सोचा, शायद तसदीक के लिए वो लोग आपके पास पहुंचे हों ! गवाहों के बयानों को क्रॉसचैक करना पुलिस की रूटीन होती है न !''

''अच्छा वो ! मैं कुछ और समझा था।''

''आप क्या समझे थे ?''

''मैं समझा था आप खास मेरे से पूछताछ की बाबत सवाल कर रहे थे। भई, एक हवलदार यहां आया तो था लेकिन जो उसने पूछना था, स्टाफ से ही पूछा था, जो तफ्तीश, तसदीक उसने करनी थी, मेरी नर्स से ही कर के चला गया था। मैं तब पेशेंट के साथ बिजी था और वो रुकना नहीं चाहता था। रुकता, इन्तजार करता तो मेरा बयान भी यही होता, मैं गारन्टी के साथ बोलता कि कत्ल के वक्त मौकायवारदात से दूर आप तब ऐसे ही मेरी इस डेंटल चेयर पर लेटे हुए थे जैसे कि इस वक्त लेटे हुए हैं।''

अटवाल ने सहमति में सिर हिलाया।

''राजपुरिया साहब का तो'' — फिर बोला— ''मेरे यहां पहुंचने से काफी पहले ही कत्ल हो गया हुआ बताते हैं एक्सपर्ट्स। इस लिहाज से आप जो कहते,

वो गारन्टी के साथ तो न कह पाते !''

''क्यों न कह पाता? आप शायद भूल गये हैं कि उस रोज आप अपनी अप्वायन्टमेंट के शिड्यूल्ड टाइम से डेढ़ घन्टा पहले आये थे। शिड्यूल्ड टाइम पर आये होते तो मेरी गारन्टी में शायद कोई कसर रह जाती। लेकिन आप तो पहले आये, बहुत पहले आये, पूरा डेढ़ घन्टा पहले आये। सच पूछें तो मुझे तो अन्देशा हुआ था कि आप अर्ली, प्रीपोंड अप्वायन्टमेंट पर पहुंच ही नहीं पायेंगे।''

''बहरहाल'' — अटवाल चेयर पर से उठ खड़ा हुआ — ''मुझे आपकी या किसी की एलीबाई की जरूरत नहीं है क्योंकि मर्डर सस्पैक्ट में नहीं हूं, कत्ल का इलजाम मेरे ऊपर नहीं है।''

''आप पर काहे को होगा ! यू आर सच ए नाइस मैन। और फिर कातिल तो गिरफ्तार है। नो?''

''यस। एण्ड थैंक गॉड फार दैट।''

उसने डाक्टर की फीस अदा की और वहां से रुखसत हुआ।

मंगलवार : तेरह सितम्बर

मंगलवार तेरह सितम्बर को डिस्ट्रिक्ट एण्ड सैशन कोर्ट में कमलेश दीक्षित का केस लगा। सुनवाई की कार्यवाही शुरू हुई।

''मुलजिम कमलेश दीक्षित हाजिर है?'' —जज ने पूछा।

जवाब में मुलजिम ने खड़े होकर अपनी हाजिरी की तसदीक की।

''सरकारी वकील हाजिर है।''

''यस, योर ऑनर।'' —सपन सोलंकी बोला — ''मैं और मेरे बॉस नकुल बिहारी आनन्द प्रासीक्यूशन का केस पेश करेंगे।''

हैरानी से जज की भवें उठीं।

''मिस्टर आनन्द कोर्ट में हैं?'' —उसने पूछा।

''अभी नहीं हैं, योर ऑनर, लेकिन आते ही होंगे।''

''डिफेंस अटर्नी हाजिर है?''

''यस, योर ऑनर।'' —मुकेश उठकर बोला —''आई एम एडवोकेट मुकेश माथुर। आई अलांग विद माई कलीग एडवोकेट सुधीर पसारी, हू इज प्रेजेंट हेयर विद मी, विल बी रिप्रेजेंटिंग दि डिफेंडेंट इन दिस केस।''

''मुलजिम पर कत्ल का इलजाम है, लोअर कोर्ट में उसके अपराध को

स्थापित करते पर्याप्त प्रमाण पाये गये थे। क्या मुलजिम इस हकीकत से वाकिफ है?''

''यस, योर ऑनर।''

''क्या मुलजिम अपना अपराध कुबूल करता है?''

''नो, योर ऑनर। मुलजिम का पुरजोर इसरार है कि वो बेगुनाह है।''

''उसपर इलजाम है कि वो बुधवार, दस अगस्त की सुबह चोरों की तरह मकतूल की एस्टेट में दाखिल हुआ, आगे लॉज में पहुंचा जहां कि उसने एस्टेट के मालिक और अपने भूतपूर्व एम्पलायर अभय सिंह राजपुरिया का कत्ल किया और वहां उपलब्ध बीस हजार की रकम की चोरी की। क्या मुलजिम अपने पर लगे इलजामात की गम्भीरता को समझता है?''

''यस, योर ऑनर।''

''प्रासीक्यूशन मे प्रोसीड विद पुटिंग अप हिज केस।''

जवाब में सोलंकी कोई पौना घन्टा बोलता रहा। उसने विस्तार से सैशन जज को मुलजिम के खिलाफ 'अकाट्य' सबूतों की बाबत बताया, उन गवाहों की बाबत बताया जिन्हें मुलजिम के खिलाफ केस मजबूत करने के लिए लोअर कोर्ट में तलब किया गया था और लोअर कोर्ट में रिकार्ड किये गये उनके बयानों की समरी प्रस्तुत की।

''योर ऑनर'' —आखिर में वो बोला— ''मैं इसे दुर्भाग्यपूर्ण मानूंगा कि मुलजिम शुरू से ही अपने पर लगे इलजाम को नकारता चला है जबकि खूब जानता है, खूब समझता है कि उसके खिलाफ जो सबूत उपलब्ध हैं, वो हिलाये नहीं जा सकते, वो उसको अपराधी सिद्ध करने के लिए पर्याप्त से ज्यादा हैं। उसने अपने मामूली व्यक्तिगत लाभ के लिए—महज बीस हजार रुपये की मामूली रकम के लिए—एक वयोवृद्ध व्यक्ति को बेरहमी से मौत के घाट उतारा है, उसने एक जघन्य अपराध किया है जिसके लिए वो इस अदालत में सख्त से सख्त सजा पाये, ऐसी मेरी योर ऑनर से गुजारिश है ताकि ऐसे और नौजवानों को इबरत हासिल हो और वो इस नौजवान की तरह खून से हाथ रंगने की जुर्रत न करें।''

जज ने मशीनी अंदाज से सहमति में सिर हिलाया।

उस दौरान नकुल बिहारी आनन्द की वहां आमद हुई। वृद्ध अपने मातहत के बाजू में मौजूद एक खाली कुर्सी पर जा बैठे।

फिर प्रासीक्यूशन ने गवाही के लिए शिवराज अटवाल को पेश किया।

उसने अपनी गवाही में मोटे तौर पर वही कुछ कहा जो लोअर कोर्ट में कहा था।

''गुड।''—सोलंकी सन्तुष्टिपूर्ण भाव से बोला, फिर मुकेश से मुखातिब हुआ— ''मेरे फाजिल दोस्त गवाह से कुछ पूछना चाहते हैं।''

मुकेश ने तत्काल उत्तर न दिया, उसने पसारी से खुसर पुसर की।

''वही कुछ दोहरा दिया इसने।''—मुकेश चिन्तित भाव से फुसफुसाया—''मेरे पूछे भी अपना रिकार्ड रीप्ले कर देगा।''

''फिर भी पूछो।''—पसारी ने वैसे ही फुसफुसाते आग्रह किया—''कुछ भी पूछो। नहीं पूछोगे तो जज को गलत सिग्नल जायेगा।''

''क्या पूछूं?''

''कुछ भी। अपनी कल्पना के घोड़े दौड़ाओ, अपने आप कुछ सूझेगा।''

''मिस्टर माथुर!''—जज अप्रसन्न भाव से बोला।

''यस, योर ऑनर।''

''प्रोसीड विद युअर क्रॉसक्वेश्चनिंग''—जज एक क्षण ठिठका, फिर बोला—''इफ ऐनी।''

''यस, योर ऑनर।...मिस्टर अटवाल?''

''सर!''—अटवाल बोला।

''आपकी जाती जानकारी में अपनी मुलाजमत के दौरान मुलजिम कमलेश दीक्षित ने कभी कोई धृष्ट हरकत की थी? कभी किसी से कोई बेअदबी की थी?''

अटवाल सोचने लगा।

''सिम्पल सवाल है। इतना सोचने वाली कौन सी बात है?''

''मैं याद करने की कोशिश कर रहा था।''

''गुड! क्या याद आया?''

''नहीं।''

''क्या नहीं?''

''मुलजिम ने कभी कोई धृष्ट हरकत नहीं की थी, कभी कोई बेअदबी नहीं की थी।''

''अपना काम जिम्मेदारी से, लगन से, मेहनत से करता था?''

''ऑब्जैक्ट!''—आनन्द साहब बोले।

''आन वाट ग्राउन्ड!''—सोलंकी सकपकाया सा बोला।

वृद्ध ने ग्राउन्ड बताई।

''ऑब्जेक्शन, योर ऑनर!''—सोलंकी उच्च स्वर में बोला—''दिस इज आस्किंग फार कनक्लूजन आफ विटनेस।''

''नो, योर ऑनर''—मुकेश बोला—''दिस इज आस्किंग फार ऑब्जरवेशन आफ विटनेस।''

''ऑब्जेक्शन ओवररूल्ड।''—जज बोला—''गवाह जवाब दे।''

''वो...वो...''—अटवाल बोला—''सवाल क्या था?''

''मुलजिम अपना काम'' —मुकेश ने सवाल दोहराया— ''जिम्मेदारी से, लगन से, मेहनत से करता था?''

''जी हां।''

''हमेशा?''

''जी हां।''

''अपने काम में कभी कोई कसर नहीं छोड़ता था?''

''जी हां।''

''मकतूल का मुलजिम से दिल भीगता था?''

''मुझे नहीं मालूम दिल कैसे भीगता है! या दिल भीगने का क्या मतलब होता है!''

''क्यों नहीं मालूम? दिल भीगना एक आम मुहावरा है।''

''मैं इससे वाकिफ नहीं।''

''मकतूल मुलजिम को पसन्द करता था? डिड ही अप्रूव आप हिम?''

''मुझे अप्रूवल की कोई खबर नहीं।''

''लेकिन पसन्दगी की तो होगी! ये तो मालूम होगा कि मकतूल को मुलजिम से बतौर मुलाजिम कोई शिकायत थी या नहीं?''

''मेरे खयाल से कोई शिकायत नहीं थी।''

''होती तो पहले ही डिसमिस कर दिया गया होता। नहीं?''

''जी हां।''

''तो फिर खयाल से क्यों कहते हैं? यकीन से कहिये कि कोई शिकायत नहीं थी!''

''कोई शिकायत नहीं थी। थी तो कभी जाहिर नहीं की थी।''

''होती तो करते?''

''क्यों न करते? जरूर करते। आखिर मालिक थे।''

''नहीं की तो मतलब ये न हुआ कि नहीं थी?''

''ओके। ओके। नहीं थी।''

''आप भड़क कर जवाब दे रहे हैं!''

''ऐसी कोई बात नहीं।''

''गुड। मुलजिम को मकतूल से कोई शिकायत थी?''

''डिसमिसल की नौबत आने तक तो नहीं थी!''

''नौकरी से निकाल दिये जाने के बाद आपने कभी मुलजिम को अपने एम्पलायर के खिलाफ बोलते सुना? कोई धमकी वाली जुबान बोलते सुना?''

''जी नहीं।''

''कभी बोला कि वो अपने अपमान का बदला लेगा?''

''नहीं।''

''थैंक्यू, मिस्टर अटवाल।''

''अभी रुकिये, मिस्टर अटवाल''—सोलंकी जल्दी से बोला—''रिड्रैसल में प्रासीक्यूशन भी आपसे कुछ पूछना चाहता है।''

अटवाल ठिठका।

''अभी डिफेंस ने वैरभाव, अपमान, धमकी जैसे लफ्ज इस्तेमाल किये, उनके सन्दर्भ में आपसे मेरा सवाल है कि मुलजिम को नौकरी से निकाले जाने के और उसके एस्टेट छोड़कर जाने के बीच टाइम के लिहाज से कितना वक्फा था?''

''यही कोई एक डेढ़ घन्टे का। मार्निंग में उसे डिसमिस किया गया था और दोपहर से पहले वो एस्टेट छोड़कर चला गया था।''

''यानी कि इतनी इमोशंस जाहिर करने का—धमकाने का, वैरभाव का प्रदर्शन करने का, अपमान का बदला लेने की घोषणा करने का—पर्याप्त टाइम तो उसे नहीं मिला था!''

''योर ऑनर''—मुकेश बोला—''मैं नहीं समझता कि इस बात का कोई गज मुकर्रर है कि कितने वक्फे में कितनी इमोशंस का इजहार किया जा सकता है। दूसरे, रीड्रैसल को अपने ही गवाह को उसके बयान से हिलाने का जरिया बनाना गलत है, बेजा हरकत है।''

''विद ड्रा!''—आनन्द साहब फुसफुसाये।

''मुझे गवाह से और कुछ नहीं पूछना। यू मे स्टैप डाउन, मिस्टर अटवाल।''

अगला गवाह शान्तनु राजपुरिया था।

उसने भी सैशन में ऐसा कुछ न कहा जो कि वो लोअर कोर्ट में पहले नहीं कह चुका था।

''योर विटनेस।''—सोलंकी बोला।

''मिस्टर राजपुरिया''—मुकेश बोला—''इट्स ए मैटर आफ रिकार्ड कि अपने अंकल की लाश आपने बरामद की थी।''

''जी हां।''—शान्तनु संजीदगी से बोला।

''फर्स्ट फ्लोर के बैडरूम में, जो कि मास्टर बैडरूम कहलाता है!''

''जी हां।''

''बैडरूम में—यानी कि मौकायवारदात पर—आपने कोई बेतरतीबी पायी थी? जैसे कि परे मकतूल का खुला बटुवा पड़ा था, करीब एक कुशन लुढ़का पड़ा था?''

''जी हां।''

''जो कि उस कुशन के अलावा था जो कि लाश के मुंह के नीचे दबा था?''

''जी हां।''

''दोनों कुशन का असली मुकाम कहां था?''

''रिक्लाइनर पर।''

''यानी जब जीटाप्लैक्स के ओवरडोज के असर में रिक्लाइनर पर से आपके अंकल गिरे तो उनके साथ रिक्लाइनर पर मौजूद दो कुशन भी गिर गये जिनमें से एक उनके औंधे मुंह के नीचे आ गया?''

''ऐसा ही जान पड़ता था।''

''बटुवा खिड़की के करीब क्यों पड़ा था?''

''मुलजिम ने नोट निकाल कर उसे फेंका होगा तो वो खिड़की के करीब जा कर गिरा होगा!''

''योर ऑनर''—सोलंकी तिक्त भाव से बोला—''मेरी समझ में नहीं आता कि इन सवालों का प्रयोजन क्या है?''

''मैं सीन आफ क्राइम को रीकंस्ट्रक्ट करने की कोशिश कर रहा हूं।''—मुकेश बोला।

''जो काम पहले ही पूरी दक्षता से पुलिस कर चुकी है और जिसकी बाबत हर बात, बमय तसवीरें, रिकार्ड में मौजूद है...''

''डिफेंस की खुद की रीकंस्ट्रक्शन पर कोई पाबन्दी आयद होती है?''

''ओके। ओके। कीप युअर शर्ट ऑन प्रॉसीक्यूशन अपना ऐतराज वापिस लेता है।''

''थैंक्यू! मुझे गवाह से और कुछ नहीं पूछना।''

शान्तनु के चेहरे पर सख्त हैरानी के भाव आये। वो उम्मीद कर रहा था कि अंकल की फोन काल की बाबत डिफेंस द्वारा उससे कुल जहान के सवाल पूछे जायेंगे और वो उनका सामना करने को खूब तैयारी कर के आया था लेकिन वहां तो फोन काल का जिक्र भी नहीं उठा था।

उसने उलझनपूर्ण भाव से सरकारी वकील की तरफ देखा और फिर कठघरा छोड़ दिया।

आगे प्रासीक्यूशन ने बतौर गवाह शिशिर शिन्दे को पेश किया।

वो कठघरे में जा कर खड़ा हुआ। उसकी दिलेर निगाह सारे कोर्ट में फिरी और फिर झुक गयी। फिर उसने सोलंकी के प्रोत्साहन पर लोअर कोर्ट में दिया अपना बयान दोहराया।

फिर डिफेंस की बारी आई।

''मेरी तरफ तवज्जो दो।''—मुकेश स्थिर स्वर में बोला।

गवाह ने उसकी तरफ सिर उठाया।

''तुम्हारे मुंह में क्या है?''

''मुंह में!''—गवाह हड़बड़ाया।

''चिंगम है तो चबाना बन्द करो।''

गवाह के मशीन की तरह चलते जबड़ों को ब्रेक लगी।

''तुम्हारी यहां हाजिरी गवाही के लिए है, चिंगम चबाने के लिए नहीं।''

''आई एम सॉरी...''

मुकेश ने घूर कर उसे देखा।

''सर।''—गवाह ने जल्दी से जोड़ा।

''तुमने मुलजिम के खिलाफ गवाही क्यों दी?''

''मैं समझा नहीं।''—गवाह नकली विनय भाव से बोला।

''क्यों नहीं समझे? मैंने फारसी बोली है?''

''ऑब्जेक्शन, योर ऑनर!''—सोलंकी बोला—''मेरे फाजिल दोस्त गवाह को डांट रहे हैं। उसे धमकाने की कोशिश कर रहे हैं।''

''मैं गवाह का पाखण्ड उजागर करने की कोशिश कर रहा हूं। वो सब समझता है फिर भी कहता है समझता नहीं। इतना नादान गवाह नहीं जान पड़ता।''

''आई एडवाइस दि डिफेंस''—जज बोला—''टु बी पोलाइट एण्ड रीजनेबल टु दि विटनेस।''

''आई एम सॉरी, योर ऑनर।''—मुकेश बोला और फिर गवाह से मुखातिब हुआ—''मेरा सवाल ये है कि किस बात से प्रेरित होकर तुम चौकी गये और मुलजिम की बाबत अपना बयान दिया...बोला कि तुमने मुलजिम को देखा था।''

''अच्छा वो!''

''हां, वो।''

''गॉड आलमाइटी ने प्रेरित किया। अन्दर से आवाज आयी कि मुझे एक जिम्मेदार शहरी के तौर पर अपनी जिम्मेदारी को समझना चाहिये था और पुलिस को बताना चाहिये था।''

''और कोई वजह नहीं थी?''

''और क्या वजह होती!''

''मैं तुमसे पूछ रहा हूं। सवाल मैंने किया है।''

''नहीं, और कोई वजह नहीं थी।''

''सोच कर जवाब दो।''

''सोच कर ही जवाब दिया है।''

''तुम्हारी मुलजिम के खिलाफ गवाही के पीछे असल में कोई और वजह थी, और ये बात मैं तुमसे पूछ नहीं रहा हूं, तुम्हें बता रहा हूं।''

''म-मैं...समझा नहीं।''

''मैं समझाता हूं। तुम एक लम्पट, विलासी प्रवृत्ति के नौजवान हो। अपनी फितरत के तहत तुम पंजे झाड़ के सुरभि शिन्दे नाम की लोकल युवती के पीछे पड़े थे जिसकी बाबत तुम बाखूबी जानते थे कि वो मुलजिम कमलेश दीक्षित की गर्लफ्रेंड थी। मुलजिम के टोकने पर भी तुम अपने नापाक इरादों से बाज नहीं आये थे, तुमने सुरभि शिन्दे के साथ बद्सलूकी तक की थी, सरेराह उसको थाम लेने के जुर्रत की थी और तब मुलजिम ने बीच बचाव किया था और उस कोशिश में बाकायदा तुम्हारी पिटाई की थी। इस बात से खुन्दक खाकर, अपने अपमान से तड़प कर तुमने मुलजिम की वाट लगाने की कोशिश में उसके खिलाफ गवाही दी थी। ये बात न होती तो तुमने गवाही देने जाने की, कोर्ट में सरकारी गवाह बनने की जहमत न की होती। कहो कि मैं गलत कह रहा हूं!''

''आप गलत कह रहे हैं। ऐसी कोई बात नहीं थी।''

''तो क्या बात थी?''

''मैंने जो किया, अपना फर्ज जान के किया। अपना फर्ज निभाया मैंने।''

''ये फरेबी बात है...''

''गवाही तो गवाही है।''—नकुल बिहारी आनन्द अपने मातहत के कान में फुसफुसाये।

सोलंकी ने सहमति में सिर हिलाया।

''योर ऑनर''—फिर कोर्ट से सम्बोधित हुआ—''इस बात से कोई फर्क नहीं पड़ता कि गवाह ने गवाही किस जज्बात के हवाले होकर दी। अहमियत इस बात की है कि गवाही मौकायवारदात के करीब मुलजिम की मौजूदगी को निर्विवाद रूप से स्थापित करती है।''

''आई ऑब्जेक्ट, योर ऑनर''—मुकेश उच्च स्वर में बोला—''निर्विवाद रूप से नहीं स्थापित करती। बल्कि करती ही नहीं। वो गवाही माहौल के मुताबिक गढ़ी हुई है और खुन्दक में, बदले की भावना से प्रेरित होकर दी गयी है। गवाह ने मुलजिम के खिलाफ जो कहा, उसका अहित करने के लिए, उसके हाथों हुए अपने घोर अपमान का बदला लेने के लिए कहा, अपने अन्तर में धधकती प्रतिशोध की ज्वाला को ठण्डी करने के लिए कहा। मुलजिम कहता है वो एस्टेट पर नहीं था, गवाह कहता है वो था। इट इज हिज वर्ड अगेंस्ट माई क्लायन्ट्स वर्ड एण्ड दैट्स

आल। प्रासीक्यूशन के पास अपने इस गवाह की गवाही की प्रमाणिकता स्थापित करने का कोई जरिया नहीं है। है तो मैं मांग करता हूं कि प्रासीक्यूशन उसे कोर्ट के समक्ष रखे।''

जज ने प्रासीक्यूशन के वकील साहबान की तरफ देखा।

सोलंकी और उसके बॉस में खुसर पुसर हुई।

''गवाह झूठ क्यों बोलेगा?''—सोलंकी बोला।

''वजह मैंने बयान की है।''—मुकेश बोला।

''वो फर्जी है, और गवाह पर नाजायज तौर पर थोपी जा रही है। वो डिफेंस की इस गवाह की गवाही को डिस्क्रेडिट करने की डेस्प्रेट अटैम्प्ट है। इसलिये मेरा सवाल अपनी जगह पर कायम है—गवाह झूठ क्यों बोलेगा?''

''मुलजिम झूठ क्यों बोलेगा?''

''क्योंकि उसकी जान पर बनी है। क्योंकि वो एक जघन्य अपराध के तहत गिरफ्तार है जो साबित हो गया तो फांसी पर झूलेगा।''

''साबित हो गया तो! फिलहाल उस बाबत दिल्ली अभी दूर है।''

''मेरी डिफेंस से दरख्वास्त है कि वो ये न भूले कि इस गवाह की गवाही मुलजिम के खिलाफ इकलौता सबूत नहीं है, और भी सबूत हैं जो निर्विवाद रूप से मुलजिम की मौकायवारदात पर मौजूदगी को स्थापित करते हैं। किसी एक सबूत में डिफेंस कोई छेद करने में कामयाब हो भी जाये तो भी वो कामयाबी कोई मायने नहीं रखती क्योंकि तमाम सबूत मिल कर एक दूसरे को मजबूत बनाते हैं और मजबूती की वो दीवार लाख सिर फोड़ने पर भी हिलने वाली नहीं।''—सोलंकी एक क्षण को श्रोताओं पर अपने उस वक्तव्य का प्रभाव देखने के लिए ठिठका, फिर बोला—''प्रासीक्यूशन को इस सिलसिले में अब और कुछ नहीं कहना।''

''डिफेंस को?''—जज बोला।

''नो, योर ऑनर।''—मुकेश बोला।

''इन दैट केस प्रासीक्यूशन मे गैट आन विद हिज नैक्स्ट विटनेस।''

प्रासीक्यूशन का अगला गवाह पुलिस का मैडिकल एक्सपर्ट डाक्टर वी.आर. सालवी था।

उसने भी प्रासीक्यूशन की प्राम्पटिंग पर अपना वही बयान अक्षरश: दोहराया जो कि वो लोअर कोर्ट में दे चुका था।

गवाह डिफेंस के हवाले हुआ तो मुकेश ने सवाल किया—''डाक्टर सालवी, आपने लोअर कोर्ट में अपने बयान में कहा था कि मकतूल की मौत दम घुटने से हुई थी?''

"जी हां।" — डाक्टर संजीदगी से बोला — "यहां भी यही कहा है।"

"ठीक। ठीक। आपने कहा, अपने पिछले बयान की तसदीक की, कि मकतूल ने जीटाप्लैक्स का जो ओवरडोज खाया था, वो मौत की वजह नहीं था!"

"नहीं, वो मौत की वजह नहीं था।"

"गुड। अब फर्ज कीजिये कि..."

"मिस्टर माथुर" — एकाएक जज बोला — "कोर्ट आपको टोकना नहीं चाहता लेकिन आपके इस लाइन आफ क्वेश्चनिंग पर आगे बढ़ने से पहले कोर्ट कुछ जानना चाहता है, कुछ समझना चाहता है।"

"यस, योर ऑनर।" — मुकेश अदब से बोला।

"अपने क्लायन्ट के डिफेंस के सिलसिले में आपका जोर इस बात पर जान पड़ता है कि आपके क्लायन्ट का — इस केस में मुलजिम का — कत्ल से कोई लेना देना नहीं क्योंकि वो वारदात के वक्त कहीं और था। नो?"

"यस, योर ऑनर।"

"तो फिर डाक्टर सालवी से इनके मैडीकल एग्जामिनेशन की बाबत जिरह करने से आपको क्या हासिल होगा? जब आपका दावा है कि मुलजिम का जीटाप्लैक्स के ओवरडोज से या दम घुटने के वाकये से कुछ लेना देना ही नहीं था तो इस गवाह की क्रॉसक्वेश्चनिंग से आप मुलजिम के हक में क्या स्थापित होने की अपेक्षा करते हैं?"

"मैं आपकी बात से सहमत हूं, योर ऑनर, कि..."

"हिज ऑनर को सहमति नहीं चाहिये, एक्सप्लेनेशन चाहिये। यू आर एडवाइज्ड टु एक्सप्लेन युअर लाइन आफ डिफेंस टु दि कोर्ट बिफोर यू प्रोसीड फरदर विद दिस विटनेस।"

"यस, योर ऑनर। बात सिम्पल है, योर ऑनर..."

"यू डोंट हैव टु ड्रा दिस कोर्ट ए डायग्राम। सिम्पल है या कम्पलीकेटिड है, एक्सप्लेन युअर स्टैण्ड।"

"यस, योर ऑनर! डिफेंस अपने इस स्टैण्ड पर कायम रहते, कि मुलजिम कमलेश दीक्षित ने कत्ल नहीं किया, कहना चाहता है कि प्रासीक्यूशन ने अभी तक यही दुहाई दी है कि ये कत्ल का केस है, एक कत्ल हुआ है जिसके लिए मुलजिम जिम्मेदार है लेकिन निर्विवाद रूप से ये स्थापित करने की कोई कोशिश नहीं की है कि वाकेई ये कत्ल का केस है, वाकई एक कत्ल हुआ है जिसके लिए भले ही कोई जिम्मेदार हो। प्रासीक्यूशन ने अपने मन माफिक तरीके से हालात का तबसरा कर लिया है और ये राग अलापना शुरू कर दिया है कि ये कत्ल का केस है।"

"तो और कैसा केस है?" — सोलंकी गुस्से से बोला।

''इसके एक्सीडेंटल डैथ का केस होने की पूरी सम्भावना है।''

''ओ, बौश एण्ड नानसेंस!''

''मिस्टर सोलंकी!''—जज चेतावनीभरे स्वर में बोला।

''आई एम सॉरी, योर ऑनर!''—सोलंकी ने तत्काल खेद प्रकट किया—''दैट काइन्ड आफ स्लिप्ड।''

''नेवर माइन्ड दैट नाओ।''—जज मुकेश की तरफ घूमा—''तो ये वजह है इस एक्सपर्ट विटनेस को डिफेंस द्वारा क्रॉसक्वेश्चन किये जाने की!''

''यस, योर ऑनर!''—मुकेश बोला—''इस केस में एक्सीडेंटल डैथ भी एक सम्भावना है जिसपर पहले विचार नहीं हुआ तो डिफेंस समझता है कि अब होना चाहिये।''

''ओके। यू मे प्रोसीड।''

''थैंक्यू, योर ऑनर। डाक्टर सालवी, कोर्ट का कम से कम वक्त जाया करते हुए बयान कीजिये कि क्या ये मुमकिन नहीं कि मकतूल के बेहोश हो कर गिरने पर संयोगवश—आई रिपीट, संयोगवश—उसके मुंह के नीचे फर्श पर लुढ़का पड़ा कुशन आ गया हो और उसका दम घुट गया हो?''

''आई ऑब्जेक्ट, योर ऑनर।''—तत्काल सोलंकी बोला—''मेरे फाजिल दोस्त अपनी ही कही दो बातों को एक दूसरे के खिलाफ खड़ा कर रहे हैं।''

''ऐक्सप्लेन।''—जज बोला।

''यस, योर ऑनर। लोअर कोर्ट में डिफेंस का इस बात पर जोर था कि जब मकतूल बेहोश होकर फर्श पर गिरा था तो तब माथा फर्श से टकराने की वजह से उसके माथे पर चोट आयी थी। तब इस बात को डिफेंस ने यूं इन्टरप्रेट किया था कि मकतूल के मुंह के नीचे कुशन किसी और ने रखा था। तब इनका दावा था कि मकतूल का मुंह इत्तफाकन फर्श पर लुढ़के पड़े कुशन पर नहीं जा पड़ा था क्योंकि जा पड़ने के लिए कुशन फर्श पर था ही नहीं, किसी ने बाद में कुशन औंधे मुंह के नीचे सरकाया था। अब ये अपनी एक्सीडेंटल डैथ वाली बात पर जोर देने के लिए अपना सबमिशन बदल रहे हैं और कह रहे हैं कि मकतूल के बेहोश होकर गिरने पर संयोगवश उसके मुंह के नीचे कुशन आ गया था और वो दम घुटने से मरा था।''

जज ने मुकेश की तरफ देखा।

मुकेश गड़बड़ाया, उसने पनाह मांगती निगाह से सुबीर पसारी की तरफ देखा।

पसारी ने अनभिज्ञता से कन्धे उचकाये।

मुकेश की निगाह प्रासीक्यूशन की सीटों की तरफ उठी तो उसने आनन्द साहब को मन्द मन्द मुस्कराते पाया।

''डिफेंस ने'' —जज बोला— ''इस बाबत कुछ कहना है?''

''यस, योर ऑनर।'' —मुकेश कठिन स्वर में बोला— ''मैं सरकारी वकील साहब को ये याद दिलाना चाहता हूं कि इन्होंने लोअर कोर्ट में प्रस्तुत की गयी मेरी पहली थ्योरी को सिरे से खारिज कर दिया था। ये ये ही मानने को तैयार नहीं थे कि मकतूल के माथे की चोट की वजह माथे का नंगे फर्श से जा टकराना था। अब मैंने अगर कोई वैकल्पिक थ्योरी इस कोर्ट के गौर फरमाने के लिए पेश की तो क्या गुनाह किया?''

''दोनों थ्योरियों के नतीजे जुदा हैं, मुख्तलिफ हैं।'' —सोलंकी बोला— ''डिफेंस की पहली थ्योरी थी कि किसी दूसरे जने ने, बाद में, मकतूल के मुंह के नीचे कुशन सरकाया ताकि बेहोशी की हालत में ही उसका दम घुट जाता। यानी कि तब डिफेंस ने इसे कत्ल का केस तसलीम किया था, भले ही कातिल किसी दूसरे —हमारी निगाह में काल्पनिक, नानएग्जिस्टेंट— शख्स को करार दिया था। अब इनका इस बात पर जोर है कि केस एक्सीडेंटल डैथ का था, मकतूल की मौत इत्तफाकन हुई थी।''

''थ्योरी भले ही मुख्तलिफ हैं, योर ऑनर'' —मुकेश बोला— ''लेकिन दोनों ही सूरतों में मेरे क्लायन्ट पर मरने वाले की मौत की जिम्मेदारी आयद नहीं होती। अपने क्लायन्ट के हक में जाने वाली हर सम्भावना को प्रोब करना, उसको ऑनरेबल कोर्ट की तवज्जो में लाना मेरा फर्ज है, धर्म है।''

''कबूल, लेकिन डिफेंस एक बात पर तो रहे!''

''मैं जरूरी नहीं समझता। मेरा डिफेंस दस बातों पर आधारित हो सकता है। प्रासीक्यूशन का काम है एक बात पर टिकना, टिके रहना कि मुलजिम कातिल है। ये वन प्वायन्ट प्रोग्राम प्रासीक्यूशन का होता है।''

''ऐसा होना स्वाभाविक होता है। प्रासीक्यूशन का काम मुलजिम को बेगुनाह साबित करना नहीं होता। उसको गुनहगार मान कर चलने में और केस में आगे बढ़ने में और सिरे तक पहुंचने में ही प्रासीक्यूशन की सार्थकता है।''

''हमें इससे कोई एतराज नहीं। प्रासीक्यूशन अपना काम करे, अपनी लीक पर चले लेकिन डिफेंस को अपनी लीक पर चलने से न रोके।''

''लीक कोई एक हो तब न!''

''डिफेंस अपने पर इस बन्दिश को जरूरी नहीं समझता।''

''लेकिन जब...''

''दैट विल बी एनफ।'' —जज दखलअन्दाज हुआ— ''मैं डिफेंस को अपने काम को अंजाम देने में पूरी छूट देने का तरफदार हूं। लिहाजा ऐज ए स्पेशल केस अदालत डिफेंस को अपनी नयी थ्योरी के तहत इस गवाह से अपना सवाल

पूछने की इजाजत देती है। सवाल दोहराया जाये।''

''थैंक्यू, योर ऑनर।''—मुकेश बोला—''डाक्टर सालवी, क्या ये मुमकिन नहीं कि मकतूल के बेहोश होकर गिरने पर संयोगवश—आई रिपीट, संयोगवश—उसके मुंह के नीचे फर्श पर पहले से लुढ़का पड़ा कुशन आ गया हो और उसका दम घुट गया हो?''

गवाह ने उस बात पर गम्भीर विचार किया।

''मुझे नहीं लगता''—फिर बोला—''कि ऐसा हुआ होगा।''

''मिस्टर सालवी, अदालत ये नहीं जानना चाहती कि आपको जाती तौर पर क्या लगता है, अदालत आपकी कनसिडर्ड, क्वालीफाइड ओपीनियन जानना चाहती है कि क्या इत्तफाकन... इत्तफाकन मकतूल का दम घुटा हो सकता है?''

''ये बहुत दूर की कौड़ी है...''

''दूर की है या करीब की है या दरम्याने फासले की है, ये बात छोड़िये; ये बात बताइये कि क्या मकतूल का इत्तफाकन दम घुटा हो सकता है?''

''हो...हो सकता है?''

''लेकिन''—सोलंकी बोला—''ये भी हो सकता है कि किसी ने कुशन मकतूल के मुंह के नीचे सरकाया हो ताकि उसका दम घुट जाता!''

''हो सकता है।''—गवाह बोला।

''तो फिर ये डेलीब्रेट मर्डर का केस हुआ या न हुआ?''

''ऐसा नतीजा निकालना मेरा काम नहीं।''

''अपनी एक्सपर्ट ओपीनियन पेश करना आपका काम है। क्या कहती है आपकी एक्सपर्ट ओपीनियन? ये डेलीब्रेट मर्डर का केस है या एक्सीडेंटल डैथ का केस है?''

''मैं इस सवाल का जवाब नहीं दे सकता।''

''आपने अभी डिफेंस की क्रॉसक्वेश्चनिंग के दौरान कहा था—बेहिचक नहीं कहा था लेकिन कहा था —कि ये एक्सीडेंटल डैथ का केस हो सकता था?''

''हां।''

''आपने कहा था कि इत्तफाकन दम घुटने से मौत हुई हो सकती थी?''

''मैंने कहा था कि इस बात की सम्भावना थी।''

''ठीक। ठीक। लेकिन ज्यादा सम्भावना किस बात की है? इत्तफाकन हुई मौत की या इरादतन किये गये कत्ल की!''

''इरादतन किये गये कत्ल की।''

''थैंक्यू।''—सोलंकी विजेता के भाव से मुकेश की तरफ देखता बोला।

मुकेश ने डाक्टर सालवी से और कोई सवाल न पूछा।

आगे फॉरेंसिक एक्सपर्ट पवन सहगल की बारी आयी।

सरकारी वकील के आग्रह पर अपने बयान को दोहराने में उसने पांच मिनट लगाये।

''मैं आपसे'' — अपनी बारी पर मुकेश बोला — ''मुलजिम के उस जूते की बाबत सवाल करना चाहता हूं जो कोर्ट में बतौर साक्ष्य जमा है, जिसकी बाबत आपने लोअर कोर्ट में भी और अब यहां भी अपनी क्वालीफाइड स्टेटमेंट दर्ज कराई।''

गवाह ने सहमति में सिर हिलाया।

''क्या ये सच नहीं है कि ये एक मास प्रोडक्शन की आइटम है, एक पापुलर ब्रांड का सस्ता जूता है, हजारों की तादाद में बनाया जाता है?''

''तादाद का मुझे पता नहीं।'' — गवाह बोला।

''मैंने तादाद का हवाला इस उम्मीद में नहीं दिया कि आप कारखाने जा कर गिनकर आये होंगे। मैंने एक जनरल बात कही।''

''मैं शू मैनुफैक्चरिंग को नहीं समझता। आई एम नाट इन दैट बिजनेस।''

''ये मास प्रोडक्शन की आइटम है...''

''मुझे इस बाबत कोई जानकारी नहीं।''

''लेकिन ये कामन सैंस की बात है कि मास प्रोडक्शन की ऐसी आइटम गिनती में दस बीस पचास तो नहीं बनती होगी...''

''सर, आई रिपीट, मैं शू मैनूफैक्चरिंग को नहीं समझता।''

''मैं कोशिश करता हूं आपकी समझ में इजाफा करने की।''

मुकेश ने पसारी को इशारा किया।

पसारी ने आगे खुले दरवाजे की तरफ इशारा किया।

तुरन्त बाद एक व्यक्ति एक बड़ी सी ट्राली ठेलता कोर्ट में दाखिल हुआ जिसपर उसकी नाक की ऊंचाई पर जूतों के डिब्बे लदे हुए थे।

''वाट्स दिस?'' — जज माथे पर बल डालता बोला।

''योर ऑनर'' — मुकेश ड्रामाई अन्दाज से बोला — ''ये वैसे सौ जोड़ी जूते हैं जैसे कि एक जोड़ी मुलजिम की मिल्कियत के तौर पर उसके खिलाफ बतौर सबूत कोर्ट में पेश की गयी है। मुझे खेद है शार्ट नोटिस पर अदालत में पेश करने के लिए मैं इतने ही जूतों का इन्तजाम कर पाया। अब मेरी गवाह से दरख्वास्त है कि वो ट्राली पर पहुंचे, एक एक जोड़ी का मुआयना करे और तसल्ली करे कि हर जोड़ी ऐन साक्ष्य के तौर पर अदालत में मौजूद जूतों के समान है और फिर कठघरे में लौट कर तसदीक करे कि अब वो मास प्रोडक्शन का मतलब समझता है।''

''योर ऑनर''—सोलंकी भड़के लहजे से बोला—''ये तमाशबीनी है! ग्रैंड स्टैण्ड है! कैसे डिफेंस को इस अदालत को सर्कस बना डालने की इजाजत दी जा सकती है!''

''डिफेंस ने ऐसा कुछ नहीं किया है। डिफेंस सिर्फ इस बात पर जोर देना चाहता है कि मुलजिम के पास से कब्जाये गये जूते में स्पैशल कुछ नहीं है, यूनीक कुछ नहीं है, वो मास प्रोडक्शन की आइटम है। मेरी दरख्वास्त है कि डिफेंस को उसके काम से रोकने टोकने की जगह प्रासीक्यूशन अपने गवाह को समझाये कि वो इस ढोंग से किनारा करे कि वो नहीं समझता कि मास प्रोडक्शन की आइटम क्या होती है वर्ना ट्राली में रखे जूतों को परखे और सीखे कि मास प्रोडक्शन की आइटम क्या होती है!''

''साबित क्या करना चाहते हो?''

''स्थापित करना चाहता हूं...स्थापित करना चाहता हूं कि ऐसी मास प्रोडक्शन की आइटम गिनती में कोई दस बीस पचास नहीं बनतीं। जब गवाह ने साक्ष्य के तौर पर प्रस्तुत जूते को पापुलर और सस्ता जूता माना तो ये भी कोई दस बीस पचास नहीं बनता होगा, इसकी प्रोडक्शन यकीनी तौर पर हजारों की तादाद में होगी, है। ताकीद है, मैंने लाखों में नहीं कहा। करोड़ों में नहीं कहा।''

''ओके, वुई ग्रांट इट टु यू कि ये जूता हजारों की तादाद में बनता होगा...''

''आपका ऐसा कहना काफी नहीं है। आप गवाह नहीं हैं। गवाही मिस्टर पवन सहगल की हो रही है जो कि इस वक्त गवाह के कठघरे में खड़े हैं। गवाह को ऐसा कहने का मशवरा दीजिये।''

सोलंकी ने गवाह को कोई खामोश इशारा किया।

''ठीक है।''—गवाह भुनभुनाया सा बोला—''जूता हजारों की तादाद में बनता होगा।''

''आप अहसान करके मेरी बात को ठीक करार दे रहे हैं, इसलिये ठीक करार नहीं दे रहे कि बात तर्क की कसौटी पर खरी उतरती है। इट स्टैण्ड्स टु रीजन।''

''नाहक बाल की खाल निकाल रहा है।''—आनन्द साहब फुसफुसाये।

''ऑब्जेक्शन, योर ऑनर।''—सोलंकी बोला—''गैरजरूरी सवालों में अदालत का टाइम जाया किया जा रहा है।''

''सफाई वकील अगला सवाल पूछें।''—जज बोला।

''यस, योर ऑनर।''—मुकेश बोला—''मिस्टर सहगल, जब ऐसा जूता हजारों की तादाद में बनता है तो जाहिर है कि हजारों लोग उसे पहनते भी होंगे! आप इस बात पर मेरे से सहमत हैं?

''जी हां।''

''और उन हजारों में से तमाम नहीं तो एक तिहाई, या आधे या एक चौथाई कत्ल की वारदात वाले दिन उस जूते को पहने होंगे!''

''मुमकिन है लेकिन मुलजिम के जूते की एक खास शिनाख्त भी तो थी!''

''वो क्या?''

''उसके दायें पांव का सोल एक खास तरीके से घिसा हुआ था।''

''और आप समझते हैं कि ये तो हो ही नहीं सकता कि किसी और वैसा ही जूता पहनने वाले के जूते का सोल उसी तरीके से घिसा हो! कईयों का नहीं तो दस बीस, दो चार का ही उसी तरीके से घिसा हो! किसी एक का ही उसी तरीके से घिसा हो!''

''ऑब्जेक्शन!''—सोलंकी बोला—''दिस काल्स फार कनक्लूजन आफ विटनेस।''

''सो वाट! ही इज एन एक्सपर्ट विटनेस। ये भी तो इस विटनेस का ही कनक्लूजन है कि मौकायवारदात पर से प्लास्टिक आफ पेरिस के जरिये उठायी गयी जूते की छाप मुलजिम के जूते के दायें पांव के सोल से मिलती है। जब वो एक बात कनक्लूड कर सकता है तो दूसरी क्यों नहीं कर सकता!''

''पहली बात तथ्यों पर आधारित है, गवाह के एक्सपर्ट, क्वालीफाइड काम का हिस्सा है, दूसरी गैसवर्क है।''

''इंटैलीजेंट गैसवर्क है और गवाह एक ईंटैलीजेंट शख्सियत है।''

''आल दि सेम इट इज गैसवर्क।''

''मैंने गवाह को कोई अटकल लगाने को नहीं बोला, उससे उसकी राय पूछी है, उसके सुपीरियर जजमेंट पर आधारित उसकी राय पूछी है।''

''दि ऑब्जेक्शन इज वैल टेकन''—जज बोला—''लेकिन कोर्ट ये सवाल पूछा जाने की इजाजत देता है क्योंकि उत्सुकतावश कोर्ट भी जवाब सुनना चाहता है।''

''जवाब दीजिये, मिस्टर सहगल।''—मुकेश बोला—''क्या प्लास्टिक आफ पेरिस के सांचे पर उपलब्ध जूते के सोल की छाप किसी और के, किसी दूसरे शख्स के जूते से बनी नहीं हो सकती?''

''होने को क्या नहीं हो सकता''—गवाह बोला—''लेकिन मेरी राय में वो छाप मुलजिम के जूते से ही बनी थी।''

''लेकिन...''

''जनाब, जब आप मेरी राय को एक्सपर्ट की राय मानते हैं, मेरे काम को एक्सपर्ट का काम मानते हैं, मेरे जजमेंट को सुपीरियर मानते हैं तो मैंने जो राय जाहिर की है उसमें 'लेकिन' की कहां गुंजाइश है? उसपर सवालिया निशान लगाने का

क्या मतलब है?''

मुकेश मुंह बाये गवाह को देखने लगा।

सोलंकी मुस्कराया। आनन्द साहब की मुस्कराहट और मुखर हुई।

क्षण भर को तो जज भी अपनी मुस्कराहट छुपाता लगा।

''वैरी वैल सैड!''—अपनी खिसियाहट छुपाता मुकेश बोला—''चलिये, जैसे आप कहते हैं, वैसे ही सही। अब मैं लाल धूल पर आता हूं जिसके कण मुलजिम की एक पतलून के उलटे पाहुंचों में से बरामद हुए थे और जो एग्जिबिट के तौर पर इस पालीथीन की थैली में बन्द हैं। आपने इस थैली के कन्टेंट्स को पहचाना?''

''हां। ये वही लाल धूल है जो मैंने अभियुक्त की मिल्कियत एक पतलून के उलटे पाहुंचों में से बरामद की थी और जो मौकायवारदात के फर्श पर भी पायी गयी थी।''

''आपका मतलब है वैसी ही लाल धूल है!''

''आप मुझे जुबान देने की कोशिश न करें। ये वैसी ही नहीं, वही धूल है। वही धूल है जो मैंने पतलून में से बरामद कर के गवाहों के सामने इस थैली में बन्द की थी, मेरे सामने थैली को सील किया गया था और उसपर मेरे साइन लिये गये थे।''

''ताकि साक्ष्य के साथ किसी हेर फेर की, अदला बदली की गुंजायश न रहती!''

''ऐग्जैक्टली।''

''अभी आपने मेरे पर तोहमत जड़ते हुए एक मुहावरा इस्तेमाल किया कि मैं आपको जुबान देने की कोशिश न करूं। इस मुहावरे से आप पहले से वाकिफ थे या सरकारी वकील साहब ने हालिया—बल्कि गवाही देने को पेश होने से ऐन पहले—वाकिफ कराया?''

''ऑब्जेक्शन, योर ऑनर!''—सोलंकी आवेश से बोला—''डिफेंस अटर्नीज कमैंट्स आर कम्पलीटली आउट आफ आर्डर। आलसो इररेलेवेंट एण्ड इममैटीरियल। फरदर ऑब्जेक्टड आन ग्राउन्ड कि डिफेंस को मेरी पब्लिक प्रासीक्यूटर की हैसियत में मेरे पर, मेरी कार्यप्रणाली पर रिमार्क्स पास करने का कोई अख्तियार नहीं।''

''दि ऑब्जेक्शन इज सस्टेंड।''—जज बोला—''डिफेंस इज एडवाइज्ड टु रिफ्रेन फ्राम पर्सनैलिटीज।''

मुकेश ने ऐसी शक्ल बनाई जैसे वो प्रायमरी स्कूल का विद्यार्थी हो और उसे हैडमास्टर ने डांटा हो।

''यस, योर ऑनर।''—वो बोला—''तो मिस्टर सहगल, आपकी और

पुलिस की जायन्ट इनवैस्टिगेशन से ये भी प्रकाश में आया था कि ऐसी लाल धूल लाल बजरी में से उड़ती है और ऐसी लाल बजरी राजपुरिया एस्टेट की लॉज तक पहुंचती बाजू की एक राहदारी में बिछी हुई है!''

''जी हां।''

''इससे आपने ये नतीजा निकाला कि वहीं से, उसी बाजू की राहदारी से लाल धूल उड़ी और मुलजिम के पतलून के पाहुंचों में पहुंची? पाहुंचों में जमा हुई?''

''जी हां।''

''जबकि वो चोरी के इरादे से—जो कि बाद में कत्ल में तब्दील हो गया—लाल बजरी बिछी उस राहदारी पर चलता लॉज पर पहुंचा था?''

''जी हां।''

''इस लाल धूल की बरामदी के बाद अपनी लैब में आपने ये कैसे निर्धारित किया कि वो बुधवार, दस तारीख की सुबह को किसी वक्त मुलजिम की पतलून के पाहुंचों में पहुंची थी?''

''जी!''

''जिस घड़ी को देखकर आपने टाइम निर्धारित किया, वो बजरी में फिट थी या पतलून के पाहुंचों में? ऐसी कोई घड़ी थी तो वो बतौर साक्ष्य कोर्ट में जमा क्यों नहीं कराई गयी?''

''जनाब, आप जानते हैं कि ऐसी घड़ी न कोई थी और न उसका होना मुमकिन था।''

''तो आपने कैसे इतने दावे के साथ कहा कि पाहुंचों में लाल धूल बुधवार, दस तारीख की सुबह पहुंची थी! मुलजिम उस एस्टेट का मुलाजिम रह चुका था। उस तारीख से अभी दस दिन पहले ही उसे वहां से डिसमिस किया गया था, बतौर मुलजिम उसका एस्टेट में कहीं भी घूमना फिरना, आना जाना होना एक रूटीन था। फिर कैसे आप इस तथ्य से इंकार कर सकते हैं कि वो धूल मुलजिम की एस्टेट की मुलाजमत के दौरान भी उसकी पतलून के पाहुंचों में पहुंची हो सकती थी?''

''मैं नहीं कर सकता। न मैंने किया। वो भी एक सम्भावना है लेकिन ये सम्भावना मुझे दिखाई नहीं देती कि इतना लम्बा अरसा पहले से वो धूल पाहुंचों में मौजूद थी।''

''कोई लापरवाह हो, तनहा हो, ऐसी बातों से अलगर्ज हो, अपने कपड़े खुद धोता हो तो क्यों पाहुंचों में वो धूल लम्बे अरसे से भी ज्यादा लम्बे अरसे से मौजूद नहीं हो सकती थी?''

गवाह सकपकाया, फिर कन्धे उचकाता बोला—''यू कैन हैव इट युअर

ओन वे।''

''आई डोंट वांट टु हैव इट माई ओन वे, आई वांट टु हैव इट युअर वे। गवाह आप हैं, मैं नहीं। आपको अपने एक्सपर्ट होने का अभिमान है तो बतौर एक्सपर्ट कबूल कीजिये कि पतलून के पाहुंचों में मौजूद लाल धूल के मुआयने से हरगिज नहीं जाना जा सकता कि वो कब वहां जमा हुई थी, कब से वहां मौजूद थी!''

''ऑब्जेक्शन...''—सोलंकी ने कहना चाहा।

''ओवररूल्ड!''—जज बीच में ही बोल पड़ा—''गवाह जवाब दे।''

''नहीं जाना जा सकता।''—गवाह मरे लहजे में बोला।

''थैंक्यू। अगर प्रासीक्यूशन ने रीड्रेसल में कुछ नहीं पूछना तो आप कठघरा छोड़ सकते हैं।''

असहाय भाव से गर्दन हिलाता फॉरेंसिक एक्सपर्ट पवन सहगल कठघरे से विदा हुआ।

''दि कोर्ट इज एडजर्न्ड फार लंच ब्रेक।''—जज बोला।

अदालत उठ गयी।

मुकेश और सुबीर पसारी ने लंच कोर्ट के परिसर में ही मौजूद लायर्स कैंटीन में किया।

पसारी ने मुक्त कण्ठ से मुकेश की कम्पीटेंट हैंडलिंग की तारीफ की।

''खामखाह आसमान पर मत चढ़ाओ।''—मुकेश संजीदगी से बोला—''हकीकत ये है कि ट्रायल के दौरान कई बार मेरी हालत खराब हुई, कई बार मुनासिब, सटीक सवाल न सूझे, बगलें झांकने की नौबत आयी।''

''नहीं, भई।''

''मैं ठीक कह रहा हूं। मेरा दिल जानता है शिवराज अटवाल की क्रॉसक्वेश्चनिंग मैं कितनी मुश्किल से हैंडल कर पाया था। कितनी मुश्किल से मैं उसकी जुबानी मुलजिम के लिए कुछ अच्छा अच्छा कहलवा पाया था।''

''हाँ, यार।''

''वो धृष्ट छोकरा शिशिर खोटे भी डिफीकल्ट विटनेस साबित हुआ। देखो तो! कोर्ट में कठघरे में खड़ा होकर चिंगम चबाता था। हर जवाब को टालने की कोशिश करता था।''

''ठीक!''

''कहां मैं उससे साफ, दो टूक कहलवा पाया कि उसपर बदले की भावना हावी थी!''

''फॉरेंसिक एक्सपर्ट पवन सहगल ने तो एक बार तुम्हें लाजवाब कर ही दिया था!''

''लाजवाब कर दिया था ! बोलती बन्द कर दी थी। पैरों के नीचे से जमीन खिसका दी थी। देखा नहीं था आनन्द साहब कैसे मुस्करा रहे थे—जैसे मेरी बेबसी से आनन्दित हो रहे हों।''

''ये हरकत तो जज ने भी की थी, अलबत्ता उसने अपनी मुस्कराहट जल्दी छुपा ली थी।''

''हां। लेकिन आनन्द साहब की धूर्त मुस्कराहट तो साफ ये कहती जान पड़ती थी—'सर्व्ड यू राइट'।''

''फिर भी उस सिचुएशन को तुमने बहुत बढ़िया टैकल किया था, बात को बहुत उम्दा तरीके से संवारा था।''

''ईश्वर ने मदद की। राह दिखाई। संवर गयी किसी तरह से।''

''अन्त भला तो भला।''

''एक बात मेरी समझ से बाहर है।''

''कौन सी ?''

''आनन्द आनन्द आनन्द एण्ड एसोसियेट्स को इस केस में पब्लिक प्रासीक्यूटर के रोल में जैसे आनन्द साहब ने घोषित किया था, उससे तो लगता था कि लोअर कोर्ट में ही मेरी धज्जियां उड़ा देंगे लेकिन वहां तो वो पहुंचे ही नहीं, यहां सैशन में भी खामोश, तटस्थ दर्शक की तरह मौजूद रहे।''

''खामखयाली है तुम्हारी। वो देखने में ही खामोश थे—और तटस्थ होने का तो कोई मतलब ही नहीं था—तुम्हारी तवज्जो अमूमन या जज की तरफ थी या कठघरे में मौजूद गवाह की तरफ थी लेकिन मैं मुतवातर उनको वाच कर रहा था। यकीन जानो, प्रासीक्यूशन की तरफ से सब कुछ उनकी शह पर, उनके मशवरे के तहत हो रहा था।''

''मुमकिन है लेकिन जिरह के लिए खुद क्यों न खड़े हुए ?''

''क्या फायदा होता ?''

''जज रौब खाता। आखिर इतने बड़े वकील हैं !''

''जज के रौब खाने के लिए तो, भैय्या, अदालत में उनकी मौजूदगी ही काफी थी।''

''ये बात भी ठीक है।''

''दूसरे, काबिल शार्गिद के साथ आये थे। बड़े खलीफा जब अपने पट्ठे को अखाड़े में उतारते हैं तो खुद किनारे पर ही बैठते हैं।''

''ठीक।''

''प्रासीक्यूशन ने कोई नया गवाह पेश न किया तो रूटीन ही बीतेगी।''

''हां।''

"लिहाजा प्रासीक्यूशन का केस तो आज ही वाइन्ड अप हो जायेगा!"

"हां।"

"फिर तुम क्या करोगे?"

"एक स्ट्रेटजी सोची विचारी तो हुई है मैंने!"

"क्या?"

"मेरी तवज्जो में केस से ताल्लुक रखते कुछ किरदार हैं—जैसे कि के मार्ट का मालिक दिलीप नटके, हसीन बेवा कमला सारंगी, मेजर ब्रजेश सिंह, उसकी हसीनतरीन बीवी महिमा सिंह, भतीजे की बीवी मानसी राजपुरिया—जिन्हें कि मैं बतौर मर्डर सस्पैक्ट प्रोजेक्ट करने की कोशिश करूंगा।"

"कर सकोगे?"

"उम्मीद तो पूरी है!"

"हासिल क्या होगा?"

"कमलेश दीक्षित पर से फोकस हटेगा। केस डाईल्यूट होगा। अभी तो अभियोजन पक्ष ऐसा जाहिर करने की कोशिश कर रहा है कि हमारे क्लायन्ट के अलावा न कोई कातिल है, न हो सकता है। मैं शक की सुई अपने क्लायन्ट पर से हटा कर किसी और की तरफ सरकाने में मामूली तौर से भी कामयाब हो गया तो ये मेरी बड़ी जीत होगी। तब ये वैसा ओपन एण्ड शट केस नहीं रहेगा जैसा इसके होने का पुलिस का और प्रासीक्यूशन का दावा है।"

"यू आर आन राइट ट्रैक।"

"थैंक्यू। अब तुम मुझे एक सलाह दो।"

"क्या?"

"अपने गवाह के तौर पर—आई मीन डिफेंस के गवाह के तौर पर—मुझे मुलजिम को कोर्ट में पेश करना चाहिये?"

"मेरी राय में नहीं।"—पसारी ने तत्काल जवाब दिया—"तुम ऐसा करोगे तो डिफेंस को उसको क्रॉसक्वेश्चन करने का मौका मिल जायेगा। फिर देखना, बड़े आनन्द साहब क्रॉसक्वेश्चनिंग के लिए खुद खड़े होंगे और तुम्हारे क्लायन्ट की धज्जियां उड़ा देंगे।"

"ऐसा तो नहीं होना चाहिये!"—मुकेश के स्वर में चिन्ता का पुट आया।

"तुम उसे अपने गवाह के तौर पर नहीं पेश करोगे तो नहीं होगा।"

"अगर उन लोगों ने बतौर प्रासीक्यूशन विटनेस कमलेश को तलब कर लिया तो?"

"उन्हें ऐसा करने का अख्तियार है लेकिन उसे अपने गवाह के तौर पर पेश करके वो वो डैमेज नहीं कर सकेंगे जो कि बतौर डिफेंस विटनेस उसे क्रॉसक्वेश्चन

करके कर सकते हैं।''

''ऐसा!''

''हां। प्रासीक्यूशन का कोई अख्तियार है तो अभियुक्त का भी है।''

''मतलब?''

''वो खुद को नुकसान पहुंचाने वाले सवाल का जवाब देने से इंकार कर सकता है।''

''किस आधार पर?''

''इस आधार पर कि वो खुद अपने पांव पर कुल्हाड़ी नहीं मार सकता। उसको प्रासीक्यूशन विटनेस के तौर पर बुलाये जाने की सम्भावना के तहत तुम्हें ये बात उसे समझानी होगी कि जो बात उसे इनक्रिमिनेटिंग लगे, वो उसका जवाब देने से इनकार कर दे।''

''जवाब चल जायेगा?''

''सवाल की गम्भीरता पर, उसकी डैमेजिंग पावर पर निर्भर करता है। जज के मिजाज पर निर्भर करता है, वो मुलजिम के खिलाफ हो जाये तो नहीं चल सकता। जज उसे जवाब देने पर मजबूर कर सकता है। उसे कन्टैम्प्ट आफ कोर्ट का अपराधी ठहरा सकता है। जज ने ऐसा रवैया अख्तियार कर लिया तो ये मुलजिम का फांसी का फन्दा खुद अपने गले में डालने के समान होगा।''

''ओह! ठीक है, मैं उससे बात करूंगा।''

''वैसे जरूरी नहीं है कि प्रासीक्यूशन उसे अपनी विटनेस के तौर पर तलब करे। क्योंकि वो जानते होंगे कि कोई गवाह यूं अपना गुनाह खुद तो कबूल कर नहीं लेता! वो लोग अमूमन कोर्ट में दाखिल किये अपने सबूतों पर और मुलजिम के खिलाफ गवाहों पर ही निर्भर करते हैं।''

''देखेंगे क्या होता है। आओ, चले। टाइम हो गया है।''

पोस्टलंच सैशन में प्रासीक्यूशन ने कोई गवाह न पेश करते हुए उन्हीं दो बाकी रह गये गवाहों को— प्रचारक गोविन्द सुर्वे को और मुलजिम की प्रेमिका सुरभि शिन्दे को—पेश किया।

सुर्वे की पेशी महज औपचारिकता साबित हुई, उसने तोता रटन्त की तरह लोअर कोर्ट में दिया अपना बयान अक्षरश: दोहरा दिया। न प्रासीक्शून ने उससे कोई नया सवाल पूछा और न डिफेंस ने उसे क्रॉसक्वेश्चन करने की कोशिश की।

सुरभि शिन्दे पिछली बार से कहीं ज्यादा सब्र और इतमीनान से कठघरे में पेश हुई। उसने प्रासीक्यूशन के सवालों के जवाब देने में पूरी सावधानी बरती कि उसकी कही कोई बात अभियुक्त के खिलाफ न जाने पाये। हर बात को पहले तोला,

फिर बोला।

डिफेंस ने उससे कोई सवाल न पूछा।

''योर ऑनर''—फिर सोलंकी बोला—''अब अभियोजन पक्ष अपने केस का आखिरी गवाह पेश करने की इजाजत चाहता है।''

''इजाजत है।''

''और कोर्ट से दरख्वास्त करता है कि कोर्ट उसे होस्टाइल विटनेस तसलीम करे।''

''जब तक गवाह सामने न आये, तब तक कोर्ट अपनी रूलिंग सुरक्षित रखेगा। कौन है गवाह?''

''कमलेश दीक्षित!''

''हो गया काम!''—मुकेश होंठों में बुदबुदाया।

''अभी से निराश होने की जरूरत नहीं।''—उसके पहलू से पसारी फुसफुसाया—''अभी नजारा करो। तमाशा देखो। और सुनो। वुई विल क्रॉस दैट ब्रिज वैन वुई रीच इट।''

मुकेश ने चिन्तित भाव से सहमति में सिर हिलाया।

''मिस्टर सोलंकी''—जज कह रहा था—''आप इस केस के मुलजिम को अपने गवाह के तौर पर बुलाना चाहते हैं?'

''यस, योर ऑनर।''

''इसलिये उसका दर्जा होस्टाइल विटनेस का चाहते हैं?''

''यस, योर ऑनर।''

''दैट्स क्वाइट अनयूज़ुअल। लेकिन... इजाजत है।''

गवाह की औपचारिक पुकार हुई।

सहमा सा, पनाह मांगती निगाह से मुकेश की ओर देखता कमलेश दीक्षित जाकर गवाह के कठघरे में खड़ा हुआ। उसे परम्परागत शपथ ग्रहण कराई गयी।

''तुम्हारा नाम कमलेश दीक्षित है।''—सोलंकी बोला—''तुम पर अभय सिंह राजपुरिया के कत्ल का इलजाम है जिसके कि तुम मुलाजिम रह चुके हो?''

''ये सब रिकार्ड में है।''—कमलेश सावधान स्वर में बोला।

''जवाब दो। हां, या न?''

''हां।''

''तुमने अभय सिंह राजपुरिया का कत्ल किया है?''

''ये सवाल पहले भी मेरे से दो बार दोनों कोर्टों में पूछा जा चुका है और मेरा जवाब रिकार्ड में है। मेरा इस इलजाम से पहले भी पुरजोर इंकार था, अभी भी पुरजोर इंकार है और मरते दम तक होगा। मैं राजपुरिया साहब का कातिल नहीं हूं,

नहीं हूं, नहीं हूं।''

''मुलजिम अपने जज्बात पर काबू रखे।''—जज सख्ती से बोला—''ड्रामेटिक्स से बाज आये और सुसंयत भाषा में जवाब दे।''

''मैं नहीं समझता कि कैसे कोई इतना बड़ा इलजाम आयद होने पर सुसंयत रह सकता है!''

''मुलजिम कोर्ट से बहस करने से बाज आये।''

'मैं क्षमा चाहता हूं, श्रीमान।''

''मुलजिम कोर्ट को 'योर ऑनर' कह कर अड्रैस करे।''

''आई एम सॉरी, योर ऑनर।''

''जज तो''—पसारी फुसफुसाया—''लड़के के खिलाफ हो भी गया जान पड़ता है!''

मुकेश ने चिन्तित भाव से सहमति में सिर हिलाया।

''प्रासीक्यूशन अपने सवालात का सिलसिला आगे बढ़ाये।''—जज ने आदेश दिया।

''यस, योर ऑनर।''—मुलजिम को जज से पड़ी फटकार से शह पा कर सोलंकी उत्साह से बोला—''तो तुम कसमिया कहते हो कि तुमने राजपुरिया साहब का कत्ल नहीं किया?''

''जी हां।''

''धर्म कर्म को मानते हो?''

''जी हां।''

''ईश्वर में आस्था रखते हो?''

''जी हां।''

''कभी मन्दिर जाते हो?''

''रोज नहीं जाता। इस बाबत कोई डेली रूटीन नहीं है मेरी। लेकिन कभी किसी मन्दिर के आगे से गुजरूं तो प्रभु के चरणों में नमन के लिए भीतर जरूर जाता हूं।''

''अभी तुमने गीता पर हाथ रख कर जो शपथ ग्रहण की, दिल से की कि रसम पूरी की?''

''दिल से की।''

''सच में ही जो कहोगे, सच कहोगे और सच के सिवा कुछ नहीं कहोगे?''

''जी हां।''

''फिर भी कहते हो कि तुमने अपने पूर्व एम्पलायर राजपुरिया साहब का कत्ल नहीं किया?''

''हां, फिर भी कहता हूं। और जब जब पूछा जायेगा, यहीं कहूंगा।''

''कत्ल के वक्त कहां थे ?''

''मुम्बई में ही था।''

''मुम्बई में कहां ?''

''परेल में। वहां की सदानन्द चाल की एक खोली में। जो कि मेरा वर्तमान आवास है।''

''क्या कर रहे थे ?''

''पिछली रात से बीमार था, चारपाई पर पड़ा था।''

''तमाम दिन ?''

''जी हां।''

''अगले रोज ?''

''अगले रोज भी।''

''साबित कर सकते हो कि दो दिन तक तुम अपनी खोली में बीमार पड़े थे ?''

''नहीं कर सकता। कर सकता होता तो अभी तक कर न चुका होता !''

''दो दिन—बुधवार और गुरुवार—तुम खोली में बीमार पड़े रहे ?''

''जी हां।''

''कोई पास न फटका ?''

''कौन फटकता ! मैं उस चाल में नया था। मेरी वहां किसी से कोई वाकफियत नहीं थी। मेरी इलाके में ही किसी से कोई वाकफियत नहीं थी।''

''इलाके में तो थी ! तुम्हारी गर्लफ्रेंड सुरभि शिन्दे नौकरी करती है और उसका ऑफिस परेल में ही है।''

''उसकी नौकरी ऐसी है कि वीकएण्ड पर ही मेरे से मिलने आ सकती थी। वो कोर्ट में मौजूद है, आप इस बात की तसदीक उससे कर सकते हैं।''

''तुम ये कहना चाहते हो कि बुधवार को या गुरुवार को किसी वक्त किसी जगह सुरभि तुमसे नहीं मिली थी ?''

''मैं ऐन यही कहना चाहता हूं।''

''गिरफ्तार किसी फैलो चालवासी की मुखबिरी से हुए ?''

''जी हां।''

''तुम्हारी उससे कोई अदावत थी ?''

''जी नहीं। मैं तो उसे ठीक से जानता भी नहीं था।''

''फिर भी तुम्हारी बाबत मुंह फाड़ने थाने पहुंच गया और आखिर उसी की गवाही की बिना पर तुम गिरफ्तार हुए ?''

''मेरी बद्किस्मती।''

''कत्ल के जुर्म में?''

''जी हां।''

''गिरफ्तारी तुम्हारे लिये कोई नयी बात नहीं!''

''जी!''

''तुम एक बार पहले भी गिरफ्तार हो चुके हो। जबाब हां या न में दो।''

''हां।''

''क्या हां?''

''मैं एक बार पहले भी गिरफ्तार हो चुका हूं। लेकिन मैं पहले भी नाजायज गिरफ्तार हुआ था और अभी भी नाजायज गिरफ्तार हूं।''

''पहले गिरफ्तारी की क्या वजह थी?''

''जब गिरफ्तारी की खबर है तो वजह की खबर भी तो होगी ही!''

''जवाब दो।''

''मैं ऐसे सवाल का जवाब देना जरूरी नहीं समझता जिसका जवाब आपको पहले से मालूम है...''

''योर ऑनर, ये होस्टाइल विटनेस है और ये होस्टाइल जवाब है। मुलजिम को हिदायत दी जाये कि वो जो पूछा गया है, उसका जवाब दे।''

''गवाह सरकारी वकील से बहस में वक्त जाया न करे''—जज बोला—''जवाब दे।''

''यस, योर ऑनर।''—कमलेश पस्त लहजे से बोला—''एक गलत, नाजायज, खुन्दगी शिकायत के तहत मुझे नेपाली इमीग्रेंट समझ लिया गया था। इलजाम लगाने वाले ने तब तो हद ही कर दी थी जबकि उसने मेरे भोपाल से जारी हुए बर्थ सर्टिफिकेट को झूठा और मेरी ग्रेजुएशन की डिग्री को फर्जी करार दिया था।''

''शिकायत करने वाला कौन था और क्यों उसे तुमसे खुन्दक थी?''

''लोकल नेता था जिसके खिलाफ मैंने राइट टु इनर्फेशन के तहत अर्जी लगाई थी। उसका मेरे पर अर्जी वापिस लेने का दबाव था। मेरे ऐसा करने से इंकार करने की वजह से मेरे साथ वो सब कुछ हुआ।''

''तुम्हारी—तुम्हारी अपनी जुबान में—नाजायज गिरफ्तारी हुई?''

''हां।''

''आरटीआई की अर्जी का क्या हुआ?''

''अभी भी पैंडिंग है।''

''गिरफ्तारी में नाजायज क्या था?''

''मेरी अर्जी के तहत, उसकी बाबत कुछ दरयाफ्त करने के लिए और यूं आइन्दा कार्यवाही सुनिश्चित करने के लिए मुझे थाने तलब किया गया था और वहीं बिठा लिया गया था।''

''बहरहाल तुम गिरफ्तार हुए थे!''

''पूछताछ के लिए हिरासत में लिया गया था।''

''गिरफ्तार किया गया था।''

कमलेश खामोश हो गया, उसने बेचैनी से पहलू बदला।

''और हवालात में नहीं''—सोलंकी गरजा—''जेल में बन्द किया गया था। तीन हफ्ते तुम जेल में बन्द रहे थे।''

''धांधली!''—कमलेश तड़प कर बोला—''धांधली के तहत।''

''रिमांड के तहत।''

''एक छोटी सी बात के लिए लम्बा रिमांड मेरे प्रतिवादी लोकल नेता की, पुलिस की और ड्यूटी मैजिस्ट्रेट की मिली भगत का नतीजा था।''

''ऑर्डर!''—जज ने अपना लकड़ी का हथौड़ा ठकठका कर अपनी अप्रसन्नता का इजहार किया —''मुलजिम जुबान को लगाम दे वर्ना नतीजा गम्भीर होगा।''

''मैं माफी चाहता हूं।''—कमलेश बोला, फिर उसने जल्दी से जोड़ा—''योर ऑनर।''

''बात तो ठीक है!''—पसारी फुसफुसाया—''इतने लम्बे रिमांड का क्या मतलब!''

''आई बैग टु इन्ट्रप्ट, योर ऑनर।''—मुकेश बोला—''लेकिन मैं इसी वक्त गवाह से एक सवाल पूछना चाहता हूं।''

''मेरी जिरह अभी मुकम्मल नहीं हुई!''—सोलंकी गुस्से से बोला।

''आई डोंट वांट युअर कमैंट्स।''—मुकेश भी वैसे ही गुस्से से बोला—''आई वांट कोर्ट्स रूलिंग। एक सवाल पूछने की दरख्वास्त मैंने जज साहब को लगाई है, सरकारी वकील साहब को नहीं।''

''लेकिन...''

''साइलेंस!''—जज ने फिर हथौड़ा ठकठकाया—''बोथ पार्टीज मे काइन्डली रिफ्रेन फ्रॉम एक्सचेंजिंग पर्सनल कमेंन्ट्स एण्ड पे अटेंशन टु कोर्ट्स रूलिंग।''

दोनों वकील खामोश हो गये।

''डिफेंस को इसी स्टेज पर गवाह से एक सवाल पूछने की इजाजत है।''

''थैंक्यू, योर ऑनर!''—मुकेश बोला और गवाह से सम्बोधित

हुआ — ''रिमांड तीन हफ्ते का था?''

''जी नहीं।'' — कमलेश बोला — ''दो हफ्ते का।''

''तो जेल से रिहाई तीन हफ्ते में क्यों हुई?''

''कई टैक्नीकलिटीज के तहत मुझे रोके रखा गया।''

''मसलन?''

''तीन दिन तो जेल अधिकारी यही कहते रहे कि उन्हें कोर्ट का आर्डर हासिल नहीं हुआ था। चौथे दिन आर्डर हासिल हुआ कबूल किया तो बोल दिया कि आर्डर फैक्स से आया था, साफ पढ़ा नहीं जा रहा था। दो दिन कोर्ट से पढ़ी जाने लायक हार्ड कापी निकलवाने में लगा दिये। आखिर तमाम कार्यवाही पूरी हुई, रिलीज वारन्ट चौकस पाया गया तो बोल दिया कि पांच बज गये थे, शाम पांच बजे के बाद जेल से कैदी की रिहाई का नियम नहीं था। अगले दिन भी दोपहर के कहीं बाद छोड़ा।''

''आई सी। तो रिमांड की दो हफ्ते की अवधि समाप्त होने के बाद कोर्ट ने तुम्हारी रिहाई का हुक्म सुनाया था?''

''हां।''

''ऐसा कैसे हो पाया?''

''कोर्ट में मेरे खिलाफ बनाया गया फर्जी केस नहीं ठहर पाया था। मेरा बर्थ सर्टिफिकेट चौकस पाया गया था और ग्रेजुएशन की डिग्री चौकस पायी गयी थी। इन दोनों बातों की वजह से पुलिस का ये दावा भी नहीं टिक सका था कि मैं नेपाली इमीग्रेंट था। बद्‌किस्मती से मेरा नाम नेपालियों जैसा था, कदकाठ नेपालियों जैसा था लेकिन मैं नेपाली नहीं था, भारतीय नागरिक था, भोपाल में पैदा हुआ था और वहीं से ग्रेजुएशन की डिग्री हासिल की थी। तब पुलिस की मेरे खिलाफ शिकायत कोर्ट ने खारिज की थी और मेरी रिहाई का हुक्म सुनाया था।''

''दो हफ्ते के रिमांड और एक हफ्ते की नाजायज, गैरकानूनी हिरासत के बाद?''

''जी हां।''

''आई रैस्ट माई केस। दि कोर्ट कैन ड्रा इट्स ओन कनक्लूजंस।''

''प्रासीक्यूशन अपनी क्वेश्चनिंग आगे बढ़ाये।'' — जज बोला।

''यस, योर ऑनर।'' — सोलंकी बोला — ''आल थिंग्स सैड एण्ड डन, तुम जेलबर्ड हो।''

''सर, आपको ऐसा नहीं कहना चाहिये।'' — कमलेश का स्वर रुआंसा हो उठा — ''ये चरित्र हनन की कोशिश है। इज्जत हत्तक है। आप जानबूझ कर मेरे किरदार को स्याह काला पोतने की कोशिश कर रहे हैं। मुझे कोई सजा नहीं हुई थी।

मैंने किसी गुनाह की तलाफी के तौर पर कोई जेल नहीं काटी थी। मैंने कोई जुर्म नहीं किया था। कुछ किया था तो सिर्फ ये किया था कि एक करप्ट नेता के खिलाफ आरटीआई की एप्लीकेशन लगाई थी जो कि कोई जुर्म नहीं, राइट टु इनफर्मेशन एक्ट पास होने के बाद से ये देश के हर नागरिक का अधिकार है। कोई जुर्म किया था तो मुल्क के निजाम ने किया था जिस ने एक झूठी शिकायत के तहत तीन हफ्ते तक मुझे जेल में सड़ाया था। जुर्म भी और जुल्म भी।''

''स्पीच अच्छी दे लेते हो लेकिन फिर भी ये बात अपनी जगह कायम है कि तुम्हें कोई नौकरी नहीं देता था। ज्यों ही किसी एम्पलायर को पता चलता था कि तुम जेलबर्ड थे, तुम्हें दरवाजा दिखा दिया जाता था।''

''सर, मैं करबद्ध प्रार्थना करता हूं कि आप ये ... ये अपमानजनक टाइटल मुझे न दें। हमारे बड़े, सम्मानित नेतागण, उद्योगपति, फिल्म स्टार्स जेल में बन्द होते हैं—होते रहते हैं—बाहर आने पर उन्हें तो कोई जेलबर्ड नहीं कहता!''

''बहस भी अच्छी कर लेते हो। तुम्हें वकील होना चाहिये था। बहरहाल मुझे तुम्हारी दरख्वास्त मंजूर है। चलो, जेलबर्ड तुम्हें प्रासीक्यूशन नहीं कहता, ये अदालत भी नहीं कहती लेकिन वो लोग तो कहते थे जिनके पास तुम नौकरी की दरख्वास्त लेकर जाते थे?''

''गलत कहते थे, बिना असलियत को जाने समझे कहते थे।''

''मकतूल तुम्हारी इस असलियत से वाकिफ था?''

''जी हां।''

''कैसे?''

''मैंने खुद बताया था।''

''ओह! खुद बताया था।''

''ताकि बाद में मुझ पर इलजाम न आता कि मैंने हकीकत छुपाई थी।''

''आई सी।''

''मुझे दिली खुशी हुई थी जबकि मैंने पाया था कि राजपुरिया साहब औरों जैसे संकुचित दृष्टिकोण वाले व्यक्ति नहीं थे। उन्होंने बाकायदा मेरी बात को सुना था, समझा था, मुझे हमदर्दी के काबिल जाना था और बाखुशी, बाइज्जत मुझे अपनी मुलाजमत में जगह दी थी।''

''फिर भी तुम अपनी जात दिखाने से बाज न आये! जिस थाली में खाया, उसी में छेद किया ...''

''ऑब्जेक्शन!''—मुकेश बोला—''ये बहुत हार्श, बहुत अनचैरिटेबल कमैंट्स हैं जो, मैं नहीं समझता कि, प्रासीक्यूशन को मुलजिम के खिलाफ पास करने चाहियें।''

जज ने सहमति में सिर हिलाया।

''आई एम सॉरी, योर ऑनर।''—सोलंकी ने नकली खेदप्रकाश किया—''एस्टेट से तुम कब नौकरी से निकाले गये थे?''

''इकत्तीस जुलाई को।''—कमलेश बोला।

''तब से अब तक बेकार ही घूमते रहे? नौकरी की तलाश न की?''

''काफी की लेकिन... राजपुरिया साहब जैसा दयावान फिर न मिला।''

''नौकरी छूटने के बाद गोरई से क्यों भाग गये?''

''भाग नहीं गया, चला आया।''

''क्यों?''

''दिल खट्टा हो गया था। जहां बेइज्जत होना पड़ा हो, वहां टिके रहने की दिल ने गवाही न दी।''

''तुम्हारी गर्लफ्रेंड वहां थी।''

''फिर भी... दिल ने गवाही न दी।''

''अभी भी बेरोजगार हो?''

''जी हां।''

''कैसे चलेगा?''

''पता नहीं।''

''होना तो चाहिये!''

''जी!''

''फांसी हुई तो बेरोजगारी कोई प्राब्लम ही नहीं होगी! उम्र कैद हुई तो रोटी कपड़ा मकान की लम्बी जिम्मेदारी सरकार की होगी ...''

कमलेश का चेहरा लाल होने लगा।

''आई स्ट्रांगली ऑब्जेक्ट योर ऑनर!''—मुकेश भड़का—''मुलजिम के खिलाफ फैसला तो पब्लिक प्रासीक्यूटर साहब ने ही सुना दिया! जज साहब का काम भी इन्होंने ही कर दिया। ही हैज कन्डैम्ड दि अक्यूज्ड बिफोर दि ट्रायल इज ओवर। आई स्ट्रांगली ऑब्जेक्ट आन फरदर ग्राउन्ड दैट पब्लिक प्रासीक्यूटर्स कन्डक्ट इज अनएथिकल एण्ड अनप्रोफेशनल।''

''दि ऑब्जेक्शन इस वैल टेकन।''—जज बोला—''सरकारी वकील साहब को हिदायत दी जाती है —बल्कि चेतावनी दी जाती है—कि अपनी मर्यादा में रहें और गवाह से सवाल कोर्ट की मर्यादा, कोर्ट के डेकोरम को ध्यान में रखते करें।''

''आई बैग दि कोर्ट्स पार्डन।''—सोलंकी बोला—''एण्ड आफर टु टेक माई वर्ड्स बैक।''

''यस, डू सो।''

''मैं अपने अलफाज वापिस लेता हूं।''

''प्रोसीड।''

सोलंकी फिर कमलेश की तरफ आकर्षित हुआ।

''जानते हो''—वो बोला—''कत्ल की वारदात वाकया हो तो कत्ल की सबसे पहले—किसी से भी पहले—खबर किसको होती है?''

''नहीं, नहीं जानता।''

''कातिल को होती है। कातिल को होती है सबसे पहले कत्ल की खबर।''

''शायद आप ठीक कह रहे हैं।''

''मैं *यकीनन* ठीक कह रहा हूं। इसी वजह से तुम बीमारी के बहाने अपनी खोली में छुप कर बैठ गये ताकि तुम्हारी शक्ल देख कर ही किसी को सूझ न जाता कि कातिल तुम थे। दूसरे दिन की शाम को ही पुलिस तुम्हें गिरफ्तार करने न पहुंच गयी होती तो कोई बड़ी बात नहीं कि अभी और कई दिन तुम्हारा अज्ञातवास चलता।''

''ये मुझ पर बेजा इलजाम है। मैं सच में बीमार था और चारपायी से उठने के काबिल नहीं था। मेरा कत्ल से कोई लेना देना न है, न होना मुमकिन है। मुझे गुरुवार शाम को, लेट ईवनिंग में पुलिस से ही पहली बार सुनने को मिला था कि राजपुरिया साहब का कत्ल हो गया था।''

''चलो, ऐसे ही सही, लेकिन अगर किसी वजह से, किसी तरीके से कत्ल की खबर पहले लग गयी होती तो तुम्हें ये अन्देशा न हुआ होता कि कहीं कातिल तुम्हें न समझ लिया जाता?''

''मुझे खामखाह!''

''तुम बेइज्जत करके नौकरी से निकाले गये थे!''

''इतने से कोई कत्ल पर आमादा हो जाता है! नौकरी कौन करता है? जो नौकर होता है। नौकरी नौकर के नखरे से तो नहीं चल सकती! मालिक के नाखुश होने पर नौकर की मालिक के हाथों कोई फजीहत होना क्या बड़ी बात है!''

''तुम्हारी फजीहत ही न हुई, तुम्हें नौकरी से डिसमिस भी किया गया।''

''जैसे नौकरी देना मालिक का अधिकार है, वैसे नौकरी छीन लेना भी मालिक का अधिकार है।''

''वैरी वैल सैड। इकत्तीस जुलाई के बाद कभी वापिस गोरई गये?''

''नहीं, कभी नहीं।''

''तो वारदात वाले दिन की सुबह क्रिस्ट्रल लॉज के मास्टर बैडरूम की एक खिड़की से नीचे कूदता गवाह शिशिर खोटे ने तुम्हारा भूत देखा?''

''उसने नहीं देखा। वो झूठ बोलता है कि उसने मुझे देखा था और ये बात उसकी गवाही के दौरान बहुत विस्तार से अदालत में डिसकस हो चुकी है।''

''अपनी मुलाजमत के दौरान तुम्हारी अपने एम्पलायर से—मकतूल अभय सिंह राजपुरिया से—कैसी बनती थी?''

''अच्छी बनती थी। उन्होंने मेरे से, मेरे काम से, कभी कोई असंतोष जाहिर नहीं किया था।''

''सिवाय आखिरी बार के, जबकि तुम्हें नौकरी से डिसमिस किया!''

''जी हां।''

''आखिरी बार हुआ क्या था? तफसील से बयान करो। तुम्हारा बिना बुलाये लॉज में कदम रखना मना था लेकिन उस रोज तुम मास्टर बैडरूम के दरवाजे पर पाये गये थे। ऐसा क्योंकर हुआ था? वहां कैसे पहुंच गये थे? क्या कर रहे थे?''

''वो क्या है कि वहां मेरा एक काम रोजाना राजपुरिया साहब का जूता पालिश करना भी होता था। जिस जूते को वो पालिश चाहते होते थे उसको वो ग्राउन्ड फ्लोर पर सीढ़ियों के नीचे बने एक रैक पर रख देते थे। उस रोज मैं जूता पालिश कर ही रहा था कि मुझे हाउसकीपर शिवालिका अत्रे ने बुला लिया था जो कि पैन्ट्री में कोई आधा घन्टा मेरे से काफी सामान उठवाती रखवाती रही थी। उस काम से फारिग हो कर जब मैं वापिस सीढ़ियों के नीचे पहुंचा था तो मैंने पाया था कि जूते रैक पर मौजूद नहीं थे जिन्हें कि खुद राजपुरिया साहब ही वहां से उठा कर ऊपर ले गये थे और जरूर उनकी तवज्जो इस बात की तरफ नहीं गयी थी कि तब तक मैंने अभी एक ही जूता पालिश किया था। जूता पहनने के वक्त तो ये बात उनकी जानकारी में आके रहनी थी और तब, जाहिर था कि, वो आग बगूला हो उठते। उस अन्देशे की वजह से मैं ऊपर गया था जहां कि मुझे जूते दिखाई देते तो मैं अपना काम मुकम्मल कर देता। या राजपुरिया साहब दिखाई देते तो उन्हीं को बोलता कि क्या हुआ था। ऊपर मैंने चौखट पर कदम ही रखा था कि उसी घड़ी वो बाथरूम से बाहर निकल आये, मुझे देखते ही फट पड़े, लानत मलानत करने लगे कि मनाही के बावजूद क्यों मैं वहां था। मैंने वजह बयान करने की बहुत कोशिश की लेकिन उन्होंने तो मुझे मुंह न खोलने दिया। मैं मुंह खोलता था, वो चिल्ला कर 'शट अप' बोलते थे, मैं सहम कर चुप हो जाता था। आखिर में उन्होंने मुझे नौकरी से बर्खास्तगी का हुक्म सुना दिया और लॉज से निकल जाने को बोल दिया।''

''तुम्हारी जिस पतलून को पुलिस ने कब्जे में लिया था और जो यहां साक्ष्य के तौर पर मौजूद है, उसे आखिरी बार तुमने कब धोया था?''

''याद नहीं।''

''याद करने की कोशिश करो।''

''जनाब, मैं अक्सर जींस टी-शर्ट पहनता हूं। वो पतलून मैं बहुत कभी कभार तब पहनता था जबकि साथ में मैचिंग शर्ट पहनता था और वो भी मेरे पास उस पतलून की तरह एक ही है।''

''यही याद करो कि वो पतलून पिछली बार धोने के बाद से कब कब पहनी थी!''

''मुझे याद नहीं। सिर्फ इतना याद है कि दो या तीन बार पहनी थी।''

आगे कई मिनट उसी लाइन पर सवाल जवाब चला लेकिन कोई सार्थक नतीजा सामने न आया।

''गिरफ्तारी के वक्त''—फिर सोलंकी ने नया सवाल किया—''तुम्हारे पास से बीस हजार रुपये बरामद हुए थे। हजार हजार के बीस नोटों की सूरत में। वो रुपये तुम्हारे पास कहां से आये?''

''एक दोस्त से उधार लिये थे।''—कमलेश बोला।

''क्यों?''

''मुझे जरूरत थी।''

''क्यों जरूरत थी?''

''ऑब्जेक्टिड!''—मुकेश बोला—''ऐज इररैलेवैंट।''

''रैलेवेंस है!''—सोलंकी जिदभरे लहजे से बोला—''बराबर है। प्रासीक्यूशन का दावा है कि वो रकम चोरी की थी, वो मूल रूप से मकतूल की थी और ऐसी किसी रकम की चोरी करना ही इसका मिशन था जिसके तहत कि तुम राजपुरिया एस्टेट लौटा था और चोरों की तरह लॉज में घुसा था। ऐसे किसी दोस्त का कोई वजूद है ही नहीं जिसने कि इसे बीस हजार रुपये उधार दिये हों।''

''है।''—मुकेश बोला—''बराबर है।''

''डिफेंस उसे कोर्ट में पेश कर सकता है?''

''करेगा। आज ही करेगा।''

''आज ही?''—सोलंकी सकपकाया।

''चाहें तो अभी। इस गवाह की गवाही खत्म होने से पहले।''

''नहीं, नहीं।''—सोलंकी हड़बड़ाया—''पहले नहीं। अभी मुझे इस खास गवाह से और सवाल करने हैं।''

''ऐज यू विश।''

''तुमने''—सोलंकी गवाह की तरफ घूमा—''पुलिस को अपने बयान में कहा था कि ये रकम तुमने मटके में जीती थी?''

''तब मैं घबराया हुआ था।''—कमलेश बोला—''अपने अंजाम से खौफजदा था। पुलिस का आतंक मेरे पर हावी था। तब रकम की बाबत जो जवाब

मुझे सूझा, वो मैंने दे दिया।''

''जो कि ये था कि तुमने मटके का नम्बर लगाया था, तुम्हारा नम्बर लग गया था और यूं ये रकम तुमने उस जुए से जीती थी जो कि मटका कहलाता है?''

''जी हां।''

''तो अब जुदा जवाब क्यों दिया?''

''इस बीच मुझे सोच विचार का बहुत वक्त हासिल हुआ था, मेरे दिल ने यही गवाही दी थी कि मुझे झूठ नहीं बोलना चाहिये था। अपने उस फैसले के तहत ही अब, यहां मैंने रकम की बाबत आपके सवाल का सच्चा जवाब दिया।''

''क्या गारन्टी है कि मौजूदा जवाब सच्चा है?''

''मैं क्या गारन्टी कर सकता हूं, जनाब! आपको सच्चा जान पड़ता है तो आपकी मेहरबानी, नहीं तो मेरी किस्मत।''

''तुम झूठ बोलने में ही माहिर नहीं हो, ऐक्टिंग में भी माहिर हो। जैसा दीन हीन बन कर इस वक्त दिखा रहे हो...''

''योर ऑनर, योर ऑनर!''—मुकेश बोला—''गवाह को जलील करने की कोशिश की जा रही है। उसके बयान से, उसके व्यवहार से मनमाने नतीजे निकाले जा रहे हैं और उन्हें जबरन गवाह पर थोपे जाने की कोशिश की जा रही है। सरकारी वकील साहब अभिनय की कला की इतनी गहरी और व्यापक जानकारी रखते हैं तो कठघरे में खड़े हो कर शपथ ग्रहण करें और फिर अपना ज्ञान बघारें, उसपर लैक्चर दें।''

''ईजी! ईजी, माई डियर फ्रेंड...''

''वाट ईजी! यू हैव नो राइट टु...''

आनन्द साहब ने सोलंकी को कोहनी मारी।

''प्रासीक्यूशन ने इस गवाह से और कुछ नहीं पूछना।''—सोलंकी बोला—''गवाह डिफेंस के हवाले है।''

''तुमने कहा''—मुकेश गवाह से सम्बोधित हुआ—''तुम अपने कपड़े खुद धोते हो?''

''जी हां।''—कमलेश बोला।

''अपनी वो पतलून भी, जो कि साक्ष्य के तौर पर इस वक्त कोर्ट में मौजूद है?''

''जी हां।''

''धोते वक्त इसके पहुंचे उलटते थे?''

''नहीं, कभी नहीं।''

''वजह?''

''कभी खयाल तक न आया।''

''ये प्वायन्ट नोट किया जाये, योर ऑनर।''

जज ने सहमति में सिर हिलाया।

''तुम नौजवान लड़के हो, आजकल नौजवान हैल्थ कांशस बहुत हैं। तुम भी ऐसे हो?''

''जी हां।''

''अपने को फिट रखने के लिए क्या करते हो?''

''किसी जिम की फीस तो भर नहीं सकता, सर। न ही एक्सरसाइज का कोई साजोसामान खरीदने की मेरी औकात है। इसलिये वही करता हूं जो कि कोई मेरे जैसा कमजोर माली हैसियत का शख्स कर सकता है।''

''क्या करते हो?''

''मार्निंग वाक करता हूं।''

''एस्टेट में अपनी मुलाजमत के दौरान भी करते थे?''

''जी हां।''

''ऐसा इत्तफाक भी कभी होता था कि तब तुमने अपनी मुड़े हुए पाहुंचों वाली ये पतलून पहनी हो जो कि यहां साक्ष्य के तौर पर मौजूद है?''

''जी हां, होता था।''

''उस वाक के दौरान तुम्हारे पांव लॉज से बाहर एस्टेट में कहीं भी पड़ सकते थे?''

''जी हां।''

''बाजू की उस राहदारी पर भी, जिसपर कि लाल बजरी बिछी है?''

''जी हां।''

''जिसपर वाक करने पर लाल बजरी में से लाल धूल उड़ती है?''

''जी हां।''

''पतलून के पाहुंचे बाहर से तो झाड़े जा सकते हैं लेकिन उनके मुड़े हिस्सों में से धूल का निकलना तभी मुमकिन है जबकि पतलून को धोया जाता?''

''जी हां।''

''पर पतलून अरसे से नहीं धोई गयी?''

''जी हां।''

''लिहाजा पतलून के पाहुंचों में लाल धूल की मौजूदगी की वजह तुम्हारी मार्निंग वाक भी हो सकती है?''

''जी हां।''

''डिफेंस क्या साबित करना चाहता है?''— बोला।

''डिफेंस ने क्या चाहना है! साबित होने लायक मुद्दा तो अपने आप ही साबित हुआ जा रहा है! प्रासीक्यूशन का केस है कि मुलजिम के पतलून के पाहुंचों में मौजूद लाल धूल उसकी कत्ल के रोज एस्टेट में मौजूदगी साबित करती है। गवाह ने अभी जो कुछ अपने बयान में कहा, उसकी रू में प्रासीक्यूशन अब अपना दावा दोहरा के दिखाये।''

''प्रासीक्यूशन ऐसी कोई जरूरत महसूस नहीं करता। आनरेबल जज साहब इस बाबत अपना नतीजा खुद निकाल सकते हैं और वो नतीजा इसके अलावा क्या हो सकता है कि ये भी डिफेंस का एक ग्रैंडस्टैण्ड है जिसे कि पहले से सिखाये पढ़ाये मुलजिम के साथ मिल कर स्टेज किया जा रहा है।''

''दैट विल बी एनफ।'' —जज बोला— ''डिफेंस मुलजिम से कोई और सवाल पूछना चाहता है?''

''यस, योर ऑनर।'' —मुकेश बोला— ''कमलेश दीक्षित, तुमने कहा कि अपने पास से बरामद रकम की बाबत पहले तुमने गलतबयानी की थी?''

''हो गयी थी।'' —कमलेश बोला— ''क्योंकि मैं...''

''ठीक। ठीक। लेकिन अब तुमने सच बोला है क्योंकि तुम अन्डर ओथ हो?''

''जी हां।''

''इस वजह से सच बोला है। लिहाजा दोनों सिचुएशंस में फर्क है। अपने पुलिस को दिये पहले बयान के वक्त तुम अन्डर ओथ नहीं थे। ये बात आम है कि गवाह पुलिस को दिये अपने बयान से कोर्ट में फिर जाते हैं, लिहाजा रुपयों की बाबत पहले गलतबयानी करके तुमने भी कोई ऐसा काम नहीं किया जो कि पहले कभी न हुआ हो।''

''डिफेंस मे कम टु दि प्वायन्ट।'' —जज बोला।

''योर ऑनर, दिस इज दि प्वायन्ट। यहां कठघरे में खड़ा अभियुक्त अंडर ओथ है, सच बोलने की शपथ ग्रहण किये है इसलिये सच बोल रहा है कि रकम इसने अपने एक दोस्त से उधार ली।''

''गवाह को'' —सोलंकी बोला— ''सत्यवादी होने की कोई सनद हासिल नहीं है। कठघरे में खड़ा होकर अन्डर ओथ कोई गवाह झूठ बोले तो उसपर बिजली नहीं टूट पड़ती।''

''आई एग्री विद माई लर्नेड काउंसल। लेकिन यहां उस कोरोबोरेशन का भी तो सवाल है जिसे कि मैं कोर्ट में पेश करने जा रहा हूं!''

तुम्हारा कहना है कि बीस हजार रुपये तुमने अपने

एक दोस्त से उधार लिये थे?''

''जी हां।''

''उसका नाम पता बोलो।''

''धर्मेश उमाठे। चकाला, पारसीवाडा रोड पर रहता है।''

''काम क्या करता है?''

''शीतल नर्सिंग होम के सामने वड़ा पाव का स्टाल लगाता है।''

''दोस्त कैसे बना?''

''बस, बन गया किसी तरह से।''

''इतना पक्का कि बीस हजार रुपये उधार दे सके?''

''वो बहुत अच्छे पैसे कमाता है। बीस हजार मेरे लिये बड़ी रकम है, उसके लिए कुछ नहीं।''

''वो दोस्त इस घड़ी कोर्ट में मौजूद है?''

''जी हां, है।''

''कहां है? इशारा करके बताओ!''

उसने दर्शकों में एक तरफ इशारा किया।

''जिसकी तरफ इशारा है, वो शख्स बरायमेहरबानी खड़ा हो जाये।''

धर्मेश उमाठे खड़ा हुआ।

''योर ऑनर, मैं इस शख्स को गवाह के कठघरे में बुलाना चाहता हूं।''

''डिफेंस के गवाह के तौर पर?''—जज ने पूछा।

''जी हां।''

''इजाजत है।''

अभियुक्त ने कठघरा छोड़ा और उसकी जगह धर्मेश उमाठे ने आकर ली। उसे शपथ ग्रहण कराई गयी।

कठघरे में खड़ा धर्मेश उमाठे यूं निश्चिंत और बेपरवाह दिखाई दे रहा था जैसे अदालत में पेश होना उसके लिए रोजमर्रा की बात हो।

मुकेश के गिने चुने चन्द सवालों के जवाब में उसने तसदीक की कि अभियुक्त कमलेश दीक्षित उसका दोस्त था और उसने एक टाइम उसे बीस हजार रुपये उधार दिये थे।

''योर विटनेस।''—मुकेश बोला।

''बीस हजार रुपये खासी बड़ी रकम है!''—सोलंकी गवाह से सम्बोधित हुआ।

''बाप''—गवाह धर्मेश उमाठे बोला—''पूछ रयेला है कि बता रयेला है?''

सोलंकी हड़बड़ाया, उसने अप्रसन्न भाव से गवाह की तरफ देखा।

गवाह मासूमियत का पुतला बना कठघरे में खड़ा रहा।

''वैरी समार्ट!''—सोलंकी विषभरे स्वर में बोला—''वैरी समार्ट इनडीड।''

गवाह खामोश रहा।

''पूछ रहा हूं, भई।''—सोलंकी बोला।

''क्या?''

सोलंकी भड़कने को हुआ, बड़ी मुश्किल से उसने अपने पर काबू किया।

''ये कि''—फिर सब्र से बोला—''बीस हजार रुपये खासी बड़ी रकम है!''

''जवाब कम्पैरिजन पर डिपेंड करता है, बाप।''—गवाह सहज भाव से बोला ''—हाजी अली की राह पर बैठेले भिखारी के वास्ते बहुत बड़ी रकम है पण रतन टाटा के लिए मामूली रकम है।''

अदालत में कोई जोर से हंसा।

''आर्डर!''—जज ने हथौड़ा ठकठकाया लेकिन उसकी शक्ल से लगता था कि गवाह के जवाब को वो भी एनजाय कर रहा था।

अदालत में खामोशी छा गयी।

''बड़े ज्ञान की बात कही!''—सोलंकी बोला—''तुम्हारी अपनी क्या पोजीशन है? तुम्हारे लिये ये कैसी रकम है?''

''बाप, कभी मेरे स्टाल पर वड़ा पाव खाने आने का, मालूम पड़ जायेगा कैसी रकम है! मैं तुम्हेरे से चार्ज भी नहीं करेंगा। सब, बोले तो, आन धर्मेश उमाठे, वड़ा पाव वाला।''

''सवाल का सीधा और स्पष्ट जवाब दो।''

''अपुन का वास्ते खास बड़ी रकम नहीं है बीस हजार रुपये।''

''किसी को भी उधार देना अफोर्ड कर सकते हो?''

''किसी को काहे को! खाली फिरेंड को।''

''जो कि मुलजिम तुम्हारा है? तुम्हारी उससे पक्की दोस्ती है?''

''बोले तो बरोबर।''

''इसलिये बीस हजार रुपये उधार दिये?''

''दिये। बस! लेने वाला जो समझे सो समझे।''

''तुम्हारी इस बात से जाहिर होता है कि तुम्हें रकम की वापिसी की कोई उम्मीद नहीं थी।''

''बाप, जब दोस्ती होती है, तब दोस्ती होती है, उम्मीद पर निगाह रख के

दोस्ती नहीं होती।''

''तुम रकम से ऐसे वैराग इसलिये जता रहे हो क्योंकि असल में ऐसी कोई रकम तुमने मुलजिम को दी ही नहीं थी।''

''क्या बोला, बाप ?''

''तुम्हें ऐसा कहने के लिए सिखाया पढ़ाया गया है...''

''आई स्ट्रांगली ऑब्जेक्ट, योर ऑनर।''—मुकेश उच्च स्वर में बोला—''ये गवाह पर बेजा इलजाम है।''

''नहीं है बेजा इलजाम !''—सोलंकी गर्जा—''दस अगस्त से आज का दिन हो गया, इस गवाह का कभी कोई जिक्र न उठा और अब ये मुलजिम की हिमायत के लिए, मुलजिम के वकील के हाथ मजबूत करने के लिए जैसे आसमान से टपका ! ऐसा कोई गवाह शुरू से उपलब्ध था तो क्यों न लोअर कोर्ट में पेश किया गया ?''

''सरकारी वकील साहब को मुझे सिखाने की जरूरत नहीं है कि कैसे मुझे अपना केस कंडक्ट करना चाहिये ! उनसे मेरा सविनय निवेदन है कि वो अपनी राह चलें और मुझे अपनी राह चलने दें। या घोषित करें कि बचाव पक्ष की तरफ से भी वो ही बोलेंगे।''

''हालात पुकार पुकार कर कह रहे हैं कि ये सिखाया पढ़ाया गवाह है।''

''आपको कह रहे हैं, क्योंकि आपके कान फसादी बातें रिसीव करने को ट्यून्ड हैं।''

''आई ऑब्जेक्ट, योर ऑनर...''

''आई ऑब्जेक्ट टु युअर ऑब्जेक्शन।''

''... दिस इज ए डैरोगेटरी कमैंट। मिस्टर माथुर जान बूझ कर भड़काऊ बातें कर रहे हैं।''

''आई बैग टु डिफर। भड़काऊ बातें आप कर रहे हैं। आपने कठघरे में खड़े डिफेंस के गवाह को सिखाया पढ़ाया करार दिया, ये भड़काऊ बात नहीं है तो और क्या है ? ये बात भड़काऊ ही नहीं, गैरजिम्मेदाराना है, गलत है, बेबुनियाद है। डिफेंस की कोई सिखाया पढ़ाया गवाह पेश करने की मंशा होती तो ये ही गवाह कठघरे में खड़ा कसमिया, ऐलानिया इस बात की तसदीक कर रहा होता कि कत्ल के वक्त अभियुक्त गोरई से, मौकायवारदात से, बहुत दूर कहीं उसके साथ मौजूद था। गवाह सिखाया पढ़ाया होता तो इससे ये तक कहलवाया जा सकता था कि मुलजिम की नासाज तबीयत के दौरान उसकी तीमारदारी इसने की थी, दावे से कह सकता था कि कत्ल के वक्त मुलजिम राजपुरिया एस्टेट से बहुत दूर परेल में सदानन्द चाल की अपनी खोली में मौजूद था और उसके सामने चारपाई पर पड़ा हाय हाय कर रहा

था। शुरू से पुलिस द्वारा, प्रासीक्यूशन द्वारा, कोर्ट द्वारा ये सवाल पूछा जा रहा है कि वो बताये बताये बताये कि कत्ल के वक्त वो कहां था? और मुलजिम ने हमेशा एक ही जवाब दिया कि सदानन्द चाल की अपनी खोली में था और इस बात को स्थापित करने के लिए कोई गवाह पेश नहीं कर सकता था। क्यों कहा उसने ऐसा! क्यों हमेशा उसने ये जवाब दोहराया! क्योंकि यही सीधा, सच्चा जवाब था। यही सीधा, सच्चा जवाब था, जो कि एक बेगुनाह शख्स से अपेक्षित था। योर ऑनर, इस दलीलों की बिना पर कठघरे में खड़े गवाह को झूठा, सिखाया पढ़ाया गवाह डैजिग्नेट करने की प्रासीक्यूशन की कोशिश की डिफेंस पुरजोर मुखालफत करता है?''

जज का सिर सहमति में हिला।

''हालात पुकार पुकार कर कह रहे हैं, हालात का साफ तकाजा है कि प्रासीक्यूशन सैशन में ये स्थापित होना अफोर्ड नहीं कर सकता कि मुलजिम के पास से जो रकम बरामद हुई थी, वो चोरी की नहीं थी, वो मकतूल की मिल्कियत नहीं थी, क्योंकि इस बात को कुबूल करने से उनके केस की बुनियाद हिलती है। इसी वजह से प्रासीक्यूशन का गवाह पर ये हमला है कि ये सिखाया पढ़ाया गवाह है और इरादतन परजुरी पर आमादा है। मैं अदालत से पुरजोर दरख्वास्त करता हूं कि प्रासीक्यूशन की इस नाजायज, हिट-बिलो-दि-बैल्ट जैसी कोशिश पर अंकुश लगाया जाये वर्ना इस अदालत में इंसाफ नहीं हो सकेगा, सिर्फ इंसाफ की खिल्ली उड़ाई जा सकेगी।''

एकाएक नकुल बिहारी आनन्द उठकर खड़े हुए।

सबकी निगाहें उनकी तरफ उठीं।

''खलीफा अखाड़े में।''—पसारी फुसफुसाया।

मुकेश का सिर स्वयंमेव सहमति में हिला। उसके चेहरे पर चिन्ता के भाव आये।

''मिस्टर आनन्द''—जज ससम्मान बोला—''आप प्रासीक्यूशन की तरफ से कुछ कहना चाहते हैं?''

''यस, योर ऑनर।''—वृद्ध संजीदगी से बोले—''इफ दि कोर्ट परमिट्स।''

''दि कोर्ट डज। प्लीज, गो अहेड।''

''योर ऑनर, गवाह के कठघरे में खड़े गवाह धर्मेश उमाठे के बयान के सन्दर्भ में सबसे पहले मैं इस तथ्य को रेखांकित करना चाहता हूं कि हमारे मुल्क में आज तक परजुरी के जुर्म में सजा पा कर कोई जेल नहीं गया। हर लैवल की अदालत में गवाहों द्वारा झूठ बोला जाना एक आम वाकया है। गवाह थाने में कुछ और दर्ज कराते हैं और कोर्ट में उससे मुकर कर कोई और ही राग अलापने लगते

हैं, पुलिस को दिये बयान में वो कथित मुजरिम के खिलाफ नजर आते हैं, कोर्ट में उसके तरफदार बन जाते हैं। दावा करने लगते हैं कि पुलिस ने उनका बयान ठीक से दर्ज न किया, उसने कहा कुछ, पुलिस ने लिखा कुछ और पुलिस ने उसके साइन किसी और ही इबारत पर लिये। ये तक कहते पाये गये हैं कि उन्हें याद नहीं है कि उन्होंने पहले क्या बयान दिया था। एक फेमस केस में एक पढ़ा लिखा गवाह सैशन में अपने बयान से ये कह के मुकर गया कि पुलिस ने उसका बयान हिन्दी में दर्ज किया और उसे तो हिन्दी आती ही नहीं थी। कितने ही हाई प्रोफाइल केसिज में—जैसे कि दिल्ली के बीएमडब्ल्यू हिट एण्ड रन केस में, जिसमें आधी दर्जन से ज्यादा पुलिसकर्मी मारे गये या गम्भीर रूप से घायल हुए, जैसे कि दिल्ली के ही जेसिका लाल मर्डर केस में जिसमें कि एक टॉपएण्ड रेस्टोरेंट में एक शौकिया बारमेड को सरेआम गोली से उड़ा दिया गया क्यों उसने कातिल नौजवान को ड्रिंक सर्व करने से इंकार किया—पढ़े लिखे, काबिल, हाई सोसायटी के जिम्मेदार, बाहैसियत गवाह थाने में दर्ज कराये अपने बयान से मुकरते पाये गये हैं। परजुरी एक आम वाकया बन गया है क्योंकि गवाह बहकाये जाते हैं, बरगलाये जाते हैं, खरीदे जाते हैं, धमकाये जाते हैं, उनके और उनके परिवार वालों के गम्भीर अंजाम की धमकी के तहत खौफजदा किये जाते हैं और यूं बिक कर या डर कर मुलजिम के हक में अपना बयान बदलते हैं। मेरा सवाल ये है, योर ऑनर, कि जब हमारी अदालतों में परजुरी का इतना बोलबाला है तो मौजूदा गवाह के बयान पर प्रासीक्यूशन द्वारा शक किया जाना क्या एक स्वाभाविक प्रक्रिया नहीं है! अगर ये एक स्वाभाविक प्रक्रिया है तो क्या डिफेंस के नौजवान एडवोकेट साहब का उतना आपे से बाहर हो कर दिखाना बनता है जितना कि उन्होंने अभी दिखाया!''

''योर ऑनर!''—मुकेश आवेश में उठकर खड़ा हुआ—''मैं...''

''सिट डाउन!''—जज सर्द लहजे में बोला।

''... कहना चाहता हूं कि...''

''एण्ड कीप क्वाइट!''

''बट आई वांट टु रेज एन ऑब्जेक्शन...''

''रेज इट इन ब्रीफ, सो दैट आई कैन ओवररूल इट।''

असहाय भाव से गर्दन हिलाता मुकेश वापिस बैठ गया।

''यू मे प्रोसीड, मिस्टर आनन्द।''

''थैंक्यू, योर ऑनर।''—वृद्ध बोले—''आगे मैं ये अर्ज करना चाहता हूं कि कत्ल का कोई केस किसी एक सबूत से सैटल नहीं होता, न ही किसी एक गवाह की गवाही से सैटल होता है। गवाह दर्जनों की तादाद में होते हैं, हो सकते हैं—बल्कि कई केसिज में तो सैंकड़ों की तादाद में पाये गये हैं—और सबूत भी

बेशुमार होते हैं, हो सकते हैं, जिनका कि सामूहिक परिणाम अभियुक्त को अपराधी करार देता है। मौजूदा केस में कत्ल का चशमदीद गवाह इत्तफाक से कोई नहीं है लेकिन जो परिस्थितिजन्य प्रमाण —सरकमस्टांशल ईवीडेंसिज—मुलजिम के खिलाफ पेश हुए हैं उनका सामूहिक नतीजा मुलजिम को निर्विवाद रूप से अपराधी सिद्ध करता है, भले ही ऐसे किसी एक सबूत को डिफेंस अपनी चतुराई से—मौजूदा केस में अपने बड़बोले पन से...''

''ऑब्जेक्शन!''—मुकेश बोला।

''ओवररूल्ड! सिट डाउन। डोंट इन्टरप्ट। दि कोर्ट विल टैल यू वैन इट कैन लिसन टु योर ऑब्जेक्शंस।''

मुकेश जबड़े भींचता वापिस बैठ गया।

''हां, तो मैं अर्ज कर रहा था''—वृद्ध आगे बढ़े—''भले ही किसी एक सबूत को डिफेंस थोड़ा हिलाने डुलाने में कामयाब हो जाये, डिफेंस को नहीं भूलना चाहिये कि कोर्ट का फैसला किसी एक सबूत पर आधारित नहीं होता, उन तमाम सबूतों पर आधारित होता है जो कि कोर्ट में पेश किये जाते हैं। यहां ये बात गौरतलब है कि यही बात दोनों पक्षों में आरोप प्रत्यारोप की जड़ बन गयी कि इस गवाह ने मुलजिम को बीस हजार की रकम उधार दी थी या नहीं! इस गवाही का स्वाभाविक फालो अप डिफेंस के मचाये हो हल्ले में ही गुम हो गया कि वो रकम गवाह ने मुलजिम को कब दी थी! हो सकता है, ये पहले की बात हो, बहुत पहले की बात हो—आखिर गवाह मुलजिम को अपना पुराना दोस्त तसलीम करता है— हो सकता है ये रकम एक मुश्त न दी गयी हो, कई किस्तों में दी गयी हो और उन किस्तों के बीच में बड़े बड़े वक्के हों। कहने का तात्पर्य ये है कि मुलजिम को ऐसा कोई उधार मिला था तो इस बात की पूरी पूरी सम्भावना है कि जैसे जैसे वो मिला था, वैसे वैसे खर्च होता चला गया था। किस्तों में मिला उधार कैसे मुकम्मल रकम के तौर पर मुलजिम के पास मौजूद हो सकता था! अगर पहली किस्त उसके पास सुरक्षित थी तो दूसरी लेने की जरूरत ही क्या थी? ये एक तर्कसंगत बात है जो हमें ये नतीजा निकालने पर प्रेरित करती है कि अव्वल तो ऐसा कोई उधार—एक मुश्त या किस्तों में—था ही नहीं, था तो उसे मुलजिम कब का खा पी चुका हुआ था। अदालत ये न भूले कि मुलजिम एक नौजवान लड़की की आशिकी की गिरफ्त में था और आशिकी एक खर्चीला कारोबार होता है। बेहैसियत आशिक की जेब में पैसा बचना चील के घोंसले में मांस बचने के समान है। इससे क्या स्वाभाविक नतीजा निकलता है! मेरी राय में ये कि अपनी आशिकी के हाथों मजबूर आशिक रुपये पैसे के मामले में बहुत जरूरतमन्द था। उसको नौकरी से डिसमिस कर दिया गया था इसलिए तनख्वाह से जो छोटी मोटी रकम उसे हासिल होती थी, अब वो

भी हासिल नहीं होने वाली थी। उसे अपने दोस्त से और उधार मांगते या तो शर्म थी या उसे मालूम था कि और उधार नहीं मिलने वाला था। ऐसे में मुलजिम का अपने पूर्व एम्पलायर के घर चोरी करने का इरादा बना लेना क्या बड़ी बात थी, जबकि उसे मालूम था कि एक खास दिन ऐसा करना आसान था, गुमान था कि इस खास दिन वो इस काम को बिना पकड़ाई में आये पूरी कामयाबी से अंजाम दे सकता था! और ऐसा हो भी गया होता अगरचे कि उसकी बद्किस्मती से मकतूल को उसके द्वारा दिया गया जीटाप्लैक्स का ओवरडोज कुछ ज्यादा ही ओवर न हो गया होता। यहां ये बात भी हालात की तर्जुमानी से साफ जाहिर है कि मकतूल के होश खो चुकने के बाद ही उसने उसके बटुवे पर हाथ साफ किया। उसने बटुवे से बरामद बीस हजार की रकम से ही सब्र न कर लिया होता अगरचे कि किसी के आगमन की आहट पाकर उसे एकाएक मौकायवारदात की एक खुली खिड़की के रास्ते वहां से फरार न हो जाना पड़ा होता। उसकी उसी कोशिश में उसके दायें पांव के जूते की छाप खिड़की के ऐन नीचे की फूलों की क्यारी में छूटी और उसका वाटरलू बनी। डिफेंस ने इस बात को काफी ड्रामेटाइज किया जबकि दो चार नहीं, सौ जोड़ी ऐन वैसे जूते पेश कर दिये—और कोशिश करते तो शायद ट्रक लोड जूते अदालत में पेश करते—लेकिन इससे साबित क्या हुआ? यही न कि वैसे जूते हजारों की तादाद में उत्पाद में थे और वारदात के दिन और भी लोग—कम से कम कोई एक दूसरा तो यकीनन—वैसे जूते पहने था! डिफेंस ने फॉरेंसिक एक्सपर्ट पवन सहगल के इस बयान को पूरी तरह से नजरअन्दाज करने की कोशिश की कि मुलजिम के दायें पांव के जूते का सोल एक खास पैटर्न से घिसा था और ये बात मुमकिन नहीं थी कि किसी और का भी जूता ऐन वैसे ही घिसा हो। योन ऑनर, प्रासीक्यूशन को ये बात मुमकिन नहीं दिखाई देती। किसी भी सैंसिबल, जस्ट और ज्यूडीशियस सोच वाले शख्स को ये बात मुमकिन नहीं जान पड़ सकती। जूता सिर्फ लगातार इस्तेमाल से ही नहीं घिसता, उसकी जल्दी या देर से घिसने की या किसी खास पैटर्न से घिसने की और भी वजुहात होती हैं—मसलन पहनने वाले का शारीरिक वजन, उसके चलने का तरीका, उसकी दोनों टांगों में से एक में—या दोनों में—कोई विकार, उसकी जूता पहन कर की जाने वाली डेली वाक की डयूरेशन। लिहाजा सौ किलो वजन वाले व्यक्ति का जूता पचपन किलो वजन वाले व्यक्ति के जूते की तरह नहीं घिस सकता। पोस्टमैन या फेरीवाले की तरह सारा दिन पांव पांव चलने वाले का जूता वैसा ही जूता पहन कर कार पर चलने वाले व्यक्ति के जूते की तरह नहीं घिस सकता। एक टांग से लंगड़ाकर चलने वाले का जूता उस व्यक्ति के जूते की तरह नहीं घिस सकता जिसकी दोनों टांगें नार्मल हैं। छड़ी का सहारा लेकर चलने वाले का जूता, किसी जोशीले फुर्तीले नौजवान के वैसे जूते की तरह नहीं घिस सकता। फिर ये कहना कहां

तक उचित है कि फूलों की क्यारी में सोल की जैसी छाप मुलजिम के जूते की बनी पायी गयी, वैसी छाप किसी और के वैसे जूते से भी बन सकती है!''

वृद्ध एक क्षण अपने शब्दों का प्रभाव जज पर, विपक्ष पर और श्रोताओं पर देखने के लिए रुके, फिर अपनी स्वभावगत धीर गम्भीर, प्रभावशाली आवाज में आगे बढ़े।

''योर ऑनर''—वृद्ध बोले—''अब मैं कोर्ट का ध्यान इस बात की तरफ आकर्षित करना चाहता हूं कि कैसे युवा डिफेंस अटर्नी ने इस क्लियर केस आफ मर्डर को दुर्घटनावश हुई मौत का जामा पहनाने की कोशिश की थी! कैसे इन्होंने कोर्ट के रिकार्ड में ये शकउपजाऊ बात सरकाने की कोशिश की थी कि कुशन किसी ने इसलिये मकतूल के मुंह के नीचे नहीं सरकाया था कि उसका दम घुट जाता बल्कि मकतूल होश खोकर रिक्लाइनर से गिरने के बाद इत्तफाकन फर्श पर पड़े कुशन पर मुंह के बल जाकर गिरा था और उसका दम घुट गया था। लिहाजा उसकी मौत कत्ल नहीं, एक हादसा था। योर ऑनर, मैं अपने नौजवान प्रतिवादी को मौत की एक और वजह सुझाने को तैयार हूं अगरचे की वो इनके किसी काम आये। और एक और वजह ये है कि मरने वाले ने आत्महत्या की थी। जब वो धराशायी हुआ था तो वो फौरन बेहोश नहीं हुआ था लेकिन उस वाकये ने उसके भीतर की जीने की इच्छा को समाप्त कर दिया था इसलिये उसने खुद... खुद एक कुशन काबू में कर के अपने मुंह के नीचे सरकाया था और यूं आत्महत्या कर के इस नश्वर संसार से, इस भौतिक जीवन से मुक्ति पा गया था।''

''योर ऑनर!''—मुकेश तड़प कर बोला—''अब मैं चुप नहीं रह सकता, भले ही आप मुझे अदालत की अवमानना का दोषी ठहरायें।''

''क्या कहना चाहते हो?''—जज अपेक्षाकृत नम्र स्वर में बोला।

''कोई माई का लाल अपना दम खुद नहीं घोंट सकता। पुलिस के डाक्टर साहब अदालत में मौजूद हैं, उनसे इस बात की तसदीक की जा सकती है।''

''जरूरत नहीं।''—वृद्ध बोले—''वकील साहब मेरे कथन पर फिर से गौर करें। मैं ये कहना चाहता हूं कि रिक्लाइनर से लुढ़क जब हत्प्राण धराशयी हुआ था, तब वो अभी होश में था...''

''अगर होश में होता तो धराशायी न हुआ होता।''

''मुकम्मल तौर पर नहीं, कदरन होश में था। इतने मुख्तसर से एक वक्फे के लिए होश में था, कि कुशन उठा कर अपने मुंह के नीचे सरका पाने में कामयाब हुआ। ऐसा करने के तुरन्त बाद वो होश खो बैठा और बेहोशी में उसका दम घुट गया। क्या खराबी है इस थ्योरी में जिससे कि प्रासीक्यूशन का कोई भला नहीं होने वाला लेकिन जो कि डिफेंस को उसके खुद के फायदे के लिए फारवर्ड की जा रही

है।''

''डिफेंस ऐसी खैरात का तमन्नाई नहीं।''

''तो डिफेंस की मर्जी।''

''आप डिफेंस की मर्जी चलने कहां दे रहे हैं!''

वृद्ध ने नेत्र आधे मुंद गये और चेहरे पर स्पष्ट धूर्तता के भाव आये और गायब हुए।

मुकेश ने असहाय भाव से गर्दन हिलाई और फिर वापिस जज से सम्बोधित हुआ—''योर ऑनर, मैं बड़े खेद, बड़े दुख के साथ अर्ज कर रहा हूं कि मिस्टर आनन्द, जिनका कि मैं शिष्य रह चुका हूं, जिनका कि मैं अदब करता हूं, सम्मान करता हूं, एक जाती खुन्दक के तहत भरी अदालत में मेरी खिल्ली उड़ाने की कोशिश कर रहे हैं। इस घड़ी ये जो कुछ कह रहे हैं, केस में अपने एडवर्सरी डिफेंस काउन्सल को नहीं कह रहे, मुकेश माथुर को ह्यूमीलियेट करने के लिए कह रहे हैं जो कि कभी इनका मातहत होता था। प्रेजेन्टली हिज सोल अटैम्प्ट इज टू रिडीक्यूल मी एण्ड मेक मी लुक लाइक ए फूल इन दिस कोर्ट।''

''आई एम डूईंग नो सच थिंग।''—वृद्ध शान्ति से बोले।

''आप ऐन यही कर रहे हैं। वर्ना ये कोई टाइम है इतनी बड़ी स्पीच देने का? आपने डिफेंस की एक विटनेस को क्रॉसक्वेश्चन करना है, आप कीजिये। अपना असल काम छोड़कर कोर्ट को मुलजिम के खिलाफ बायस करने लग जाने का क्या मतलब है? यूं कनक्लूडिंग स्पीच देने लगने का क्या मतलब है जैसे कि केस में फैसला सुनाया जाने की रसम के अलावा अब कुछ बाकी नहीं।''

''क्या बाकी है?''

''डिफेंस को अपने गवाह पेश करने का मौका मिलना बाकी है।''

''कर तो लिया अपना गवाह पेश!''

''ये एक गवाह है, डिफेंस के पास कई गवाह हैं जिन्हें वो डिफेंस विटनेसिज के तौर पर पेश करना चाहता है।''

''किस हासिल की खातिर?''

''हासिल सामने आयेगा। डिफेंस का अपनी किसी स्ट्रेटेजी को एडवांस में प्रासीक्यूशन पर उजागर करना जरूरी नहीं।''

''शायद''—आनन्द साहब ने एक अर्थपूर्ण निगाह जज पर डाली—''अदालत पर उजागर करना जरूरी हो!''

जज का सिर सहमति में हिला।

साफ जाहिर था कि नकुल बिहारी आनन्द का उसपर कुछ ज्यादा ही रौब गालिब था।

''डिफेंस''—जज माथे पर बल डालता बोला—''कोर्ट में अपने गवाह पेश करना चाहता है?''

''यस, योर ऑनर।''—मुकेश बोला।

''क्या साबित करने के लिए? ताकीद है कि ये सवाल प्रासीक्यूशन नहीं, कोर्ट पूछ रहा है।''

''ये साबित करने के लिए कि पुलिस ने अपनी इनवैस्टिगेशन के दौरान कत्ल के आल्टरनेट कैण्डीडेट की सम्भावना की तरफ कोई तवज्जो न दी। उन्होंने मुलजिम कमलेश दीक्षित को गिरफ्तार कर के अपना काम मुकम्मल हो गया मान लिया जबकि कमलेश दीक्षित के खिलाफ अभी तक भी कोई कनक्लूसिव, कोई ओपन एण्ड शट केस खड़ा नहीं हो पाया है, बावजूद माननीय पूज्यनीय, प्रात: स्मरणीय, वकालत के कारोबार की सबसे ऊंची नाक नकुल बिहारी आनन्द साहब की फैंसी तकरीर के खड़ा नहीं हो पाया है।''

''नो पर्सनल रिमार्क्स, मिस्टर माथुर।''

''मैंने महज महान आनन्द साहब की महानता को चार चान्द लगाये।''

''ऐसा भी वांछनीय नहीं।''

''इन दैट केस, आई एम सॉरी, योर ऑनर। मैं आइन्दा खयाल रखूंगा।''

''बहरहाल डिफेंस समझता है कि वो कत्ल का कोई आल्टरनेट कैन्डीडेट पेश कर सकता है?''

''डिफेंस कैन्डीडेट नहीं, कैन्डीडेट्स पेश कर सकता है। योर ऑनर, ये प्रक्रिया इसलिये निहायत जरूरी है कि अगर कोई जुदा शख्स कातिल साबित होता है तो मेरा क्लायन्ट अपने आप ही बेगुनाह साबित हो जायेगा। तो उसके खिलाफ जो अभी अकाट्य सबूत समझे जा रहे हैं वो अपने आप ही बेअसर हो जायेंगे। तो उसे खुद को बेगुनाह साबित करने की जरूरत ही बाकी नहीं रहेगी।''

''ओके। कल सुबह ये कोर्ट डिफेंस के गवाहों के बयानात सुनेगा।''

''थैंक्यू, योर ऑनर।''

''कोर्ट का क्लोजिंग टाइम हो गया है। आज की सुनवाई खत्म होती है। गवाह के कठघरे में खड़े गवाह से किसी को कुछ पूछना बाकी रह गया हो तो इसे कल फिर पेश किया जाये। दि कोर्ट इस अडजर्न्ड।''

कोर्ट के बाहर नकुल बिहारी आनन्द अपनी कार में सवार होने जा रहे थे जबकि मुकेश लपक कर उनके करीब पहुंचा।

सुबीर पसारी मुकेश के साथ था लेकिन वो जानबूझ कर परे ही ठिठक गया। उसने कान खड़े कर लिये।

''सर''—मुकेश बोला—''मैं आपको सलाम करता हूं।''

''क्या!''—वृद्ध सकपकाये।

''नतमस्तक हूं आपके आगे।''

''अरे, भई, क्या कह रहे हो?''

''इतना बड़ा पाखण्डी कोई आप जैसा बड़ा आदमी ही हो सकता है।''

''क्या बकते हो?''

''परजुरी पर कितना बढ़िया भाषण दिया! गवाहों की खरीद फरोख्त को कितने स्टाइल से, कितने पुरजोर अन्दाज से अवांछित कृत्य ठहराया! जबकि इस कारोबार के सबसे बड़े कारोबारी तो आप हैं ...''

''माथुर!''

''कितनी सफाई से, कितने इत्मीनान से, कितनी मासूमियत से भूल गये कि दिल्ली में परजुरी के दम पर ही, गवाहों की खरीद फरोख्त के दम पर ही आपने अपने भतीजे को फांसी पर झूलने से बचाया था। आपने अभी अदालत में बोला गवाह खरीदे जाते हैं—दिल्ली में आपकी ऐसी सबसे बड़ी खरीद प्राइवेट डिटेक्टिव चन्द्रेश रोहतगी था जिसके पास आपके भतीजे के कत्ल की बाबत कनफैशन की वीडियो रिकार्डिंग थी जिसे कि उस कैरेक्टरलैस पीडी के कोर्ट में पेश करने की जगह चान्दी का जूता खा कर आपको सौंप दिया। वैसी ही अवार्ड विनिंग खरीद आपके भतीजे की वहशत और बलात्कार का, प्रेग्नैंसी का शिकार हुई आयशा अब्राहम की थी, उसके बद्नसीब बाप की थी। आपने अदालत में बोला गवाह धमकाये जाते हैं —दिल्ली में आनन्द साहबान ने भतीजे के खिलाफ मुंह बन्द रखने के लिए बाकायदा मुझे धमकाया, दिल्ली की अपने भाई की अपने जैसी फर्म आनन्द प्रधान आचार्य एण्ड एसोसियेट्स के पार्टनर परमीत प्रधान को धमकाया कि अगर उसने आप लोगों के मनमाफिक अपना बयान तब्दील न किया तो उसका फर्म में टिका रहना नामुमकिन होगा, लिहाजा उसका लॉ कैरियर खत्म होगा। आपने अदालत में बोला गवाह बरगलाये जाते हैं—दिल्ली में आपने अपने भतीजे के क्लासमेट्स गगनदीप सिंह और शरद त्यागी को बरगलाया, नतीजतन दोनों कोर्ट में अपनी गवाही से मुकर गये, टैक्सी ड्राइवर इशरत अली को बरगलाया जो अपने सच्चे बयान से फिर कर आपका सिखाया कोई नया ही राग अलापने लगा। कैसे आपकी फरेबी जुबान से इस विषय में वो सब कुछ निकाला जो आपने अदालत में कहा! कैसे आप भूल गये कि दिल्ली में परजुरी के ही दम पर, गवाहों की खरीद फरोख्त के ही दम पर आपने अपने भतीजे को फांसी पर झूलने से बचाया था! कितनी हैरानी की बात है कि गवाहों की खरीद के खेल का आप जैसा शातिर खिलाड़ी कोर्ट में भोला बलम बन कर इस कारोबार के खिलाफ बोल सका। मास्टर मैनीपुलेटर ने

कोर्ट में खड़ा होकर कहा ऐसी मैनीपुलेशंस नहीं होनी चाहियें तो क्या दर्शकों को, क्या जज को, सबको मन्त्रमुग्ध कर दिया। यकीनन ऐसी मैनीपुलेशंस नहीं होनी चाहियें, लेकिन कब नहीं होनी चाहियें! जब कोई दूसरा करे, न कि जब आनन्द साहबान में से कोई करे। कैसी विडम्बना है! कोई दूसरा करे तो थू थू, आप करें तो जय जय। वाह नकुल बिहारी आनन्द साहब, वाह!''

''बक चुके!''—वृद्ध सब्र से बोले—''मन की भड़ास निकाल चुके!''

''जी हां।''

''कुछ कहना बाकी हो तो बोलो।''

मुकेश का सिर इंकार में हिला।

''तुम्हारी बद्‌जुबानी से हारते आदमी की खीज झलकती है।''

''हारता आदमी!''

''जो कि तुम हो। ये केस तो तुम अपने हाथ से निकल ही गया समझो। इसकी जीत का यश पाने के जो सपने तुम देख रहे थे, उनको चकनाचूर हो भी गया समझो।''

मुकेश मुंह बाये वृद्ध का मुंह देखता रहा।

''तुमने कोर्ट में कई बार अपने क्लायन्ट को अनफार्चूनेट कहा, बद्‌नसीब कहा, मैं तुम्हारी इस बात से सौ फीसदी सहमत हूं। लेकिन तुम्हारा क्लायन्ट बद्‌नसीब इसलिये नहीं है कि अपने गुनाह की सख्त सजा पायेगा, वो बद्‌नसीब इसलिये है कि उसने *तुम्हें* अपना वकील मुकर्रर किया।''

''आप ऐसा समझते हैं?''

''मैं ऐसा जानता हूं।''

मुकेश के मुंह से बोल न फूटा।

''मुंह फाड़ना आसान होता है, एडवोकेट मुकेश माथुर, लेकिन फटे मुंह से जो प्रलाप निकलता है, उसके गम्भीर नतीजों को झेलना बहुत मुश्किल होता है। मेरे खिलाफ अभी जो जहर तुमने उगला, वो आगे स्टियरिंग के पीछे बैठे मेरे ड्राइवर को भी सुनाई दिया जो कि पढ़ा लिखा है, सब समझता है। इस को गवाह बना कर मैं तुम पर डिफेमेशन आफ कैरेक्टर का, इज्जत हत्तक का दावा ठोकूं, तो नतीजा तुम्हें अपने मैरीन ड्राइव के नये, फैंसी ऑफिस से वापिस सड़क पर ले आयेगा। लेकिन तुम कमउम्र हो, नादान हो, अभी नातजुर्बेकार हो इसलिये जाओ, मैंने तुम्हें माफ किया।''

वृद्ध कार में सवार हो गये और कार ये जा वो जा।

मुकेश भौंचक्का सा जाती कार को देखता रहा।

सुबीर पसारी उसके करीब पहुंचा।

''लो''—वो सिग्रेट का खुला पैकेट मुकेश की तरफ बढ़ाता बोला—''सिग्रेट पियो।''

मुकेश रेगुलर स्मोकर नहीं था, कभी कभार ही कश लगाता था, उसने अनमने भाव से सिग्रेट कबूल किया।

''देखा बुजुर्गवार का तजुर्बा! जहूरा!''—पसारी बोला।

''वो तो कोर्ट में भी देखा। एक ही लैक्चर दिया, सबको मन्त्रमुग्ध कर दिया।''

''यहां भी तो चुटकियों में तुम्हारी बाजी पलट गये। शार्मिंदा होने की जगह शर्मिंदा कर गये!''

मुकेश ने संजीदगी में सिर हिलाया।

''अब क्या करोगे?''

''तुम्हें मालूम होना चाहिये!''

''क्या?''

''हार तो नहीं मान जाऊंगा!''

''उसका तो, खैर, सवाल ही नहीं पैदा होता लेकिन करोगे क्या?''

''अपने गवाह पेश करने के सिलसिले में मेरी बड़ी व्यापक तैयारी है, बहुत धक्के खाये हैं मैंने कत्ल का कोई अल्टरनेट कैण्डीडेट खड़ा कर पाने की कोशिश में। कल देखना, मैं केस में ऐसे ऐसे फक्चर डालूंगा कि सारे आनन्द मिल कर भी उनका तोड़ नहीं निकाल पायेंगे।''

''गुड!''

बुधवार : चौदह सितम्बर

सुबह साढ़े दस बजे कमलेश दीक्षित के केस में कोर्ट की सुनवाई शुरू हुई।

''योर ऑनर''—सोलंकी सप्रयास अपने स्वर में व्यंग्य का पुट लाता बोला—''मैं डिफेंस से दरख्वास्त करता हूं कि वो अपने वो गवाह पेश करने शुरू करें जिन की बाबत उन्होंने कल इस अदालत में बड़े फैनफेयर के साथ ऐलान किया था।''

''इज डिफेंस रेडी?''—जज ने पूछा।

''यस, योर ऑनर।''—मुकेश बोला।

''दैन यू मे प्रोसीड।''

''यस, योर ऑनर।''

डिफेंस विटनेस के तौर पर मुकेश ने सबसे पहले जिस गवाह को पेश किया, वो कमला सारंगी थी।

वो शपथ ग्रहण कर चुकी तो मुकेश बोला— ''मैं जानता हूं आप स्वेच्छा से इस वक्त कोर्ट में मौजूद नहीं हैं। आपका बस होता तो आप गवाही के लिए हरगिज पेश न होतीं। मैं आपसे अपील करता हूं कि आप इस बात को संजीदगी से खातिर में लायें कि एक नौजवान की जान सूली पर टंगी है और उसके बचाव का काफी दारोमदार आपके बयान पर हो सकता है।''

''खातिर में लाने के लिए क्या करूं?''—कमला सारंगी अप्रसन्न भाव से बोली— ''उसकी जगह खुद सूली पर टंग जाने की आफर करूं?''

''आप जानती हैं ऐसा कुछ नहीं होने वाला... आई मीन, खामखाह ऐसा कुछ नहीं होने वाला। आपसे सिर्फ सच बोलने की अपील है। डिफेंस के चन्द सवालों के जवाब में सीधे और सच्चे जवाब देने की अपील है। हो सकता है कि कुछ सवाल आपको नागवार गुजरें लेकिन, मैं दोहराता हूं कि, एक बेगुनाह की जान पर बनी है इसलिये आप ये जहमत बर्दाश्त करें।''

''सवालों का तो मालूम हो कि क्या हैं?''

''अभी मालूम होता है। मैडम, आप ड्रग एडिक्ट हैं...''

''वाट द हैल!''—तत्काल वो भड़की— ''यू हैव नो राइट टु...''

''आप दो बार पूना के ड्रग डिएडिक्शन सेंटर में भरती हो चुकी हैं।''

''दिस इज शियर नानसेंस...''

''दिस इज ए मैटर आफ रिकार्ड, मैडम। उस सेंटर से हासिल हुई आपकी दोनों बार की टोटल केस हिस्ट्री की सर्टिफाइड फोटोकापीज''—मुकेश ने ड्रामाई अन्दाज में कुछ कागजात हवा में लहराये— ''मेरे पास हैं। एक सैट सरकारी वकील साहब के लिए और एक सैट आनरेबल जज साहब के अवलोकनार्थ भी मेरे पास है।''

मुकेश ने कापियां वितरित कीं।

कुछ क्षण कोर्ट में खामोशी व्याप्त रही।

उस दौरान कमला सारंगी कठघरे में खड़ी बेचैनी से पहलू बदलती रही।

''दि रिकार्ड इज क्वाइट इन आर्डर।''—आखिर जज बोला— ''जो बात वैसे ही प्रत्यक्ष है और प्रमाणित है, उसके जवाब में गवाह के भड़ककर दिखाने का या जवाब को टालने की कोशिश करने का कोई मतलब नहीं। गवाह जवाब दे।''

''मैं आपको सवाल याद दिला दूं।''—मुकेश बोला— ''सवाल ये है कि आप दो बार पूना के ड्रग डिएडिक्शन सेंटर में भरती हो चुकी हैं। जवाब हां या न

में दें।''

"हां।'' —वो फंसे कण्ठ से बोली।

''आप कबूल करती हैं आप ड्रग एडिक्ट हैं?''

''थी।''

''अब नहीं हैं?''

''हां।''

''स्थायी रूप से?''

''जाहिर है।''

"नहीं जाहिर है, मैडम। ऐसा होता तो आपके दूसरी बार भरती होने की नौबत न आयी होती।''

गवाह ने होंठ काटे, उसने जोर से थूक निगली।

''जब एक बार नशे की लत से निजात पा चुकने के बाद आप फिर चालू हो गयीं और इस हद तक फिर नशे के हवाले हो गयीं कि फिर डिएडिक्शन सेंटर की शरण में जाना पड़ा तो उस दूसरे फेरे के बाद क्या सबूत है कि आज तक, आज की इस घड़ी तक आपकी नशे की आदत छूटी रही?''

''ऑब्जेक्ट।'' —आनन्द साहब ने सोलंकी को कोहनी मारी— ''आगूमेंटेटिव।''

''ऑब्जेक्शन, योर ऑनर।'' —सोलंकी उच्च स्वर में बोला— ''गवाह के वकील अपने ही गवाह से जिरह कर रहे हैं।''

''इट इज एपेरेंट, योर ऑनर'' —मुकेश बोला— ''दैट दि विटनेस इज शोईंग टेंडेंसी टु टर्न होस्टाइल। होस्टाइल विटनेस से जवाब निकलवाने के लिए जिरह करनी पड़ती है।''

''ऑब्जेक्शन ओवररूल्ड!'' —जज बोला— ''गवाह जवाब दे।''

''मैं जवाब नहीं दे सकती।'' —गवाह कठिन स्वर में बोली।

''वजह?'' —मुकेश बोला।

''वजह तुम्हें मालूम है—आखिर वकील हो।''

''आपका इशारा इस तरफ है कि ड्रग्स लेना क्राइम है, ड्रग्स को खरीदने वाला, इस्तेमाल करने वाला भी उतना ही बड़ा गुनहगार है जितना कि बेचने वाला। नो?''

गवाह ने जवाब न दिया।

''जवाब दीजिये!''

''आई कैननाट। आई रिफ्यूज टु आनसर आन दि ग्राउन्ड दैट दि आनसर मे इनक्रिमेनेट मी।''

''आप गवाह के कठघरे में खड़ी हैं!''

''गवाही न देने की जो सजा मुझे होगी, वो मैं भुगत लूंगी।''

''आप समझती हैं आपके जवाब से स्थापित हो जायेगा कि आप ड्रग एडिक्ट हैं?''

''मुझे इस सवाल का जवाब देने से भी इंकार है क्योंकि इसका भी वही नतीजा होगा।''

''ये अदालत आपको अश्वासन दे कि आपकी ड्रग एडिक्शन की वजह से आप पर कोई एक्शन नहीं होगा तो जवाब देंगी?''

''हां।''

''मैं अदालत से दरख्वास्त करता हूं कि इस सन्दर्भ में गवाह को अभयदान दिया जाये।''

''अदालत को''—जज बोला—''इस बात का उस केस में कोई सम्बन्ध दिखाई नहीं देता जिसकी कि सुनवाई जारी है।''

''सम्बन्ध आगे आयेगा, योर ऑनर।''—मुकेश बोला—''आई गिव दि आनरेबल कोर्ट माई पर्सनल अश्योरेंस दैट आई विल कनैक्ट इट अप।''

''इन दैट केस आई एग्जोनरेट दि विटनेस फ्रॉम दि लीगल लायबलिटी आफ हर बीईंग ए ड्रग एडिक्ट।''

''मैडम, अब आपको अभयदान प्राप्त है। अब जवाब दीजिये।''

''हां।''—गवाह कमला सारंगी बोली—''मैं ड्रग एडिक्ट हूं।''

कोर्ट में सस्पेंसभरी खामोशी छा गयी।

''ड्रग्स का आपका सोर्स''—मुकेश ने सवाल किया—''क्रिस्टल लॉज के हाउसहोल्ड में था?''

''हां।''

''कैजुअल सर्वेंट्स तो न होंगे! हाउसकीपर तो न होगी!''

''हां।''

''फिर तो बाकी दो ही जने बचे! मकतूल अभय सिंह राजपुरिया और मकतूल का पेड कम्पैनियन शिवराज अटवाल। उनमें से कौन?''

गवाह हिचकिचाई, उसने फिर जोर से थूक निगली, बेचैनी से पहलू बदला।

''जवाब दीजिए।''—मुकेश जिदभरे स्वर में बोला—''मकतूल या कम्पैनियन?''

''मकतूल।''

''अभय सिंह राजपुरिया?''

''हां।''

''जिसके कि कत्ल के केस की सुनवाई इस घड़ी हो रही है?''

''हां।''

''मकतूल आपको ड्रग्स सप्लाई करता था?''

''बाजरिया कम्पैनियन।''

''मतलब?''

''इस सिलसिले में मेरे को अटवाल डील करता था।''

''क्यों? क्योंकि मकतूल ऐसा चाहता था?''

''जाहिर है।''

''पेमेंट कौन क्लैक्ट करता था?''

''पेमेंट!''

''ड्रग्स की। जो आपको मकतूल बाजरिया अटवाल सप्लाई करता था?''
वो खामोश रही, वो फिर बेचैन दिखाई देने लगी।

''जवाब दीजिए।''

''कोई नहीं।''—जवाब में वो यूं बोली जैसे फांसी लग रही हो!

''मतलब?''—मुकेश तनिक सकपकाये लहजे से बोला।

''वही। कोई नहीं।''

''फ्री सर्विस थी?''

''फ्री कुछ होता है!''

''जी!''

''ऐवरीथिंग हैज ए प्राइस टैग।''

''मैडम, आप वही कह रही हैं, जो मैं समझ रहा हूं?''

''हां।''

''ड्रग्स आपको सैक्सुअल फेवर्स के बदले में हासिल होते थे?''
उसका सिर झुक गया।

''जवाब दीजिये।''
उसका सिर और झुक गया।

''क्या आपकी खामोशी को आपकी हां माना जाये?''
उसने जवाब न दिया।

''बहरहाल इस सिलसिले में कोई विघ्न आया तो आपने मकतूल का कत्ल
कर दिया! उसे किसी तरीके से जीटाप्लैक्स का ओवरडोज खिला कर!''

''ऑब्जेक्शन, योर ऑनर!''—सोलंकी बोला—''दिस इज अज्यूमिंग
फैक्ट्स नाट इन ईवीडेंस।''

''अगर फैक्ट्स ईवीडेंस में नहीं हैं''—मुकेश बोला—''तो उसके लिए

पुलिस जिम्मेदार है जिसने इस नुक्तानिगाह से केस की तफ्तीश को आगे बढ़ाया ही नहीं। उन्होंने बतौर कातिल मुलजिम कमलेश दीक्षित को थामा और इसी को केस की इतिश्री समझ लिया। पुलिस तो इस हकीकत को खातिर में लाने को कभी तैयार ही न दिखी कि कोई अल्टरनेट कातिल भी हो सकता था। पुलिस से उम्मीद की जाती है कि वो अपनी तफ्तीश में केस के तमाम पहलुओं पर गौर करे, उसने सिर्फ एक पहलू पर गौर किया कि कातिल कमलेश दीक्षित था। अब मैं एक अल्टरनेट कातिल को, बमय मोटिव, फोकस में लाने की कोशिश कर रहा हूं तो प्रासीक्यूशन को ऐतराज है। ये मुलजिम की बेचारगी का मजाक नहीं तो और क्या है? ये मजलूम पर और जुल्म नहीं तो और क्या है?''

''डिफेंस इस बाबत कुछ भी सोच सकता है, कुछ भी कह सकता है। डिफेंस का लैक्चर इमोशनल है। प्रासीक्यूशन की आब्जेक्शन प्रोसीजरल है। डिफेंस किसी को भी कठघरे में खड़ा करके उसपर कातिल होने का इलजाम लगाने लगे, अपनी हवाई थ्योरियां उसपर थोपने की कोशिश करने लगे तो प्रासीक्यूशन का ऐतराज लाजमी है। ऐसी हवाइयों से किसी को — किसी को भी — मुजरिम और मुलजिम को बेगुनाह साबित नहीं किया जा सकता।''

''जो मेरे फाजिल दोस्त को हवाईयां दिखाई देती हैं, वो उजागर हुए, स्थापित, तथ्यों से निकाला गया तर्कसंगत नतीजा है। जमा, और कुछ नहीं तो ऑब्जेक्शन खड़ी करने से पहले प्रासीक्यूशन ने गवाह के सवाल का जवाब दे लेने तक तो इन्तजार किया होता?''

''आई थिंक आई विल ओवररूल दि प्रासीक्यूशंस ऑब्जेक्शन।'' —जज बोला— ''क्योंकि सवाल का जवाब कोर्ट भी सुनना चाहता है। गवाह जवाब दे।''

''नहीं।'' —कमला सारंगी बोली।

''क्या नहीं?'' —जज की रूलिंग से उत्साहित मुकेश बोला।

''मैंने राजपुरिया साहब का कत्ल नहीं किया।'' —वो दृढ़ता से बोली।

''हालात का इशारा साफ इस तरफ है। आपके और मकतूल के बीच ड्रग्स के मामले में जो बिचौलिया था, वो तो घर पर था नहीं — और शाम तक, बल्कि रात तक, होने वाला भी नहीं था — तो जाहिर है कि हमेशा नहीं तो इस बार आपका सीधा वास्ता मकतूल से पड़ा। उसने ड्रग्स देने से मना किया, जबरन सैक्स करने की कोशिश की तो आपने कोई मौका निकाला और उसे जीटाप्लैक्स का बड़ा ओवरडोज खिला दिया?''

''मेरा मकतूल से ऐसा कोई वास्ता नहीं था।''

''ये कोई मानने की बात है! ड्रग्स, आपने खुद कुबूल किया कि, आपको फ्री हासिल होते थे तो 'कोई वास्ता' रखे बिना कैसे हासिल हो सकते थे? आपने अभी

खुद तो इतनी सयानी बात कही कि ऐवरीथिंग हैज ऐ प्राइस टैग। नो?''

''वो ठीक है, लेकिन मैंने कहा न...''

''मैंने सुना। कोर्ट ने सुना। सबने सुना। जो सबने सुना, जो कोर्ट के रिकार्ड में दर्ज हुआ, उसमें अभी एक इजाफा मैं और करना चाहता हूं। मैडम, क्या ये सच नहीं है कि वारदात वाले रोज सुबह ग्यारह बज कर दस मिनट पर आपको लॉज के फ्रंट डोर से निकल कर जाते देखा गया था? योर ऑनर, ये बात, सरकारी वकील साहब की जुबान में, कोई हवाई नहीं है। ये एक हकीकत है जिसकी तसदीक के लिए एक गवाह मौजूद है।''

''वो गवाह पेश हो सकता है?''—जज ने पूछा।

''जरूरत पड़ने पर पेश हो सकता है लेकिन अभी शायद न जरूरत पड़े क्योंकि मेरे पास इस बाबत उसका तसदीकशुदा बयान मौजूद है जो कि मैं अभी कोर्ट में पेश करता हूं।''

मुकेश ने लेखक दिवाकर चौधरी के दस्तखतशुदा बयान—विभिन्न लोगों की क्रिस्टल लॉज में आवाजाही का टाइम टेबल—कोर्ट के एक अधिकारी को दिखाया और उसकी जेरोक्स कापियां कोर्ट के रिकार्ड के लिए और सरकारी वकील के लिए उसे सौंपी।

प्रासीक्यूशन के गुरु शिष्य—आनन्द साहब और सपन सोलंकी—उसका गम्भीर अध्ययन करने लगे।

जज ने भी उसका मुआयना किया।

''वैरी इन्टरेस्टिंग!''—फिर बोला—''ये टाइम टेबल तो बहुत मानीखेज साबित हो सकता है!''

''मानीखेज है, योर ऑनर।''—मुकेश बोला—''ये इस सम्भावना की तरफ स्पष्ट इशारा है कि कातिल मुलजिम कमलेश दीक्षित के अलावा इस लिस्ट में दर्ज पांच लोगों में से कोई भी हो सकता है जिनमें से दिलीप नटके के अलावा किसी की लॉज में आमद की खबर किसी को नहीं। दिस इज ए वैरी सैड कमैंटरी आन दि शैबी वे बाई विच पुलिस कन्डक्टिड हिज इनवैस्टिगेशन। जो टाइम टेबल कोर्ट को अब मार्फत डिफेंस हासिल हुआ है, पुलिस ने अपना काम मुस्तैदी, जिम्मेदारी और सूझबूझ से किया होता तो ये बहुत पहले—यहां तक कि लोअर कोर्ट में ही—कोर्ट में आन रिकार्ड होता। इस दस्तावेज की रू में गवाह के कठघरे में खड़ी मैडम कमला सारंगी इस बात से नहीं मुकर सकतीं कि वारदात के सम्भावित वक्त की पुलिस के मैडीकल एग्जामिनर द्वारा निर्धारित लिमिट्स के बीच—यानी कि सुबह दस और दोपहरबाद एक बजे के बीच—मैडम मौकायवारदात पर मौजूद थीं, यानी कि इनके पास कत्ल का मौका था, उद्देश्य तो था ही। इसके अलावा डिफेंस ने और कुछ नहीं

कहना, गवाह से और कुछ नहीं पूछना, ये कोर्ट अब अपना नतीजा खुद निकाल सकता है।''

''प्रासीक्यूशन को कहना है।'' — सोलंकी बोला — ''ये सच है कि कत्ल के वक्त की लिमिट्स सुबह दस और दोपहरबाद एक बजे के बीच निर्धारित की गयी थीं लेकिन बाद में गवाहों के बयानात ने इस लिमिट को काफी हद तक श्रिंक कर दिया था। ये बात रिकार्ड में है कि मकतूल सुबह दस बजे तक जीवित था क्योंकि अपने वीकली ऑफ पर लॉज से रवाना होता मकतूल का कम्पैनियन अटवाल उसे पीछे जिन्दा छोड़ के गया था। और दस पैंतीस पर पब्लिक पार्टी के प्रचारक को लॉज के भीतर से मकतूल का कोई जवाब नहीं मिला था। इससे स्थापित होता है कि कत्ल दस और दस पैंतीस के बीच हुआ था...''

''नहीं स्थापित होता'' — मुकेश गर्ज कर बोला — ''बिल्कुल नहीं स्थापित होता। ये स्थापना इस धारणा पर आधारित है कि प्रचारक को लॉज के भीतर से कोई जवाब न मिला। इतने से कैसे स्थापित हो गया कि घर का मालिक भीतर मरा पड़ा था! प्रचारक ने भीतर दाखिल हो कर अपनी आंखों से भीतर पड़ी लाश देखी होती तो कोई बात भी थी! उसे बन्द दरवाजे की चौखट पर खड़े खड़े ही क्योंकर मालूम हो गया कि उसकी पार्टी कैम्पेन लिटरेचर का रेसीपैंट भीतर मरा पड़ा था! फिर भी प्रासीक्यूशन को यकीनी तौर पर ये मालूम है कि कैम्पेनर गोविन्द सुर्वे को दिव्यदृष्टि प्राप्त है तो डिफेंस की दरख्वास्त है कि इस बाबत प्रापरली एनडोर्स्ड एफीडेविट फाइल किया जाये!''

''इस टाइम टेबल में'' — सोलंकी ने नया ऐतराज खड़ा किया — ''गवाह की लॉज से रवानगी का वक्त रिकार्डिड है, उसकी आमद का वक्त रिकार्डिड नहीं है।''

''तो! इसका क्या ये मतलब हुआ कि गवाह लॉज पर पहुंचा नहीं था, वहां जादू के जोर से प्रकट हुआ था!''

''डिफेंस अटर्नी बरायमेहरबानी बात को ड्रामेटाइज करने की कोशिश न करें और बात का मर्म समझने की कोशिश करें। प्रासीक्यूशन ये कहना चाहता है कि हो सकता है कि इस गवाह की लॉज पर हाजिरी इतनी मुख्तसर हो कि उतने में कत्ल को अंजाम न दिया जा सकता हो।''

''ये पुलिस के करने का काम था, वक्त रहते करने का काम था, जो कि पुलिस ने न किया। इस घड़ी पुलिस की अकर्मन्यता को डिफेंस पर थोपना गलत है, नाजायज है। दूसरे, गवाह यहां मौजूद है, प्रासीक्यूशन के हवाले है, प्रासीक्यूशन क्यों नहीं तथ्यों को गवाह से उगलवाता! वाई प्रासीक्यूशन डजंट नाओ ड्रा इट फ्रॉम हार्सिज माउथ!''

''प्रासीक्यूशन इस बाबत पुलिस से मशवरा करेगा। फिलहाल प्रासीक्यूशन ने इस गवाह से और कुछ नहीं पूछना।''

''अभी मुझे पूछना है।''—मुकेश बोला—''मुझे बीच में टोक दिया गया था इसलिये गवाह से मेरी पूछताछ अभी मुकम्म्ल नहीं हुई थी।''

''आल राइट।''—घड़ी पर निगाह डालता, अपनी झुंझलाहट छुपाता वो बोला—''गो अहेड।''

''थैंक्यू। मैडम, आप इस तथ्य से वाकिफ हैं कि मकतूल अड़सठ साल का था?''

''मैंने ऐसा सुना है।''—कमला सारंगी अनमने भाव से बोली।

''इट्स ए मैटर आफ रिकार्ड। मकतूल की यही उम्र थी।''

''ठीक है, यही होगी!''

''आप नौजवान हैं!''

''मैं छत्तीस साल की हूं।''

''आजकल छत्तीस साल की उम्र नौजवानी के रेंज में ही आती है। फिर आप इतनी खूबसूरत हैं, आप जैसी मलिकायेहुस्न के लिए ये उम्र किसी सूरत में बड़ी करार नहीं दी जा सकती।''

''तुम ऐसा समझते हो तो... थैंक्यू।''

''मकतूल—अड़सठ साल का उम्रदराज शख्स, रेगुलर ड्रिंकिंग मैन—सैटिस्फैक्ट्री सैक्स करने में सक्षम था?''

''मुझे क्या मालूम?''

''क्यों नहीं मालूम! जब ड्रग्स आपको सैक्सुअल फेवर्स के बदले में हासिल होते थे तो क्यों नहीं मालूम?''

''ये एक गन्दा, घिनौना, बेहूदा, गैरत से गिरा सवाल है जिसका जवाब देने से मैं पुरजोर इंकार करती हूं। मैं इस बात से पहले ही कह चुकी हूं कि मेरा मकतूल से ऐसा कोई वास्ता नहीं था।''

''यूं आपने दो जुदा, परस्पर विरोधी बातें कहीं। एक तरफ आप कहती हैं कि ड्रग्स आपको सैक्सुअल फेवर्स के बदले में हासिल होते थे, दूसरी तरफ आप कहती हैं...''

''अब कुछ नहीं कहती। अब एक लफ्ज भी मेरे मुंह से निकले तो बोलना।''

''ऐसा?''

''हां।''

''एक लफ्ज तो आपके मुंह से निकला। अभी आपने 'हां' कहा।''

''तुम्हारी सड़ेली थाट ट्रेन से ताल्लुक रखता कोई लफ्ज मुंह से निकले तो

बोलना।''

''गवाह अपनी जुबान को काबू में रखे।''—जज बोला।

''आई डोंट माईंड, योर ऑनर। बहरहाल मुझे इस गवाह से और कुछ नहीं पूछना। अलबत्ता कहना है। मुझे कहना है कि गवाह का जवाब न देने से मजबूत इंकार अपनी कहानी खुद कहता है और मेरे इस दावे को मजबूत करता है कि—ड्रग्स हासिल करने की मजबूरी के तहत ब्लैकमेल की तरह था या किसी और वजह से था, ये जुदा मसला है—गवाह का मकतूल से सैक्स अफेयर था। और ऐसे बेमेल, जबरदस्ती के अफेयर का कत्ल की बुनियाद बन जाना कोई बड़ी बात नहीं।''

''लिहाजा डिफेंस अटर्नी अपने ही गवाह को कातिल करार दे रहे हैं।''—सोलंकी बोला।

''इस गवाह का दर्जा होस्टाइल विटनेस का है जो कि डिफेंस की मर्जी की वजह से नहीं, मजबूरी की वजह से है। इस वजह से है कि पुलिस की इनवैस्टिगेटिंग टीम को मौजूदा केस में इस गवाह के उस रोल की कोई भनक तक न लगी जो कि इस घड़ी कोर्ट में उजागर हुआ। ये गवाह पुलिस की जानकारी में होता, उसकी इनवैस्टिगेशन के दायरे में होता तो इसका दर्जा बहुत पहले मर्डर सस्पैक्ट का होता और फिर पुलिस और प्रासीक्यूशन का ये दावा अपने आप ही खोखला साबित हो जाता कि उनके पास मुलजिम कमलेश दीक्षित के खिलाफ ओपन एण्ड शट केस था।''

''आई रिपीट माई क्वेश्चन। मिस्टर माथुर, आप मैडम को कातिल करार दे रहे हैं?''

''मुझे कुछ कहने की जरूरत नहीं। दिस कोर्ट कैन ड्रा इट्स ओन कनक्लूजंस। इसके अलावा मुझे कुछ नहीं कहना।''

''इतना तो कहना होगा, कबूल करना होगा, कि अपने क्लायन्ट को बेगुनाह साबित करने के लिए आपको इलजाम किसी दूसरे के सिर थोपने से कोई गुरेज नहीं!''

''ये डिफेंस पर बेजा इलजाम है लेकिन मुझे इसकी कोई परवाह नहीं। जब तथ्य सामने हैं और इस बेजा जुबान से ऊंची जुबान में बोल रहे हैं जो कि कोर्ट को सुनाई दे रही है तो मैं इस इलजाम पर कोई ऐतराज भी दर्ज नहीं कराना चाहता।''

''वैरी नोबल आफ यू।''

''आपने गवाह से कुछ पूछना है?''

''नहीं। इस स्टेज पर नहीं। लेकिन हम गवाह को क्रॉसक्वेश्चन करने के अपने अधिकार को सुरक्षित रखते हैं और पुलिस से हमारी मन्त्रणा हो जाने के बाद हम इस गवाह को फिर तलब करेंगे और अपने सवाल पूछेंगे।''

''दि कोर्ट सो रूल्स।''—जज बोला—''गवाह कमला सारंगी को हिदायत दी जाती है कि वो अवेलेबेल रहे और बुलावा आने पर इस कोर्ट की फिर हाजिरी भरे। प्रेजेंटली दि विटनेस इज एक्सक्यूज्ड। शी मे स्टेप डाउन।''

आगे मुकेश ने दिलीप नटके को पेश किया।

भुनभुनाते हुए उसने शपथ ग्रहण की।

''आपका नाम दिलीप नटके है''—मुकेश बोला—आप गोरई में के मार्ट के नाम से कम्प्यूटर असेसरीज और स्टेशनरी का शोरूम चलाते हैं?''

''ये बात जगविदित है।''—वो भुनभुनाया।

''जगविदित है?''

''हां। आपको भी मालूम है कि...''

''इंगलैंड में भी? जर्मनी में भी? अमेरिका में भी?''

''क्या! अरे, ऐसा कैसे होगा!''

''क्यों न होगा? अभी तो आपने दावा किया कि ये बात जगविदित है कि आप नटके के मार्ट नाम के कम्प्यूटर असेसरीज और स्टेशनरी के शोरूम के मालिक हैं! क्या इंगलैण्ड, जर्मनी, अमेरिका जग में नहीं आते?''

''अरे, भीड़... जनाब, मेरा मतलब है कि गोरई में हर कोई जानता है।''

''लिहाजा आपकी निगाह में जग गोरई में सिमटा हुआ है?''

''अच्छा भी... जनाब, गलतबयानी हुई मेरे से। अब क्या कहना चाहते हो?''

''ये कि ये सैशन कोर्ट है, आप यहां गवाह हैं और गवाही देना जिम्मेदारी का काम है। इसलिये बेमानी बातें जुबान से निकालने की जगह, उनको कोई मजाहिया पुट देने की जगह, मेरे सवाल का सीधा, सच्चा, जिम्मेदार जवाब देने की तरफ तवज्जो रखिये। ओके?''

''ओके। सॉरी के साथ ओके, जनाब।''

''वारदात के दिन—यानी कि बुधवार, दस अगस्त को—साढ़े ग्यारह बजे के करीब आप क्रिस्टल लॉज पर गये थे जो कि मकतूल का आवास है, उसकी राजपुरिया एस्टेट का हिस्सा है?''

नटके हिचकिचाया।

''इंकार करना बेमानी होगा''—मुकेश चेतावनीभरे स्वर में बोला—''क्योंकि ये बात आपने खुद अपनी जुबानी मेरे सामने कुबूल की थी जबकि गुरुवार पच्चीस अगस्त को मैं आपके शोरूम पर आपसे मिलने पहुंचा था।''

''मैं भला क्यों इंकार करूंगा! जो बात छुप नहीं सकती, उससे मैं भला क्यों

इंकार करूंगा!''

''ऐग्जैक्टली।''

''हां, मैं वहां गया था?''

''क्या करने?''

''राजपुरिया साहब के हुक्म पर उनको विस्की का एक क्रेट पहुंचाने।''

''बस, यही काम था?''

''हां।''

''जो आपने किया और उलटे पांव लौट आये?''

''राजपुरिया साहब मुझे वहां मिले होते तो ऐन यही करता लेकिन वो वहां थे नहीं इसलिये थोड़ा इन्तजार किया, फिर भी दर्शन न हुए तो क्रेट को पैन्ट्री में रख के लौट आया।''

''दर्शन करना क्यों चाहते थे?''

''भई, विस्की के क्रेट की पेमेंट भी तो लेनी थी!''

''जो थोड़ा बहुत अरसा आप वहां रुके, इसलिये रुके कि आपने विस्की की पेमेंट क्लैक्ट करनी थी?''

''और क्या!''

''और कोई वजह नहीं?''

''और क्या वजह होगी?''

''आप मेरे से सवाल कर रहे हैं। मैं आपको याद दिलाना चाहता हूं कि सवाल मैं करूंगा, आप जवाब देंगे।''

वो खामोश रहा।

''क्या ये सच नहीं है कि आप मकतूल के कर्जाई थे?''

वो फिर भी खामोश रहा, उसने बेचैनी से पहलू बदला।

''झूठ बोलने का कोई फायदा नहीं होगा। कई तरीकों से ये बात साबित की जा सकती है।''

''सच है।''—नटके कठिन स्वर में बोला।

''क्या सच है?''

''मैं राजपुरिया साहब का कर्जाई था।''

''मोटी रकम का!''

''मेरे लिये तो मोटी ही थी। अलबत्ता उनके लिए चिड़िया का चुग्गा थी।''

''कितनी?''

''एक लाख साठ हजार रुपये।''

''यूं ही थमा दी मकतूल ने ये रकम आपको! कोई रसीद पर्चा न लिया! कोई

प्रोनोट न लिखवाया!''

''जनाब, ये रकम मैंने चार जुदा मौकों पर चार किस्तों में मुहैया की थी और बदले में राजपुरिया साहब को चालीस चालीस हजार के चार पोस्टडेटिड चैक दिये थे।''

''आई सी। तो लिखा पढ़ी पोस्टडेटिड चैक्स की सूरत में थी?''

''हां।''

''ये अजीब बात नहीं कि जिस शख्स ने डेढ़ लाख के करीब की रकम का आप पर ऐतबार न जताया, वो आपके नाम अपनी तीस लाख रुपये कीमत की पजेरो कर के मरा!''

''जब मुझे पता लगा था तो मैं खुद बहुत हैरान हुआ था।''

''इस बाबत कुछ सोचा तो होगा!''

''हां, सोचा। फिर इसी नतीजे पर पहुंचा कि लोक व्यवहार अपनी जगह है, जज्बात अपनी जगह हैं। कर्जा देते वक्त उन्होंने मेरे साथ वही वर्ताव किया जो एक दुनियादार आदमी करता है, वसीयत लिखते वक्त उन्हें मेरी हनुमान जैसी सेवायें याद आ गयीं।''

''जिसका इनाम उन्होंने बाजरिया वसीयत आपको दिया?''

''जाहिर है।''

''उनकी मौत के बाद वसीयत का खुलासा होने से पहले आपको इस बात की खबर नहीं थी?''

''नहीं थी।''

''पक्की बात?''

''हां।''

''पजेरो की सुपुर्दगी के बाद आप उसका क्या करेंगे?''

''मेरे जैसे मामूली हैसियत के आदमी के लिए तो वो सफेद हाथी होगा! सफेद हाथी का मैं क्या करूंगा!''

''आप फिर सवाल कर रहे हैं। जवाब दीजिये।''

''बेच दूंगा।''

''लिहाजा आइन्दा दिनों में अपनी माली हालत से आपको कोई शिकवा नहीं रहेगा?''

''राजपुरिया साहब की दयालुता की वजह से। गुणग्राहकता की वजह से।''

''आप कर्जाई क्यों थे? राजपुरिया साहब से कर्जा लेने की वजह क्या थी?''

''रेस खेलता हूं। घोड़ा न लगा। बहुत लॉस हो गया।''

''रेस कैसे खेलते थे? महालक्ष्मी जाते थे?''

''नहीं। बुकी के जरिये। महालक्ष्मी रेसकोर्स पर जा कर तो वहां होती रेस पर ही दांव लगाया जा सकता। बुकी की मार्फत पूना, बैंगलोर, दिल्ली, कहीं भी रेस खेली जा सकती है।''

''मुझे रेस का कोई तजुर्बा नहीं। तो बुकी के साथ आपका एकाउन्ट चलता होगा?''

''हां।''

''आपको सिर्फ उसे फोन करना पड़ता होगा कि वो फलां रेस के फलां घोड़े पर आपका इतना दांव लगा दे?''

''हां।''

''नफा नुकसान का हिसाब बाद में होता होगा?''

''हां।''

''नुकसान की भरपाई तो फौरन करनी पड़ती होगी?''

''हाथ के हाथ नहीं। बुकी से अच्छे ताल्लुकात हों तो टाइम मिल जाता है।''

''काफी?''

''हां।''

''फिर भी कोई पैसा न लौटाये तो?''

''तो उसका भयानक अंजाम होता है।''

''क्या?''

''इधर बोलूं?''

''बोलो।''

''उसकी लाश समन्दर में तैरती पायी जाती है।''

''ओह! फिर तो ऐसा जान का खतरा आपके सिर पर भी हुआ!''

''मेरे सिर पर खामखाह!''

''आपने अभी खुद तो कहा कि आप रेस में अक्सर हारते थे, घोड़ा नहीं लगता था आपका, लिहाजा आप बुकी के कर्जाई थे!''

''ऐसा जरा थोड़े ही ज्यास्ती अरसे के लिए होता था। आखिर मैं बुकी को पेमेंट कर देता था।''

''कैसे कर देते थे? एक कर्जा चुकाने के लिए दूसरा कर्जा लेते थे? राजपुरिया साहब से!''

''भई, कुछ तो करना ही होता था!''

''न करते तो जान पर आ बनती?''

''अब क्या बोलूं!''

''मैं बोलता हूं। आपकी अपनी जान पर न आ बने, ये सुनिश्चित करने के लिए आपने दूसरे की जान ले ली।''

''क्या!''

''आपको मकतूल की वसीयत के तहत अपने विरसे की खबर थी...''

''खामखाह! कैसे हो सकती थी?''

''मकतूल रेगुलर ड्रिंकर था। हो सकता है नशे में कभी उसने खुद आपको इस बाबत कुछ बताया हो! और फिर उसे याद भी न रहा हो!''

''बंडल!''

''आपने कत्ल नहीं किया?''

''ऑब्जेक्शन, योर ऑनर!''—सोलंकी बोला—''मिस्टर माथुर फेंक रहे हैं—मुझे फिर वही लफ्ज इस्तेमाल करना पड़ रहा है जो कि इन्हें नापसन्द है—हवाईयां छोड़ रहे हैं। दि डिफेंस इस अज्यूमिंग दि फैक्ट्स नाट इन इवीडेंस।''

''मैं''—जज की रूलिंग से पहले ही मुकेश बोल पड़ा—''इस सवाल का जवाब हासिल हो जाने के बाद ये लाइन आफ क्वेश्चनिंग ही छोड़ दूंगा।''

''गवाह जवाब दे।''—जज बोला।

''नहीं, मैंने कत्ल नहीं किया।''—नटके धीरज से, सुदृढ़ता से बोला।

''लेकिन अपनी लॉज की विजिट पर कत्ल की खबर आपको बराबर लग गयी थी। आखिर आप काफी देर लॉज पर ठहरे थे। लिहाजा जब आपको पता चला कि मकतूल तो वहां मरा पड़ा था तो मौके का फायदा उठाते आप अपने कर्जे के पोस्टडेटिड चैक तलाश करने में जुट गये!''

''नहीं।''

''असल में यही वजह थी आपके वहां देर तक ठहरने की!''

''बिल्कुल नहीं।''

''आप कहना चाहते हैं आप मकतूल को वहां मरा पड़ा पा कर अपने चैकों की बरामदी के तलबगार नहीं हो उठे थे?''

''मैंने राजपुरिया साहब को मरा नहीं पाया था। मैं लॉज की ऊपरी मंजिल पर नहीं गया था। मैंने सीढ़ियों तक पर कदम नहीं रखा था। कोई वजह ही नहीं थी मेरे ऐसा करने की।''

''लॉज में अपनी मौजूदगी के वक्फे में आपको खबर नहीं लगी थी, भनक तक नहीं लगी थी, कि मकतूल अब इस दुनिया में नहीं था? आपने मकतूल को मरा नहीं पाया था?''

''यही बोला मैंने। और सुना आपने...अगरचे कि आप कभी कभार, एकाएक बह...''

नटके खामोश हो गया।

''नहीं, मैं बहरा नहीं हो जाता।''—मुकेश बड़े सब्र से मुस्कराता बोला—''न कभी कभार, न एकाएक। मुझे हमेशा पूरा और चौकस सुनाई देता है। मैंने सुना जो आपने कहा और समझा जो आप कहने जा रहे थे पर नहीं कहा।''

''वो...वो... स-सॉरी।''

''नैवर माइंड। बहरहाल बात ये हो रही थी कि जब आप लॉज में थे, तब आपको नहीं मालूम था कि मकतूल का कत्ल हो चुका था, ऊपर बैडरूम में उसकी लाश पड़ी थी, और इस वजह से अपने चैक्स को वहां तलाश करके कब्जे में कर लेने का आपको खयाल भी नहीं आया था?''

''हां।''

''या खयाल बराबर आया था। आप लॉज को खाली जान कर चैकों की तलाश में निकले थे, इस काम में जुटे हुए थे, कि ऊपर से राजपुरिया साहब आ गये थे। फिर अपना चोरी का गुनाह छुपाने के लिए आपको राजपुरिया साहब का मुंह बन्द कर देना जरूरी लगा और हालात ऐसे बने कि बाजरिया मैडीसिनल ओवरडोज आप उनका मुंह हमेशा के लिए बन्द करने में कामयाब हो गये।''

''नहीं। ये बात गलत है। बेबुनियाद है। बल्कि अहमकाना है।''

''अहमकाना क्योंकर?''

''आप काबिल हैं, वकील हैं, पढ़े लिखे आदमी हैं, आप खुद सोचिये। फर्ज कीजिये कत्ल की कोई बात नहीं थी और मुझे चैक चुरा लेने का मौका हासिल था। जैसे मेरे राजपुरिया साहब से ताल्लुकात थे, चैकों के चोरी हो जाने से, नष्ट हो जाने से या इधर उधर हो जाने से कर्जे की मेरी जिम्मेदारी तो खत्म नहीं हो जाती थी! मैं अपने जारी किये चैक चुरा के घर लाता, उन्हे नष्ट कर देता, राजपुरिया साहब मेरे को बोलते कि चैक गुम हो गये थे, मैं नये चैक जारी करूं—या मुकम्मल रकम का एक चैक जारी करूं —तो मैं क्या करता? इंकार कर देता? अपने पर इतने मेहरबान शख्स को इंकार करने का मेरा मुंह बनता? नहीं, नहीं बनता। मैं फौरन से पेश्तर उनके हुक्म पर अमल करके दिखाता।''

सोलंकी और आनन्द साहब दोनों के चेहरे पर मुस्कराहट आयी।

''योर ऑनर''—सोलंकी पूर्ववत् मुस्कराता बोला—''मैं डिफेंस के सवाल पर—जिसे कि इस गवाह ने, क्या खूब पहचाना, अहमकाना बताया—ऑब्जेक्शन रेज करने ही लगा था कि मुझे लगा कि ये गवाह मेरी ऑब्जेक्शन से भी उम्दा निपटारा इस सवाल का खुद ही कर सकता था। मुझे खुशी है कि ऐन ऐसा ही हुआ है। ये नजारा देखने लायक है कि कैसे डिफेंस के अपने गवाह ने अपने साफ, सुन्दर, सटीक, करारे, फटकार जैसे जवाब से डिफेंस के कुछ ज्यादा ही खुलते जा रहे मुंह पर

पट्टी बांधी है। मुझे उम्मीद नहीं कि ये अभी भी इस गवाह को बतौर कातिल प्रोजेक्ट करने की अपनी कोशिश जारी रखेंगे।''

''अब कोई जरूरत नहीं।''—मुकेश बोला—''दि कोर्ट कैन ड्रा इट्स ओन कनक्लूजंस।''

''दि कोर्ट हैज ड्रान इट्स ओन कनक्लूजंस। सबको दिखाई दे रहा है, मिस्टर माथुर, सिवाय आपके। बतौर डिफेंस आपने जो लाइन आफ एक्शन अख्तियार की है, अब वो पूरी तरह से एक्सपोज हो चुकी है। आप समझते हैं आप किसी को भी गवाह के कठघरे में खड़ा करके उसके कातिल होने की दुहाई देने लग कर अपने क्लायन्ट की तरफ मुड़ी शक की मजबूत सुई का रुख मोड़ सकते हैं तो गलत समझते हैं। ये बचकानी कोशिश है जिससे प्रासीक्यूशन आपको बाज आने की राय देता है।''

''आई ऑब्जेक्ट, योर ऑनर। मिस्टर पब्लिक प्रासीक्यूटर इज इनसल्टिंग मी। ही इज ट्राईंग टु बिलिटल माई एफर्ट्स बाई मेकिंग मी ए सब्जेक्ट आफ रिडीक्यूल। आई टेक स्ट्रांग ऑब्जेक्शन टु प्रासीक्यूशंस पर्सनल अटैक आन माई इनटैग्रिटी एण्ड डिग्निटी।''

''दि प्रासीक्यूशन मस्ट रिफ्रेन फ्रॉम पर्सनल कमेंट्स।''—जज बोला—''दि कोर्ट रूल्स दैट दि सेम मे बी विदड्रान।''

''आई एम सॉरी, योर ऑनर।''—जुबानी सॉरी बोलता और शक्ल पर घृष्टता चिपकाये सोलंकी बोला—''आई विदड्रा माई कमैंट्स जिनसे कि मिस्टर माथुर की भावनाओं को कोई चोट पहुंची। असल में मेरा ऐसा कोई इरादा नहीं था...''

''दैट विल बी एनफ। दोनों पक्ष याद रखें ये कोर्ट आफ लॉ है, दंगल का मैदान नहीं। आई विल नाट अलाओ ए फ्री-फार-आल इन दिस कोर्ट।''

''आई अगेन बैग दि कोर्ट्स पार्डन, योर ऑनर।''

''डिफेंस ने गवाह से कुछ और पूछना है?''

''यस, योर ऑनर।''—मुकेश बोला—''तो, मिस्टर नटके, बकौल आप के, अपने चैक्स को तलाश करने की न आपकी कोई कोशिश थी और न उस कोशिश का कोई हासिल था?''

''हां।''—नटके बोला।

''तो फिर इतनी देर वहां रुकने की वजह?''

''शायद मैंने पहले भी बयान की—नहीं की तो अब बोलता हूं—मुझे मकतूल के लौटने का इन्तजार था।''

''क्योंकि आपने विस्की के क्रेट की कीमत क्लैक्ट करनी थी!''

''हां। लेकिन और भी वजह थी!''

''अच्छा, और भी वजह थी?''

''हां।''

''और क्या वजह थी?''

''मैं कुछ रकम लौटाना चाहता था।''

''रकम!''

''नकद। इतनी कि अपना एक पोस्टडेटिड चैक मैं वापिस हासिल कर पाता।''

''यानी कि चालीस हजार रुपये!''

''पच्चीस। पन्द्रह का विस्की का क्रेट भी तो था!''

''वो भी पेमेंट से ही तो खरीदा होगा?''

''हां। ठेके पर उधार कौन करता है!''

''एक मुश्त चालीस हजार—जिनमें से पन्द्रह आपने विस्की पर खर्च किये और पच्चीस नकद लौटाने चाहे—कहां से आये?''

''घोड़ा लग गया। रेस में हमेशा ही तो नहीं हारता!''

''ठीक। ठीक। बहरहाल मकतूल न लौटा तो आप लौट पड़े?''

''हां।''

''इन्तजार से आजिज आ कर?''

''हां।''

''ये न सूझा कि क्यों उसकी वापिसी मुमकिन नहीं थी?''

''खयाल तक न आया। उस घड़ी कोई वजह ही नहीं थी ऐसा कोई नामुराद खयाल आने की।''

''तो विस्की का बिल वसूले बिना ही लौट आये?''

''बिल ने कहां जाना था, जनाब। वो सौ तरीकों से अडजस्ट हो सकता था। जमा, मैं ही फिर लौटके आ सकता था।''

''ठीक। योर ऑनर, मैं अपने इस कनक्लूजन के साथ इस गवाह को मुक्त करता हूं कि गवाह के पास हत्या का उद्देश्य था, भले ही गवाह को उससे नाइत्तफाकी है, और कत्ल को अंजाम देने का मौका तो गवाह के पास निहायत माकूल था, तैयारशुदा था। योर विटनेस।''

''प्रासीक्यूशन ने गवाह से कुछ नहीं पूछना लेकिन डिफेंस की लाइन आफ एक्शन की बाबत कुछ कहना है। डिफेंस की ये कोशिश समाजी तौर पर ही अजीब नहीं है, कानूनन भी अजीब जान पड़ती है कि विटनेस फार डिफेंस के तौर पर गवाह को कठघरे में खड़ा किया जाता है और डिफेंस अपने ही गवाह को मर्डर सस्पैक्ट के

तौर पर प्रोजेक्ट करने की ड्रिल शुरू कर देता है। ऐसे कितने सस्पैक्ट ये अभी और खड़े करेंगे!''

''योर ऑनर''—मुकेश बोला—''ये बात पहले डिसकस हो चुकी है। पुलिस ने केस की उसके हर ऐंगल से मुकम्मल तफ्तीश की होती तो ये नौबत न आती। केस से ताल्लुक रखते जिन गवाहों की पुलिस को खबर ही नहीं, प्रासीक्यूशन को खबर ही नहीं, उनको अगर डिफेंस कोर्ट की तवज्जो में ला रहा है तो क्या गुनाह कर रहा है?''

''युअर प्वायन्ट इज वैल टेकन।''—जज बोला—''यू में काल योर नैक्स्ट विटनेस।''

''यस, योर ऑनर। एण्ड थैंक्यू, योर ऑनर।''

डिफेंस विटनेस के तौर पर मेजर ब्रजेश सिंह की पुकार लगी।

मालूम पड़ा वो कोर्ट में मौजूद नहीं था।

''मेजर साहब थोड़ी देर के लिए कहीं इधर उधर हो गये होंगे।''—मुकेश बोला—''मुझे कोर्ट में मानसी राजपुरिया दिखाई दे रही हैं। अदालत का टाइम जाया न हो इसलिये मैं मेजर ब्रजेश सिंह से पहले उन्हें गवाही के लिए बुलाना चाहता हूं।''

''मिसेज मानसी राजपुरिया हाजिर हो।''—कोर्ट कर्मचारी उच्च स्वर में बोला।

मानसी राजपुरिया आकर गवाह के कठघरे में खड़ी हुई।

शपथ की औपचारिकता के बाद मुकेश ने सवाल किया—''आपका नाम मानसी राजपुरिया है, आप मकतूल के इकलौते भतीजे शान्तनु राजपुरिया की पत्नी हैं।''

''जी हां।''—मानसी संजीदगी से बोली।

''जैसा कि मैंने सुना है, आपके ससुर, मकतूल के छोटे भाई, इस दुनिया में नहीं हैं।''

''आपने ठीक सुना है।''

''मकतूल का दर्जा भी आपके ससुर का ही बनता है।''

''ठीक बनता है। मैं उन्हें ससुरजी ही बुलाती थी।''

''मैं आपकी कल्पना अपने पितातुल्य व्यक्ति के कातिल के तौर पर नहीं कर सकता।''

''थैंक्यू।''

''लेकिन जिस वक्फे में कत्ल हुआ था, उसमें लॉज में आपकी हाजिरी की

भी तसदीक हुई है।''

वो खामोश रही।

''आप सुबह से, कोर्ट खुलने के वक्त से यहां हैं?''

''जी हां। बल्कि उससे भी पहले पहुंची थी, क्योंकि मुझे नहीं मालूम था मुझे कब आवाज लगती।''

''बहरहाल आपने अब तक की कोर्ट की तमाम कार्यवाही सुनी?''

''जी हां।''

''फिर तो आपने जरूर नोट किया होगा कि प्रासीक्यूशन का मेरे पर इलजाम है कि मैं अपने जिस गवाह को भी अदालत में पेश करता हूं, उसे कातिल साबित करने पर जुट जाता हूं। इस बात में दो राय नहीं है कि मैंने अभी दो बार ऐसा किया लेकिन ये मेरे लिये कोई अभिमान की बात नहीं है। जो मुझे मुनासिब लगा, सम्भावित लगा, अपना इंटेलीजेंट गैस लगा, मैंने उसपर अमल किया, न कि इसलिये कि मेरी किसी से अदावत है और मैं अपने क्लायन्ट को बचाने के लिए किसी को बलि का बकरा बनाना चाहता हूं। आपकी गवाही के साथ अब मैं इस इलजाम से बरी होने की कोशिश करने जा रहा हूं। मैं ये मान कर चलता हूं कि आप कातिल नहीं हैं।''

''शुक्र है।''

''और उम्मीद करता हूं कि खास इसी वजह से मुझे आपका पूरा सहयोग प्राप्त होगा, आप मेरे चन्द सवालों का सीधा, सच्चा जवाब देंगी और वो वजह जरूर सच सच बयान करेंगी जो आपको बुधवार, दस अगस्त को दोपहर के करीब क्रिस्टल लॉज ले कर गयी थी। आप करेंगी ऐसा?''

''हां।''—वो दृढ़ता से बोली—''जरूर। आई हैव नथिंग टु हाइड।''

''लॉज में आपका जाना अक्सर होता था?''

''अक्सर नहीं, लेकिन होता था।''

''अकेले? जैसे कि वारदात के दिन हुआ?''

''नहीं। हसबैंड के साथ।''

''अकेले कभी नहीं?''

''अकेले तभी जबकि अंकल ने बुलाया हो, खास मुझे आने को बोला हो।''

''ऐसा अक्सर होता था?''

''नहीं, अक्सर नहीं। कभी कभार।''

''वारदात के दिन अंकल का बुलावा था?''

''नहीं।''

''अपनी मर्जी से गयी थीं?''

''हां।''

''आपके हसबैंड को इस बात की खबर थी ?''

वो हिचकिचाई।

''नहीं।'' — फिर बोली।

''अब है ?''

''हां। अब तो है !''

''आपने कत्ल किया है ?''

''ऑब्जेक्शन, योर ऑनर।'' — सोलंकी बोला — ''डिफेंस अटर्नी जब अभी इतने फैनफेयर के साथ घोषित कर के हटे हैं कि इनका मानना है कि गवाह कातिल नहीं है तो इस सवाल का मतलब ?''

''जो मेरा मानना है, वो मेरा मानना है।'' — मुकेश बोला — ''मैं समझता हूं कि अदालत ही ये सुनना चाहेगी कि इस बाबत गवाह का खुद का क्या कहना है !''

''ऑब्जेक्शन ओवररूल्ड।'' — जज बोला — ''गवाह जवाब दे।''

''मैंने कत्ल नहीं किया।'' — मानसी सहज, सुसंयत स्वर में बोली — ''मैं उनके कत्ल की सपने में कल्पना नहीं कर सकती थी।''

''आपके राजपुरिया साहब से कैसे सम्बन्ध थे ?'' — मुकेश ने पूछा।

''अच्छे सम्बन्ध थे।'' — मानसी बोली।

''उनके आपसे कैसे सम्बन्ध थे ?''

''क्या मतलब ?''

''वो आपको पसन्द करते थे ?''

''मेरा जवाब हत्प्राण की शान में गुस्ताखी होगा।''

''संक्षेप में दीजिये। मैं और नहीं कुरेदूंगा।''

''नहीं। मैं इतनी खुशकिस्मत नहीं थी। अब ये न कहियेगा कि इसी वजह से मैंने ...मैंने उनकी जान ले ली कि वे मुझे नापसन्द करते थे।''

''नहीं कहूंगा। वारदात वाले दिन आपको याद है आप लॉज पर कब पहुंची थीं ?''

''साढ़े बारह तो तब मेरे खयाल से बज ही चुके थे।''

''एक गवाह का कहना है कि साढ़े बारह से थोड़ा पहले।''

''मुझे पूरा अंदाजा है वो गवाह कौन है ! जिसकी तवज्जो अपने काम के अलावा हर तरफ लगी रहती है। लेखक ऐसे होते हैं !''

''आप मेरे सवालात की तरफ तवज्जो रखिये। साढ़े बारह से थोड़ा पहले आप लॉज पर पहुंचीं ?''

''हां।''

''आपने क्या देखा ?''

''उन्हें नीचे न देखा। अपनी स्थापित रूटीन के मुताबिक जबकि उस घड़ी उन्हें नीचे ही होना चाहिये था।''

''रूटीन ही तो! इस सिलसिले में उन पर कोई पाबन्दी तो आयद नहीं होती थी! वो घर के मालिक थे, जहां चाहे विचर सकते थे, जब चाहे ऊपर नीचे, अन्दर बाहर कहीं भी जा सकते थे। इस बिना पर आपको ये न सूझा कि वो अपनी रूटीन के खिलाफ—किसी काम से या खामखाह—ऊपर चले गये होंगे?''

''सूझा लेकिन मैं क्या कहूं, लॉज में उस वक्त ऐसा मरघट का सा सन्नाटा व्याप्त था कि मेरा दिल कहता था कि ऊपर कोई नहीं था। एक बात और भी थी जो मुझे कदरन सस्पेंस में डाल रही थी।''

''वो क्या?''

''हाल में टेबल पर दो चिट्ठियां पड़ी थीं जिनके लम्बे लिफाफों को, साफ जान पड़ता था कि, खोला नहीं गया था। वो चिट्ठियां भी जाहिर करती थीं कि अंकल ने उन्हें नहीं देखा था—देखा होता तो चिट्ठियां या तो उस टेबल पर ही न होतीं, होतीं तो खुली पड़ी होतीं। तब किसी अज्ञात आशंका से मेरा दिल लरजने लगा। मुझे किसी अनहोनी की चिन्ता सताने लगी।''

''कैसी अनहोनी?''

''जैसे कि एकाएक उन्हें दिल का दौरा पड़ गया हो, ब्रेन हैमरेज हो गया हो, कुछ भी और हो गया हो। अंकल अड़सठ साल के थे, इस उम्र में न हो तो चाहे न हो लेकिन मुमकिन कुछ भी होना होता है।''

''ठीक। फिर आपने क्या किया?''

''पहले मैंने उन्हें नीचे ग्राउन्ड फ्लोर पर सब जगह तलाश किया, फिर ऊपर गयी। ऊपर गयी तो... तो...''

''आपने उन्हें बैडरूम में मरा पड़ा पाया!''

''हां।''—जवाब देते वक्त मानसी के शरीर ने जोर की झुरझुरी ली।

''कैसे? क्या पोजीशन थी?''

''रिक्लाइनर के सामने फर्श पर औंधे मुंह यूं पड़े थे कि एक कुशन में उनका मुंह धंसा हुआ था।''

''आपने कैसे जाना वो मरे पड़े थे?''

''जी!''

''मुमकिन था बेहोश पड़े होते!''

उसके शरीर ने फिर जोर से झुरझुरी ली, फिर उसने मजबूती से इंकार में सिर हिलाया।

''जुबानी जवाब दीजिये।''

''वो जिन्दा हो ही नहीं सकते थे। उनका पोज ही इस बात की चुगली कर रहा था। जिन्दा होते तो कहीं पीठ हिलती दिखाई देती, गर्दन में या कन्धों में कहीं जुम्बिश होती!''

''ऐसा कुछ नहीं था?''

''न।''

''ये कैसे जाना कि दिल का दौरा नहीं पड़ा था, ब्रेन हैमरेज नहीं हुआ था?''

''मेरे दिल ने गवाही दी। फिर मेरा हवाला फिर उनके पोज की तरफ है जो किसी और ही बात की तरफ इशारा करता था।''

''कत्ल की तरफ?''

''हां।''

''कत्ल की कोई वजह सूझी?''

''उस घड़ी न सूझी।''

''लेकिन अब जानती हैं कि जो हुआ, जीटाप्लैक्स के ओवरडोज की वजह से हुआ!''

''हां।''

''अब बरायमेहरबानी आप अपनी उस रोज की लॉज पर विजिट की वजह बयान कीजिये। क्यों गयी थीं...''

''इससे पहले''—सोलंकी बोला—''प्रासीक्यूशन गवाह से कुछ पूछना चाहता है।''

''गवाह अपना बयान मुकम्मल कर ले''—मुकेश अप्रसन्न भाव से बोला—''फिर ये ऐज पर प्रोसीजर ही आपके हवाले होगा।''

''प्रासीक्यूशन अभी कुछ पूछना चाहता है। आनरेबल कोर्ट से परमिशन की दरख्वास्त है।''

''परमिशन ग्रांटिड।''—जज बोला।

''थैंक्यू, योर ऑनर!''—सोलंकी मानसी की तरफ घूमा—''मैडम, जो कुछ अभी आपने कहा, उसका मतलब ये हुआ कि आपको साढ़े बारह बजे ही कत्ल की खबर थी?''

''मेरे खयाल से''—मानसी बोली—''तब तक टाइम साढ़े बारह से काफी ऊपर का हो चुका था...''

''अरे, जितना मर्जी ऊपर का हो चुका हो, मैंने एक अप्रॉक्सीमेट टाइम का जिक्र किया, टाइम साढ़े बारह से ऊपर था या नीचे था, आजू था या बाजू था, इस बात को छोड़िये और मेरे सवाल की तरफ तवज्जो दीजिये। आपको वारदात के दिन—बुधवार, दस अगस्त को—साढ़े बारह बजे ही कत्ल की खबर थी! थी या

नहीं थी ?''

''थी।''

''इस बात की भी खबर थी कि आपके हत्प्राण अंकल ने आपके पति को फोन कर के उन्हें शाम पांच बजे लॉज पर आने को बोला हुआ था ?''

''हां।''

''वो शाम को जाते तो उन्हें मालूम पड़ता कि अंकल मर चुके थे, उनका कत्ल हो गया हुआ था ?''

''हां।''

''लिहाजा जो बात आपको साढ़े बारह बजे ही मालूम थी, वो उन्हें पांच बजे मालूम होती ?''

''हां।''

''आपका फर्ज नहीं बनता था कि लाश पर निगाह पड़ते ही आप पुलिस को फोन करतीं और उन्हें वारदात की खबर करतीं ?''

''लाश देख कर दहशत से मेरे प्राण निकलने को हो गये थे, मैं फौरन वहां से भाग खड़ी हुई थी।''

''ओके। भाग कर कहां पहुंची थीं ?''

''ओमवाडी ! अपने घर।''

''तब आपके पति वहां मौजूद थे ?''

''हां।''

''आपने उन्हें वारदात की खबर की ?''

''न-हीं !''

''क्यों ? क्योंकि तब भी आप पर दहशत सवार थी ? मुंह नहीं खुल रहा था ? घिग्घी बन्धी हुई थी ?''

उसके मुंह से बोल न फूटा।

''कैसी रिश्तेदार थीं आप राजपुरिया साहब की ? मरने वाला कोई गैर नहीं, आपके ससुरे की हैसियत रखने वाला बुजुर्ग था। आपने अपना फर्ज पहचाना होता, अपनी जिम्मेदारी समझी होती, उसपर कोई फौरी अमल किया होता तो यूं लाश साढ़े चार घन्टे पहले बरामद होती। तब मुमकिन था कि कातिल वक्त से पहले पकड़ा गया होता !''

मानसी का सिर झुक गया।

''कोई बड़ी बात नहीं कि कातिल तब भी अभी वहीं होता !''

''ये तो''—मानसी ने तमक कर सिर उठाया—''मुमकिन नहीं था।''

''क्यों ? क्यों मुमकिन नहीं था ?''

''साफ...साफ जान पड़ता था कि अंकल की मौ... की डैथ हुए काफी अरसा हो चुका था।''

''आप कहती हैं कि दहशत से आपके प्राण निकलने को थे लेकिन ये बारीकी आपकी निगाह ने नोट कर ली!''

''अब मैं क्या कहूं! आपने मेरी हर बात में मीन मेख ही निकालनी है तो... क्या कहूं!''

''आप दावे से कह सकती हैं कि तब अंकल को मरे काफी टाइम हो चुका था?''

''दावा करना तो, सर, एक्सपर्ट का काम होता है, मैं कोई एक्सपर्ट तो नहीं! मैं तो बस ये कह सकती हूं कि मेरे को... मेरे को बराबर ऐसा लगा था कि वो बहुत अरसे से वहां मरे पड़े थे।''

''मुंह के बल! सूरत नहीं देखी जा सकती थी!''

''लेकिन हाथ पांव अकड़े हुए साफ जान पड़ते थे।''

''ओके। आई विल टेक युअर वर्ड फार इट। योर ऑनर, ये प्वायन्ट नोट किया जाये कि इस गवाह का बयान इस बात की पुष्टि करता है कि कत्ल दस और दस पैंतीस के करीब हुआ हो सकता है। ये इस बात की पुष्टि करता है कि दस पैंतीस पर प्रचारक को कालबैल का जवाब न मिलने की यही वाजिब वजह थी कि मकतूल का उस वक्त से थोड़ी ही पहले कत्ल होकर हटा था। और ये बात गवाह शिवराज अटवाल के बयान से पहले से स्थापित है कि मकतूल सुबह दस बजे जिन्दा था। यूं डिफेंस का ये दावा भी खारिज होता है कि कातिल डिफेंस द्वारा प्रोजेक्टिड दो मर्डर सस्पैक्ट्स में से कोई था—कमला सारंगी और दिलीप नटके में से कोई था—जिनके नाम बतौर आल्टरनेट कातिल सरकाने की डिफेंस ने भरपूर कोशिश की।''

''योर ऑनर''—मुकेश बोला—''प्रासीक्यूशन के अभी पेश किये हर दावे की बुनियाद इस कयास पर है कि गवाह मानसी राजपुरिया की लाश की बाबत ऑब्जर्वेशन करैक्ट थी। मानसी राजपुरिया एक हाउसवाइफ हैं, कोई मुझे समझाये कि कैसे एक मैडीकल या फॉरेंसिक सिचुएशन पर इनकी ऑब्जर्वेशन को एक्सपर्ट ओपीनियन का दर्जा दिया जा सकता है! गवाह कमला सारंगी मौकायवारदात पर ग्यारह दस तक थीं। गवाह दिलीप नटके साढ़े ग्यारह के थोड़ा बाद के किसी वक्त पर वहां था। लाश इस गवाह ने साढ़े बारह बजे के कहीं बाद बरामद की और अपनी राय जाहिर की कि कत्ल हुए काफी अरसा हो चुका था। मेरा सवाल ये हैं कि इस सन्दर्भ में क्या साढ़े ग्यारह बजे का टाइम 'काफी अरसा' नहीं होता? ग्यारह दस का टाइम 'काफी अरसा' नहीं होता? 'काफी अरसा' का मतलब यही क्यों

निकाला जा रहा है कि वो दस और दस पैंतीस के बीच का कोई वक्त था? 'काफी अरसा' एक कम्पैरिटिव टर्म है, तुलनात्मक संज्ञा है, इसका मतलब प्रासीक्यूशन की समझ—और सहूलियत—के तहत दो घन्टे हो सकता है तो एक घन्टा क्यों नहीं हो सकता, चार घन्टे क्यों नहीं हो सकता?''

जज ने सोलंकी की तरफ देखा।

सोलंकी से जवाब देते न बना।

''दि विटनेस कैन नाट क्वालीफाई एज एन एक्सपर्ट।''—जज बोला—''दिस लाइन आफ आर्ग्यूमेंट मे बी डिसकन्टीन्यूड। प्रासीक्यूशन ने गवाह से कुछ और पूछना है?''

''यस, सर।''—सोलंकी बोला तो उसके स्वर में पहले जैसा जोश नहीं था—''मैडम, आपको वारदात से बहुत...बहुत पहले वारदात की खबर थी, फिर भी आप उसकी बाबत मुकम्मल खामोशी अख्तियार किये रहीं तो खामोशी बेसबब तो न होगी! बरायमेहरबानी कम से कम अब तो वजह बयान कीजिये कि क्यों आप खामोश रहीं? आप पढ़ी लिखी, समझदार महिला हैं, बेवजह तो आपने ऐसा किया होगा नहीं!''

''वजह थी?''—वो फुसफुसाती सी बोली।

''क्या वजह थी? बयान कीजिये। और जरा ऊंचा बोलिये।''

''मैं नहीं चाहती थी कि किसी को—खास तौर से मेरे पति को—मालूम होता कि मैं अंकल से मिलने लॉज पर गयी थी।''

''ऐसा क्यों?''

''क्या ये बताना जरूरी है? मैंने आपके सवाल का जवाब दे तो दिया, वजह बता तो दी कि क्यों मैं कत्ल की बाबत खामोश रही!''

''मुकम्मल वजह बयान कीजिये। आपने कत्ल की बाबत अपनी खामोशी की वजह बताई, अब ये बताइये कि आपके पति को, या किसी को भी, आपकी लॉज की उस रोज की विजिट की खबर लग जाती तो कौन सा पहाड़ टूट पड़ता?''

''बताना जरूरी है?''

''जी हां, जरूरी है। न भूलिये कि आप सैशन कोर्ट में गवाह के कठघरे में खड़ी हैं।''

''अगर आप ये दावा करें''—मुकेश सहानुभूतिपूर्ण स्वर में बोला—''कि जवाब आपको लांछित कर सकता है तो आप जवाब देने से इंकार कर सकती हैं।''

''ऑब्जेक्शन, योर ऑनर!''—सोलंकी बोला—''मिस्टर माथुर गवाह को गुमराह करने वाली शरारती सलाह दे रहे हैं।''

''आई एम डुईंग नो सच थिंग, योर ऑनर।''—मुकेश बोला—''मैं गवाह

को केवल उसके अधिकारों से अवगत कराने की कोशिश कर रहा हूं। फिर क्या ये भी याद दिलाना होगा कि कठघरे में खड़ा गवाह डिफेंस की तरफ से कोर्ट में पेश है, न कि प्रासीक्यूशन का गवाह है!''

''जवाब मुझे नहीं''—मानसी व्यग्र भाव से बोली—''मुझे नहीं, मेरे किसी प्रियजन को लांछित कर सकता है लेकिन मैं जवाब देने को तैयार हूं।''

जज ने सहमति में सिर हिलाया।

''अंकल मेरे से नाखुश थे—एक अरसे से अपनी नाखुशी छुपाने की भी कोशिश नहीं करते थे—उनका लाडला भतीजा शादी के ग्यारह साल बाद भी अभी तक बाप नहीं बन सका था, इस बात के लिए वो मुझे जिम्मेदार ठहराते थे। पिछले एक अरसे से अंकल ये हिंट ड्राप कर रहे थे कि मेरा पति—शान्तनु इसी बिना पर मुझे तलाक देकर दूसरी शादी कर ले ताकि वो उसकी औलाद को अपना वारिस करार दे सकें। हाल में तो अंकल इस बाबत हिंट ड्राप करने की जगह हुक्म दनदनाने लग गये थे और हुक्म के निशाने पर मैं होने लग गयी थी कि मैं तलाक की कार्यवाही पूरी करूं और उनके भतीजे का पीछा छोड़ूं? वारदात वाले दिन मैं इसी सन्दर्भ में उनसे बात करने गयी थी, उन्हें समझाने गयी थी कि ये जो बात उनके मन में बैठी हुई थी कि मेरे में कोई खामी थी, जिसकी वजह से मैं गर्भ धारण नहीं कर सकती थी, गलत थी। मेरे में कोई खामी नहीं, ये प्रूवन मैडीकल फैक्ट है। लिहाजा अगर अंकल के उकसाये मेरा पति इस बिना पर कोर्ट में तलाक का केस दायर करता कि मैं बांझ थी तो केस धराशायी हो के रहता। तलाक हरगिज न हो पाता।''

''हकीकत क्या थी?''—सोलंकी ने पूछा।

''वही तो मैं नहीं ज़ुबान पर लाना चाहती।''—मानसी कातर भाव से बोली—''मेरे मां न बन पाने के पीछे वजह मैं नहीं, मेरा पति है और ये भी एक मैडीकली प्रूवन फैक्ट है। उस रोज मैं अंकल के दरबार में अपनी यही फरियाद लगाने गयी थी कि अंकल तलाक पर जोर देना बन्द करें। उनकी जिद पर कोर्ट में तलाक का केस लगा तो वहां उनके भतीजे के बतौर खाविंद किरदार पर जो छींटे उछलेंगे, उनसे अंकल का खुद का दामन भी दागदार हो कर रहेगा। अब आप ही बताइये, वकील साहब, कि कैसे मैं अपने पति को बता सकती थी कि अंकल मेरे से क्या चाहते थे, वो मेरे पर किस तरह का नाजायज दबाव डाल रहे थे और क्या इसकी परिणति होने वाली थी! लॉज पर जो मैंने देखा था, अगर मैं उसका अपने पति से जिक्र करती तो उसे ये बात मुझे बतानी पड़ती कि क्यों मैं वहां गयी थी क्योंकि वो इस बात से अच्छी तरह से वाकिफ था कि मैं पहले कभी भी अपनी मर्जी से अकेले लॉज पर नहीं गयी थी। अंकल की मौत के साथ तलाक का बद्‌मजा किस्सा तो खत्म था इसलिये मैंने खामोश रहना ही मुनासिब समझा।''

अदालत में सन्नाटा छा गया।

मानसी साड़ी के पल्लू में मुंह छुपा कर सिसकने लगी।

''आप अंकल को पीछे लॉज पर मरा छोड़कर आयी थीं?''

''हं-हां।''

''तलाक के बद्मजा किस्से को खत्म करने के लिए, अंकल की नाजायज, नादिरशाही मांग से पीछा छुड़ाने के लिए आपने अंकल का खून नहीं किया?''

''मेरा ईश्वर मेरा गवाह है मैंने कभी ऐसा खयाल तक न किया।''

''ओके।''

गवाह की भवें उठीं।

''क्या ओके?''—उसने उलझनपूर्ण भाव से पूछा।

''मैंने आपकी बात पर विश्वास किया।''

''ओह!''

''योर ऑनर।''—सोलंकी बोला—''प्रासीक्यूशन डिफेंस की दरियादिली का कायल है, फिर भी प्रासीक्यूशन की कोर्ट से दरख्वास्त है कि गवाह के बयान के उस हिस्से को नजरअन्दाज न किया जाये जिसमें इन्होंने इस बात की पुष्टि की कि कत्ल लॉज पर इनकी आमद से बहुत पहले हो चुका था। इस गवाह का बयान मुलजिम कमलेश दीक्षित के अपराध का अतिरिक्त सबूत है। बहरहाल प्रसीक्यूशन ने इस गवाह से और कुछ नहीं पूछना।''

''डिफेंस ने भी।''—मुकेश बोला—''मैडम, आप कठघरा छोड़ सकती हैं।''

तब भी पल्लू में मुंह छुपाये मानसी कठघरे में से हट गयी।

लंच के बाद अदालत फिर लगी तो मेजर ब्रजेश सिंह बतौर गवाह अदालत में पेश हुआ।

मुकेश ने उससे सवाल पूछना शुरू किया।

''आपका गाड़ी चलाने का स्टाइल''—वो बोला—''इधर सारे इलाके में मशहूर है। आपकी कार आपकी शिनाख्त है, उसका शोर आपकी सिग्नेचर ट्यून है, जिसकी वजह से लोगों को पहले ही आपकी आमद की खबर लग जाती है। नहीं?''

''हां।''—गवाह बोला—''वो क्या है कि कार का साइलेंसर खराब है। मैं इन्तजार कर रहा हूं कि कोई और खराबी आये तो गाड़ी वर्कशाप भेजूं और तब साइलेंसर को भी ठीक कराऊं, या चेंज कराऊं।''

''कब से इन्तजार कर रहे हैं?''

''तीन महीने से।'' —गवाह के स्वर में धूर्तता का पुट आया।

''आगे अभी शायद छ: महीने और लगें!''

''मुमकिन है। मैं गाड़ी कोई ज्यादा तो चलाता नहीं! गोरई से बाहर कहीं जाना हो तो ट्रेन या बस में ही जाता हूं।''

''आपकी ड्राइविंग की तेज रफ्तार भी तो मशहूर है?''

''गलत मशहूर है। वो क्या है कि गाड़ी रोकते वक्त मुझे ब्रेक एकाएक और जोर से लगाने की आदत पड़ गयी हुई है जिसकी वजह से देखने वालों को —बोले तो सुनने वालों को —लगता है कि मैं गाड़ी तेज चलाता हूं।''

''आई सी।''

''मैंने आज तक कभी कोई मामूली सा एक्सीडेंट भी नहीं किया।''

''योर ऑनर'' —सोलंकी बोला— ''ये अदालत है या क्लब है? ये गवाह का बयान लिया जा रहा है कि उससे गप्पे लगाई जा रही हैं?''

''योर ऑनर'' —मुकेश बोला— ''आई एम लेईंग ए फाउन्डेशन। मैं बुनियाद बना रहा हूं।''

''किस बात की?'' —जज बोला।

''इस बात की कि वारदात वाले दिन जिन लोगों के क्रिस्टल लॉज में पांव पड़े थे, उनमें ये गवाह भी था। और इसकी आवाजाही पर किसी की खास तवज्जो इसकी शोर करती कार की वजह से गयी थी जिसका कि अभी गवाह ने साइलेंसर खराब बताया। कार का शोर मेजर सिंह की सिग्नेचर ट्यून है जिसकी वजह से किसी की तवज्जो इनकी आमद पर भी गयी और वापिसी पर भी गयी। मैंने लेखक दिवाकर चौधरी के बनाये लोगों की लॉज पर आवाजाही के टाइम टेबल की जो सर्टिफाइड कापी कोर्ट में सबमिट की है, योर ऑनर यदि उसका अध्ययन करेंगे तो पायेंगे इस गवाह का नाम भी उस टाइमटेबल में दर्ज है।''

''हूं। आल राइट, गो अहेड।''

''थैंक्यू, योर ऑनर। मेजर साहब, वारदात की सुबह आप लॉज पर गये थे?''

''गया था, भई, इसमें मुकरने वाली कौन सी बात है? और इतनी मामूली बाबत के लिए कोई फाउन्डेशन बनाने जैसी जहमत करने की क्या जरूरत है?''

''आप सवा बारह बजे लॉज पर पहुंचे थे?''

''हां।''

''लेकिन फौरन ही वापिस लौट पड़े थे?''

''हां।''

''वजह?''

''मैंने वहां किसी को देखा था, मैं नहीं चाहता था कि उसे वहां मेरी मौजूदगी की खबर लगती।''

''किसको देखा था?''

''मैं नाम नहीं लेना चाहता। मुझे कोई फर्क नहीं पड़ता लेकिन जिसको देखा था, उसकी खातिर नाम नहीं लेना चाहता।''

''आप गवाह के कठघरे में खड़े हैं। आपने शपथ ग्रहण की है कि जो कहेंगे सच कहेंगे और सच के सिवा कुछ नहीं कहेंगे। मैं आपको उस शपथ का सदका देता हूं कि कोर्ट को आप बतायें कि आपने किसको वहां देखा था!''

वो फिर भी हिचकिचाया।

''ओ, कम आन। डोंट ड्रामेटाइज दि मूमेंट।''

''कमला सारंगी को।'' —गवाह धीरे से बोला।

''आपने अपनी लॉज की ब्रीफ विजिट के दौरान कमला सारंगी को वहां देखा था?''

''हां।''

''तब आप कहां थे?''

''हाल में था। मैंने मेन डोर से भीतर कदम रखा ही था कि मुझे सीढ़ियों पर कमला सारंगी दिखाई दी थी।''

''सीढ़ियां चढ़ती या सीढ़ियां उतरती?''

''न चढ़ती, न उतरती। वो बीच में एक सीढ़ी पर ठिठकी खड़ी थी और लगता था जैसे कान लगा कर कुछ सुनने की कोशिश कर रही हो।''

''आप चुपचाप लौट पड़े?''

''हां। तब मैंने वहां रुकना मुनासिब नहीं समझा था।''

''क्यों? क्योंकि आप नहीं चाहते थे कि कमला सारंगी आपको वहां आया देखती?''

''क्योंकि मैं नहीं चाहता था कि उसको पता चलता कि मैंने उसको वहां देखा था।''

''वजह?''

''जगविदित है।''

''आपका इशारा मकतूल की वूमनाइजर वाली रिप्यूट की तरफ है?''

''अब मैं क्या कहूं!''

''आपने कमला सारंगी को वहां देखा था तो उसे मकतूल से फिट औरत समझा था?''

''और क्या समझता?''

''जवाब दीजिये।''

''जो बात वैसे ही सारे इलाके में मशहूर थी...''

''हां या न में जवाब दीजिये।''

''हां।''

''क्या हां।''

''मैंने उसे मकतूल से फिट औरत समझा। उसे मैंने देखा था, उसने मुझे नहीं देखा था इसलिये मैंने उसी की खातिर वहां रुकना मुनासिब नहीं समझा था।''

''उस वक्त टाइम क्या हुआ था?''

''टाइम! टाइम का तो मुझे ध्यान नहीं!''

''कोई अन्दाजा बयान कीजिये।''

''अन्दाजा क्या बयान करूं! जब मेरे लॉज में दाखिल होते ही वो मेरी निगाह में आ गयी थी तो वक्त तब वही तो रहा होगा जो कि मेरे पहुंचने का था!''

''सवा बारह बजे का?''

''आप कहते हैं तो...''

''मैं कहता हूं।''

''ओके। सवा बारह बजे का।''

''आप लॉज पर करने क्या गये थे?''

''जी!''

''विजिट का प्रयोजन क्या था? कमला सारंगी की सूरत में विघ्न न आया होता तो क्या काम था आपका वहां?''

''अच्छा वो! मैं राजपुरिया साहब से कुछ पर्सनल बात करना चाहता था।''

''क्या पर्सनल बात? जो कहना है, एक ही बार में कहिये।''

''वो क्या है कि इस वक्त मैं एक किराये के मकान में रहता हूं। मैं बोरीवली में एक फ्लैट खरीदना चाहता था, जिसके लिए मैंने नेशनल बैंक की लोकल ब्रांच में लोन की एप्लीकेशन दाखिल की हुई थी। बैंक लोन सैंक्शन करने में कुछ अड़चनें लगा रहा था और मेरे केस को डिले कर रहा था। मुझे मालूम था कि उस ब्रांच के राजपुरिया साहब मेजर एकाउन्ट होल्डर थे। मैं उनसे ये पर्सनल बात करने के इरादे से उस रोज लॉज पर गया था कि वो लोन के मामले में बैंक में मेरी कोई सिफारिश कर देते ताकि मेरा वो काम जल्दी हो जाता।''

''तो इस वजह से उस रोज आप लॉज पर गये थे?''

''हां। लेकिन ये कोई बड़ी बात नहीं थी। मैं फिर लौट सकता था। इसलिये नहीं रुका था। वजह मैंने बताई ही है।''

''कि आपने कमला सारंगी को वहां देखा था और उसकी खातिर आप नहीं

चाहते थे कि उसको इस बात की जानकारी होती ?''

''हां।''

''आप कोर्ट में कब पहुंचे थे ?''

''लंच आवर में ही पहुंचा था।''

''फिर तो लंच से पहले की इस कोर्ट की कार्यवाही की आपको कोई खबर नहीं होगी ! मसलन ये नहीं मालूम होगा कि सुबह यहां कमला सारंगी का भी बयान हुआ था !''

''अच्छा ! मुझे नहीं मालूम।''

''जिसमें उसने सब कुछ सच सच बयान किया था—ये भी कि वो वारदात वाले रोज लॉज पर गयी थी—कुछ नहीं छुपाया था।''

''दैट्स वैरी गुड।''

''लेकिन आपको उसके बयान की कोई जानकारी नहीं !''

''होनी चाहिये थी ?''

''जरूरी नहीं, लेकिन होती तो आप फायदे में रहते।''

''वो कैसे ?''

''तो आपका बयान कुछ जुदा होता।''

''मैं समझा नहीं।''

''मैं अभी समझाता हूं। मेजर साहब, इस तथ्य को प्रमाणित करने को एक गवाह मौजूद है कि आप सवा बारह बजे लॉज पर मौजूद थे। और ये भी एक प्रमाणित तथ्य है—जिसकी उसी गवाह ने तसदीक की है—कि कमला सारंगी ग्यारह दस तक लॉज से रुखसत हो चुकी थी। अब बरायमेहरबानी आप कोर्ट को ये बताइये कि सवा बारह बजे लॉज पर पहुंचे आपने क्योंकर कमला सारंगी को वहां देख लिया जो कि कब की वहां से जा चुकी थी ?''

गवाह गड़बड़ाया, बौखलाया, बेचैन दिखाई देने लगा।

''ऑब्जेक्शन, योर ऑनर।''—सोलंकी बोला—''मिस्टर माथुर अपने ही गवाह से जिरह कर रहे हैं।''

''ये डिफेंस की मजबूरी है।''—मुकेश बोला—''गवाह झूठ बोल रहा है जिसकी कि डिफेंस को उससे अपेक्षा नहीं थी। गवाह डिफेंस को और कोर्ट को मिसगाइड करने की कोशिश कर रहा है। ऐसे गवाह का दर्जा होस्टाइल विटनेस का होता है और उसके साथ आर्ग्यूमैंटेटिव होना जरूरी हो जाता है।''

''डिफेंस साबित कर सकता है कि गवाह झूठ बोल रहा है ?''—जज बोला।

''यस, योर ऑनर।''

''दि कोर्ट रिजर्व्स इट्स रूलिंग। अगर डिफेंस अपने दावे पर खरा उतर कर न दिखा पाया तो प्रासीक्यूशन की ऑब्जेक्शन को सस्टेंड माना जायेगा और गवाही का ये हिस्सा खारिज माना जायेगा। डिफेंस मे प्रोसीड विद दि विटनेस।''

''थैंक्यू, योर ऑनर।''—मुकेश बोला—''मेजर साहब, जवाब दीजिये।''

''जरूर टाइम में कोई कनफ्यूजन है।''—गवाह होंठों में बुदबुदाया।

''कोई कनफ्यूजन नहीं।''—मुकेश जिदभरे स्वर में बोला—''आनरेबल कोर्ट इस विषय में पहले से आश्वस्त है।''

''जरूर कोई कनफ्यूजन है। शायद मैं कदरन जल्दी पहुंचा था या फिर कमला सारंगी कदरन लेट वहां से निकली थी।''

''आपका 'कदरन' कितना टाइम गैप कवर कर सकता है? पांच मिनट! दस मिनट! पन्द्रह मिनट! या आप समझते हैं कि इससे भी ज्यादा?''

उससे जवाब देते न बना।

''आपका 'कदरन' तब इफेक्टिव हो सकता है जबकि आप तीस पैंतीस मिनट पहले पहुंचे हों और कमला सारंगी तीस पैंतीस मिनट बाद रुखसत हुई हो।''

''शायद ऐसा ही हो!''

''नहीं हो सकता। क्योंकि आपको खबर नहीं है लेकिन आनरेबल कोर्ट को खबर है कि बीच में अभी एक और शख्स की भी लॉज में विजिट स्थापित है। ये निर्विवाद रूप से स्थापित है, दिलीप नटके ने इस अदालत में आपकी जगह खड़ा होकर खुद अपने बयान में कबूल किया था, कि वो साढ़े ग्यारह बजे लॉज पर पहुंचा था और दस पन्द्रह मिनट वहां ठहरा था। टाइम के कनफ्यूजन की आपकी थ्योरी कबूल की जाये तो यकीनन दिलीप नटके ने या तो कमला सारंगी को अभी वहीं मौजूद देखा होता या वहां से रुखसत होते देखा होता या उसने आपको वहां पहुंचते देखा होता। आप जानते हैं—नहीं जानते तो मैं आपको यकीन दिलाता हूं—कि ऐसा नहीं हुआ, इसलिये टाइम में कनफ्यूजन की दुहाई में पनाह पाने का खयाल तो आप छोड़ ही दें तो अच्छा होगा।''

वो खामोश रहा।

''हकीकत ये है कि आपने वहां कमला सारंगी को नहीं देखा था—क्योंकि टाइम फैक्टर मैच नहीं करता। आपने वहां कुछ और ही देखा था जिसने आपको वहां से उलटे पांव कूच करने पर मजबूर किया था। मिस्टर ब्रजेश सिंह, अगर आप कातिल नहीं हैं तो हकीकत बयान करने में कोई हर्ज नहीं है, कातिल हैं तो हकीकत आपकी खामोशी और असहयोग के बावजूद उजागर हो के रहेगी। और हकीकत का जो मेरा अन्दाजा है, वो ये है कि आपने लॉज में कमला सारंगी को नहीं, अभय सिंह राजपुरिया की लाश को देखा था। अब अगर उसे लाश बनाने वाले खुद आप

नहीं थे...''

''नो! नैवर!''

''...तो बोलिये सच क्या है?''

वो फिर भी खामोश रहा।

''योर ऑनर!'' —सोलंकी बोला— ''मिस्टर माथुर अपना एक वाइल्ड गैस अपने ही गवाह पर थोपने की कोशिश कर रहे हैं।''

''ये वाइल्ड गैस नहीं है।'' —मुकेश ने प्रतिवाद किया— ''ये वैल डेलीब्रेटिड, वैल कैलकुलेटिड गैस है। इट वैरी वैल स्टैण्ड्स टु रीजन। कोई कहीं पहुंचे तो वहां से यूं एकाएक कूच नहीं कर जाता जैसे कि भूत देख लिया हो।''

''बावजूद इसके महज एक अन्दाजे के सहारे ...''

''ये हकीकत है जिसको स्थापित करने के लिए एक गवाह उपलब्ध है ...''

''ब्लफ है।''

''...जो कहता है कि सवा बारह बजे कमला सारंगी लॉज पर नहीं, अपने घर पर थी।''

''कौन है वो गवाह?''

मुकेश ने प्रचारक गोविन्द सुर्वे की बाबत कोर्ट को बताया।

सोलंकी धीरे से वापिस बैठ गया।

''दि ऑब्जेक्शन आफ प्रासीक्यूशन'' —जज बोला— ''इज ओवररूल्ड!''

''थैंक्यू योर ऑनर।'' —मुकेश फिर गवाह से मुखातिब हुआ— ''जवाब दीजिये, मेजर साहब। कुबूल कीजिये कि आपने लॉज में मकतूल को मरा पड़ा पाया था।''

''हं-हां।'' —गवाह फंसे कण्ठ से बोला।

''बैडरूम में?''

''हां।''

''जो कि मास्टर बैड कहलाता है? जो कि ऊपर फर्स्ट फ्लोर पर है?''

''हां।''

''ऊपर क्यों गये?''

''क्योंकि राजपुरिया साहब मुझे नीचे नहीं मिले थे।''

''आवाज दी होती!''

''दी थी। कोई जवाब नहीं मिला था, तभी ऊपर गया था।''

''किस उम्मीद से? राजपुरिया साहब सोये पड़े होंगे? दोपहरबाद तक सोये पड़े होंगे?''

''बैडरूम सोने के लिए ही नहीं होता, रैस्ट करने के लिए भी होता है। किसी की तबीयत खराब हो तो वो बैडरूम पर पड़ता ही है, उसका सोया पड़ा होना जरूरी नहीं होता।''

''ही कुड बी इन बैड बट नाट एस्लीप?''

''हां।''

''तो फिर जब आपने नीचे से उन्हें आवाज दी तो आपको कोई जवाब क्यों न मिला?''

''आवाज ऊपर नहीं पहुंची होगी!''—वो एक क्षण ठिठका, फिर बोला—''मुझे तब नहीं मालूम था लेकिन अब तो मालूम है कि असलियत ये थी कि राजपुरिया साहब उस घड़ी ऊपर मरे पड़े थे।''

''बहरहाल आपने उन्हें आवाज लगाई, जवाब न मिला तो ऊपर चले गये। ये न सोचा कि आपको कुछ अरसा नीचे इन्तजार करना चाहिये था और फिर वो कदम उठाना चाहिये था?''

''मैं ऐसी डीसेंसीज, ऐसी फारमलिटीज के मूड में नहीं था।''

''ऐसा?''

''हां। मैं गुस्से में था। बल्कि भड़का हुआ था। हर हाल में राजपुरिया साहब के रूबरू होना चाहता था और उनसे बात करना चाहता था। मेरे उस वक्त के मिजाज ने मुझे उतावला बना दिया हुआ था, बेचैन किया हुआ था, उसने मुझे यही सुझाया कि मुझे ऊपर जाकर उन्हें देखना चाहिये था।''

''किसी के घर में यूं विचरना तहजीब के खिलाफ होता है—बल्कि तमीज के खिलाफ होता है।''

''किसी की ब्याहता बीवी पर मैली निगाह डालना भी तहजीब के खिलाफ होता है।''

कोर्ट में सन्नाटा छा गया।

''जो मेरी बीवी महिमा सिंह के साथ गुजरी थी, मेरी निगाह में उसके लिए राजपुरिया साहब भी जिम्मेदार थे। इसलिये उस घड़ी मैंने जो कुछ भी वहां किया था, मुझे उसमें कोई नुक्स नहीं दिखाई दिया था। सच पूछें तो ये तहजीब, तमीज जैसी फैंसी बातों का उस घड़ी मुझे खयाल तक नहीं आया था।''

''तो असल वजह ये थी आपके लॉज पर जाने की?''

''हां।''

''वो बैंक लोन वाली, मकतूल की सिफारिश वाली, बात आपने अभी कठघरे में खड़े खड़े हाथ के हाथ गढ़ ली थी?''

''लोन वाली बात जेनुइन थी लेकिन इसमें कोई अडंगा नहीं था जिसकी

वजह से कि मुझे किसी की सिफारिश की जरूरत होती।''

''आपसे लॉज में विजिट की वजह पूछी गयी थी, इसलिये आपने वो वजह सरकाई? गढ़ी हुई! फर्जी!''

''हां।''

''बहरहाल आप ऊपर गये और आपने वहां मास्टर बैडरूम के फर्श पर मकतूल को मरा पड़ा पाया?''

''हां।''

''लाश की हालत क्या बताती थी? क्या तभी मौत हो के हटी थी?''

''नहीं। मेरे खयाल से मौत हुए काफी वक्त हो चुका था।''

''इस खयाल की वजह?''

''मैं कोई वजह बयान नहीं कर सकता। वहां माहौल में मौत व्याप्त थी। वहां, मुझे ऐसा लगा था, कि वो काफी देर से वहां मरे पड़े थे।''

''क्यों मरे पड़े थे? एकाएक कैसे मर गये?''

वो खामोश रहा।

''उस घड़ी आपको ये न सूझा कि वो एक कत्ल का केस था?''

वो कुछ क्षण हिचकिचाता रहा, फिर बोला— ''सूझा तो सही! अलबत्ता ये न सूझा कि क्योंकर कत्ल का केस था! कत्ल हुआ था तो कैसे हुआ था!''

''आगे?''

''फिर मुझे लगा था कि फर्श पर लुढ़के पड़े कॉफी के मग का किसी न किसी तरीके से कत्ल में रोल था।''

''लिहाजा आप एक कत्ल के गवाह थे!''

''यही समझ लीजिये।''

''फौरन पुलिस को खबर क्यों न की?''

वो खामोश हो गया।

''जवाब दीजिये?''

''क्योंकि...मुझे अन्देशा था कि कत्ल मेरी बीवी ने किया था।''

''ऐसा सोचने की कोई खास, ठोस वजह?''

''लाश के करीब मेरी बीवी के कान की एक बाली पड़ी थी।''

''आपकी बीवी के कान की?''

''डेफिनिटली। उसे मैं अपनी बीवी की बाली के तौर पर बाखूबी पहचानता था।''

''इसलिये आपने कत्ल की बाबत खामोश रहना ही मुनासिब समझा?''

''हां।''

"बाली का क्या किया?"—सोलंकी ने पूछा।

गवाह ने सोलंकी की तरफ देखा और फिर वापिस मुकेश की तरफ देखा।

"आप पब्लिक प्रासीक्यूटर साहब के सवाल का जवाब दें"—मुकेश दयानतदार बनता बोला—"तो मुझे कोई एतराज नहीं। असल में मैं खुद भी आपसे यही सवाल पूछने जा रहा था। जवाब दीजिये।"

"मैंने बाली को अपने कब्जे में कर लिया था।"—गवाह बोला।

"आपको"—सोलंकी बोला—"ऐसा नहीं करना चाहिये था।"

"वो हमारी प्रापर्टी थी..."

"वो केस की इनवैस्टिगेशन में काम आने वाला एक इम्पार्टेंट क्लू था। आप पढ़े लिखे, समझदार आदमी हैं, फौजी हैं इसलिये डिसिप्लिंड हैं, आपको मालूम होना चाहिये था कि मौकायवारदात से छेड़छाड़ वर्जित होती है, बल्कि जुर्म होता है।"

"आ...आई एम स-सॉरी।"

"ऊपर से आपने मर्डर को रिपोर्ट न किया। एक कर्तव्यपरायण नागरिक का रोल अदा करने में कोताही की।"

"मैं मजबूर था। कत्ल का इशारा मेरी खुद की बीवी की तरफ न होता तो मैं अपना फर्ज जरूर निभाता।"

"आपकी खामोशी की वजह से मुमकिन था कि लाश तब भी बरामद न होती जबकि वो हुई। मकतूल का भतीजा शान्तनु राजपुरिया अपनी अप्वायन्टमेंट पर लेट पहुंचता या किसी वजह से पहुंच ही न पाता तो सोचिये क्या होता!"

"म-मैंने इस बाबत कुछ...कुछ किया था।"

"क्या?"

"शाम तक कोई हिलडुल न होती तो मैं ही कुछ करता।"

"क्या करते?"

"पुलिस के लिए इस बाबत गुमनाम टिप छोड़ता या किसी बहाने फिर वहां जाता।"

"ये तो आप बाद में करते। आपने कहा था कि पहले कुछ किया था। पहले क्या किया था?"

"लॉज से निकल कर मैं एक लोकल रेस्टोरेंट में गया था। वहां मैं बीयर पीता तब तक बैठा रहा था जब तक कि मुझे राजपुरिया साहब का एक परिचित वहां पहुंचता नहीं दिखाई दे गया था। मुझे वहां ऐसे शख्स की आमद का इन्तजार था जो कि राजपुरिया साहब का परिचित होने के अलावा मेरा भी परिचित होता। कोई एक घन्टे के इन्तजार के बाद ऐसा शख्स—मोहनीश व्यास—मुझे वहां दिखाई दिया

था। मैंने उसे ड्रिंक्स शेयर करने के लिए इनवाइट किया था और फिर बातों बातों में ये बात उसे सरकाई थी कि राजपुरिया साहब मार्निंग में मुझे मार्केट में मिले थे और उसे याद कर रहे थे, उन्होंने खास तौर से मुझे कहा था कि मोहनीश व्यास कहीं दिखाई दे तो मैं उसे लॉज पर आने को बोलूं। जैसा इस इलाके में राजपुरिया साहब का अदब है, आदर मान है, उसकी रू में मेरे को निश्चित था कि वो रेस्टोरेंट से निकलते ही राजपुरिया साहब से मिलने पहुंच जायेगा। लेकिन ऐसा न हुआ। अपनी किसी और मसरूफियत की वजह से वो न जा पाया।''

''आपको क्या मालूम?''

''मालूम तो अपने आप होता! राजपुरिया साहब के कत्ल की बात उजागर हो जाती तो वो जंगल की आग की तरह सारे इलाके में फैलती। फिर मैं क्या उससे बेखबर रहता!''

''यू आर राइट देयर। फिर आपने कुछ किया?''

''हां। शाम हो गयी तो पहले तो मैंने पुलिस को गुमनाम काल लगाने की सोची। मैंने वो खयाल इसलिये छोड़ दिया कि सुना हुआ था कि पुलिस ऐसी काल्स को आखिरकार ट्रेस कर ही लेती थी। उससे बेहतर तब मुझे ये लगा कि मैं खुद ही एक चक्कर फिर लॉज का लगाता।''

''किस बहाने?''

''बहाना तो तैयार था। वही पहले वाला—बैंक लोन के लिए सिफारिश वाला—बहाना। मैं कह सकता था कि दोपहर के करीब जब मैं आया था तो मेरी राजपुरिया साहब से मुलाकात नहीं हुई थी इसलिये शाम को मैं फिर लौटा था।''

''इस बार जाकर आप लाश बरामद करते?''

''हां। इसीलिये तो मैंने फिर फेरा लगाना था लेकिन वो नौबत ही न आयी। तब तक शान्तनु राजपुरिया वहां पहुंच गया और मेरी ...मेरी समस्या खत्म हुई।''

''जो बाली आपने मौकायवारदात पर पड़ी पायी थी और अपने कब्जे में की थी, उसकी बाबत लौट कर बीवी को बताया था?''

''नहीं।''—गवाह बोला।

''क्यों?''

''बस...नहीं ही बताया था।''

''क्यों? जवाब दीजिये।''

''इस खयाल से मेरा दिल हिलता था कि मेरी बीवी कातिल थी।''

''अभी भी हिल रहा है? आपको मालूम है कि कातिल कोई और है और वो गिरफ्तार है।''

''अब मुझे वैसे ही निश्चित तौर पर मालूम है कि मेरी बीवी कातिल नहीं है।''

"तब कातिल थी, क्योंकि आपने मौकायवारदात पर बीवी की एक बाली लाश के करीब पड़ी देखी थी?"

"हां।"

"ये न सूझा कि बाली वहां प्लांट की गयी हो सकती थी?"

"जी!"

"बाली असल कातिल को कहीं किसी और जगह पड़ी मिली थी—या उसने किसी तरीके से चोरी कर ली थी—और शक की सुई आपकी बीवी की ओर मोड़ने के लिए उसे मौकायवारदात पर प्लांट कर दिया था!"

"मुझे नहीं सूझा था।"—गवाह भौंचक्का सा बोला।

"आप बीवी से बाली की बाबत बात करते तो शायद वो कोई माकूल वजह बताती। तब और नहीं तो ये तसदीक तो होती कि आपकी बीवी की बाली गुम थी!"

"वो तसदीक तो वैसे ही थी!"

"कैसे ही थी?"

"उस रोज मुझे बीवी के कानों में टाप्स दिखाई दिये थे।"

"ठीक! लेकिन ये तो न मालूम पड़ा होगा कि बीवी की एक ही बाली गुम थी या दोनों गुम थीं!"

"क्या कहना चाहते हैं?"

"यही कि बाली की बाबत बीवी से दो टूक बात न करके आपने नादानी की। करते तो एक तो आपको तभी—दस अगस्त को ही—पता लग जाता कि आपकी बीवी कातिल थी या नहीं थी! दूसरे, शायद बीवी कोई वजह बयान करती कि कैसे वो बाली मौकायवारदात पर प्लांट करने के लिए किसी के हाथ लग सकती थी! यूं कातिल की शिनाख्त और जल्दी हो गयी होती।"

"आ-आई एम सॉरी।"

"अपनी बाली की तलाश में आपकी बीवी भी तो लॉज में गयी हो सकती है?"

वो सकपकाया, उसने बेचैनी से पहलू बदला।

"जवाब दीजिये!"

"हो सकता है गयी हो!"

"आपको इस बारे में जाती तौर पर कोई ज़ानकारी नहीं?"

"नहीं, कोई जानकारी नहीं।"

"लेखक दिवाकर चौधरी के बनाये टाइम टेबल में आपकी बीवी का जिक्र नहीं है।"

''तो नहीं गयी होगी!''

''उसकी बाली गुम थी। आपने खुद बताया कि नौ तारीख की शाम को वो लॉज में गयी थी, वहां काफी देर ठहरी थी, और हो सकता था कि तब उसकी बाली वहां, लॉज में कहीं, गिरी हो!''

''हां।''

''इस लिहाज से मुमकिन तो है कि आपकी बीवी का फेरा लाज में लगा हो, भले ही वो लेखक दिवाकर चौधरी की निगाह में न आया हो!''

''है तो सही!''

''गयी होगी तो कब गयी होगी?''

''सवा बारह बजे के बाद किसी वक्त।''

''ऐसा सोचने की वजह?''

''सवा बारह से पहले गयी होती तो जैसे लाश के करीब पड़ी बाली मुझे दिखाई दी थी, वैसे उसे दिखाई दी होती। ऐसा नहीं हुआ था इसीलिये तो बाली मुझे वहां पड़ी मिली।''

''लिहाजा अगर वारदात के दिन आपकी बीवी लॉज में गयी तो आपकी विजिट के बाद, सवा बारह बजे के बाद, गयी?''

''हां।''

''मुझे गवाह से और कुछ नहीं पूछना।''

''अभी मैंने पूछना है।''—मुकेश बोला—''प्रासीक्यूशन की अनएक्सपैक्टिड इन्ट्रप्शन से एक बहुत महत्वपूर्ण बात पूछे जाने से रह गयी थी। मेजर साहब, आपकी लॉज में विजिट की बाबत स्थापित है कि वो विजिट क्विक इन एण्ड आउट जैसी भी। आप लॉज के भीतर जाते देखे गये लेकिन उलटे पांव लौटते भी देखे गये। ठीक?''

''हां।''—गवाह बोला।

''लेकिन आपने लाश की बरामदी से ताल्लुक रखता अपना जो बयान दिया, वो तो जाहिर करता है कि आप लॉज के भीतर बहुत देर ठहरे! आप भीतर गये, राजपुरिया साहब आपको भीतर न मिले तो आपने उनको आवाज लगाई, जवाब का इन्तजार किया, न मिला तो सीढ़ियां चढ़कर ऊपर गये जहां मास्टर बैडरूम में आपने लाश पड़ी देखी, वहां पड़ी बाली दिखाई दी तो कुछ क्षण ठहरे भी होंगे, फिर बाली पर काबिज हुए, सीढ़ियां उतर कर नीचे आये और वहां से रुखसत हुए। इतने काम आपने किये जो कि पलक झपकते तो हो नहीं सकते! क्विक इन एण्ड आउट के तहत तो हो नहीं सकते! इन दो परस्पर विरोधी बातों का आपके पास क्या जवाब है?''

''मैं''—गवाह दबे स्वर में बोला—''दो बार गया था।''

उस जवाब ने सोलंकी को ही नहीं, जज को भी सचेत किया।

''आप ये कहना चाहते हैं कि आपका लॉज में एक फेरा सवा बारह से पहले भी लगा था?''

''हां।''

''किस वक्त?''

''ग्यारह पचपन पर।''

''जो आपका सवा बारह वाले फेरे का गवाह है, उसको आप तब क्यों न दिखाई दिये?''

''वजह थी।''

''गवाह पहेलियां न बुझाये।''—जज तिक्त भाव से बोला—''कोर्ट गवाह से छुपाना नहीं चाहता कि कोर्ट गवाह की अब तक की गवाही से खुश नहीं है। इसलिये अब गवाह ने जो कुछ कहना है, स्पष्ट कहे, एकमुश्त कहे।''

''यस, योर ऑनर।''—ब्रजेश सिंह बोला—''बात यह है कि ग्यारह पचपन पर मैं अपनी कार पर वहां नहीं पहुंचा था। मेरी कार की इलाके में जो रिप्यूट बनी हुई थी, जैसे वो मेरी शिनाख्त बनी हुई थी, उससे मैं नावाकिफ नहीं था। मैं लॉज के सामने के कॉटेज वाले गवाह रहस्यकथा लेखक दिवाकर चौधरी से भी नावाकिफ नहीं था। कार पर लॉज पर पहुंचने की जगह पैदल आने से कोई गारन्टी नहीं थी कि मेरी खबर दिवाकर चौधरी को न लगती लेकिन कार पर आने के मुकाबले में तब खबर न लगने के चांसिज बहुत ज्यादा थे। मेरा कार पर जाना तो विजिट की घोषणा करते जाने जैसा होता, दिवाकर चौधरी की तवज्जो मेरी तरफ न भी जानी होती तो जाती—जैसा कि असल में हुआ था...''

''आप विजिट को सीक्रेट क्यों रखना चाहते थे?''—मुकेश ने पूछा।

''मेरी बीवी के कान की एक बाली गुम थी, ये बात मुझे वारदात वाले दिन से एक दिन पहले ही मालूम थी। मेरी बीवी मंगलवार नौ अगस्त को लॉज पर गयी थी, काफी अरसा वहां ठहरी थी और मुझे यकीन था कि तभी उसकी बाली वहां पर गिरी थी। मुझे मालूम था बुधवार को राजपुरिया साहब लॉज पर अकेले थे इसलिये मैं समझता था कि मैं उनकी जानकारी में आये बिना वहां कहीं गिरी पड़ी बाली तलाश करने की कोशिश कर सकता था।''

''उनका कत्ल न हुआ होता, उनका आपसे आमना सामना हो गया होता तो तब आप क्या करते?''

''तो मैं बाली की बाबत उन्हीं से सवाल करता।''

''बात कोई ज्यादा आश्वस्त करने वाली नहीं है लेकिन जाने दीजिये और

ये बताइये जब बाली आपको मिल गयी, आपका मतलब हल हो गया तो दोबारा वहां लौटने का क्या प्रयोजन था? क्यों आप लाश के साथ दो बार हाजिरी लगाने का रिस्क लेना चाहते थे?''

''देखिये, अब मुझे मालूम है कि लॉज में मेरे पहले फेरे की लेखक दिवाकर चौधरी को खबर नहीं लगी थी लेकिन तब मुझे अन्देशा बराबर था। दूसरा फेरा कार पर सवार होकर लगाने पर मेरा उसकी तवज्जो में आना लाजमी था। फिर वही मेरा गवाह होता कि जैसे आनन फानन मैंने लॉज से वापिसी की थी, उसकी रू में मैं कातिल नहीं हो सकता था। कत्ल कर पाने लायक टाइम तो मैं वहां रुका ही नहीं था। मेरे पहले फेरे पर भी उसने मुझे आते या जाते देखा होता तो वो यही समझता कि तब उसको मुझे पहचानने में मुगालता लगा था। यही कनफ्यूजन मैं खड़ा करना चाहता था।''

''जिसमें कि आप कामयाब हुए। योर ऑनर, इस गवाह ने बहुत गलतियां, बहुत नादानियां की हैं लेकिन ये बात फिर भी इसके हक में जाती है कि ये अगर अपनी जुबानी अपने लॉज पर पहले फेरे की बात कबूल न करता तो किसी और तरीके से ये बात कभी उजागर न होती।''

जज का सिर तनिक हिचकिचाहट के साथ सहमति में हिला।

''अगर प्रासीक्यूशन ने इस गवाह से और कुछ नहीं पूछना तो गवाह कठघरा छोड़ सकता है।''

ब्रजेश सिंह ने सशंक भाव से सोलंकी की तरफ देखा।

सोलंकी ने इनकार में सिर हिलाया।

ब्रजेश सिंह कठघरे से रुखसत हो गया।

''योर ऑनर''—मुकेश बोला—''अब मैं डिफेंस की आखिरी विटनेस मिसेज महिमा सिंह को बुलाना चाहता हूं।''

महिमा सिंह को आवाज लगी।

वो कोर्ट में हाजिर न पायी गयी।

''योर ऑनर!''—मुकेश बोला—''मैं महिमा सिंह की गवाही को नजरअन्दाज करके अपने केस का समापन करने को तैयार हूं।''

''योर ऑनर''—सोलंकी बोला—''जब हालात का इशारा साफ इस तरफ है कि वारदात के रोज लॉज में महिमा सिंह का भी फेरा लगा था—भले ही वो मेजर सिंह के शक के मुताबिक कत्ल को अंजाम देने के लिए था या बाली की तलाश के लिए था—तो उसकी गवाही को कैसे नजरअन्दाज किया जा सकता है?''

''आप उसकी गवाही को महत्वूपर्ण मानते हैं?''

''बिल्कुल!''

''तो आपने उसे केस की अपनी प्रेजेंटेशन के दौरान अपने गवाह के तौर पर क्यों न पेश किया?''

''तब हम लेखक दिवाकर चौधरी के बताये लॉज की आवाजाही के टाइम टेबल से वाकिफ नहीं थे।''

''अब वाकिफ हैं?''

''जाहिर है कि हैं।''

''तो आप अब उसे विटनेस फॉर प्रासीक्यूशन के तौर पर समन करने के लिए स्वतन्त्र हैं। आप करेंगे ऐसा?''

सोलंकी गड़बड़ाया।

''नहीं करेंगे। क्योंकि प्रासीक्यूशन किसी दूसरे कैंडीडेट को—किसी भी दूसरे कैण्डीडेट को, महिमा सिंह को या काले चोर को—बतौर कातिल प्रोजेक्ट करना अफोर्ड नहीं कर सकता। वो ऐसा करेगा तो खुद ही मुलजिम कमलेश दीक्षित के खिलाफ अपने केस की हवा निकाल बैठेगा। कहिये कि मैं गलत कह रहा हूं?''

''प्रासीक्यूशन महिमा सिंह की गवाही से कुछ हासिल होने की उम्मीद नहीं करता। हम महज एक रूटीन के तौर पर...''

''डिफेंस इज रेडी टु डु विदाउट दैट रूटीन।''

''आल राइट। सो वुड आई।''

''थैंक्यू। योर ऑनर, अपने केस की प्रेजेंटेशन के कनक्लूजन में मैं ये अर्ज करना चाहता हूं कि प्रासीक्यूशन निर्विवाद रूप से अपनी कोई भी बात इस कोर्ट में स्थापित करने में कामयाब नहीं हुआ है—ये भी नहीं कि ये कत्ल का केस है। दैट इट्स ए क्लियर केस आफ मर्डर—ऐसा इसलिये हुआ, योर ऑनर, क्योंकि प्रासीक्यूशन को निर्विवाद रूप से ये साबित करने में कोई कामयाबी हासिल नहीं हुई कि कत्ल के लिए—अगर ये कत्ल का केस है—जिम्मेदार बद्नसीब नौजवान मुलजिम कमलेश दीक्षित है। मुलजिम के खिलाफ कुछ परिस्थितिजन्य सबूत हैं जिनकी तर्जुमानी अपने ढंग से, अपने को रास आने वाले ढंग से प्रासीक्यूशन ने की है लेकिन वो तर्जुमानी यूनीक नहीं है, इकलौती नहीं है, शाश्वत सत्य नहीं है, दो जमा दो बराबर चार जैसी सरल नहीं है, चौकस नहीं है, दुरुस्त नहीं है। परिस्थितिजन्य सबूतों की एक तर्जुमानी और भी कोर्ट के सामने आयी है जो कि डिफेंस ने की है और जो प्रासीक्यूशन के नतीजों से इक्कीस नहीं तो उन्नीस भी नहीं है। सरकारी एक्सपर्ट्स ने भी इसे दो टूक, बेहिचक कत्ल का केस करार नहीं दिया। मैडीकल एग्जामिनर ने ही केस का ये बड़ा रहस्योद्घाटन किया कि मरने वाले की मौत जीटाप्लैक्स के ओवरडोज से नहीं हुई थी, उसकी मौत दम घुटने से हुई थी जिसकी वजह फर्श पर

गिरा पड़ा वो सफेद, चौकोर कुशन था जिसमें मरने वाले का मुंह धंसा पाया गया था। इसकी जो सम्भावनायें कोर्ट के विचारार्थ सामने आयीं वो ये थीं कि अगर ये कत्ल था तो कातिल ने ओवरडोज के बाद वो कुशन मरने वाले के मुंह के नीचे सरकाया ताकि उसका दम घुट जाता और वो मर जाता। या ये दुर्घटना का केस था, मरने वाला संयोगवश, दुर्घटनावश, जब जीटाप्लैक्स के ओवरडोज से बेहोश हो कर गिरा था तो औंधे मुंह उस कुशन पर जा कर गिरा था और ये उसकी बद्किस्मती थी कि दम घुटने से मर गया था। एक तीसरी सम्भावना आदरणीय नकुल बिहारी आनन्द साहब ने पेश की थी—भले ही मेरी खिल्ली उड़ाने के लिए पेश की थी—कि मरने वाले ने वो कुशन खुद अपने मुंह के नीचे सरका लिया था क्योंकि वो आत्महत्या करना चाहता था और अपनी कोशिश में कामयाब हुआ था। लेकिन प्रासीक्यूशन के लिए कत्ल के अलावा कोई भी थ्योरी—खुदकुशी या हादसा—मजाक का मुद्दा है क्योंकि वैसा कुछ मानने से कत्ल का ये मुकद्दमा बेमानी है, मुलजिम कमलेश दीक्षित की गिरफ्तारी बेमानी है और बतौर पब्लिक प्रासीक्यूटर खुद उनका रोल बेमानी है। ये कत्ल का केस है, इसी वजह से ये मुकद्दमा है और मुकद्दमे में उनके रोल की, उनकी भागदारी की सार्थकता है, इसी वजह से मुलजिम के खिलाफ परिस्थतिजन्य सबूतों की मनमानी तर्जुमानी पर उनका जोर है। क्या हैं वो सबूत और क्या है उनकी सरकारी तर्जुमानी जिन पर कि मुलजिम की जिन्दगी का दारोमदार है? ऐसा एक सबूत सरकारी गवाह—चश्मदीद गवाह—शिशिर खोटे का बयान है कि उसने वारदात के दिन सुबह दस बजे के आसपास मुलजिम को राजपुरिया एस्टेट में देखा था। क्यों उसने वो बयान दिया? क्योंकि उसकी मुलजिम कमलेश दीक्षित से अदावत थी, बल्कि दुश्मनी थी क्योंकि उसने एक बार मुलजिम की गर्लफ्रेंड सुरभि शिन्दे को छेड़ा था तो मुलजिम से मार खायी थी। कहने का तात्पर्य ये है, योर ऑनर, कि ऐसे मोटिवेटिड, ऐसे बायस्ड शख्स की गवाही पर क्योंकर विश्वास किया जा सकता है! मुलजिम का खुद का बयान है कि वो राजपुरिया एस्टेट पर क्या, गोरई में क्या, गोरई के आसपास भी कहीं नहीं था। आप ही सोचिये, योर ऑनर, मुलजिम उड़कर तो राजपुरिया एस्टेट नहीं पहुंचा था! मुंह अन्धेरे तो नहीं पहुंचा था! फिर उसे गवाह शिशिर खोटे ने ही क्योंकर देखा!—और वो भी तब जबकि वो लॉज की पहली मंजिल की एक खिड़की से नीचे कूद रहा था!—किसी और शख्स ने कहीं क्यों न देखा! इसलिये न देखा क्योंकि देखने को कुछ था ही नहीं। लिहाजा गवाह शिशिर खोटे ने भी कुछ नहीं देखा था। उसने मुलजिम को कातिल समझा जाने को अपने लिये वरदान समझा था और मुलजिम के हाथों हुई अपनी हत्तक का बदला उतारने का सुनहरा मौका समझा था। मेरा इस अदालत से, सरकारी वकील साहब से, पुलिस से, सबसे सवाल है कि कैसे ...कैसे ऐसे शख्स की गवाही को भरोसे के

काबिल माना जा सकता है! और वो भी किसी छोटे मोटे केस में नहीं, एक कत्ल के मुकद्दमे में!''

मुकेश एक क्षण को श्रोताओं पर अपने शब्दों का प्रभाव देखने के लिए रुका।

''बहुत बढ़िया जा रहे हो।''—उसके पहलू से सुबीर पसारी फुसफुसाया—''कीप इट अप।''

''अब मैं''—मुकेश फिर बोला—''मुलजिम के खिलाफ केस में जो परिस्थितजन्य सबूत हैं, उनका जिक्र करना चाहता हूं। क्या हैं वो सबूत! एक, फूलों की क्यारी में बनी मिली जूते की छाप। दो, उसकी एक पतलून के पाहुंचों से बरामद हुई लाल बजरी की लाल धूल और तीन, गिरफ्तारी के वक्त उसके पास से बरामद हुए हजार हजार के बीस नोट। मुलजिम के खिलाफ ये तीन बड़े सबूत माने जा रहे है जिन पर पुलिस का, प्रासीक्यूशन का मुकम्मल केस टिका है। मेरा सवाल है—क्यारी में बने पाये गये किसी के दायें पांव के जूते की छाप में क्या दम है! मैंने कोर्ट में स्थापित करके दिखाया है कि वो जूता मास प्रोडक्शन की आइटम है और उसके पहनने वाले अगर सैंकड़ों हजारों की तादाद में मुम्बई में हो सकते हैं तो दो चार दस गोरई में या इर्द गिर्द भी हो सकते हैं और उनमें से एक उस चोर के पांव में भी हो सकता है जो कि लॉज में वारदात के दिन चोरी के इरादे से दाखिल हुआ। प्रासीक्यूशन ने फरमाया कि जूते का सोल एक खास तरीके से घिसा हुआ था लेकिन अपनी बात को बल देने के लिए क्या कोई तजुर्बा करके दिखाया कि वैसे ही किसी दूसरे जूते का सोल ऐन उस तरीके से नहीं घिस सकता? नहीं दिखाया। खाली जुबानी जमा खर्च किया। मुलजिम की गिरफ्तारी के वक्त बरामद उसके जूतों से और क्यारी में मिली सोल की छाप से ये एक जल्दबाजी का, भ्रामक, नतीजा निकाला गया था कि दोनों निशान मिलते थे और ये बात मुलजिम की मौकायवारदात पर मौजूदगी स्थापित करती थी। अब दूसरे परिस्थितिजन्य सबूत पर गौर फरमाइये। मुलजिम की एक पतलून के पाहुंचों में वैसी लाल धूल पायी गयी जैसी कि राजपुरिया एस्टेट की बाजू की एक राहदारी पर बिछी लाल बजरी पर से उड़ती है, इसलिये—गौर किया जाये, योर ऑनर—इसलिये मुलजिम वारदात के वक्त मौकायवारदात के करीब था, वो लॉज की एक खिड़की से कूद कर वहां से फरार होता देखा गया था। योर ऑनर, मेरा सवाल है कि कहां कोई ऐसी क्लॉक या कैलेंडर फिट पाया गया था—घास में या पतलून के पाहुंचे में या कहीं और—जिस का मुआयना करके पुलिस, प्रासीक्यूशन ने ये घोषित किया कि बुधवार, दस अगस्त के दिन कत्ल के सम्भावित वक्त के आसपास मुलजिम मौकायवारदात के करीब था या मौकायवारदात पर था! मुलजिम वहां नौकरी कर चुका था। अपनी वहां नौकरी के दौरान उसका एस्टेट में विचरना स्वाभाविक था और ऐसे किसी मौके पर

स्वाभाविक था कि वो अपनी उलटे पाहुंचों वाली पतलून पहने था। मुलजिम ने खुद अपनी गवाही में कहा था कि वो अपने कपड़े खुद धोता था और उसे उस पतलून को पाहुंचे उलटकर धोने का कभी खयाल तक नहीं आया था। इस तमाम तथ्यों पर कोई भी राइट थिंकिंग पर्सन सामूहिक रूप से गौर करेगा तो यही नतीजा निकलेगा कि मुलजिम के खिलाफ ये कोई सबूत ही नहीं था क्योंकि लाल धूल वारदात से पहले, बहुत पहले, कभी भी उसकी एस्टेट की नौकरी के वक्फे में उसकी पतलून के पाहुंचों में जमा हुई हो सकती थी। बाकी बची हजार हजार के बीस नोटों की बात तो उसके सन्दर्भ में मैं समझता हूं कि गवाह धर्मेश उमाठे का बयान ही काफी है कि वो रकम मकतूल के पास चोरी गयी रकम नहीं हो सकती थी। दूसरे, ये बात भी गौरतलब है कि डिफेंस ने किसी भी तरीके से ये बात स्थापित करने की कोई कोशिश नहीं की है कि वो रकम उसकी जिन्दगी में मकतूल की सम्पत्ति थी। मौकायवारदात पर फर्श पर लुढ़का पड़ा बटुवा ही ये स्थापित करने के लिए काफी नहीं कि चोरी के इरादे से उसमें से कोई रकम निकाली गयी थी। निकाली गयी थी तो रकम —न कम न ज्यादा, ऐग्जैक्ट—बीस हजार रुपये थी, बीस हजार रुपये थी और हजार हजार के बीस नोटों की सूरत में थी। पुलिस ने मुलजिम की गिरफ्तारी के वक्त हजार हजार के बीस नोट बरामद किये और कूद कर इस—गलत, नाजायज, अनचैरिटेबल, मुलजिम पर जुल्म जैसे—नतीजे पर पहुंच गयी कि वो रकम चोरी की थी और मुलजिम ने मौकायवारदात पर से चुराई थी।''

मुकेश एक बार फिर क्षण भर को ठिठका और फिर आगे बढ़ा—''अब मैं अपनी स्टेटमेंट की आखिरी बात पर आता हूं। योर ऑनर, डिफेंस ने अपनी तरफ से जो गवाह अदालत में पेश किये और जिनका दर्जा होस्टाइल विटनेस का बन गया, उनमें से सबके पास थोड़ी कमोबेशी से कत्ल का उद्देश्य था और कत्ल करने का अवसर था। कत्ल के लिए तीन ही चीजें दरकार होती हैं—मौका, मोटिव और हथियार। योर ऑनर, मौका सबके पास था, मोटिव सबके पास था और हथियार मौकायवारदात पर उपलब्ध था। कातिल कमला सारंगी हो सकती थी क्योंकि वो ड्रग एडिक्ट थी। ड्रग एडिक्ट को उसकी खुराक न मिले तो वो क्या कहर ढ़ा सकता है, ये किसी से छुपा नहीं। दिलीप नटके अपनी रेस की लत की वजह से फाइनांशल प्रेशर में था, इतना ज्यादा कि अगर वो अपने बुकी के साथ अपने क्रेडिट एकाउन्ट को एट पार न करता तो उसके बाउन्सर्स आकर उसके हाथ पांव तोड़ सकते थे, उसे जान तक से मार सकते थे। ऐसे शख्स को किसी तरीके से इस हकीकत की वाकफियत थी कि उसका जिक्र बतौर बैनीफिशियेरी काफी प्रमुखता के साथ मकतूल की वसीयत में दर्ज था और यूं कोई रकम उसे तत्काल मिल पाती, या यही बात प्रचारित हो जाती कि मकतूल की वसीयत के तहत उसे कोई समुचित आर्थिक लाभ होने वाला

था तो उसके सिर पर मंडराता अपाहिज हो जाने का खतरा, बल्कि जान का खतरा, टल सकता था। लिहाजा दिलीप नटके के पास कत्ल का साउन्ड मोटिव था, मौका तो था ही—वो वहां विस्की का क्रेट डिलीवर करने गया था—और हथियार जैसे कत्ल हुआ, उसके तहत कोई मुद्दा ही नहीं था। मेजर ब्रजेश सिंह का किरदार जैलस हसबैंड के तौर पर उबर कर आता है। इस सन्दर्भ में उनकी अपनी दो विजिट्स को मर्ज कर वे एक विजिट बनाने की चतुराई भी काबिलेगौर है। मानसी राजपुरिया का उद्देश्य किसी न किसी तरीके से अपनी मैरिज को सेव करना था, भतीजे का तलाक करवाने की जिद के तहत जिसमें पलीता लगाने को मकतूल तैयार बैठा था। योर ऑनर, गौर किया जाये कि प्रासीक्यूशन ने मुलजिम कमलेश दीक्षित को इकलौते मर्डर सस्पैक्ट के तौर पर प्रोजेक्ट किया है जबकि अब आपने देखा कि ऐसा तो नहीं है! जिन लोगों का मैंने अभी जिक्र किया, जिनमें से किसी की तरफ भी पुलिस या प्रासीक्यूशन की कोई तवज्जो नहीं थी, उन सब का दर्जा प्राइम सस्पैक्ट का बनता है। लिहाजा मुलजिम कमलेश दीक्षित को बेगुनाह नहीं तो बड़ी हद ये कहा जा सकता है कि वो वाकया हुए कत्ल के कई सस्पैक्ट्स में से एक सस्पैक्ट है। पुलिस ने अपनी तहकीकात जिम्मेदारी से की होती, जांमारी से की होती तो उन्होंने इतने सस्पैक्ट्स में से एक को सिंगल आउट किया होता और उसे कातिल साबित करके दिखाया होता। हकीकतन उन्होंने क्या किया? ये किया कि जो पहला सस्पैक्ट पेशेनजर हुआ, उन्होंने उसी पर अपना नादिरशाही ठप्पा लगाया और ऐलान कर दिया कि केस हल हो भी चुका था, कातिल कमलेश दीक्षित था और उसका फांसी लगना महज वक्त की बात थी। कितने दुख की बात है कि प्रासीक्यूशन ने पूरी वफादारी से पुलिस की लाइन को टो किया और केस का विस्तृत विवेचन करने की जगह अपनी नाक से आगे देखने की जहमत न की।''

मुकेश फिर ठिठका, उसकी निगाह पैन होती हुई अदालत में फिरी, फिर बोला—''अब बाकी क्या बचा, योर ऑनर, सिवाय मुलजिम कमलेश दीक्षित की मुतवातर दुहाई के, दयनीय अपील के, कलेजा चाक कर देने वाली फरियाद के कि वो कातिल नहीं है, नहीं है, नहीं है। अब मेरा आनरेबल कोर्ट से सवाल है कि क्या एक प्रतिशोध के अभिलाषी गवाह की गवाही की बिना पर, मिसइन्टरप्रेटिड सरकमस्टांशल ईवीडेंस की बिना पर, कैजुअल, इनकम्पलीट, अनआथेंटिकेटिड मैडिकल और फॉरेंसिक इवीडेंसिज की बिना पर, कितने ही अन्य सम्भावित सस्पैक्ट्स को नजरअन्दाज करते हुए, मेरे अभागे क्लायन्ट को कत्ल का गुनाहगार ठहराया जा सकता है? उसे—जैसी कि सरकारी वकील साहब ने सिफारिश की—सख्त सजा सुनाई जा सकती है? अब फैसला आनरेबल कोर्ट के हाथ में है कि जब उसकी तकदीर का फैसला सुनाया जायेगा, जब मुलजिम फैसले के

तहत इस कोर्ट से बाहर कदम रखेगा तो जेल ले जाये जाने के लिए जेल की जेल जैसी वैन में सवार होगा या एक आजाद परिन्दे की तरह घर जाने के लिए परेल की बस पकड़ेगा।''—मुकेश जानबूझ कर, ड्रामाई इफेक्ट पैदा करने के लिए ठिठका—''एण्ड हेयर, योर ऑनर, आई एण्ड माई कनक्लूडिंग स्टेटमेंट।''

मुकेश बैठ गया।

कोर्ट में खामोशी छा गयी।

जज ने प्रासीक्यूशन की सीट्स की दिशा में निगाह दौड़ाई।

सोलंकी उठ कर खड़ा होने लगा तो आनन्द साहब ने उसे रोक दिया और खुद खड़े हुए।

''योर ऑनर''—सावधानी से शब्द चयन करते वृद्ध धीर गम्भीर स्वर में बोले—''डिफेंस अटर्नी की स्पीच के—क्योंकि ये स्पीच ही थी, लफ्फाजी ही थी, और कुछ नहीं—दो पहलुओं की मैं तारीफ करना चाहता हूं। मिस्टर माथुर ने अपने क्लायन्ट के लिए हमदर्दी का यकीनन उम्दा ताना बाना बुना है और क्लायन्ट को अभागा, बद्नसीब, अनफार्चूनेट बताकर बाकायदा उसमें चार चाँद लगाये हैं। मैं अपने फाजिल दोस्त को याद दिलाना चाहता हूं कि सैशन में लगे मर्डर केस का फैसला मुलजिम का हॉरोस्कोप देखकर नहीं किया जाता, ये नोट करके भी नहीं किया जाता कि उसकी शक्ल दयनीय लगती है या मासूम लगती है। ऐसी ही अदालतों ने सूरत से मक्खी न मार सकने लायक लगने वाले नौजवानों को मल्टीमर्डर्स का दोषी पाकर सजायें सुनायी हैं। कोई भी ऐसा नौजवान, जिसके हाथ खून से रंगे हों, अपनी बद्नसीबी का रोना रोकर हमदर्दी हासिल करने का हकदार नहीं बन सकता। ये नौजवान इस केस का प्राइम सस्पैक्ट बना तो अपने वायलेंट एक्ट की वजह से, ये गिरफ्तार हुआ तो अपनी वहशियाना करतूत की वजह से, ये आनरेबल जज साहब के सामने कठघरे में खड़ा है तो अपने कुकर्म की वजह से, और आखिर इसे सजा भी होगी तो इन्हीं वजुहात से। होमीसिडल टेंडेंसीज हमेशा हर किसी की शक्ल से नहीं झलकती। भोली भाली सूरत वाले भी जल्लाद होते हैं। इसलिये मुलजिम की सूरत से गुमराह होने की कोई जरूरत नहीं है।...मिस्टर माथुर की स्पीच का दूसरा काबिलेतारीफ पहलू ये है कि उन्होंने कई आल्टरनेट मर्डर सस्पैक्ट खड़े कर दिखाये लेकिन ये भूल गये कि उनमें से कोई भी मौकायवारदात की खिड़की से कूद कर फरार नहीं हुआ था। सबकी आवाजाही लॉज के मेन डोर से हुई थी, इसका जामिन खुद इनका सुझाया, लॉज में आवाजाही के टाइम टेबल का रचयिता लेखक दिवाकर चौधरी है! लिहाजा जो कोई भी खिड़की से कूद कर भागा था, दिवाकर चौधरी ने उसे आते नहीं देखा था क्योंकि साढ़े दस बजे से पहले उसका लॉज की दिशा में झांकना नहीं हो पाता था और जाते इसलिये नहीं देखा था

क्योंकि वो खिड़की से कूद कर भागा था और वो रूट दिवाकर चौधरी की निगाह के रेंज में नहीं आता था। अब जबकि कत्ल का टाइम गैप श्रिंक होकर दस और दस पैंतीस के बीच पहुंच गया है तो ये बात भी स्पष्ट है कि कातिल को—जो कि मुलजिम कमलेश दीक्षित है—खिड़की से कूद कर मौकायवारदात से इसलिये फरार होना पड़ा था क्योंकि तभी नीचे मेनडोर पर पहुंचे प्रचारक गोविन्द सुर्वे के बजाये काल बैल बज उठी थी। कातिल के पास ये जानने का कोई जरिया नहीं था कि नीचे प्रचारक सुर्वे आया था जो कि जल्दी ही वहां से रुखसत हो जाने वाला था। ऊपर से वो दहशत में था, इस खयाल से खौफजदा था कि वो वहां रंगे हाथों पकड़ा जा सकता था—जिस ने तभी खून से हाथ रंगे हों, उसका यूं दहशत महसूस करना, खौफजदा होना स्वाभाविक होता है—लिहाजा घबराया, बौखलाया वो आनन फानन खिड़की से कूदा और उसका एक पांव नीचे फूलों की क्यारी में जाकर पड़ा। लैब में ये बात निर्विवाद रूप से साबित हुई है कि प्लास्टर आफ पेरिस के घोल का सांचा बनाकर जो छाप फूलों की क्यारी में से उठाई गयी थी, वो मुलजिम कमलेश दीक्षित के जूते से बनी थी। नौजवान, जोशीले डिफेंस अटर्नी साहब जब केस में वैकल्पिक मर्डर सस्पैक्ट्स का छोंक लगा रहे थे तो उन्हें ये भी बताना चाहिये था कि उनमें से कौन नौ नम्बर का वैसा मास प्रोडक्शन वाला जूता पहनता था जैसों का एक बड़ा लॉट इन्होंने बाकायदा कोर्ट में पेश करने का ड्रामा किया था! इन्हें इस बात का भी जिक्र करना चाहिये था कि इनके सुझाये सस्पैक्ट्स में से कौन खिड़की के रास्ते फरार हुआ था! दोनों ही काम कर पाना इनके लिए मुमकिन नहीं था—इनके तमाम सस्पैक्ट मेन डोर से रुखसत होते देखे गये थे और मेरे खयाल से नौ नम्बर का जूता उनमें से कोई भी नहीं पहनता—इसलिये इन्होंने बड़ी सफाई से इस मुद्दे को नजरअन्दाज कर दिया। जब तक मिस्टर माथुर इन दो प्वायन्ट्स पर कोई रौशनी नहीं डालते, कैसे इनके सुझाये सस्पैक्ट्स में से किसी को बतौर कातिल खातिर में लाया जा सकता है!''

वृद्ध पानी का एक घूंट पीकर गला तर करने को ठिठके और फिर आगे बढ़े—''योर ऑनर, शिशिर खोटे मुलजिम के खिलाफ चशमदीद गवाह है जो कि जो उसने देखा था, उसे बयान करने के लिए खुद चौकी पहुंचा था। मेरा सवाल ये है कि क्या उसकी इतनी अहम गवाही को इसलिये खारिज किया जा सकता है कि उसकी मुलजिम से कोई पुरानी खुन्नस थी! नहीं किया जा सकता। फैक्ट इज ए फैक्ट। प्रूफ इज ए प्रूफ। लिहाजा मुलजिम की मौकायवारदात पर मौजूदगी की तसदीक दो तरीकों से हुई—शिशिर खोटे की गवाही से और मुलजिम के जूते की फूलों की क्यारी में मिली छाप से। कम से कम इन दो बातों को मुलजिम की निर्दोषिता की हालदुहाई और डिफेंस की लीगल जगलरी नहीं झुठला सकती।

मुलजिम की मजबूरी है बेगुनाह होने की दुहाई देना, मुलजिम के वकील साहब का कारोबार है अपने क्लायन्ट को डिफेंड करना। लेकिन मैं नहीं समझता कि दोनों के काम का कोई कारआमद हासिल आनरेबल कोर्ट को दिखाई देगा। और मुझे यकीन है कि आनरेबल कोर्ट भी इसे सख्त से सख्त सजा सुनाई जाने के ही काबिल केस मानेगा। ये नौजवान कातिल है, इसमें शक की कोई गुंजायश नहीं। योर ऑनर, प्रासीक्यूशन ये बात कतई कबूल करने को तैयार नहीं कि अभय सिंह राजपुरिया की मौत एक हादसा थी या उसने खुदकुशी की थी। जीटाप्लैक्स के ओवरडोज से होश खो कर धराशायी होने के बाद मकतूल को खुदकुशी का खयाल आया, ये बात बिल्कुल भी कुबूल करने के लायक नहीं है। ये बात तर्क की कसौटी पर बिल्कुल भी खरी नहीं उतरती है कि धराशायी होने के बाद उसने एक कुशन अपने काबू में किया और उसमें मुंह देकर अपना दम घुटने का सामान कर लिया। मकतूल अगर ओवरडोज से बेहोश होकर गिरा था तो वो ये काम कर नहीं सकता था, गिरने पर होश में था तो उसे मरने की जल्दी क्या थी ? जरूरत क्या थी ? क्या वजह थी जिसके तहत वो एकाएक, लाइक ए फ्लैश खुदकुशी का तमन्नाई हो उठा था ? इसका जो इंटेलीजेंट, तर्कसंगत जवाब है, वो ये है कि कोई वजह नहीं थी। लिहाजा खुदकुशी की थ्योरी तो सिरे से खारिज किये जाने के ही काबिल है।''

''योर ऑनर''—मुकेश कलपता सा बोला—''ये क्या हो रहा है ! ये कैसी दोहरी चाल है ! आदरणीय आनन्द साहब अभी कल इसी अदालत में अपने लम्बे लैक्चर के तहत खुदकुशी का आइडिया पेश करके हटे हैं और अब उसे सिरे से खारिज किये जाने के काबिल बता रहे हैं।''

''कल जो मैंने कहा था, वो क्यों कहा था, इसकी मेरे नौजवान एडवर्सिरी को समझ होनी चाहिये।''

''मिस्टर माथुर''—जज बोला—''आर यू रेजिंग एन ऑब्जेक्शन ?''

''यस, योर ऑनर, मैं...''

''दि ऑब्जेक्शन इज ओवररूल्ड।''

''लेकिन, योर ऑनर...''

''प्लीज, सिट डाउन।''

चेहरे पर परम असंतोष के भाव लिये मुकेश बैठ गया।''

''यू मे प्रोसीड, मिस्टर आनन्द।''

''थैंक्यू, योर ऑनर।''—वृद्ध तनिक सिर नवा कर कृतज्ञता जताते बोले—''योर ऑनर, दूसरी थ्योरी—जिस का लर्नेड डिफेंस काउन्सल ने लोअर कोर्ट में तो जिक्र तक न किया, लेकिन यहां जिसकी पुरजोर हाजिरी लगाने की कोशिश की—ये है कि ये एक्सीडेंटल डैथ का केस था, मकतूल की मौत

दुर्घटनावश हुई थी। यानी कि ओवरडोज के बाद मकतूल मुंह के बल गिरा तो उसका मुंह फर्श पर पड़े एक कुशन में धंस गया और उसका दम घुट गया। योर ऑनर, इस सन्दर्भ में प्रासीक्यूशन की दलील ये है कि इसे एक्सीडेंटल डैथ फिर भी कैसे करार दिया जा सकता है? अगर मकतूल जीटाप्लैक्स के ओवरडोज के हवाले न हुआ होता, यूं उसकी चेतना लुप्त न हुई होती तो मुंह के बल कुशन पर गिरने के बाद जब वो पाता कि उसका दम घुट रहा था तो क्योंकर वो कुशन पर पड़ा रहता? एक रिफ्लेक्स एक्शन के तौर पर वो या तो कुशन पर से अपना सिर हटाता या कुशन को परे सरकाता। बाद में क्योंकि वो बेहोश हो गया था इसलिये इन दोनों में से कोई काम कर पाने में वो अक्षम था और इसी वजह से वो जान से गया। जीटाप्लैक्स का ओवरडोज इंस्ट्रूमेंट था, बुनियादी वजह था उसके जान से जाने की। लिहाजा ये कोई हादसा नहीं, कत्ल ही था और कातिल वो था जिसने कि ओवरडोज दिया। वो शख्स कौन था, ये अब किसी से भी छुपा नहीं।''

वृद्ध ने ठिठक कर, सप्रयास, एक अर्थपूर्ण निगाह मुलजिम पर डाली।

''योर ऑनर, अगर हम इसे कत्ल का केस तसलीम करते हैं तो ये भी मानना होगा कि जिसने मकतूल के पेट में जीटाप्लैक्स का ओवरडोज पहुंचाया था उसी ने मकतूल के बेहोश हो कर धराशायी होने के बाद उसके मुंह के नीचे कुशन सरकाया था ताकि ओवरडोज से मरने में जो कसर रह गयी थी, वो तब पूरी हो जाती। इस सन्दर्भ में डिफेंस ने ये सम्भावना भी सरकाने की कोशिश की थी कि ओवरडोज देने वाला कोई और था और मुंह के नीचे कुशन सरकाने वाला कोई और था। योर ऑनर, ये बात दिन की तरह साफ है कि वारदात की सुबह लॉज में मकतूल के अलावा कोई था तो वो कातिल ही था। कातिल और मकतूल के अलावा किसी तीसरे शख्स की मौकायवारदात पर हाजिरी की कोई दूरदराज की सम्भावना भी सामने नहीं आयी है। डिफेंस अटर्नी मिस्टर माथुर ने पुलिस के, प्रासीक्यूशन के केस के हर पहलू पर मीन मेख की है, उसमें खमियां निकाली हैं, अपनी आल्टरनेट थ्योरीज और गवाह पेश किये हैं लेकिन इन्होंने भी ऐसा दावा एक बार भी नहीं किया कि वारदात के वक्त के आसपास लॉज में कोई तीसरा आदमी भी मौजूद था। लिहाजा हम सेफली अज्यूम कर सकते थे कि दोनों काम दो जुदा जनों के नहीं, एक ही शख्स के थे और वो शख्स'' —आनन्द साहब ने खंजर की तरह एक उंगली मुलजिम की तरफ भौंकी — ''वो सामने खड़ा है।''

सबकी निगाहें मशीनी अन्दाज से मुलजिम की तरफ उठीं।

''आखिर में'' —वृद्ध आगे बढ़े — ''अपनी तमाम दलीलों के तहत, तमाम सबूतों के मद्देनजर प्रासीक्यूशन आनरेबल कोर्ट से अपेक्षा करता है कि वो निसंकोच मुलजिम कमलेश दीक्षित को हत्या और चोरी का अपराधी करार देगा और उसके

लिए ताजीरातेहिन्द दफा तीन सौ दो और दफा चार सौ बावन के तहत सख्त से सख्त सजा सुनायेगा ताकि और लोगों को इबरत हासिल हो।''

''डिफेंस ने और कुछ कहना है?''—जज ने पूछा।

''सिवाय इसके कुछ नहीं, योर ऑनर''—मुकेश बोला—''कि मुलजिम बेगुनाह है और...''

''ऐनफ!''—जज बोला—''फैसला शुक्रवार, सोलह सितम्बर को सुनाया जायेगा। दि कोर्ट इज एडजर्न्ड।''

शुक्रवार : सोलह सितम्बर

शुक्रवार सुबह अदालत दर्शकों से खचाखच भरी हुई थी।

केस से सम्बन्धित कोई ऐसा व्यक्ति नहीं था जो कि सैशन जज के आगमन से पहले ही वहां मौजूद नहीं था।

जज ने अपने चैम्बर से अपने कोर्ट में प्रवेश किया।

सब लोग सादर उठ कर खड़े हुए।

जज ने आसन ग्रहण कर लिया तो सब लोग भी बैठ गये।

कमलेश दीक्षित के केस का टाइटल और नम्बर अनाउन्स हुआ।

''मुलजिम कोर्ट में मौजूद है?''—जज ने सवाल किया।

''यस, योर ऑनर।''—एक पुलिस अधिकारी, जिसकी कस्टडी में मुलजिम था, बोला।

''प्रासीक्यूशन?''

''यस, योर ऑनर!''—सोलंकी उठ कर बोला।

नकुल बिहारी आनन्द साहब ने उस रोज कोर्ट में हाजिरी भरने की जहमत नहीं की थी। उन्हें पूरा पूरा अन्दाजा जो था कि कोर्ट का फैसला क्या होने वाला था!

''डिफेंस?''

''यस, योर ऑनर!''—मुकेश बोला।

जज ने अपने बाईफोकल्स में से एक सरसरी निगाह अपने सामने कोर्ट में दौड़ाई, अपने सामने पड़े फैसले के नोट्स व्यवस्थित किये और फिर धीर गम्भीर स्वर में बोला—''इस अदालत ने पेश किये गये गवाहों के बयानों का और मुलजिम के खिलाफ सबूतों का गम्भीर अध्ययन किया है और प्रासीक्यूशन की हो या डिफेंस की, कोर्ट के सामने रखी गयी हर दलील की खूबी, खामी पर खूब गौर किया है।

फैसला सुनाने से पहले मैं केस से ताल्लुक रखते मैडीकल एग्जामिनर के रोल पर कमैंट पास करना चाहता हूं। ये कोर्ट इस हकीकत से वाकिफ है कि मैडीकल एग्जामिनर मौकायवारदात पर ही किये अपने प्रिलिमिनेरी एग्जामिशन में कत्ल के सम्भावित वक्त को एक बड़ी ब्रैकेट में रखता है, जैसे कि इस केस में उसे सुबह दस बजे और दोपहरबाद एक बजे के बीच रखा गया। पोस्टमार्टम के दौरान ऐसे कई तरीके होते हैं जिनसे इस वक्फे को श्रिंक किया जा सकता है, जैसे बॉडी टेम्परेचर एण्ड रेट आफ टेम्परेचर लॉस, जैसे लाश की अकड़न का पैटर्न जो टैक्नीकल टर्म में रीगोर मोर्टिस (RIGOR MORTIS) कहलाता है, जैसे स्टामेक कंडीशन वगैरह। किसी भी तरीके से कोर्ट के नोटिस में नहीं लाया गया कि ये कामन टैस्ट कन्डक्ट नहीं किये गये या उन्हें कोई अहमियत नहीं दी गयी, नतीजतन कत्ल के वक्त का अन्दाजा वही बना रहा जो कि प्रिलिमिनेरी एग्जामिनेशन से निकाला गया था। किन्हीं और तरीकों से तदोपरान्त वो वक्फा सिकुड़ा और तसलीम किया गया कि कत्ल दस और दस पैंतीस के बीच में हुआ था। लेकिन जिस आधार पर ये नतीजा निकाला गया था वो सरासर गलत और भ्रामक सिद्ध हो सकता था। प्रमाणिक नतीजा मैडीकल और फॉरेंसिक तरीकों से ही सामने आता है जिनको अमल में लाने की प्रत्यक्षत: कोई कोशिश न की गयी। यही कोताही पुलिस इनवैस्टिगेशन रिपोर्ट में भी दिखाई दी कि उन्होंने वारदात के रोज लॉज में आवाजाही की कोई पड़ताल करने की कोशिश न की, जैसे कि डिफेंस ने की और नतीजतन उस रोज के लॉज के कई विजिटर्स खोज निकाले जिनके पास कि कत्ल का उद्देश्य भी था और मौका भी था। ये अदालत पसन्द करती कि जैसे पुलिस को लॉज पर प्रचारक गोविन्द सुर्वे की विजिट की खबर थी वैसे उन्हें कमला सारंगी की विजिट की, दिलीप नटके की विजिट की, मेजर ब्रजेश सिंह की विजिट की, मानसी राजपुरिया की विजिट की भी खबर होती और ये लोग बतौर विटनेस फॉर प्रासीक्यूशन कोर्ट में पेश किये गये होते। झोल झाल तफ्तीश करना पुलिस का तो कैरेक्टर बन गया है लेकिन मैडीकल और फॉरेंसिक एक्सपर्ट भी इसी लाइन को टो करेंगे, इसकी इस कोर्ट को उम्मीद नहीं थी। ये एक महत्वपूर्ण सवाल था कि क्या नौ नम्बर का जूता पहनने वाला मकतूल से सम्बन्धित या सम्बन्धित रह चुका कोई दूसरा शख्स नहीं था! खेद की बात है कि पुलिस ने इस विषय में कोई कार्यवाही न की। हजार हजार के बीस नोटों को, जो कि मुलजिम के पास से बरामद हुए, मकतूल की मिल्कियत साबित करने की कोई कार्यवाही न की। कोर्ट विवेचन अधिकारी से ये सवाल करता है कि पुलिस तफ्तीश में ये सामने आया था कि मकतूल अपना कैश पैसा किसी एक जगह जमा रखने की जगह कई जगह रखने का आदी था—जैसे किसी दराज में, किसी शैल्फ में, किसी कबर्ड में, किसी कैबिनेट में, किसी अलमारी में—पुलिस ने दावा किया कि बीस

हजार के नोट मकतूल के उस बटुवे में से निकाले गये थे जो कि मौकायवारदात पर लुढ़का पड़ा पाया गया था लेकिन इस हकीकत पर कोई रौशनी डालने की कोशिश न की कि असल में लॉज में चोरी करने के लिए कितना कैश उपलब्ध था! और क्यों तमाम के तमाम पर मुलजिम ने हाथ साफ करने की कोशिश नहीं की थी? इस सिलसिले में पुलिस का बटुवे पर ही क्यों जोर था? क्यों उन्होंने इस बात को खातिर में लाना जरूरी न समझा कि बीस हजार रुपये की रकम बटुवे जैसी किसी एक जगह से नहीं, कई जगहों से उठा कर कब्जे में की गयी थी? आखिर वो लॉज को मुलाजिम रह चुका था, अपनी मुलाजमत के दौरान उसे मालूम पड़ा हो सकता था कि मकतूल का कैश कहां कहां होता था, भले ही उसे लॉज में विचरते फिरने की इजाजत नहीं थी। ऐसी बातें लॉज में आने के कैजुअल बुलावे के दौरान भी जानी जा सकती थीं। बहरहाल ये अदालत इनवैस्टिगेटिंग एजेंसीज पर कोई सख्त स्ट्रिकचर पास करने से परहेज करते हुए अपना फैसला सुनाती है।''

प्रत्याशा ने तमाम श्रोताओं ने जैसी सांस रोक ली।

''तमाम सबूतों और गवाहों के, उनके बयानात के मद्देनजर, तमाम प्रासीक्यूशन एण्ड डिफेंस आर्ग्यूमैंट्स के मद्देनजर ये अदालत इस नतीजे पर पहुंची है कि प्रासीक्यूशन निर्विवाद रूप से मुलजिम को अपराधी सिद्ध कर दिखाने में नाकाम रहा है। पब्लिक प्रासीक्यूटर हैज फेल्ड टु प्रूव दि अक्यूज्ड गिल्टी बियांड आल रीजनेबल डाउट्स। ये अदालत कबूल करती है कि प्रथम साक्ष्य में मुलजिम अपराधी जान पड़ता है लेकिन इस बात को भी नजरअन्दाज नहीं कर सकती कि उसके खिलाफ ऐसा कोई सबूत नहीं है जिसकी कोई जुदा—प्रासीक्यूशन के वर्शन के विपरीत—तर्जुमानी न की जा सके, जैसे कि डिफेंस ने की। इस अदालत को मुलजिम के खिलाफ ऐसा कुछ दिखाई न दिया जिसे कि एयरटाइट, आयरनक्लैड साक्ष्य का दर्जा दिया जा सकता। कानून कहता है कि सौ मुजरिम छूट जायें लेकिन एक बेगुनाह को सजा नहीं होनी चाहिये। अगर मुलजिम के खिलाफ केस में कहीं शक की कोई गुंजायश पाई जाती है तो उसका लाभ मुलजिम को मिलना चाहिये। लिहाजा मुलजिम को बैनीफिट आफ डाउट देते हुए, सन्देहलाभ देते हुए, ये अदालत उसे उसपर लगे चोरी और कत्ल के इलजाम से बरी किये जाने का हुक्म सुनाती है।''

अदालत से बाहर के गलिहारे में सुबीर पसारी ने इतना कस के मुकेश को गले लगाया कि मुकेश को अपनी पसलियां चटकती महसूस हुईं लेकिन खुद वो भी इतना प्रसन्न था कि उसे कोई ऐतराज न हुआ।

''यू डिड इट, माई डियर''—पसारी जोश से बोला—''यू डिड इट।''

''वुई डिड इट।''—मुकेश ने संशोधन पेश किया।

''मैंने क्या किया ?''

''बहुत कुछ किया। मुझे हर कदम पर मॉरल सपोर्ट दी, कई कानूनी नुक्ते सुझाये, कई बेशकीमती सलाह दीं जिनमें सबसे कीमती ये थी कि मुझे ये केस करना चाहिये था, भले ही फीस में काला पैसा न मिले।''

''अब जीत गये हो तो देखना, सब कसर पूरी हो जायेगी। तुम्हें शायद मालूम न हो कि बाहर इस कोर्ट कम्पलैक्स के कम्पाउन्ड में मीडिया का मेला लगा हुआ है। प्रिंट मीडिया और इलैक्ट्रॉनिक मीडिया की बाहर मुकम्मल हाजिरी है। हर कोई तुमसे इन्टरव्यू चाहता है, बाइट चाहता है, तुम्हारी तसवीरें खींचना चाहता है। मुझे तीन चार ओबी वैन भी दिखाई दी थीं, लगता है कुछ चैनल्स पर तुम्हारा लाइव कवरेज आयेगा।''

''सुपर ! आई एम ग्लैड।''

''ये भी भगवान ने तुम्हारा बहुत बड़ा भला किया कि केस में तुम आनन्द आनन्द आनन्द एण्ड एसोसियेट्स के मुकाबिल थे। मीडिया को ये भी मालूम है कि प्रासीक्यूशन के केस के हर स्टैप को खुद नकुल बिहारी आनन्द मानीटर कर रहे थे। तूने बहुत बड़ा मैदान मारा, मेरे यार।'' — जज्बाती होकर पसारी ने उसे फिर गले लगा लिया — ''बहुत बड़ा किला फतह किया।''

मुकेश भी जज्बाती हुए बिना न रह सका।

''गॉड इज काइन्ड।'' — वो भर्राये कण्ठ से बोला — ''गॉड इज ग्रेट।''

''फैसला सुनते ही सपन सोलंकी का मुंह देखने वाला था। यूं जबड़ा लटका था जैसे यकीन ही न हो रहा हो कि केस हार गया था। खुद आनन्द साहब अदालत में होते तो उनकी शक्ल देखना और भी बड़ा तर्जुबा होता।''

''बराबर होता। क्यों न होता ! मुझे ईडियट साबित करने की कोशिश करते थे, बल्कि बंगलिंग ईडियट साबित करने की कोशिश करते थे — जो हर काम बिगाड़ देता था, हर काम में फच्चर डाल देता था, किसी काम को ठीक से कर ही नहीं सकता था।''

''दि ओल्ड मैन विल ईट हिज हार्ट आउट नाओ।''

''मेरी उनको नीचा दिखाने की कोई मंशा नहीं थी।''

''मुझे क्या बताते हो ! मुझे तो मालूम ही है। लेकिन जिम्मेदार कौन है ? खुद वो। क्या जरूरत पड़ी थी जबरन केस का पब्लिक प्रासीक्यूटर बनने की ! सिर्फ ये जरूरत थी कि तुम्हें ह्यूमीलियेट करना चाहते थे, तुम्हें बिलिटल करना चाहते थे और गुमान था कि बड़ी आसानी से कर लेंगे। तुमने नहीं, उनके अभिमान ने उन्हें नीचा दिखाया।''

''फिर भी...''

''सोलंकी आ रहा है।''—पसारी एकाएक जल्दी से बोला—''बाहर का यही रास्ता है, शायद निगाह मिलाये बिना गुजर जायेगा लेकिन ठिठके, बात करे तो रौब नहीं खाने का। ईक्वल लैवल पर बात करने का। फालोड?''

मुकेश ने सहमति में सिर हिलाया।

''मैं बाहर जा के मीडिया का हाल चाल देखता हूं।... और हां, एक बात और। आज ड्रिंक डिनर मेरी तरफ से। ओके?''

''ओके। एण्ड थैंक्यू।''

पसारी लम्बे डग भरता वहां से रुखसत हो गया।

सपन सोलंकी करीब पहुंचा, ठिठका।

''कांग्रेच्यूलेशंस!''—फिर बोला।

''थैंक्यू।''—मुकेश जबरन मुस्कराता बोला।

''किसी मुगालते में न रहना। एक लड़ाई जीते हो, जंग नहीं जीत गये हो!''

''बिल्कुल अपने बॉस वाली जुबान बोल रहे हो!''

''सैशन के फैसले के खिलाफ हाईकोर्ट में अपील लगेगी। बहुत जल्द तुम्हारा क्लायन्ट फिर गिरफ्तार होगा।''

''और बहुत जल्द फिर रिहा कर दिया जायेगा।''

''कौन करायेगा? तुम तो हाईकोर्ट में रजिस्टर्ड नहीं हो!''

''जब तक केस लगेगा, तब तक हो जाऊंगा। सुप्रीम कोर्ट में भी।''

''बहुत ऊंचे उड़ रहे हो?''

''अभी नहीं। अभी तो उड़ना सीख रहा हूं। लेकिन आगे आगे देखिये होता है क्या!''

''हूं। अगर केस हाईकोर्ट में लगने तक इस काम को अंजाम न दे सके तो?''

''तो पसारी है न! बड़ा वकील! एडवोकेट हाईकोर्ट एण्ड सुप्रीम कोर्ट! फार्मरली आफ आनन्द आनन्द आनन्द एण्ड एसोसियेट्स, मुम्बई, कलकत्ता, बैंगलौर, दिल्ली एक्स्ट्रा एक्सट्रा!''

''आनन्द साहब के मुंह पर ऐसा कहते तो मानता!''

''ऑफिस जा रहे हो?''

''हां।''

''मैं भी साथ ही चलता हूं। तुम्हारे सामने कहता हूं।''

सोलंकी के चेहरे ने रंग बदला।

''एक कामयाबी ने अदब भुला दिया!''—फिर बोला।

''छोड़ो वो बातें। तुम तो फर्म में बहुत सीनियर हो, तुम्हें तो मालूम होगा कि आनन्द साहब विस्की कौन सी पीते हैं!''

''क्यों पूछ रहे हो?''

''मुझे खुशी हुई है। अग्रजों के साथ शेयर करनी चाहिये। एक बोतल साथ लेकर जाऊँगा न!''

''नानसेंस!''

''अरे, नाम तो बताओ!''

''तुम बताओ!''

''मैं! मैं क्या बताऊँ?''

''दिल से तो तुम जानते हो न कि तुम्हारा क्लायन्ट गुनाहगार है? इरादतन न सही लेकिन खून उसी ने किया था?''

''मेरे दिल की गवाही की कोई अहमियत है तो जाकर नकुल बिहारी आनन्द साहब से बात करना और बोलना कि दिल से तो मैं ये भी जानता हूँ कि उनका दिल्ली वाला भतीजा खूनी है जो कि लैक आफ इवीडेंस की ही बिना पर, बैनिफिट आफ डाउट पा कर ही कोर्ट से छूटा है। फिर उनसे पूछना कि वो क्या कहते हैं और उनका दिल क्या कहता है!''

सोलंकी हड़बड़ाया।

''और ये भी बोलना कि उनका निकम्मा, इनएफीशेंट लेकिन एक वक्त तक एकलव्य जैसा शागिर्द और क्या कहता था!''

''क्या?''

''भतीजे के लिये चांद और तारे, भतीजे के लिये खलक के नज्जारे, भतीजे की रिहाई हकीकत, मेरे क्लायन्ट की रिहाई कहानी; भतीजे का खून खून, मेरे क्लायन्ट का खून पानी।''

''तौबा! तुम तो पागल हो गये हो!''

बड़बड़ाता हुआ सोलंकी जल्दी से वहां से रुखसत हुआ।

तभी सुरभि शिन्दे उसके करीब पहुंची। उसने डबडबाई आंखों से मुकेश की तरफ देखा और चरण रज लेने की कोशिश की।

बड़ी मुश्किल से मुकेश उसे वैसा करने से रोक पाया।

''आपने तो कमाल कर दिया!''—सुरभि गद्‌गद् स्वर में बोली—''मैं किस मुंह से आपका शुक्रिया अदा करूं?''

''कोई जरूरत ही नहीं है शुक्रिया अदा करने की!''—मुकेश मुस्कराता हुआ बोला।

''आपकी वजह से कमलेश को जीवनदान मिला है...''

''उसकी वहज से।''—मुकेश ने ऊपर की तरफ उंगली उठाई—''मैं तो बस निमित्त था।''

"अब कमलेश रिहा कब होगा ?"

"अभी कोर्ट से जज के आर्डर की कापी जेल अथारिटीज को इशु होगी, वो लोग अपनी कागजी कार्यवाही मुकम्मल करेंगे, शाम तक रिहा हो जायेगा।"

"जब पिछली बार गिरफ्तार हुआ था तो जेल अथारिटीज ने रिहाई में हफ्ता लगा दिया था !"

"मैं सुनिश्चित करूंगा कि इस बार ऐसा न हो।"

"थैंक्यू।"

"नाओ गैट अलांग।"

"आपने बिना फीस लिये..."

"छोड़ो वो किस्सा और जाओ।"

उसी क्षण गलियारे के बाहरले सिरे पर शिवराज अटवाल, शान्तनु राजपुरिया के रूबरू था।

"मैं ये अर्ज करना चाहता था" — अटवाल बोला — "कि मैं आज शाम को ही लॉज से चला जाऊंगा। हमेशा के लिये।"

"कहां जाओगे ?"

"चर्च गेट पर एक कजन रहता है, फिलहाल तो थोड़ा अरसा उसी के पास पनाह पाऊंगा, बाद में...देखूंगा।"

शान्तनु ने सहमति में सिर हिलाया।

"एस्टेट के सैटलमैंट के सिलसिले में" — फिर बोला — "शायद कभी कान्टैक्ट की जरूरत पड़े इसलिये ठीक समझो तो अपने नये ठिकाने का पता मेरे पास छोड़ जाओ।"

वो हिचकिचाया।

"कोई प्राब्लम है तो..."

"नहीं, नहीं।" — वो तनिक हड़बड़ाया सा बोला — "कोई प्राब्लम नहीं।"

उसने कागज के एक पुर्जे पर अपने कजन का नाम, फोन नम्बर और उसका चर्च गेट का पता लिखा और पुर्जा शान्तनु को सौंपा।

"गुड बाई, शान्तनु जी।" — और बोला — "कोई खता हुई हो तो माफ करना।"

"गुड बाई।" — शान्तनु मशीनी अन्दाज से बोला।

शनिवार : सत्तरह सितम्बर

सुबह ग्यारह बजे मुकेश माथुर और सुबीर पसारी आफिस में मुकेश के कक्ष में बैठे कॉफी पी रहे थे जबकि फोन का बजर बजा।

मुकेश ने रिसीवर उठा कर कान से लगाया।

''सर''—रिसैप्शनिस्ट की आवाज आयी—''कमलेश दीक्षित आपसे मिलना चाहते हैं।''

''कमलेश दीक्षित !''—मुकेश सकपकाया—''अकेला है ?''

''जी हां।''

''ठीक है, आने दो।''

उसने रिसीवर वापिस क्रेडल पर रखा।

पसारी की भवें उठीं।

''वही लड़का।''—माथुर बोला—''हमारा हालिया क्लायन्ट। शुक्रगुजार होने आया होगा।''

''शुक्रगुजार हो नहीं चुका काफी ?''—पसारी बोला।

''मन नहीं भरा होगा।''

''ऐसा !''

''या मिठाई खिलाने की चाह बाकी रह गयी होगी !''

''कमाल है !''

दरवाजे पर दस्तक पड़ी, फिर झिझकते, सकुचाते कमलेश ने कक्ष में कदम रखा।

मुकेश ये देख कर सकपकाया कि उसके चेहरे पर हवाईयां उड़ रही थीं और वो बार बार अपने होंठों पर ज़ुबान फेर रहा था।

उसने सप्रयास अभिवादन किया।

''आओ, भई।''—मुकेश बोला—''बैठो।''

वो झिझकता हुआ एक विजिटर्स चेयर पर बैठ गया, उसने सशंक भाव से पसारी की ओर देखा।

''मिस्टर पसारी।''—मुकेश ने बताया—''मेरे पार्टनर हैं।''

''पार्टनर हैं।''—वो होंठों में बुदबुदाया।

''मेरा इनसे कोई छुपाव नहीं।''

''ओह !''

मुकेश ने नोट किया कमलेश दीक्षित बड़ी बेचैनी से कुर्सी पर बार बार पहलू बदल रहा था और उसके हर हावभाव से लगता था कि जैसे अभी उठेगा और वहां

से भाग खड़ा होगा।

"क्या बात है?"—मुकेश आत्मीयतापूर्ण स्वर में बोला—"कुछ कहना चाहते हो?"

"हं-हां।"—वो फंसे कण्ठ से बोला।

"तो कहो न!"

"म-मैं अपनी मर्जी से यहां नहीं आया।"—वो एकाएक फट पड़ा।

"अच्छा!"

"सुरभि ने मजबूर किया, प्यार का वास्ता दिया, तब आया।"

"बात क्या है?"

"वो साथ आना चाहती थी..."

"क्यों?"

"उसे अन्देशा था कि परेल से मैरीन ड्राइव के लिये चला मैं यहां नहीं पहुंचूंगा, बीच में ही कहीं गायब हो जाऊंगा।"

"क्यों भला?"

"बात ही ऐसी है..."

"कैसी है?"

"...कि जुबान पर नहीं आती।"

"बात है क्या?"

"बात... बात है, सर, कि... कि... सर, मैं मजबूरन यहां आया हूं। मेरी अपनी मर्जी चलती तो मैं हरगिज यहां न आता। सुरभि ने प्यार का वास्ता दे कर कहा कि मुझे और किसी से नहीं तो आपसे तो सच बोलना ही पड़ेगा। उसने ये तक कहा कि वो ऐसे आदमी के साथ अपनी जिन्दगी की डोर बांधने को तैयार नहीं थी जो कि... जो कि झूठा हो, फरेबी हो, दुई का भेद रखता हो। सर, मैं सुरभि से बेपनाह मुहब्बत करता हूं और हर हाल में उसे अपना बनाना चाहता हूं। सुरभि को खोने की मैं कल्पना नहीं कर सकता इसलिये आखिर... आखिर मैंने उसके सामने हकीकत बयान की।"

"कैसी हकीकत?"

वो फिर बेचैनी से पहलू बदलने लगा।

"यार, कम टु दि प्वायन्ट।"—मुकेश तनिक झल्लाया—"कम टु दि प्वायन्ट। बात क्या है?"—वो एक क्षण ठिठका फिर उसे घूरता बोला—"ओ माई गॉड! कहीं तुम ये तो नहीं कहना चाहते कि कत्ल तुम्हीं ने किया था!"

"बिल्कुल नहीं।"—कमलेश तीव्र विरोधपूर्ण स्वर में बोला—"हरगिज नहीं। आप जानते हैं, बाखूबी जानते हैं, जब भी मेरे पर इस बात का इलजाम आया

था, मैंने इसकी पुरजोर मुखालफत की थी—पुलिस के सामने, कोर्ट के सामने, आपके सामने, सबके सामने। अब तो मैं सब कुछ सच सच आपको कह सुनाने के लिये तैयार हो कर यहां आया हूं। भले ही अपनी मर्जी से नहीं आया, सुरभि के मजबूर किये आया हूं लेकिन आया हूं।''

''आगे ! आगे बढ़ो !''

''वो क्या है कि...सुरभि ने मुझे अपनी जान का सदका दिया, अपने प्यार का वास्ता दिया तो मैं यहां आया वर्ना...''

''अरे, यार, मेन लाइन पर रहो।''

''म-मैंने कत्ल नहीं किया लेकिन...लेकिन...''

''ठीक ! ठीक ! मुझे कबूल है कि कत्ल तुमने नहीं किया था। पहले भी कबूल था, इसीलिये तुम्हारा केस लड़ा। अब बोलो, बात क्या है ?''

''बात ये है कि कत्ल मैंने नहीं किया था लेकिन...लेकिन...''

''ओ, कम आन फार गॉड सेक।''

''मैं वहां था।''

मुकेश सम्भल कर कुर्सी पर बैठा, उसने मुंह बाये पसारी की तरफ देखा।

पसारी भी चमत्कृत था।

दोनों पार्टनरों में आंखों ही आंखों में मन्त्रणा हुई।

फिर पसारी कमलेश से मुखातिब हुआ।

''तुम''—वो बोला—''ये कहना चाहते हो कि बुधवार, दस अगस्त की—यानी कि वारदात वाले दिन की—सुबह तुम एस्टेट पर कहीं थे ?''

''मौकायवारदात पर था।''—कमलेश सिर झुकाये दबे स्वर में बोला—''लॉज की पहली मंजिल पर मास्टर बैडरूम में था।''

सत्यानाश !

''जबकि तमाम केस के दौरान तुम्हारी एक ही रट थी कि तुम तो राजपुरिया एस्टेट के पास भी नहीं थे, गोरई में ही नहीं थे !''

''मैंने झूठ बोला था। मेरी मजबूरी थी। मैं वहां अपनी हाजिरी कबूल करता तो बाकी सब कुछ भी कबूल करना पड़ता।''

पसारी के मुंह से आह सी निकली, उसने असहाय भाव से मुकेश की तरफ देखा।

मुकेश के जबड़े भिंच गये, उसने कुछ क्षण अपलक कमलेश की तरफ देखा और फिर कर्कश स्वर में बोला—''इधर मेरी तरफ देखो।''

कमलेश ने सप्रयास सिर उठाया।

''मेरे से निगाह मिला के बात करो।''

उसने निगाह मिलाई लेकिन मिलाये न रह सका।

''क्या मतलब है तुम्हारा? तुम ऐन वारदात के वक्त मौकायवारदात पर थे?''

''जी हां।''

''लेकिन तुम्हारा दावा है कि कत्ल तुमने नहीं किया...''

''मैं अपने दावे पर कायम हूं।''

''...तो फिर क्या किया?''

''राजपुरिया साहब के कॉफी के मग में जीटाप्लैक्स की गोलियां डाली थीं।''

मुकेश मुंह बाये उसे देखने लगा।

''फिर भी''—आखिर बोला—''कहते हो कत्ल तुमने नहीं किया!''

''बराबर कहता हूं।''

''तुम झूठ बोलते हो।''

''सर, मैंने झूठ बोलना होता तो यहां न आया होता। सुरभि की मनुहार पर, उसकी फटकार पर भी यहां न आया होता। जब मैंने यहां आना कबूल कर लिया तो अब झूठ बोलने का क्या मतलब!''

''हूं। तो तुम कहते हो, कबूल करते हो, कि तुमने राजपुरिया साहब के कॉफी के मग में जीटाप्लैक्स की आठ गोलियां डाली थीं?''

''चार।''

''क्या चार?''

''मैंने चार गोलियां डाली थीं।''

''लेकिन ये स्थापित तथ्य है कि ओवरडोज आठ गोलियों का था। जीटाप्लैक्स की नयी खोली गयी बॉटल में से ओवरडोज की मद में आठ गोलियां निकाली गयी थीं।''

''मैंने चार निकाली थीं। मैं उसकी कसम खा के कहता हूं जो मुझे सबसे अजीज है, सुरभि की कसम खा के कहता हूं कि मैंने शीशी में से चार...चार गोलियां निकाली थीं और राजपुरिया साहब के कॉफी के मग में डाली थीं।''

''चार भी क्यों निकाली थीं? क्यों कॉफी के मग में डाली थीं?''

''क्योंकि...क्योंकि...''

''बोलो, बोलो!''

''मैं उनसे बदला उतारना चाहता था।''

''एक्सप्लेन।''

''उन्होंने मेरी बहुत तौहीन की थी, खड़े पैर एक मामूली सी बात पर मुझे नौकरी से डिसमिस कर दिया था। एस्टेट के बाकी स्टाफ के सामने मेरी इतनी तौहीन

हुई थी, उस तौहीन का बदला उतारने के लिये मैं तड़प रहा था। राजपुरिया साहब की सुबह दस बजे की कॉफी की रुटीन से और उनके जीटाप्लैक्स के डोज से मैं वाकिफ था। मैंने उनका उनके डाक्टर से उस बाबत वार्तालाप सुना था इसलिये इस बात से भी वाकिफ था कि वो दवा खतरनाक थी, उसका ओवरडोज खतरनाक था लेकिन चार गोलियों के ओवरडोज से जान नहीं जा सकती थी। इतने ओवरडोज से खाने वाला तड़प सकता था, बिलबिला सकता था, साक्षात मौत का नजारा कर सकता था लेकिन मर नहीं सकता था। यही मैं चाहता था, यही मेरा बदला था।''

''इसलिये चार गोलियां!''

''जी हां। मुझे यकीनी तौर पर मालूम था कि चार अतिरिक्त गोलियों से वो मर नहीं सकते थे, इसीलिये बदले की भावना से प्रेरित हो कर मैंने वो कदम उठाया। सर, अगर ओवरडोज आठ गोलियों का था तो चार अतिरिक्त गोलियां यकीनी तौर पर मेरे बाद किसी और ने मग में डाली थीं।''

''तुमने मग में गोलियां डाल कर उन्हें टार्च से कूटा था?''

''नहीं, मैंने ऐसा कुछ नहीं किया था। खयाल तक नहीं आया था।''

''गोलियों को छुपाने के लिये?''

''मग में कॉफी काफी थी, गोलियां कॉफी की परत के नीचे छुप गयी थीं।''

खामोशी छा गयी।

''ये बात''—आखिर मुकेश ने चुप्पी तोड़ी—''पहले क्यों न कही?''

''सर, मैं अभी भी न कहता''—कमलेश कातर भाव से बोला—''अगरचे कि मैं दिल के हाथों मजबूर न होता। अगरचे कि सुरभि ने मुझे मजबूर न किया होता।''

''सुरभि को क्यों बताया?''

''मेरे मन में तूफान घुमड़ रहा था। मुझे ये बात बार बार लगातार साल रही थी कि भले ही मैं बरी हो गया था लेकिन असल कातिल अभी भी छुट्टा घूम रहा था। और असल कातिल को पकड़ने की अब कोई कोशिश भी नहीं होने वाली थी क्योंकि पुलिस की निगाह में, बावजूद कोर्ट के फैसले के, अभी भी मैं ही कातिल था। वो अब या तो केस को ठण्डे बस्ते में डाल देते या कोई नयी ईवीडेंस की तलाश में फिर मेरे पीछे पड़ जाते। मेरा दिल गवाही दे रहा था कि मेरे असलियत बयान किये बिना असल कातिल का कुछ नहीं होने वाला था। वो महज इसलिये बच निकला था कि पुलिस मेरे पीछे पड़ी थी और मेरे ही पीछे पड़ी रही थी। वो दायें बायें देखने की भी कोशिश करती तो उन्हें सूझता कि कातिल शर्तिया कोई और भी हो सकता था। मैं बरी हो गया था लेकिन कातिल भी आजाद था, इस बात ने मुझे इतना हलकान किया कि मुझे लगने लगा कि मैं अपना मन का बोझ हलका नहीं करूंगा

तो पागल हो जाऊंगा। तब मैंने मन की भड़ास सुरभि के सामने निकाली, ये सोच के निकाली कि हम दोनों एक थे, कोई बात मुझे मालूम होना, उसे मालूम होना एक ही बात थी। उसका मेरे किसी राज का राजदां होना कोई गलत बात नहीं थी। मुझे नहीं पता था कि मेरी बात सुनकर सुरभि मुझे यहां आने पर और आपको असलियत बताने पर मजबूर करेगी।''

''ये अब बताने की बात थी?'' —मुकेश भड़का— ''शुरुआत में कितना समझाया था तुम्हें कि अपने वकील से झूठ बोलना गलत होता था, डाक्टर से अपना मर्ज छुपाने के समान होता था ! कैसे कोई डाक्टर मरीज का इलाज कर सकता है जिसे कि मरीज अपना मर्ज बताने को ही तैयार न हो ! क्यों तुमने ये बात मुझे पहले न बताई ? क्यों क्यों क्यों तुमने मेरे से झूठ बोला ?''

''नहीं बोला, सर, नहीं बोला।''

''झूठ नहीं बोला तो और क्या किया?''

''ये किया कि मुकम्मल सच न बोला। आपने जब भी मेरे से पूछा कि क्या मैंने कत्ल किया था तो मैंने सच्चा जवाब दिया कि नहीं, मैंने कत्ल नहीं किया था।''

''झूठ तो फिर भी बोला ! ये तो हर जगह बार बार दोहराया कि वारदात वाले दिन तुम राजपुरिया एस्टेट के करीब भी नहीं फटके थे, तुम तो तब परेल में थे !''

''मेरी मजबूरी थी। कत्ल न किया होने की अपनी दुहाई को मजबूत बनाने के लिये ऐसा कहना मेरी मजबूरी थी।''

''ओ मेरे परमात्मा ! क्या मेरी नियति में ऐसे ही क्लायन्टों को डिफेंड करना लिखा है जो अपने ही वकील से खुल्ला झूठ बोलते हों !''

''मैं शर्मिन्दा हूँ।''

''अब शर्मिन्दा होने से क्या होता है ! मेरा जुलूस तो निकलवा दिया न ! क्या जीता मैं ! बस सिर्फ लगा कि जीता। अब किस मुंह से मैं नकुल बिहारी आनन्द का सामना करूंगा जब ये बात उजागर होगी कि आखिर सन्देह लाभ पाकर छूटा मेरा क्लायन्ट अपराधी था !''

''कत्ल का नहीं। मैंने राजपुरिया साहब के कॉफी के मग में जीटाप्लैक्स की चार गोलियां डाली थीं और अपने इस गुनाह की मैं कोई भी सजा भुगतने को तैयार हूं।''

''अरे, कम्बख्त, ऐसा पहले क्यों न बोला ? क्यों पहले तैयार नहीं था ?''

''मैं पहले ऐसा कहता तो आप मुझे डिफेंड करते ?''

''करता। लेकिन कत्ल के केस में न करता, जोशोजुनून में हुई फौजदारी के केस में करता। इस बिना पर करता कि तुम्हारा कनफैशन असल कातिल को पकड़वाने में सहायक सिद्ध होने वाला था इसलिये अपने गुनाह के लिये तुम कम से कम सजा पाने के हकदार थे।''

''अब क्या कहूं!''

''कहूं नहीं करूं।''

''क्या?''

''सिर पीटो अपना। मैं अपना पीटता हूं।''

''मैं शर...''

''खबरदार! खबरदार जो कहा कि शर्मिन्दा हो। बहुत शर्मिन्दा हो चुके हो... और कर चुके हो। अब ये बको कि असल में क्या हुआ था?''

''वो...वो...क्या है कि...मैंने पहले ही बोला कि...राजपुरिया साहब ने मुझे बहुत बेइज्जत किया था। एक बहुत मामूली बात पर उन्होंने मुझे बहुत ज्यादा जलील किया था। नौकरी से निकालना था, निकालते लेकिन ऐसे तो नहीं निकालना चाहिये था जैसे किसी दुर दुर करते कुत्ते को लात मार कर निकालते हैं...''

''तुम्हारे मन में उनके लिये रंजिश थी, तुम उनसे अपनी हत्तक का बदला उतारना चाहते थे, वगैरह, इससे आगे बढ़ो।''

''मैं...मैं कई दिन कोई तरकीब सोचता रहा लेकिन मुझे कुछ न सूझा। मैं मामूली, बेहैसियत आदमी कैसे उनसे बदला उतार सकता था! फिर एकाएक मुझे जीटाप्लैक्स याद आयी, उसकी तासीर याद आयी, उसकी बाबत कही राजपुरिया साहब की बातें याद आयीं और फिर मुझे सूझा कि कैसे मैं राजपुरिया साहब से अपनी हत्तक का बदला उतारने का सुख पा सकता था।''

''बाजरिया जीटाप्लैक्स का ओवरडोज?''

''कन्ट्रोल्ड ओवरडोज। जिससे वो तड़पते, मर न जाते।''

''आगे?''

''सर, मैं दो महीने इस्टेट की मुलाजमत में रहा था इसलिये जानता था कि वारदात वाले बुधवार को—दस अगस्त वाले बुधवार को—उन्होंने घर में अकेले होना था। लिहाजा उस रोज सुबह मैं चुपचाप एस्टेट पर और आगे लॉज पर पहुंचा...''

''लाल बजरी बिछी बाजू की राहदारी पर चलते हुए?''

''जी हां।''

''तब अपनी वो मुड़े पाहुंचों वाली पतलून पहने थे?''

''जी हां।''

''यानी कि लाल धूल कभी पहले नहीं, उसी दिन—बुधवार, दस अगस्त को—पाहुंचों में दाखिल हुई...जमा हुई?''

''जी हां।''

मुकेश ने फिर एक आह भरी और बोला— ''आगे?''

''मैं लॉज पर पहुंचा। मैंने मेन डोर में झिरी बनाकर भीतर झांका, कान

लगाकर कोई आहट लेने की कोशिश की तो लॉज मुझे सुनसान लगी। राजपुरिया साहब तब ऊपर बैडरूम में होते लेकिन ये भी हो सकता था कि इत्तफाकन थोड़ी देर के लिये कहीं चले गये थे। बहरहाल मैं चुपचाप भीतर दाखिल हुआ और निर्विघ्न ऊपर मास्टर बैडरूम में पहुंचा। वहां मुझे अहसास हुआ कि राजपुरिया साहब बाथरूम में थे। जैसा कि अपेक्षित था, इलैक्ट्रिक कैटल में पानी उबल रहा था, वहीं करीब उनकी जीटाप्लैक्स की शीशी पड़ी थी, कॉफी का मग पड़ा था जिसमें काफी मिकदार में कॉफी थी और जीटाप्लैक्स की कॉफी की ही रंगत की एक गोली थी। बदला लेने के अपने शैतानी इरादे के तहत मग में मैंने चार गोलियां और डाल दीं। मैंने अभी ऐसा किया ही था कि मुझे सीढ़ियों पर से किसी की आहट मिली। कोई सीढ़ियां चढ़ता ऊपर आ रहा था...''

''कौन?''

''मैं नहीं जानता कौन! ये देखने के लिये मुझे वहां रुकना पड़ता और इतने में कुछ भी हो सकता था। जो सीढ़ियों पर था, वो ऊपर पहुंच सकता था और मुझे देख सकता था या राजपुरिया साहब बाथरूम से बाहर निकल आ सकते थे। उस वक्त मेरे को बस यही सूझा कि देख लिया जाने से पहले मुझे वहां से भाग खड़ा होना चाहिये था। जिधर से आया था, उधर से मैं नहीं भाग सकता था क्योंकि सीढ़ियों पर ऊपर पहुंचता कोई था इसलिये मैं खिड़की के रास्ते भागा। मैं फौरन घूमा, लपक कर खिड़की की चौखट पर चढ़ा और प्रोजेक्शन पर से लटक कर नीचे कूद गया।''

''यूं कि एक पांव नीचे फूलों की क्यारी में जा कर पड़ा?''

''मेरी बद्‌किस्मती से।''

''यानी कि क्यारी में मिला फुटप्रिंट तुम्हारे ही एक पांव के जूते से बनाये बना था?''

''जी हां।''

''उसी हड़बड़ी में बटुवा फर्श पर फेंक कर भागे?''

''मैं!''—वो हकबकाया—''बटुवा फर्श पर फेंक कर भागा?''

''फर्श पर नहीं तो कहां फेंक कर भागे?''

''कहीं भी नहीं।''

''वो फर्श पर पड़ा मिला था।''

''कहीं पड़ा मिला हो। मेरा उससे क्या लेना देना था!''

''तुमने राजपुरिया साहब का बटुवा काबू में नहीं किया था? उसमें से हजार हजार के बीस नोट निकाल कर बटुवा फर्श पर नहीं फेंका था?''

''हे भगवान! आप मुझे चोर समझ रहे हैं!''

''जवाब दो।''

''क्या जवाब दूं! सर, चोरी करना मेरा मिशन नहीं था। मेरा मिशन बदला

लेना था...''

''कहीं बटुवा पड़ा दिखाई दिया तो मन में मैल आ गया!''

''हरगिज नहीं। न ऐसा कुछ हुआ था, न ऐसा होता देखने लायक तब मेरे पास टाइम था और न ऐसा कोई नामुराद, बेगैरत खयाल तब मेरे मन में आया था।''

''धर्मेश उमाठे तुम्हारा सिखाया पढ़ाया, पहले से तैयार किया हुआ गवाह नहीं था?''

''हरगिज हरगिज हरगिज नहीं था।''

''सच कह रहे हो?''

''सर, ये कोई वक्त है झूठ बोलने का? जब मैंने जीटाप्लैक्स की चार गोलियां कॉफी के मग में डाली होने की इतनी बड़ी बात कबूल कर ली तो ये छोटी बात कबूल करने में मुझे क्या परेशानी है!''

''फिर फर्श पर बटुवा क्यों था और खाली क्यों था?''

''जाहिर है कि ये करतब उसी शख्स का था जो बाद में वहां पहुंचा था।''

''फिर तो जीटाप्लैक्स की और चार गोलियां भी उसी ने कॉफी के मग में डालीं और उन्हें करीब पड़ी टार्च के सिरे से कूटा ताकि वो चूरा बनकर कॉफी में हिलमिल जातीं!''

''जाहिर है।''

''राजपुरिया साहब ने बाथरूम से निकल कर कॉफी तैयार की, रिक्लाइनर पर बैठ कर उसे पिया, जीटाप्लैक्स के ओवरडोज के असर से बेहोश हुए, दो कुशंस समेत रिक्लाइनर पर से पलट कर फर्श पर ढेर हुए?''

''जी हां।''

''कुशन इत्तफाकन मुंह के नीचे आ गया या किसी ने इरादतन ऐसा किया?''

''सर, मैं इस बाबत क्या कह सकता हूं!''

''बहरहाल उस वाकये से तुम्हारा कोई लेना देना नहीं?''

''कैसे होगा! मैं तो पहले ही वहां से जा चुका था। सीढ़ियों पर से किसी के ऊपर आने की आहट पाते ही मैं वहां से कूच कर गया था।''

''वो दूसरा शख्स कौन था जो सीढ़ियों पर था!''

''मैं इस बावत क्या कह सकता हूं!''

''बहरहाल अगर तुम्हारे बयान को सच माना जाये तो बाद का, तुम्हारे निकल जाने के बाद का, सब किया धरा उसी का था?''

''मैं बोले तो बराबर, सर।''

मुकेश ने पसारी की ओर देखा।

''अगर ये सच बोल रहा है तो''—पसारी संजीदगी से बोला—''सब किया धरा उसी का जान पड़ता है जो कि सीढ़ियों पर था। जाहिर है कि वो जब

बैडरूम में पहुंचा था तब राजपुरिया साहब अभी बाथरूम में ही थे। उसने वाल केबिनेट पर पहुंच कर कॉफी के मग का मुआयना किया, उसमें जीटाप्लैक्स की चार अतिरिक्त गोलियां पड़ी पायीं तो उसे राजपुरिया साहब का बाजरिया जीटाप्लैक्स के ओवरडोज कत्ल करके इलजाम इसके सिर थोपने का वो सुनहरा मौका लगा...''

''उसे क्या पता कि पहली चार गोलियां मग में इसने डाली थीं?''

''उसने इसे देखा होगा। बैडरूम में नहीं देखा होगा तो खिड़की फांदते देखा होगा और पीठ पीछे से भी पहचाना होगा। या खिड़की पर पहुंच कर उसे नीचे एस्टेट से कूच करते देखा होगा। नहीं भी देखा होगा तो भी कॉफी के मग में जीटाप्लैक्स की चार अतिरिक्त गोलियां उसे बताती थीं कि वहां कोई ऐसा शख्स था जिसका इरादा नापाक था। जाहिर है कि वो भी राजपुरिया साहब के कत्ल का तमन्नाई था और वो भी जानता था कि जान चली जाने के लिये जीटाप्लैक्स की चार गोलियां नाकाफी थीं। लिहाजा उसने मग में चार गोलियां और डाल दीं और फिर छुप कर निश्चित रूप से घातक बन चुके ओवरडोज का नतीजा पेश होने का इन्तजार किया।''

''ओवरडोज घातक बन चुका होने के बावजूद'' — मुकेश बोला — ''उसने राजपुरिया साहब के मुंह के नीचे कुशन सरकाया?''

''इस बात का एक ही जवाब मुमकिन जान पड़ता है। इतने ओवरडोज का असल में वो नतीजा सामने नहीं आया था जो कि अपेक्षित था। उसे फर्श पर बेहोश पड़े राजपुरिया साहब के प्राण निकलते नहीं जान पड़े थे। तब उसने जान जाने के उस काम को रफ्तार देने के लिये राजपुरिया साहब के मुंह के नीचे कुशन सरका दिया ताकि वो वैसे नहीं तो अब बेहोशी की हालत में दम घुटने से मर जाते।''

''ठीक!''

''फिर उसी ने मकतूल का बटुवा अपने काबू में करके उसमें से नोट निकाल के बटुवा लाश के करीब फर्श पर फेंक दिया ताकि बाद में पुलिस को कत्ल किसी चोर का काम जान पड़ता। कोई बड़ी बात नहीं कि उसने वहां की तलाशी भी ली हो और वहां उपलब्ध और भी रकमें काबू में की हों।''

''दिलीप नटके के चालीस चालीस हजार रुपये के चार पोस्टडेटिड चैक भी जरूर वहां से वो ही शख्स ले गया था।''

''वो पोस्टडेटिड चैक थे इसलिये जाहिर है कि क्रास्ड, एकाउन्ट पेयी होंगे, पेयी के तौर पर उन पर मकतूल का नाम दर्ज था, कैसे वो उन्हें कैश करा सकता था!''

''तब उसे ये बात नहीं सूझी होगी, तब तो उसने दराज में कैश के साथ पड़े चैक देखे होंगे और उन्हें भी काबू में कर लिया होगा। बाद में जब देखा होगा कि वो कैश कराये जा सकने लायक नहीं थे तो फाड़ के फेंक दिये होंगे।''

''हो सकता है।''

"तुम"—मुकेश वापिस कमलेश की तरफ घूमा—"अब तो सच बोल रहे हो न?"

"सर"—उसने फरियाद की—"अब क्यों शक करते हो? पहले झूठ बोलने की कोई वजह थी, अब कहां है वजह? अब तो अपनी मर्जी से मैं यहां आया हूं तो क्या झूठ बोलने के लिये आया हूं? चुप रहना तो झूठ बोलने से कहीं आसान काम था! मैं अपने होंठ सी लेता तो कैसे किसी को कुछ पता चलता!"

"ये ठीक कह रहा है।"—पसारी धीरे से बोला।

मुकेश ने सहमति में सिर हिलाया।

"अपने वकील से झूठ बोलना फिर भी गलत था।"—वो वापिस कमलेश से मुखातिब हुआ—"तुमने कोई चोरी नहीं की थी। जीटाप्लैक्स की जो चार गोलियां तुमने मकतूल के कॉफी के मग में डाली थीं, उनकी कोई एक्सप्लेनेशन वक्त आने पर मैं सोच लेता। एक्सप्लेनेशन न चलती तो तुम्हें कोई छोटी मोटी सजा ही होती जो कि तुम भुगत लेते। बाकी रही लॉज के भीतर जाने की बात तो ये लॉज की स्थापित रूटीन थी कि दिन के वक्त वो खुला दरबार होती थी इसलिए तुम्हारा वहां गया होना कबूल करना किसी गम्भीर ऐतराज के काबिल बात न होती। लिहाजा तुम्हें शुरू में सच बोलना चाहिये था।"

"सर, गुस्ताखी माफ, आप खफा हैं"—वो बड़े दयनीय भाव से बोला—"इसलिये समझ नहीं रहे हैं। मुझे नहीं मालूम था कि मेरे वहां से भाग निकलने के बाद पीछे क्या हुआ था। मुझे नहीं मालूम था कि राजपुरिया साहब जीटाप्लैक्स की गोलियों के ओवरडोज से नहीं, दम घुटने से मरे थे। ये बात मुझे तभी मालूम पड़ी थी जबकि मैंने लोअर कोर्ट में सरकारी डाक्टर का बयान सुना था। जब मुझे राजपुरिया साहब के कत्ल की खबर लगी थी तो मैंने यही समझा था कि जीटाप्लैक्स के बारे में मैंने जो सुना था, गलत सुना था कि उसकी चार एक्स्ट्रा गोलियां जानलेवा साबित नहीं हो सकती थीं।

"डाक्टर के बयान के बाद सच बोलते!"

"तब कैसे बोलता! शुरू से तो मैं ये रट लगाये रहा था कि मैं तो मौकायवारदात पर था ही नहीं, तब कैसे कहता कि वहां जो हुआ था, वो यूं नहीं, यूं हुआ था!"

"बरी न हुए होते तो क्या करते? तब हकीकत बयान करते?"

"तब करता तो कौन सुनता! कोर्ट से सजा पा चुकने के बाद मुजरिम की बात कौन सुनता है, कौन उसपर ऐतबार करता है!"

"अब तुम क्या करोगे?"

"मैं क्या करूंगा! मैंने तो जो करना था यहां आकर कर दिया। अब आगे या मैं तकदीर के हवाले हूं या आपके हवाले हूं। तकदीर जो गत बनायेगी मैं झेलूंगा, आप जो कहेंगे मैं करूंगा।"

''फरार हो जाओगे!''

''मैं ऐसा खयाल भी नहीं कर सकता।''—कमलेश ने तीव्र प्रतिवाद किया—''फरार होना होता तो तभी हो गया होता जब मेरे हाथ में रिहाई का परवाना आया था। मैं फरार नहीं हो सकता, सर। मेरे पांव में बेड़ी पड़ी है। नहीं तोड़ सकता।''

''बेड़ी सुरभि?''

''जी हां।''

''तोड़ना चाहते हो?''

''नहीं।''

''जेल जाना पड़ सकता है!''

''अब परवाह नहीं।''

''ठीक है। मेरे से जो बन पड़ेगा मैं करूंगा। अब जा सकते हो।''

''थैंक्यू, सर।''

वो उठ खड़ा हुआ।

''सम्पर्क बनाये रखना—ताकि तुम्हें मालूम होता रहे कि मेरे से कुछ बन पड़ रहा है या नहीं!''

''ठीक है, सर।''

उसने अभिवादन किया और रुखसत हो गया।

पीछे कुछ क्षण खामोशी छाई रही।

''क्या कहते हो?''—फिर पसारी बोला।

''मिट्टी खराब कर दी।''—मुकेश अवसादपूर्ण भाव से गर्दन हिलाता बोला—''इज्जत झाड़ दी। पालिश उतार दी। तमाम खुशी, जोशोजुनून को पलीता लगा दिया। अच्छा हुआ तुम्हारी ड्रिंक्स डिनर की दावत कल थी, आज होती तो हलक से न डिनर उतरता न...''

''कहां बहक रहे हो! कहां बहक रहे हो! अरे, मेरा सवाल तुम्हारे मूड की बाबत नहीं, केस की बावत है।''

''ओह!''

''हां, यही लम्बी वाली ओह।''

मुकेश कुछ क्षण विचारपूर्ण मुद्रा बनाये खामोश रहा।

''अब एक बात तो दिन की तरह साफ है''—फिर बोला—''कि कातिल वो शख्स था जिसकी सीढ़ियां चढ़ कर ऊपर आने की आहट कमलेश ने सुनी थी। कोर्ट में मैंने जो आल्टरनेट सस्पैक्ट खड़े किये थे, उन सबको प्रासीक्यूशन ने ये कह कर खारिज कर दिया था कि उनमें से हर कोई लॉज के मेनडोर से दाखिल हुआ था और मेनडोर से ही रुखसत हुआ था और कोई भी नौ नम्बर का जूता नहीं पहनता

था। कमलेश अब जो कुछ यहां कह कर गया, उससे ये स्थापित होता है कि मेरे सुझाये आल्टरनेट सस्पैक्ट्स में से किसी का भी खिड़की के रास्ते फरार हुआ होना जरूरी नहीं था और नौ नम्बर का जूता पहनता होने वाला होना भी जरूरी नहीं था। अगर उनमें से कोई कातिल था तो वो बड़े आराम से टहलता हुआ लॉज से रुखसत हो गया हो सकता है। अब सवाल ये है कि पता कैसे लगे कि उनमें से कौन कातिल था?''

''मैं कुछ सुझाऊं?'' —पसारी बोला।

''अरे, भई, इसीलिये तो सवाल तुम्हारे सामने रखा है।''

''तो सुनो। तुम्हारे मर्डर सस्पैक्ट्स की लिस्ट में महिलायें भी हैं—जैसे कि कमला सारंगी, मानसी राजपुरिया, महिमा सिंह—लेकिन बतौर कातिल अभी मैं उन्हें नजरअन्दाज करना चाहता हूं।''

''क्यों? उनमें से कोई कातिल नहीं हो सकती?''

''हो सकती है लेकिन मैं पहले मेल सस्पैक्ट्स की तरफ तवज्जो देना चाहता हूं।''

''ठीक है, दो।''

''भतीजे के बारे में क्या खयाल है?''

''शान्तनु राजपुरिया! लेकिन वो तो शाम पांच बजे लॉज में गया था जबकि कत्ल हुए कई घंटे हो चुके थे!''

''क्या सबूत है?''

''भई, उसी ने तो पांच बजे वहां जा कर लाश बरामद की थी और पुलिस को कत्ल की खबर दी थी!''

''ठीक! ठीक! लेकिन मैं कुछ और पूछ रहा हूं। मैं पूछ रहा हूं कि इस बात का क्या सबूत है कि वो पांच बजे ही लॉज पर गया था, उससे पहले भी नहीं गया था?''

''उससे पहले मतलब कत्ल के वक्त के आसपास?''

''हां।''

''पहले जाने की कोई वजह?''

''है तो सही! यार, न जाने क्यों मुझे मकतूल की वो फोन काल बहुत खटक रही है जो उसने वारदात की सुबह अपने भतीजे को की थी और भतीजे को शाम पांच बजे लॉज पर बुलाया था क्योंकि वो भतीजे से कोई जरूरी बात करना चाहता था। बुलावा खासतौर से शाम पांच बजे का था लेकिन बुलावे ने भतीजे के लिये एक लम्बा सस्पेंस खड़ा कर दिया हो सकता था, वो ये जानने के लिये तड़पता हो सकता था कि उसका रईस अंकल—जिसका वारिस करार दिये जाने के वो सपने देख रहा था—उससे क्या बात करना चाहता था! लिहाजा सस्पेंस का मारा वो उसी वक्त,

काल सुनकर फोन रखते ही, अंकल से मिलने लॉज पर पहुंच जाता तो अंकल क्या करता? भतीजे से मिलने से इंकार कर देता? ये बोल के डिसमिस कर देता कि पांच बजे आये? भाव खा जाता कि भतीजा फोन सुनते ही फौरन क्यों चला आया?''

''नहीं। लेकिन अगर ऐसा हुआ होता तो लेखक दिवाकर चौधरी के लॉज की आवाजाही के टाइम टेबल में उसका जिक्र होता!''

''बशर्ते की साढ़े दस बजे के बाद पहुंचा होता—बल्कि प्रचारक की विजिट के बाद पहुंचा होता—तुमने खुद बोला था कि लेखक का लेखन कार्य साढ़े दस या उसके बाद शुरू होता था। नहीं?''

''हां।''

''दूसरे, वो हर किसी का, हर विजिट का जामिन नहीं था; बकौल खुद, न हो सकता था। मेजर ब्रजेश सिंह ने खुद कबूल किया था कि उसने लॉज के दो फेरे लगाये थे लेकिन लेखक को एक ही फेरे की खबर थी। ऐसे क्या पता किसने, किस किसने एक से ज्यादा फेरे लगाये थे!''

''ठीक।''

''लेखक के टाइम टेबल में दिलीप नटके और मानसी राजपुरिया की आमद का जिक्र था, रुखसत का जिक्र नहीं था। कमला सारंगी को उसने लौटते देखा था, पहुंचते नहीं देखा था। महिमा सिंह को देखा ही नहीं था—न आते, न जाते।''

''वो हर आने जाने वाले की विजिल पर तो नहीं बैठा हुआ था!''

''आई एग्री विद यू। मैं सिर्फ ये कहना चाहता हूं कि उसका टाइम टेबल न पर्फेक्ट है, न एब्सोल्यूट है। टाइम टेबल के कुछ झोल उजागर हैं तो कुछ ऐसे भी हैं जो उजागर नहीं हैं। इस लिहाज से क्यों ये मुमकिन नहीं हो सकता कि लेखक को—किसी को भी—भतीजे शान्तनु राजपुरिया के पहले—मार्निंग के—फेरे की खबर न लगी हो!''

''बात तो तुम्हारी ठीक है!''

''तो भतीजा बतौर मर्डर सस्पैक्ट पास?''

''पास।''

''गुड। अब बोलो, दिलीप नटके के बारे में क्या खयाल है?''

''उसके बारे में क्या कहना चाहते हो?''

''उसके खुद के बयान से जाहिर है कि लॉज में सबसे ज्यादा वक्त वो ही टिका था। उसके पास कत्ल का तगड़ा उद्देश्य पूर्वस्थापित है। उसने अपने देर तक वहां ठहरने की जो वजह बताई थी उससे कहीं ज्यादा विश्वास में आने वाली वजह क्या ये नहीं है कि कत्ल के बाद उसे अपने पोस्टडेटिड चैक्स की तलाश थी! चैक्स की बाबत अभी यहां इस सम्भावना का जिक्र आया था कि जो शख्स इस लड़के के वहां से फरार हो जाने के बाद ऊपर बैडरूम में पहुंचा था, उसी ने कैश चुराते वक्त

चैक भी चुरा लिये थे। लेकिन मुझे नहीं लगता कि कोई इतना अहमक हो सकता है कि न जानता हो कि मकतूल के नाम के क्रास्ड चैक्स वो कैश नहीं करा सकता था। तुमने कहा कि हड़बड़ी में उसने नहीं देखा होगा कि चैक मकतूल के नाम थे, क्रास्ड थे, पोस्टडेटिड थे। असलियत में ये तमाम बातें मुमकिन नहीं, उसने चैक्स की रकम पर तो शर्तिया निगाह डाली होगी। दो चार सौ का चैक कौन चुराता है, रकम बड़ी होगी तभी तो चैक चोरी के काबिल होगा! रकम के ऐन ऊपर ही तारीख होती है, जब उसे रकम दिखाई दी होगी तो ये दिखाई न दिया होगा कि चैक पर उस दिन की तारीख से कई दिन आगे की तारीख पड़ी हुई थी!''

''तुम ये कहना चाहते हो कि उस शख्स ने चैक चुराये नहीं हो सकते थे?''

''हां।''

''तो पहले क्यों नहीं बोले थे? पहले तो तुमने कहा था कि ऐसा हो सकता था!''

''लेकिन एतराज बराबर दर्ज कराया था।''

'' 'हो सकता है' कि पोस्टस्क्रिप्ट के साथ!''

''भई, तब आल्टरनेट मर्डर सस्पैक्ट का मुद्दा कहां उठा था!''

''बहरहाल तुम्हारा रौशन खयाल ये है कि कत्ल के बाद नटके ने अपने पोस्टडेटिड चैक खुद चुराये थे और उनकी तलाश में ही उसे कदरन ज्यादा वक्त लॉज में रुकना पड़ा था!''

''हां।''

''ठीक है। मैंने माना कि नये सिनेरियो में उसका सस्पैक्ट का दर्जा बराबर बनता है...''

''प्राइम सस्पैक्ट का।''

''ओके, प्राइम सस्पैक्ट का। आगे?''

''दिवाकर चौधरी!''

''क्या! तुम्हारा मतलब है वो लेखक भी कातिल हो सकता है?''

''और उसका बनाया आवाजाही का टाइम टेबल उसकी लॉज में खुद की आवाजाही को छुपाने का जरिया हो सकता है।''

''तौबा! इतनी ऊंची उड़ान! तुम तो कोशिश करो तो सारे इलाके के बालिग मर्दों को मर्डर सस्पैक्ट साबित कर दोगे!''

पसारी हंसा।

''तुम्हें तो जासूस होना चाहिये था!''

''मैं वकील ही ठीक हूं।''

''लेकिन दिवाकर चौधरी के पास तो कत्ल का कोई उद्देश्य...''

''दिखाई नहीं देता, क्योंकि देखने की कोशिश न की गयी। क्योंकि बतौर

कातिल उसकी तरफ किसी की तवज्जो ही न गयी। अब तुम तवज्जो दोगे, पड़ताल करोगे तो कोई बड़ी बात नहीं कि कोई उद्देश्य निकल आये।''

''मैं तवज्जो दूंगा! मैं पड़ताल करूंगा!''

''और कौन करेगा! देखो, इस लड़के ने खुद अपनी बाबत फसाऊ, हाइली इनक्रिमिनेटिंग बयान देकर बहुत बड़ी कुर्बानी की है—भले ही आशिकी के मुलाहजे के तले दब के की है या दिल के हाथों मजबूर हो कर की है लेकिन की है। कोर्ट से बरी हो चुकने के बाद शक की सूई मजबूती से खुद अपनी तरफ घुमाना हौसले का काम है। ऊपर से इसकी ट्रेजेडी ये है कि इसके कोर्ट से बरी हो चुकने के बावजूद चौतरफा राय यही है कि यही कातिल है, भले ही एक टैक्नीकलिटी के तहत सजा पाने से बच गया है। दूसरे, अपनी माशूक की मनुहार पर, जिद पर, बल्कि हुक्म पर इसने जो इतना आत्मघाती कदम उठाया है वो इसलिये उठाया है कि असली कातिल, जो अभी भी छुट्टा घूम रहा है, गिरफ्तार हो और अपनी करतूत की सजा पाये। इस केस के हर पहलू से तुम वाकिफ हो, अपनी वाकफियत में ये नया पहलू जोड़ कर तुम्हें कोशिश तो करनी चाहिये असली कातिल की शिनाख्त की, एक्सपोजर की और आखिर उसकी गिरफ्तारी की!''

मुकेश खामोश रहा।

''लड़की को—सुरभि शिन्दे को—इस सिलसिले में बहुत उम्मीदें हैं तुम्हारे से। इसीलिये उसने लड़के को यहां भेजा वर्ना जैसे यहां भेजा वैसे पुलिस के पास जाने को भी मजबूर कर सकती थी।''

''पुलिस लड़के का बयान सुनते ही उसे बन्द कर देती।''

''ऐक्जैक्टली। बन्द कर देती और उसके नये इकबालिया बयान के तहत उसके खिलाफ नया केस तैयार करने में जुट जाती और अपना सारा जोर इसी बात का ढोल पीटने में लगा देती कि किन्हीं जज्बात के हवाले होकर आखिर मुजरिम ने अपने जुर्म का इकबाल कर ही लिया था। यानी कि लड़के की कुर्बानी खुद उसे ही कुर्बानी का बकरा बना देती।''

''यू आर राइट।''

''लड़की के किरदार की मेरी स्टडी ये कहती है कि वो बहुत भली, शुद्ध पवित्र विचारों वाली लड़की है। ऐसी लड़की अपनी कल्पना किसी क्रिमिनल की बीवी के तौर पर नहीं कर सकती। उसने लड़के को इसलिये तुम्हारे पास नहीं भेजा था कि तुम्हारे पास कोई जादू की छड़ी थी जिसे घुमाओगे तो वो पाक साफ साबित हो जायेगा। उसने लड़के को इस बात के लिये तैयार करके भेजा था कि वारदात में उसका जो रोल था, उसकी उसे कोई सजा हो सकती थी। लेकिन वो सजा फांसी तो न होती! उम्र कैद तो न होती! लिहाजा लड़की उसके नये, आइन्दा, अंजाम के लिये तैयार थी। अब लड़के को कोई सजा होती है तो यकीन जानो वो उसके सजा

काट कर बाहर आने का इन्तजार करेगी। अब मेरा सवाल ये है, वकील साहब, कि ऐसी निष्ठावान लड़की की ये उम्मीद तुम्हें तोड़नी चाहिये कि लड़के के असलियत बयान करने के बाद असली कातिल पकड़ा जायेगा?''

''वो तो ठीक है लेकिन मैं अकेला...''

''कौन बोला तुम अकेले हो? मैं क्या मर गया हूं? ऊपर वाला क्या सो गया है?''

''हूं।''

''अब जरा मेरी चायस के सम्भावित, नये, मर्डर सस्पैक्ट पर लौटो।''

''मैं पड़ताल करूंगा इस बात की कि लेखक दिवाकर चौधरी के पास कत्ल का कोई उद्देश्य था या नहीं!''

''जब ऐसा करो तो ये न भूलना कि भले ही उसका कॉटेज क्रिस्टल लॉज से दूर है फिर भी वो मकतूल का इमीजियेट पड़ोसी था।''

''ये अच्छी बात सुझाई तुमने। आगे?''

''आगे मेजर ब्रजेश सिंह, जो कोर्ट में ही बीवी के अफेयर से तड़प कर दिखा रहा था। जैलस हसबैंड वाली डयूबियस डिस्टिंशन का हकदार सारे केस में वो ही दिखायी देता है।''

''और?''

''और बस।''

''काहे को बस! प्रचारक गोविन्द सुर्वे को भूल गये!''

''प्रचारक मर्डर सस्पैक्ट!''

''बहुत दूर की कौड़ी है। लेकिन बतौर मर्डर सस्पैक्ट लेखक दिवाकर चौधरी से बस जरा ही ज्यादा दूर की कौड़ी है।''

''फिर तो गवाह शिशिर खोटे को भी क्या बख्शना! कम्पैनियन शिवराज अटवाल को भी क्या बख्शना!''

''अब हम बिल्कुल ही ठिठोली पर उतर आये हैं।''

पसारी हंसा।

''अब संजीदा जवाब दो, जो सस्पैक्ट्स तुमने अभी गिनाये, उनमें से कातिल होने की सबसे ज्यादा सम्भावना तुम्हें किसकी लगती है?''

''दिलीप नटके की।''—पसारी निसंकोच बोला।

''सेकंड और थर्ड चायस!''

''सेकंड, मेजर ब्रजेशसिंह, दि जैलस हसबैंड। थर्ड भतीजा शान्तनु राजपुरिया।''

''कातिल इन्हीं तीनों में से कोई होगा?''

''मुझे तो यही उम्मीद है लेकिन समझदारी सभी सस्पैक्ट्स को स्क्रीन करने

में होगी।''

''मैं ऐन ऐसा ही करूंगा।''

''हम ! हम ऐन ऐसा ही करेंगे।''

वे गोरई और आगे राजपुरिया एस्टेट पहुंचे।

क्रिस्टल लॉज का मेन डोर खुला था और भीतर काफी हलचल दिखाई दे रही थी।

वो चौखट पर पहुंचे तो भीतर से एक अधेड़, डबल बैरल महिला उनके सामने आ खड़ी हुई।

''यस !''—वो बारी बारी दोनों पर निगाह फिराती बोली—''क्या मांगता है ?''

''मैडम''—पसारी मधुर स्वर में बोला—''हम दोनों एडवोकेट हैं...''

''अरे, मैं पूछा मांगता क्या है ?''

''मेरे खयाल से आप हाउसकीपर हैं !''—मुकेश बोला—''शिवालिका अत्रे !''

''है न ! अभी बोलने का। क्या मांगता है ?''

''शिवराज अटवाल से मिलना मांगता है।''

''वो गया इधर से। कल शाम गया।''

''ओह ! कब लौटेगा ?''

''अब काहे को लौटेगा ! पुलिस का हुक्म था न, इस वास्ते इधर था। केस का फैसला हो गया। वो छोकरा—साला हलकट, कमलेश दीक्षित—कोरट से छूट गया। अब काहे वास्ते रुकना था अटवाल को ! केस फिनिश हो गया, वो हमेशा का वास्ते इधर से चला गया।''

''ओह !''

''अभी बाकी सब लोग भी जाता है।''

''जी !''

''नये मालिक का हुकम।''

''नया मालिक ?''

''साहब का भतीजा। शान्तनु राजपुरिया।''

''प्रोबेट कोर्ट से विरसे की पुष्टि होती है। वो सब कार्यवाही हो गयी ?''

''हुई न एक्सप्रेस करके। राजपुरिया साहब का एडवोकेट कामथ सब सैट किया।''

''फिर तो आपको भी पांच लाख रुपया मिल चुका होगा !''

''चैक मिला न कल !''

“अभी यहां क्या हो रहा है ?”

“सामान हैंडल हो रहा है। पैक होने लायक कीमती सामान पैक किया जा रहा है, फेंकने लायक सामान एक बाजू किया जा रहा है, फर्नीचर एक बाजू किया जा रहा है।”

“ऐसा क्यों ? भतीजे का यहां रहने का इरादा नहीं ?”

“इस इलाके में ही रहने का इरादा नहीं। गोरई से किधर शिफ्ट करने का अर्जेंट करके। अभी टू डेज़ में ये लॉज परमानेंट करके शट डाउन हो जायेंगा।”

“ओह !”

“अभी और क्या मांगता है ?”

मुकेश ने पसारी की तरफ देखा।

“हमारा अटवाल से मिलना जरूरी था।”—पसारी बोला—“कहां मिलेगा ?”

“मेरे को किधर मालूम !”—हाउसकीपर ने नाक चढ़ाई।

“किसको मालूम होगा ?”

“अभी मैं क्या बोलेगा !”

“फिर भी !”

“क्या फिर भी ? सुनता काहे नहीं ? सुनाई में लोचा ?”

“बहुत कड़क बोलती हो !”

फौरन उसके मिजाज में तब्दीली आयी।

“दस के ऊपर दो साल से इधर मैं।”—वो भर्राये कण्ठ से बोली—“खड़े पैर नौकरी खल्लास ! अभी क्या करेंगा ? क्या बोलेंगा ?”

“नौकरी क्यों खल्लास ? नया मालिक...”

“नहीं मांगता। नया मालिक नहीं मांगता। जब हाउस ही नहीं तो कीपर का क्या करेंगा !”

“खुद भी तो कहीं जा के रहेगा !”

“नहीं मांगता। बोले तो अभी और कुछ पूछना मांगता है ?”

“बस, एक ही बात, मैडम। सिर्फ एक। अटवाल इधर से गया कैसे ?”

“गया कैसे बोले तो ?”

“सामान वगैरह होगा न ! जिधर भी नयी जगह शिफ्ट किया, कैसे किया ?”

“अपना खटारा कार में गया न ! जैसे किधर भी जाता है तो जाता है।”

“सामान समेत ?”

“खाली दो सूटकेस ही तो था !”

“ओह !”

“बोले तो अभी मेरे को एक आइडिया आया।”

''किस बाबत ?''

''अरे, अटवाल की बाबत और किस बाबत !''

''सॉरी।''

''उसी का पूछता है न किधर गया होयेंगा !''

''हां।''

''नटके से पूछने का।''

''उससे किस लिये ?''

''नटके इधर का बोले तो इनफर्मेशन ब्यूरो। सेंट्रली लोकेटिड इनफर्मेशन ब्यूरो। शायद उसको अटवाल का नवां अड्रेस मालूम हो !''

''ऐसा ?''

''बरोबर।''

''ओके। थैंक्यू मैडम। थैंक्यू वैरी मच।''

दोनों दिलीप नटके के शोरूम पर पहुंचे।

उस घड़ी वहां काउन्टर के पीछे बाबूराव शिन्दे मौजूद था।

दोनों कार से बाहर निकले और शोरूम में दाखिल हुए।

''बाबूराव !''—मुकेश बोला—''मेरे को पहचाना ?''

उसने हिचकिचाते हुए सहमति में सिर हिलाया, फिर वैसे ही अभिवादन किया।

''क्या पहचाना ?''—मुकेश तनिक विनोदपूर्ण स्वर में बोला।

''आप एडवोकेट मुकेश माथुर। अभी एक टेम मेरे साथ स्कूटर पर मेरे घर तक राइड किया न ! कैसे भूल जाने का !''

''गुड ! ये एडवोकेट सुबीर पसारी हैं। मेरे कलीग हैं।''

बाबूराव ने फिर अभिवादन किया।

''पसारी, ये बाबूराव शिन्दे। सुरभि शिन्दे के पिता।''

''ओह !''—सुबीर बोला।

''सुरभि कैसी है ?''—मुकेश ने पूछा।

''ठीक ही है।''—बाबूराव आह सी भरता बोला—''आजकल नक्षत्र ढीले चल रहे हैं बेचारी के।''

''सब ठीक हो जायेगा।''

''अभी कुछ मांगता है ?''

''हां। नटके से कुछ बात करनी थी।''

''क्या बात ? शायद मैं कुछ मदद कर सकूं।''

''देखते हैं। सारा दिन यहीं होते हो ?''

''हां। नौ से नौ तक।''

''हूं। दरअसल हमने अटवाल की बाबत कुछ पूछना था। अटवाल को जानते हो न!''

''हां। शिवराज अटवाल। स्वर्गवासी राजपुरिया साहब का खास।''

''वही।''

''क्या पूछना है उसके बारे में?''

''कल शाम वो लॉज को हमेशा के लिये छोड़कर चला गया। कहां गया, मालूम?''

उसने मजबूती से इंकार में सिर हिलाया।

''मेरे को कैसे मालूम होगा?''—फिर जोड़ा।

''कल शाम को गया। साजोसामान समेत लॉज को हमेशा के लिये छोड़ कर। सोचा, शायद नटके को गुड बाई बोलने आया हो! या किसी और वजह से आया हो!''

''अगर आया था तो सात बजे के बाद आया होगा जबकि मैं यहां नहीं था।''

''यहां नहीं थे? पर अभी तो बोला तुम नौ बजे तक...''

''बरोबर बोला। इधर क्लोजिंग टेम नौ बजे है। कल मेरे को जरूरी काम था, नटके को मार्निंग से बोल के रखा था, इस वास्ते खाली कल शाम सात बजे गया।''

''फिर तो इधर पीछे खुद नटके ही उसे मिला होगा!''

''आया होगा तो जाहिर है कि नटके ही मिला होगा।''

''ठीक।आज मार्निंग में नटके अटवाल की विजिट की बाबत कुछ बोला हो!''

''मेरे से तो कुछ न बोला!''

''ओह!''

''बोले तो अभी तो यही पक्की नहीं कि अटवाल कल शाम इधर आया था। आया भी होता तो किधर जरूरी था कि नटके उसकी बाबत मेरे से कोई बात करता!''

''ठीक!''

''आस्क हिम अबाउट दि डी डे।''—एकाएक पसारी धीरे से बोला।

मुकेश की आंखों में चमक आयी, उसने सहमति में सिर हिलाया।

''बाबूराव''—वो फिर उससे मुखातिब हुआ—''तुम बुधवार, दस अगस्त को भी यहां ड्यूटी पर थे! ये खास दिन है। इस दिन...''

''राजपुरिया साहब जान से गये थे।''—बाबूराव दबे स्वर में बोला।

''क्या उस दिन अटवाल यहां आया था?''

''यहां नहीं आया था लेकिन इधर आया था।''

''फर्क है दोनों बातों में?''

''हां।''

''क्या फर्क है?''

''वो सामने आया था इस वास्ते मेरे को दिखाई दे गया।''

''सामने?''

''वो हनुमान मन्दिर है न सामने! प्राचीन मन्दिर है। बड़ी मान्यता है इस इलाके में इस मन्दिर की। अटवाल पक्का हनुमान भक्त था। कभी भी कहीं जाने के लिये एस्टेट से निकलता था तो उसका सबसे पहला पड़ाव ये सामने वाला हनुमान मन्दिर ही होता था, भले ही दिन मंगलवार का न हो। उसकी बाबत इधर सब जानते हैं कि जब भी वो मन्दिर जाता था, भीतर बैठ कर कई बार हनुमान चालीसा का पाठ करता था।''

''नटके ने भी उसे मन्दिर जाते देखा था?''

''नहीं।''

''क्यों भला?''

''तब वो यहां था ही नहीं। वो तभी यहां से गया था।''

''ऐसे कहीं जाता था तो पीछे किसी को बोल के जाता था?''

''मेरे को बोल के जाता था। उसकी गैरहाजिरी में इधर का सारा कामकाज मेरे को सम्भालना होता है।''

''तब क्या बोल के गया था?''

''उसको पहले बोरीवली में वाइन शाप पर जाने का था जहां से विस्की का एक क्रेट खरीद कर क्रिस्टल लॉज पहुंचाने का था।''

''कब गया था?''

''ग्यारह से जरा पहले।''

''इसका मतलब ये हुआ कि अटवाल सामने हनुमान मन्दिर ग्यारह बजे पहुंचा था?''

''हां।''

''कितना टाइम मन्दिर में ठहरा था?''

''बोले तो बीस बाइस मिनट।''

''इतना ज्यादा?''

''किधर है ज्यादा! तीन चार टेम हनुमान चालीसा का पाठ करने में इतना टेम तो लग ही जाता है!''

''इधर से आगे कहां गया था?''

''मेरे को नहीं मालूम। कैसे मालूम होगा! यहां तो वो आया ही नहीं था जो बोलता कि आगे किधर जाता था!''

मुकेश ने पसारी की तरफ देखा।

''ऐनफ।''—पसारी पूर्ववत् धीरे से बोला।

''ओके, बाबूराव।''—मुकेश बोला—''सहयोग का शुक्रिया।''

बाबूराव ने आदर से, खामोशी से सहमति में सिर हिलाया।

वे पुलिस चौकी पहुंचे जो कि उसी सड़क पर थी।

चौकी इंचार्ज सब-इन्स्पेक्टर गोपाल पुजारा वहां मौजूद था।

मुकेश को उसने तुरन्त पहचाना।

''ये मेरे कलीग और फर्म में पार्टनर सुबीर पसारी हैं।''—मुकेश बोला।

दोनों में अभिवादनों का आदान प्रदान हुआ।

''कोर्ट में देखा था''—पुजारा बोला—''लेकिन तब ये नहीं मालूम था कि तुम्हारे कलीग थे। पार्टनर भी। कैसे आये?''

''गोरई तो मकतूल के कम्पैनियन शिवराज अटवाल से मिलने आये थे''—मुकेश बोला—''लेकिन लॉज पर पहुंचे थे तो मालूम पड़ा था कि कल शाम वो लॉज छोड़कर हमेशा के लिये चला गया था और कोई फारवर्डिंग अड्रैस भी नहीं छोड़ कर गया था। वो राजपुरिया मर्डर केस में अहम विटनेस था इसलिये सोचा शायद आप लोगों को उसका कोई मौजूदा अता पता मालूम हो!''

''हमने अब क्या करना है उसके अते पते का! केस तो क्लोज हो गया!''

''अच्छा! यानी पुलिस की सैशन के फैसले के खिलाफ हाईकोर्ट में अपील लगाने की कोई मर्जी नहीं!''

''अब मैं क्या बोलूं! ये तो सीनियर आफिसर्ज के सोचने की बातें हैं। शुरू में तो बड़े जोश से घोषणायें करते हैं कि वो फैसले से खुश नहीं, अपील लगायेंगे लेकिन सब जानते हैं कि असल में मुश्किल से बीस पर्सेंट केसिज में पुलिस अपील लगाती है।''

''ऐसा क्यों?''

''स्टैण्डर्ड एक्सक्यूज हैं। काम बहुत है, क्राइम बहुत है, नये केस आ जाते हैं, पुलिस बल की कमी है, कम्पीटेंट, ट्रेंड इनवैस्टिगेटर्स की कमी है वगैरह।''

''लिहाजा अटवाल की जरूरत पड़ जाये तो आप उसे तलब नहीं कर सकते। आप लोगों को भी उसे ढूंढ़ना ही पड़ेगा!''

''जरूरत क्यों पड़ेगी?''

''भई, जब कमलेश दीक्षित बेगुनाह निकला है तो इसका मतलब है कि असल कातिल तो अभी छुट्टा घूम रहा है, तो गवाहों के बयान तो फिर से...''

''कौन कहता है कमलेश दीक्षित बेगुनाह है! वही कातिल है। अदालत से बरी हो जाना हमेशा ही बेगुनाही का सबूत नहीं होता।''

''हमेशा न सही, कभी कभार तो होता है! लेकिन ये बहस का मुद्दा है। और इस बहस को जारी रखने का ये कोई मुनासिब वक्त नहीं, ये कोई मुनासिब जगह नहीं। आप ये बताइये कि गवाहों ने जो बयान दिये थे, पुलिस ने उनमें से किसी की तसदीक करने की कोशिश की थी?''

''किसी की क्या, सबकी की थी।''

''दिलीप नटके की गवाही में कोई झोल पुलिस ने पाया था?''

''नहीं। इस बात की बराबर तसदीक हुई थी कि ग्यारह बजे के करीब वो अपने शोरूम में था, वहां से बोरीवली की एक लिकर शाप पर विस्की का क्रेट खरीदने गया था, फिर ये तो उसने खुद ही कबूल किया था कि साढ़े ग्यारह बजे वो क्रेट डिलीवर करने के लिये लॉज पर पहुंचा था और थोड़ा अरसा वहां ठहरा था।''

''मेजर ब्रजेश सिंह?''

''उसकी कही हर बात की भी तसदीक हुई थी। जिस बात की तसदीक पुलिस नहीं कर सकती थी, उसकी उसने खुद कर दी थी।''

''कि उसने लॉज में दो फेरे लगाये थे?''

''हां।''

''आपके खयाल से नटके और मेजर में से कौन कातिल हो सकता है?''

''कोई नहीं। इनके अलावा और भी कोई नहीं। क्योंकि कातिल हमें मालूम है कौन है!''

''कमलेश दीक्षित?''

''हां।''

''इसी लाइन पर अटवाल की बाबत क्या कहते हैं?''

''उसकी बाबत क्या कहें! वो तो सस्पैक्ट भी नहीं था!''

''इसलिये उसके बयान को चैक करने की कोई कोशिश न की गयी?''

''क्यों न की गयी! बराबर की गयी।''

''आई सी। क्या चैक हुआ?''

''उसकी हर मूवमेंट की तसदीक हुई थी। उसके डेंटिस्ट ने तसदीक की थी कि वो अपनी अप्वायन्टमेंट पर वहां पहुंचा था, कोई पौना घन्टा वहां ठहरा था, फिर वो फोर्ट के इलाके में तीन चार जगह गया था, सब जगह से उसकी हाजिरी की तसदीक हुई थी।''

''उसकी मूवमेंट्स का कोई टाइम टेबल है आपके पास?''

''क्या बोला?''

''उसने कहां, कब हाजिरी भरी थी, टाइम के लिहाज से इसका कोई ब्रेकअप आपके पास है।''

''वो तो मेरे खयाल से नहीं है!''

''ऐसा क्यों?''

''भई, डेन्टिस्ट के पास चौकी के एक हवलदार को भेजा गया था, उसने आकर रिपोर्ट दी थी कि डेंटिस्ट के आफिस से उसकी अप्वायन्टमेंट और विजिट की तसदीक हुई थी। बाकी तहकीकात हमने थाना फोर्ट के जरिये कराई थी।''

''वहां से कोई तहरीरी रिपोर्ट नहीं आयी थी?''

''उसके पहुंचने में तो बहुत टाइम लग जाता। इन्स्पेक्टर साहब ने खुद फोर्ट थाने के एसएचओ से बात की थी। मेरे खयाल से अगर जरूरी है तो इस बाबत तुम्हें इन्स्पेक्टर अशोक सावन्त से बात करनी चाहिये।''

''कहां मिलेंगे?''

''बोरीवली थाने में। जहां कि वो एएसएचओ हैं।''

''ओह!''

''वैसे तीन बजे वो यहां आने वाले हैं।''

''दैट्स गुड न्यूज। ये मेरा कार्ड है''—मुकेश ने अपना एक विजिटिंग कार्ड उसे सौंपा—इन्स्पेक्टर साहब को देना और बोलना मैं लौट के आऊंगा। मुझे कोई दस पांच मिनट की देर हो जाये तो बोलना मेरा इन्तजार करें।''

''ठीक है।''

''अब बताइये, ये डेंटिस्ट साहब कहां पाये जाते हैं?''

सब-इन्स्पेक्टर ने बताया।

दो बजे से पहले वो डेंटल सर्जन विनीत पारेख के क्लीनिक पर पहुंचे।

और अपना परिचय दिया।

''मैं बस जाने ही वाला था।''—वो बोला।

''दो बजे बन्द करते हैं?''—मुकेश बोला।

''हां।''

''हम आपका ज्यादा टाइम नहीं लेंगे...''

''ज्यादा भी लोगे तो क्या है! शाम तो नहीं कर दोगे न!''

''अरे, नहीं, डाक्टर साहब। वुई विल टेक हार्डली फाइव मिनट्स।''

''ठीक है।''

''शिवराज अटवाल से आप वाकिफ हैं?''

''हां। मेरा रेगुलर पेशेंट है। कनसिडरिंग हिज एज, बहुत हैल्दी आदमी है लेकिन दान्त हैल्दी नहीं हैं। बहुत जल्दी जल्दी यहां आना पड़ता है। तकरीबन हर महीने यहां होता है।''

''बुधवार, दस अगस्त को भी यहां था?''

''वैसे तो अप्वायन्टमेंट बुक देखे बिना मैं जवाब न दे पाता लेकिन क्योंकि

इस बाबत लोकल चौकी से एक हवलदार भी पूछताछ करने आया था इसलिये अटवाल की अप्वायन्टमेंट की बाबत मुझे सब कुछ वैसे ही याद है। हां, उस बुधवार की उसकी अप्वायन्टमेंट थी जो कि उसने सोमवार को ली थी।''

''कोई इमरजेन्सी ?''

''नहीं, भई। दान्त की इमरजेन्सी तड़पा देती है, दो दिन इन्तजार नहीं कर सकती।''

''तो ?''

''एक दाढ़ में रूट कनाल का काम था जिसमें कि टाइम लगता है और जिसकी बाबत मैंने उसे पहले से बोला हुआ था। सोमवार उसका फोन आया तो मैंने उसे बुधवार एक बजे की अप्वायन्टमेंट दे दी थी।''

मुकेश और पसारी की निगाह मिली।

''कितने बजे की बोला, डाक्टर साहब ?''—पसारी बोला।

''एक बजे की, लेकिन...''

''आपको अच्छी तरह से याद है ?''

''हां, भई। अच्छी तरह से याद है मैंने एक बजे की अप्वायन्टमेंट दी थी लेकिन...''

''उस बुधवार को अटवाल एक बजे यहां पहुंचा था ?''

''बड़े बेसब्रे वकील हो, यार, सुनते नहीं हो।''

''सॉरी।''

''मैंने सोमवार उसे बुधवार एक बजे की अप्वायन्टमेंट दी थी लेकिन बुधवार सुबह मेरे क्लीनिक पर पहुंचने के बाद कुछ ऐसे हालात पेश आये थे कि मैं एक बजे क्लीनिक में अवेलेबल नहीं हो सकता था। उस रोज इत्तफाक ऐसा हुआ था कि दो अर्लियर अप्वायन्टमेंट्स को कैंसल करने का फोन आ गया था जिसकी वजह से मैं साढ़े ग्यारह बजे अटवाल को अटेंड कर सकता था। दस बजे इस बाबत अटवाल को खबर करने के लिये मैं उसका फोन ट्राई कर रहा था...''

''मोबाइल ?''

''नहीं। उसका मोबाइल नम्बर मेरे पास नहीं था—मुझे ये भी मालूम नहीं था कि उसके पास मोबाइल था भी या नहीं—वर्ना मैं उसे चेंज आफ अप्वायन्टमेंट की बाबत एसएमएस कर देता। मैं उसका रिकार्ड में दर्ज लैंडलाइन नम्बर ट्राई कर रहा था जबकि पब्लिक पार्टी का इधर का प्रचारक गोविन्द सुर्वे अपनी पार्टी के लोकल कैण्डीडेट के प्रचार के सिलसिले में यहां पहुंच गया था। मैंने सुर्वे से पूछा था कि क्या उसके उस रोज के शिड्यूल में राजपुरिया एस्टेट भी थी! उसके हां बोलने पर मैंने चेंज आफ अप्वायन्टमेंट टाइम की बाबत एक नोट लिख कर, उसे लिफाफे में बन्द करके, उसपर अटवाल का नाम लिख कर लिफाफा उसे सौंप दिया था कि उसे भी

वो अपने कैम्पेन लिटरेचर के साथ लॉज में पहुंचा दे।''

''ताकि अटवाल को मालूम पड़ जाता कि उसने आपके क्लीनिक की हाजिरी पूर्वनिर्धारित शिड्यूल के मुताबिक एक बजे नहीं, साढ़े ग्यारह बजे भरनी थी?''

''हां।''

''आपकी वो चिट्ठी उसे न मिलती तो?''

''तो वो एक बजे ही आता और नाउम्मीद होकर—साथ में मुझे कोसता—जाता।''

''लेकिन वो साढ़े ग्यारह ही पहुंचा था?''

''हां।''

''थैंक्यू, डाक्टर पारेख, थैंक्यू वैरी मच।''

वे मेजर ब्रजेश सिंह के यहां पहुंचे।

पति पत्नी दोनों घर पर मौजूद थे।

मुकेश को देखकर ब्रजेश सिंह ने बुरा सा मुंह बनाया।

''नमस्ते।''—मुकेश मधुर स्वर में बोला।

मुंह से जवाब देने की जगह उसने अनमने भाव से गर्दन हिलाई।

''मेरा आना पसन्द नहीं आया, मेजर साहब!''

''तुम डिफेंस के वकील हो।''

''केस तो खत्म हो गया, जनाब! अब काहे का डिफेंस, काहे का मैं उसका वकील!''

''क्या चाहते हो?''

''एक गिलास पानी पीना चाहता हूं।''

''क्या!''

''दूर से चल कर आया हूं। कुछ तो लिहाज कीजिये!''

''आओ।''

वे बैठक में पहुंचे जहां कि महिमा सिंह पहले से मौजूद थी।

अभिवादनों का आदान प्रदान हुआ।

''बैठो।''—ब्रजेश सिंह बोला।

''थैंक्यू।''

''महिमा, इनके लिये कोल्ड ड्रिंक...''

''नहीं, नहीं।''—मुकेश जल्दी से बोला—''प्लीज, प्लीज आप बैठी रहिये। मैंने आप लोगों के सिर्फ दो मिनट जाया करने हैं, बस उसकी इजाजत दीजिये।''

महिमा ने अपने पति की तरफ देखा।

''केस की बाबत ही कोई बात है?''—ब्रजेश सिंह ने पूछा।

''सच पूछें तो हां।''

''मुझे मालूम था। लेकिन केस तो खत्म है!''

''लेकिन कातिल नहीं पकड़ा गया है।''

''वही लड़का कातिल है जो सन्देह लाभ पाकर छूट गया है।''

''ये उसकी बद्नसीबी है कि उसके बरी हो जाने के बावजूद हर कोई उसे ही कातिल करार देता है''—मुकेश एक क्षण ठिठका, फिर बोला—''सिवाय मेरे, जिसे कि पूरा पूरा यकीन है कि कातिल कोई और है।''

''हूं। केस की बाबत क्या बात है?''

''आपका बयान।''

''मतलब?''

''आपने सैशन में जो बयान दिया था, उसमें जोर किन्हीं और ही मुद्दों पर था इसलिये उस वक्त एक खास बात मेरी तवज्जो में नहीं आयी थी, मेरी क्या, मेरे खयाल से किसी की भी तवज्जो में नहीं आयी थी।''

''ऐसी कौन सी बात मैंने कही थी?''

''आपने कहा था कि जब आप लॉज पर पहुंचे थे तब आप गुस्से में थे, भड़के हुए थे, हर हाल में राजपुरिया साहब के रूबरू होना चाहते थे और उनसे भी—आई रिपीर्ट विद स्पैशल एम्फेसिज़ आन 'भी', उनसे भी—बात करना चाहते थे। याद आया?''

वो खामोश रहा।

''आपने कहा था कि जो आपकी बीवी के साथ गुजरी थी उसके लिये राजपुरिया साहब भी—फिर 'भी' पर एम्फेसिज था—जिम्मेदार थे, ये नहीं कहा था कि राजपुरिया साहब जिम्मेदार थे, या राजपुरिया साहब *ही* जिम्मेदार थे। मेजर साहब, आपके बयान की रवानगी में और खुद अपनी जिरह के जोशोजुनून में उस वक्त ये 'भी' मेरी पकड़ में नहीं आया था लेकिन बाद में मेरी इसकी तरफ तवज्जो गयी। जनाब, अब 'भी' का मतलब साफ है कि आपके आक्रोश का निशाना कोई और शख्स था लेकिन जो भी भड़काऊ, नाकाबिलेबर्दाश्त बात वाकया हुई थी उसके लिये आप मकतूल को भी जिम्मेदार ठहराते थे। अब मेरा सवाल ये है कि आपके उस वक्त के कहरबरपा मिजाज का मरकज असल में कौन था?''

वो फिर भी खामोश रहा।

''जनाब, इंसाफ की खातिर जवाब दीजिये। राजपुरिया साहब के कातिल को उसकी करतूत की सजा न मिले, वो छुट्टा घूमे, क्या ये उचित होगा?''

उसने अपनी पत्नी की तरफ देखा। दोनों में आंखों आंखों में मन्त्रणा हुई। फिर

पत्नी का सिर सहमति में हिला।

''उनका कम्पैनियन शिवराज अटवाल।''—ब्रजेश सिंह बोला।

दोनों वकीलों ने स्पष्टतय: चैन की सांस ली।

''क्या किया था उसने?''—मुकेश बोला।

''धोखे से महिमा के साथ बद्फेली की थी।''

''जी!''

''मेरी बीवी के बच्चा नहीं होता था। अटवाल ने उसे भरमाया था कि वो कुछ ऐसी प्राचीन भस्म और जड़ी बूटियों की वाकफियत रखता था जिनके उसकी निगरानी में दो महीने के सेवन से गर्भाधान निश्चित था। ये उसकी बातों में आ गयी और लॉज का हफ्तावारी चक्कर लगाने लगी।''

''आपकी रजामन्दगी से?''

''मेरे से छुपा कर। मुझे इस बाबत खबर होती तो मैं इसे हरगिज न जाने देता। मुझे बूटियों भस्मों पर, गण्डे ताबीजों पर, जादू मंत्रों पर कतई कोई विश्वास नहीं। ये सब मजबूर लोगों की मजबूरियों को एक्सप्लायट करने के, उनकी अंधी आस्था को कैश करने के टोटके हैं। और ट्रेजेडी ये है कि औरतें ही ऐसे फरेब के जाल में अमूमन फंसती हैं।''

''तो आपसे छुप कर ये हफ्ते में एक बार लॉज पर अटवाल के बुलावे पर जाती थीं?''

''हां।''

''बस जाना आना ही होता था या ठहरना भी पड़ता था?''

''एक सवा घन्टा ठहरना भी पड़ता था।''

''राजपुरिया साहब को खबर नहीं लगती थी?''

''वो दो बजे लंच करते थे, फिर ढ़ाई से पांच तक उनका विश्राम का वक्त होता था। अटवाल जिसे भी बुलाता था, ढ़ाई से पांच के वक्त में ही बुलाता था।''

''लिहाजा यूं वहां जाने वाली मैडम अकेली नहीं थीं?''

''नहीं थीं।''

''आगे?''

''मंगलवार, नौ अगस्त को इसके दो महीने पूरे होने थे और उस रोज—यानी कि वारदात से पहले के रोज—इसने लॉज का आखिरी फेरा लगाया था। उस रोज उस कमीने ने इसे कोई ऐसी भस्म खिलाई थी कि ये अपना होश खो बैठी थी। जब इसे होश आया था तो इसने महसूस किया था कि...कि... इसके साथ बद्फेली हुई थी।''

''आपको कैसे मालूम?''

''इसने खुद मुझे बताया।''

"आप तभी न लॉज पर चढ़ दौड़े?"

"उस रोज मैं रात साढ़े ग्यारह बजे घर लौटा था। मुझे पनवेल में कोई जरूरी काम था जिसके लिये मैं दोपहर से घर से निकला हुआ था। अगली सुबह हमारे में काफी देर ये मन्त्रणा हुई कि हमें पुलिस में रपट दर्ज करानी चाहिये थी। हमें चौतरफा बदनामी का डर था इसलिये ये उसके खिलाफ थी। मैं कुछ देर को शान्त हुआ लेकिन इसके साथ बीती याद आती थी तो फिर खून खौलने लगता था। आखिर मैं इतना ज्यादा आन्दोलित हो उठा कि मैंने लॉज पर जाने का फैसला किया।"

"आपको नहीं मालूम था कि बुधवार को अटवाल लॉज पर नहीं होता था?"

"हमेशा ऐसा नहीं होता था। मैंने कई बार बुधवार को उसे मार्केट में या बीच पर देखा था।"

"इसलिये आप लॉज पर गये कि शायद उस बुधवार भी वो अपनी छुट्टी की तफरीह पर न निकला हो?"

"हां। फिर मैं इस बाबत राजपुरिया साहब से भी तो बात करना चाहता था! उन्हें भी तो मालूम होना चाहिये था कि कैसा कमीना, फरेबी, धोखेबाज, गोली मार देने के काबिल शैतान उनकी मुलाजमत में था!"

"लेकिन असल निशाना आपका अटवाल ही था?"

"हां।"

"मिल जाता तो क्या करते?"

"जान से मार देता।"

"लेकिन आपको वहां वो न मिला, राजपुरिया साहब की लाश मिली?"

"हां।"

"और लाश के करीब पड़ी बीवी की बाली मिली?"

"हां। उस बाली की वहां से बरामदी की वजह से उस घड़ी मेरे मन में एक बड़ा वहशी खयाल आया जिसके लिये कि अब मैं शर्मिन्दा हूं।"

"क्या? क्या खयाल आया?"

"ये कि मेरी बीवी का असल में राजपुरिया साहब से अफेयर था और इस असलियत को छुपाने के लिये इसने अटवाल का नाम लिया था।"

"इनकी मंशा असलियत को छुपाने की होती तो जो इनके साथ गुजरी थी, उस बाबत आपके सामने मुंह ही क्यों खोलतीं।"

"भई, मैंने कहा न, वो एक वहशी खयाल था, एक बीमार सोच थी जिसके लिये बाद में मुझे खुद से बेपनाह ग्लानि हुई थी। उस वक्त का मेरा माइन्ड सैट ही ऐसा बन गया था। बस, यूं समझो कि भेजा हिला हुआ था और कोई विवेकपूर्ण बात सोचने की मेरी हालत ही नहीं थी। तभी तो मैंने ये तक सोच लिया कि कत्ल

मेरी बीवी ने किया था और कत्ल से पहले जरूर कोई हाथापायी, छीनाझपटी हुई थी जिस दौरान उसके एक कान की बाली वहां मौकायवारदात पर गिर गयी थी।''

''ओह!''—मुकेश महिमा की तरफ घूमा—''आप वहां क्यों गयी थीं?''

''बाली की ही तलाश में गयी थी''—वो सिर झुकाये दबे स्वर में बोली—''तब मुझे नहीं मालूम था कि वो बाली ये बरामद कर लाये हुए थे।''

''मैडम, अगर बकौल आपके, विलेन अटवाल था तो राजपुरिया साहब का किरदार तो दाग़दार न हुआ न! उनके बारे में इलाके में जो अफवाहें थीं, जो खुसरपुसर थी, वो तो सच न हुई न! मकतूल औरतों का रसिया! उससे मिलने इलाके की औरतें छुप कर लॉज पर पहुंचती थीं, ये तो बेबुनियाद बातें हुईं न! एक प्रतिष्ठित व्यक्ति के बेदाग दामन पर नाजायज छींटाकशी हुई न!''

''कमला सारंगी कहती थी ड्रग्स उसे राजा साहब सप्लाई करते थे।''—महिमा पूर्ववत् दबे स्वर में बोली।

''मैडम, कनफर्म्ड ड्रग एडिक्ट बहुत मजबूर प्राणी होता है। एडिक्ट को उसका नशा हासिल न हो तो विदड्राल सिम्पटम्स से उसकी जान पर आ बनती है। ऐसे शख्स से कुछ भी कराया जा सकता है, कुछ भी कहलाया जा सकता है। समझीं कुछ?''

''समझी तो सही!''

पसारी ने अपना कलाई घड़ी वाला हाथ तनिक ऊंचा करके मुकेश को इशारा किया।

मुकेश ने भी अपनी घड़ी पर निगाह डाली तो पाया कि तीन बस बजने ही वाले थे।

''मैं सहयोग के लिये आप लोगों का आभारी हूं।''—मुकेश उठता हुआ बोला—''थैंक्यू, मैडम। थैंक्यू, मेजर साहब।''

बाहर आकर वे कार में सवार हुए।

''बड़ा कलरफुल किरदार उभरा है कम्पैनियन का!''—पसारी बोला—''कत्ल उसका हुआ होता तो केस में मिस्ट्री का एलीमेंट कहीं ज्यादा होता।''

''हर मर्डर बाई दि बुक नहीं होता, मेरे भाई।''

''ठीक!''

वे पब्लिक पार्टी के आफिस में पहुंचे।

प्रचारक गोविन्द सुर्वे आफिस में मौजूद था।

उसकी मुकेश से निगाह मिली तो वो सकपकाया, फिर उसने सशंक भाव से पसारी की तरफ देखा।

''मेरे पार्टनर हैं।'' —मुकेश बोला— ''सुबीर पसारी।''

सुर्वे ने सहमति में सिर हिलाया।

''आज प्रचार पर नहीं निकले?'' —मुकेश मीठे स्वर से बोला।

''हो के आया न मार्निंग में! अभी'' —वो कलाई घड़ी देखने लगा— ''फिर जाने का।''

''हम सिर्फ एक मिनट लेंगे।''

''हूं। बोले तो...वान्दा नहीं।''

''बुधवार, दस अगस्त का दिन एक बार फिर याद करो।'' —मुकेश ने जल्दी से जोड़ा— ''प्लीज।''

''अभी बोले तो?''

''उस रोज मार्निंग में जो ड्यूटी की, वो याद आ गयी?''

''आई न बरोबर!''

''अपने कैम्पेन के राउन्ड पर निकले उस रोज सुबह तुम डेन्टिस्ट विनीत पारेख के क्लीनिक में भी गये थे! नहीं?''

''हां।''

''वहां डाक्टर पारेख ने शिवराज अटवाल के नाम एक चिट्ठी तुम्हें दी थी जो कि तुमने क्रिस्टल लॉज में डिलीवर करनी थी क्योंकि अपने उस रोज के राउन्ड पर निकले तुमने वहां जाना ही था। याद आया?''

''आया न!''

''अटवाल को डाक्टर की चिट्ठी दी थी?''

''उसको किधर दी थी! उधर तो कोई थाइच नहीं। साला, घन्टी किया, दरवाजा ठोका, दरवाजे पर कोई आया थाइच नहीं।''

''अटवाल की चिट्ठी का क्या किया?''

''उधर छोड़ा न! मेन डोर में जो लैटर डालने का वास्ते झिरी है, उसमें जब राजपुरिया साहब के लिये पार्टी का कम्पेन लिटरेचर—दो लिफाफे, एक बुकलेट—छोड़ा तो वो डाक्टर साहब का दिया अटवाल के नाम का चिट्ठी भी छोड़ा।''

''तुम्हें ये मालूम नहीं कि वो चिट्ठी अटवाल को मिली या न मिली! मिली तो कब मिली?''

''कैसे होयेंगा?''

''ठीक! ओके, थैंक्यू, सुर्वे।''

वे पुलिस चौकी पहुंचे।

इन्स्पेक्टर अशोक सावन्त वहां मौजूद था।

और शान्तनु राजपुरिया मौजूद था जो कि उसके सामने बैठा हुआ था।

"क्या बात है, वकील साहब!"—सावन्त विनोदपूर्ण स्वर में बोला—"हुक्म दे के गये कि मैं यहां से जाने न पाऊं!"

"अरे, नहीं!"—तत्काल मुकेश बोला—"मेरी ऐसी मजाल हो सकती है! मैं आपसे मुलाकात करना चाहता था, पता चला तीन बजे आप यहां होंगे, इसलिये मैंने ये मैसेज छोड़ने की जुर्रत की कि मेरे लौट के आने में पांच दस मिनट की देर हो जाये तो आप बरायमेहरबानी मेरा इन्तजार कर लें।"

"जो कि मैं कर रहा हूं एक आज्ञाकारी पब्लिक सर्वेंट की तरह। अब बोलो, क्या बात करना चाहते थे?"

"बोलता हूं, पहले जरा राजपुरिया साहब की बाबत अपनी जिज्ञासा शान्त कर लूं।"—मुकेश शान्तनु की तरफ घूमा—"आप यहां कैसे, जनाब?"

जवाब देने की जगह शान्तनु ने इन्स्पेक्टर की तरफ देखा।

"रकम क्लेम करने आये हैं।"—इन्स्पेक्टर बोला।

"रकम!"—मुकेश की भवें उठीं।

"जो कमलेश दीक्षित की गिरफ्तारी के वक्त उसकी खोली से बरामद हुई थी। हजार हजार के बीस नोट।"

"अच्छा, वो!"

"हां। ये कहते हैं उस रकम का फौरन कोई निपटारा होना चाहिये वर्ना माल खाने में ढूंढ़े नहीं मिलेगी, पुलिस वाले हड़प जायेंगे।"

"मैंने ऐसे नहीं कहा था।"—तत्काल शान्तनु ने विरोध किया।

"ऐसे नहीं कहा था तो वैसे कहा था"—इन्स्पेक्टर का स्वर शुष्क हो उठा—"लेकिन ऐसा... ऐसा कहा था बराबर।"

"निपटारा कैसा?"—मुकेश उत्सुक भाव से बोला।

"बोलो, भई।"

"मैंने फेयर प्ले के तौर पर दरख्वास्त की थी"—शान्तनु भुनभुनाया—"न कि बीस हजार रुपये का लालच मुझे यहां लाया था। वो रकम कमलेश की है तो उसे लौटाई जानी चाहिये, चोरी की है तो उसे अंकल की एस्टेट का हिस्सा माना जाना चाहिये और मुझे लौटाई जानी चाहिये क्योंकि मैं उनका लीगल हायर हूं।"

"बात तो ठीक है!"

"हमने कब कहा ठीक नहीं!"—इन्स्पेक्टर बोला—"लेकिन जो गलत है, काबिलेएतराज है, वो इनका अन्देशा है कि वो रकम हम खा जायेंगे। रकम रोजनामचे में दर्ज है, मालखाने में जमा है, हर किसी की नॉलेज में है, कैसे खा जायेंगे?"

"आप मेरी बात को तोड़ मरोड़ कर"—शान्तनु बोला—"उसका

मनमाना मतलब निकाल रहे हैं...''

''हरगिज नहीं।''

''...फिर भी आप समझते हैं कि मैंने ऐसा कहा था तो...तो आई एम सॉरी।''

''नैवर माइन्ड दैट नाओ। आप थोड़ी देर बैठो, मैं करता हूं उस बाबत कुछ। पहले मैं जरा वकील साहब को अटेंड कर लूं। हां तो, जनाब, क्यों मुलाकात करना चाहते थे? क्या कहना चाहते हैं?''

मुकेश ने कहा, विस्तार से कहा।

ज्यों ज्यों मुकेश आगे बढ़ता रहा, इन्स्पेक्टर का शरीर कुर्सी पर तनता रहा, उसके चेहरे पर हैरानी के भाव गहन होते रहे।

आखिरकार मुकेश चुप हुआ।

''कमाल है!''—इन्स्पेक्टर मन्त्रमुग्ध स्वर में बोला—''आपने तो, जनाब, मेरे को शर्मिंदा कर दिया!''

''आपको!''—मुकेश बोला।

''भई, मैं केस का स्पेशियली अप्वायन्टिड इनवैस्टिगेटिंग आफिसर हूं, जो काम मुझे करना चाहिये था, वो आपने कर दिखाया तो ये मेरे लिये शर्मिन्दगी का ही तो बायस है!''

''आप भी कर दिखाते, यकीनन कर दिखाते, बस जरा टाइम नहीं लगा आपको।''

''खैर! अब पता कैसे लगे कि ये आदमी कहां हैं। हमें खबर है कि वो इधर से कल ही चला गया था। अब मालूम कैसे पड़े कि कहां गया! उसके लिये सारे थानों को खड़काना होगा और आल प्वायन्ट बुलेटिन...''

''मुझे मालूम है।''—एकाएक शान्तनु बोला।

इन्स्पेक्टर सकपकाया।

''क्या?—फिर अप्रसन्न भाव से बोला—''क्या मालूम है आपको?''

''एस्टेट छोड़ कर कहां गया, कहां मिलेगा, ये मालूम है।''

इन्स्पेक्टर की अप्रसन्नता हिरण हो गयी, उसकी बाछें खिल गयीं।

चर्च गेट के इलाके के थाने के एक कमरे में इन्स्पेक्टर अशोक सावन्त के सामने बद्हवास शिवराज अटवाल मौजूद था। अपने हाथ वो अपनी गोद में रखे था और उसका सिर उसकी छाती पर झुका हुआ था।

उन दोनों के अलावा कमरे में एक ही शख्स और मौजूद था और वो मुकेश माथुर था।

''वारदात की सुबह''—सावन्त संजीदा, सन्तुलित लहजे से बोला—''यानी कि बुधवार, दस अगस्त की सुबह, तुम्हें अपने डेंटिस्ट विनीत

पारेख का वार्ड के प्रचारक गोविन्द सुर्वे की मार्फत भेजा एक नोट मिला था जिसमें तुम्हारी अप्वायन्टमेंट को प्रीपोन किये जाने की सूचना थी। सुर्वे की आमद के वक्त, यानी कि दस बज कर पैंतीस मिनट पर, तुम लॉज में थे वर्ना तुम्हें न मालूम पड़ा होता कि तुम्हारी पूर्वनिर्धारित अप्वायन्टमेंट डेढ़ घन्टा पहले सरका दी गयी थी; तुमने अब एक बजे नहीं, साढ़े ग्यारह बजे अपने डेंटिस्ट के पास पहुंचना था और साढ़े ग्यारह बजे ही तुम डेंटिस्ट के क्लीनिक में पहुंचे थे। ये बात अपने आप में सबूत है कि वो चिट्ठी तुम्हें मिली थी, मिली थी तो दस पैंतीस तक तुम अभी लॉज में ही थे जबकि जब भी तुमसे सवाल किया गया था तुमने यही जवाब दिया था कि तुम दस बजे लॉज से निकल गये थे।''

वो खामोश रहा।

''ग्यारह बजे तुम हनुमान मन्दिर पहुंचे थे जो कि नटके के शोरूम के ऐन सामने है इसलिये शोरूम में तुम्हारी मन्दिर की विजिट का, विजिट के टाइम का गवाह मौजूद है। ये, तुम्हारी स्थापित रूटीन, इलाके में सबकी नॉलेज में है कि जब भी कहीं जाने के लिये तुम घर से बाहर निकलते हो तो पहले हनुमान मन्दिर जाते हो। उस दिन भी गये, ये भी स्थापित है। अगर हम तुम्हारे बयान पर ऐतबार करें तो उस रोज तुम्हें लॉज से हनुमान मन्दिर का पांच सात मिनट का फासला तय करने में एक घन्टा लगा, जो कि मुमकिन नहीं। ठीक?''

उसने जवाब न दिया।

''कोई झूठ गढ़ भी लो कि बीच में तुम कहीं और थे तो भी डेंटिस्ट की अप्वायन्टमेंट के बदले टाइम पर उसके पास पहुंचे होने का कोई माकूल जवाब तुम नहीं दे सकोगे। दे सकते हो तो दो।''

उसने इंकार में सिर हिलाया।

''कमलेश दीक्षित ने पहली मंजिल के मास्टर बेडरूम में सीढ़ियों पर पड़ते, ऊपर आते कदमों की जो आवाज सुनी थी, वो तुम्हारे कदमों की आवाज थी। उसको जिस किसी के ऊपर आ रहे होने का अहसास हुआ था और वो आतंकित होकर खिड़की के रास्ते वहां से भाग निकला था, वो तुम थे। ठीक?''—सावन्त ने एक क्षण घूर कर उसे देखा, फिर कर्कश स्वर में बोला—''खामोश रहने से काम नहीं चलेगा। तुम यहां गिरफ्तार हो, किसी पिकनिक पर नहीं हो। आखिर तो मुंह खोलना ही पड़ेगा, क्योंकि तुम्हारे गुनाह को अब किसी अतिरिक्त सबूत की जरूरत नहीं है। भारी फजीहत से बचना चाहते हो तो जवाब दो। तुम दस बजे के बहुत बाद तक, सुर्वे के चले जाने के भी बाद तक अभी लॉज में ही थे?''

''हं-हां।''

''ऊपर क्यों गये थे?''

''व-वजह वही थी जिसके तहत मैंने दस बजे राजपुरिया साहब को बोला था

कि मैं जा रहा था लेकिन...लेकिन...''

''गये नहीं थे?''

''हं-हां।''

''वहीं ग्राउन्ड फ्लोर पर कहीं छुप गये थे?''

''हां।''

''कमलेश दीक्षित की आमद की खबर लगी थी?''

''नहीं।''

''नहीं मालूम था कि कब, कैसे वो ऊपर मास्टर बैडरूम में पहुंच गया था?''

''नहीं मालूम था।''

''अब पीछे छुप कर रुके रहने की वजह बोलो!''

उसने बेचैनी से पहलू बदला।

''राजपुरिया साहब के कत्ल का इरादा था! जवाब हां या न में दो!''

''हं-हां।''

''ऊपर क्यों गये थे? आई मीन, जब गये थे तब क्यों गये थे?''

''क-कभी तो जाना ही था!''

''यानी ये महज इत्तफाक का कि तुम तब ऊपर गये जबकि ऊपर कमलेश दीक्षित था?''

''हां।''

''तुम्हें नहीं मालूम था वो ऊपर था?''

''नहीं मालूम था। पहले ही बोला।''

''फिर बोलो।''

''नहीं मालूम था।''

''तो तुम कत्ल के इरादे से ऊपर पहुंचे?''

''हां।''

''ऊपर जो कुछ हुआ, जो कुछ तुमने किया, जाहिर है कि वो तुम्हारे प्रोग्राम में नहीं था। तुम्हारा ओरीजिनल प्रोग्राम क्या था? कमलेश दीक्षित की ऊपर मौजूदगी को दरकिनार करके जवाब दो।''

वो निगाहें चुराने लगा, पहलू बदलने लगा, थूक निगलने लगा।

''जवाब दो।''—सावन्त घुड़क कर बोला।

''म-मैंने उस वक्त ऊपर का रुख किया था''—वो कठिन स्वर में बोला—''जबकि मुझे मालूम था कि राजा साहब ने बाथरूम में होना था। ऊपर मास्टर बैडरूम में वाल केबिनेट टॉप पर एक टार्च पड़ी रहती थी, उसकी मुझे खबर थी। वो टार्च एन्टीक का दर्जा रखती थी, चार सैल वाली थी और बहुत भारी थी।''

''उसके भारी होने पर जोर है। तुम्हारा उसको हथियार के तौर पर इस्तेमाल

करने का इरादा था?''

''हां।''

''क्या करते? कैसे करते? क्या इरादा था?''

''उस टार्च को काबू में करके मेरा बाथरूम के बन्द दरवाजे के पहलू में जा खड़ा होने का इरादा था। जब राजपुरिया साहब बाथरूम की चौखट से बाहर कदम रखते, मैं उनकी खोपड़ी पर टार्च का भरपूर वार कर देता जिससे वो यकीनन बेहोश हो जाते। फिर बेहोशी में उनका दम घोंट देता।''

''कैसे?''

''एक कुशन को उनके मुंह पर दबाता और तब तक दबाये रहता जब तक कि...जब तक कि...''

''दम घुटने से उनके प्राण न निकल जाते!''

उसने कठिन भाव से सहमति में सिर हिलाया।

''हूं। बहरहाल ये तो तुम्हारा ओरीजिनल एजेन्डा था। असल में क्या किया?''

उसके माथे पर बल पड़े। उसने अपने होंठों पर ज़ुबान फेरी।

''तुम सीढ़ियां चढ़ के ऊपर पहुंचे। उसके बाद बोलो।''

''ऊपर कोई था। राजपुरिया साहब के अलावा कोई था।''

''कमलेश दीक्षित?''

''हां।''

''शक्ल पहचानी थी?''

''शक्ल तो मैं देख ही नहीं पाया था। पीठ पीछे से देखा था जबकि वो खिड़की की ओर भाग रहा था। मेरे सामने उसने खिड़की से बाहर छलांग लगाई थी।''

''पीठ पीछे से भी तुमने उसे पहचाना था?''

''हां।''

''पक्की बात?''

''हां।''

''हैरान न हुए कि वो ऊपर था और तुम्हें उसके वहां पहुंचने की खबर न लगी?''

''बहुत हैरान हुआ।''

''क्या सोचा, क्यों था वो वहां?''

''वजह जल्दी ही मेरी समझ में आ गयी—बल्कि दिखाई दे गयी—इसलिये सोचने की जरूरत ही न पड़ी।''

''क्या समझा? क्या दिखाई दिया?''

''म-मैं टार्च को काबू करने की नीयत से वाल कैबिनेट पर पहुंचा तो कॉफी के मग में मेरी निगाह पड़ी। मैं राजपुरिया साहब के जीटाप्लैक्स के डेली डोज से वाकिफ था इसलिये जानता था कि मग में एक गोली होनी चाहिये था लेकिन मुझे मग में पांच गोलियां—यानी चार एक्स्ट्रा गोलियां—दिखाई दीं। मैं तभी समझ गया कि कमलेश दीक्षित क्यों वहां था?''

''क्यों था?''

''वो राजपुरिया साहब से अपनी बेइज्जती का बदला लेना चाहता था और इसी नापाक इरादे के साथ चोरों की तरह वो एस्टेट में घुसा था और लॉज की पहली मंजिल पर पहुंचा था। जरूर वो उन गोलियों की तासीर से, उनके हर तरह के ओवरडोज के नतीजे से अच्छी तरह से वाकिफ था। वो जानता था कि जीटाप्लैक्स की चार एक्स्ट्रा गोलियां राजपुरिया साहब की जान नहीं ले सकती थीं लेकिन उनकी हालत बद् कर सकती थीं, उन्हें बुरी तरह से तड़पा सकती थीं।''

''यानी वो उन्हें तड़पाना चाहता था, मार नहीं डालना चाहता था?''

''जाहिर है।''

''मार तुम डालना चाहते थे?''

वो परे देखने लगा।

''जो बात पहले ही''—सावन्त कर्कश स्वर में बोला—''अपनी ज़ुबानी कबूल कर चुके हो, उसपर अटक कर दिखाने का क्या फायदा?''

''हां।''

''क्या हां?''

''वही जो आपने कहा।''

''मार डालने कोशिश में क्या किया?''

''म-मग में जीटाप्लैक्स की चार गोलियां और डाल दीं।''

''जो कि तुम्हारे खयाल से राजपुरिया को तड़पाने में नहीं, उनकी जान लेने में सक्षम होतीं?''

''हां।''

''और क्या किया?''

''वो...वो क्या है कि...मग में नौ गोलियां हो गयी थीं जो कि कॉफी में छुप नहीं रही थीं। मग में उबलता पानी डालने से पहले वो राजपुरिया साहब को यकीनन दिखाई दे जातीं जो कि ठीक न होता। जिससे कि सारा खेल ही बिगड़ जाता। तब मैंने मग में से एक गोली निकाल ली, करीब पड़ी भारी टार्च उठाई और उसको मूसल की तरह इस्तेमाल करते हुए उससे मग की गोलियों को कूट कर चूरा किया, चूरे को कॉफी में हिलाया मिलाया और एक गोली वापिस मग में डाल दी।''

''फिर?''

''फिर मैं बाहर गलियारे में चला गया और वहां से बन्द दरवाजे में एक झिरी बनाकर छुप कर नजारा करने लगा कि राजपुरिया साहब क्या करते थे ?''

''क्या किया उन्होंने ?''

''बाथरूम से निकले, कॉफी तैयार की और मग ले कर रिक्लाइनर पर बैठ गये। कॉफी खत्म हुई तो मग उनके हाथों से निकल गया और वो रिक्लाइनर पर से उलटकर औंधे मुंह फर्श पर गिरे।''

''मर गये ?''

''नहीं। मैंने जा कर उनका मुआयना किया तो उन्हें बेहोश पाया। उन्हें सांस फंस फंस कर आ रही थी लेकिन आ रही थी और दिल भी बेतरतीबी से धड़क रहा था। वो मेरे लिये फिक्र की बात थी। जीटाप्लैक्स के जिस ओवरडोज को मैं घातक समझा था, हो सकता था कि वो उसे झेल जाते। और डोज उनके पेट में पहुंचाना मुमकिन नहीं था। जब वो फर्श पर गिरे थे तो रिक्लाइनर पर से दो कुशन भी उनके साथ नीचे गिर पड़े थे। मैंने एक कुशन उठाया और उसे उनके मुंह के नीचे सरका दिया। उनका मुंह और नाक पूरे पूरे उस नर्म कुशन में धंस गये। फिर मैंने बैडरूम में थोड़ी बेतरतीबी फैलाई ताकि लगता कि वहां कोई चोर घुस आया था; जो कुछ वहां हुआ था, वो किसी चोर का काम था।''

''मकतूल के बटुवे को कब्जा कर, उसमें मौजूद नोट निकाल कर अपने कब्जे में करने के बाद तुम्हीं ने उसे फर्श पर फेंका था ?''

''हां।''

''ताकि वो किसी चोर का काम जान पड़ता ?''

''हां।''

''कत्ल किया क्यों ? उसकी नौबत क्यों आयी ?''

''व-वजह बोलूं ?''

''हां। साफ साफ। बिना कुछ छुपाये। बिना कोई फुन्दना लगाये।''

''मेरी स्त्री सुख की कभी न खत्म होने वाली ललक की वजह से आयी। राजपुरिया साहब के ऊंचे नाम की ओट के नीचे लॉज में मैं जो गुल खिला रहा था, उनकी उन्हें खबर लग गयी।''

''कैसे ?''

''उस बुधवार की सुबह अपनी मार्निंग वाक पर निकली कमला सारंगी पिछवाड़े के रास्ते लॉज में दाखिल हुई तो मेरे रूबरू होने से पहले ही राजपुरिया साहब की निगाह में आ गयी। अनूमन वो आठ बजे से पहले कभी अपने बैडरूम से बाहर कदम नहीं रखते थे, वो दिन मेरी दोहरी बदकिस्मती का बायस बन गया कि उस रोज न सिर्फ साढ़े छ: बजे बैडरूम से निकले, नीचे पिछवाड़े में भी पहुंच गये जिधर कि उनका कोई काम नहीं होता था। उन्होंने कमला को उधर से भीतर आते

देखा तो इसी बात पर भड़क गये कि उस घड़ी पिछवाड़े का दरवाजा भीतर से बन्द क्यों नहीं था ! फिर समझदार आदमी थे, जल्दी ही समझ गये कि क्यों बन्द नहीं था ! उन्होंने कमला को मजबूर किया असलियत बताने को। वो चोरों की तरह लॉज में घुसती पकड़ी गयी थी, गिरफ्तार तक करा देने की धमकी दी तो कमला ने सब बक दिया। ये भी न छुपाया कि मेरी उसको सख्त हिदायत थी कि अगर कभी मुंह फाड़ने की नौबत आ जाये तो उसने कहना था कि लॉज में उसका ड्रग सप्लायर राजपुरिया साहब थे और वो ही उसको सैक्सुअली एक्सप्लायट करते थे।''

''तुम उनके नाम का बेजा इस्तेमाल क्यों करते थे ?''

''क्योंकि उनके रुतबे और जलाल की रू में किसी की इस बाबत उनसे कुछ पूछने आने की मजाल नहीं हो सकती थी, लोग सिर्फ आपस में ही खुसर पुसर करते और उसका ये फायदा मुझे पहुंचता कि मेरी तरफ किसी की तवज्जो न जाती।''

''तुम्हारे और औरतों से भी ताल्लुकात थे ?''

''हां।''

''क्या पुड़िया देते थे ? जैसे महिमा सिंह को गर्भधारण कर पाने का झांसा दिया था, औरों को क्या बोलते थे ?''

''हर किसी की अपनी प्राब्लम होती थी जिसका भेद ले कर कोई विश्वसनीय टिप उसको फीड करना पड़ता था। तुक्के से कोई टिप कामयाब हो जाती थी—जैसे एक मैडम को मैं स्टॉक मार्केट की कामयाब टिप्स देता था—तो वो निमित्त मुझे मानती थी, शुक्रगुजार होना चाहती थी और आप जानते ही होंगे, औरत एक ही तरीके से बेहतरीन शुक्रगुजार हो सकती है।''

''बड़ा गुमान है तुम्हें अपनी अचीवमेंट्स का !''

''अब क्या बोलूं ! औरतखोरी भी लत ही है। और शक्करखोरे को शक्कर जैसे तैसे मिल ही जाती है।''

''खैर, तुम राजपुरिया साहब पर आओ। जैसे उन्होंने कमला सारंगी की क्लास ली, वैसे तुमसे कुछ न बोले !''

''फौरन तो न बोले। जो कि मेरे लिये भारी सस्पेंस का मुद्दा बन गया। फिर सोचा, शायद वो कमला से हासिल जानकारी को और कनफर्म करना चाहते थे। कनफर्मेशन हो जाती तो जाहिर है कि तब मेरे को थामते।''—वो एक क्षण ठिठका, फिर बोला—''मैंने उनको अपने भतीजे को—शान्तनु को—फोन करके शाम पांच बजे लॉज में आने को बोलते भी सुना था। इससे मुझे लगा था कि मेरे पर जो गाज गिरनी थी, शाम को ही गिरनी थी।''

''क्या ? क्या गाज गिरनी थी ? होता तो क्या होता तुम्हारा ?''

''बहुत बुरा होता। आप पुलिस आफिसर हैं, खुद ही सोचिये। मेरा ड्रग सप्लायर वाला रोल उजागर हो जाता तो मै दस साल के लिये नपता। मेरी शिकार

बनी औरतों में से कोई जबरजिना का केस दर्ज कराती तो मेरा बिल्कुल ही बेड़ागर्क था।''

''इस बात पर मेरा एक सवाल।''—मुकेश बोला—''महिमा सिंह से धोखे से, उसे बेहोशी की भस्म खिला कर बद्फेली क्यों की?''

उसने जवाब न दिया, बेचैनी से पहलू बदलता वो परे देखने लगा।

''जवाब दो।''—सावन्त कोड़े की फटकार जैसे लहजे से बोला।

''वो इतनी खूबसूरत थी कि मेरे पर उसका नशा तारी था।''—वो सिर झुकाये दबे स्वर में बोला—''जब भी रूबरू होती थी, जी चाहता था मुर्गी की तरह दबोचूं और चबा जाऊं। हड्डियां भी न छोड़ूं। सात हफ्ते जैसे तैसे सब्र किया, फिर जब उसकी एक विजिट बाकी रह गयी तो उस रोज सब्र न हुआ। पिछले सात हफ्तों में मैंने उसके लिये बहुत हिंट ड्रॉप किये थे, बहुत पैंतरे आजमाये थे, बहुत कोशिश की थी रिझाने की लेकिन कोई काम नहीं आयी थी। वो इतनी निष्टा से गर्भाधान के मेरे सुझाये ट्रीटमेंट को फालो कर रही थी कि मेरी सजेस्टिव—फाश इशारों वाली बातों की तरफ उसकी तवज्जो ही नहीं जाती थी।''

''आखिरी विजिट पर—मंगलवार, नौ अगस्त को—उसे बेहोशी की दवा खिला दी?''

''हां।''

''और उसके साथ बद्फेली की?''

''हां।''

मुकेश ने गहरी सांस ली और इन्स्पेक्टर की तरफ देखा।

''अंजाम का खयाल न आया?''—सावन्त बोला।

''आया, बराबर आया। लेकिन मेरे पर मेरा लालच हावी था, जुनून हावी था, जो कि उस रोज अपनी चरम सीमा पर था, जुनून के हवाले मैं वो कदम उठा गया।''

''हूं।''

''बाद में बहुत दहशत हुई लेकिन यही सोचा कि शरीफ, खानदानी, घरेलू औरत थी, अपनी आपबीती का जिक्र करके खुद ही अपनी जिल्लत और रुसवाई का सामना नहीं करेगी। बड़ी हद ये होगा कि आइन्दा मेरे करीब नहीं फटकेगी। लेकिन उसने तो अपने पति को सब कह सुनाया जिसे कि मैं मिल जाता तो वो जरूर मुझे मार ही डालता।''

''उसका ऐन यही इरादा था।''—मुकेश बोला—''अगले रोज वो जब लॉज पर पहुंचा था तो उसके सिर पर खून सवार था। वो तुम्हारी करतूत के लिये राजपुरिया साहब को भी जिम्मेदार ठहराना चाहता था। लेकिन संयोग ऐसा हुआ कि उसे न तुम मिले न राजपुरिया साहब मिले।''

वो खामोश रहा।

''राजपुरिया साहब से तो तुम''—सावन्त बोला—''उनका कत्ल करके बच गये, पति से—मेजर ब्रजेश सिंह से—कैसे बचते ?''

''मैं पति को''—वो बोला—''यकीन दिलाने में कामयाब हो जाता कि जो किया था राजपुरिया साहब ने किया था। मैंने तो खाली उनके हुक्म की तामील की थी कि मैं महिमा सिंह को कोई बेहोशी का दवा खिला दूं।''

''हो जाते कामयाब विश्वास दिलाने में ?''

''यकीनन।''—वो पूरे विश्वास के साथ बोला।

''कम्माल है। खैर, तुम ओरीजिनल लाइन आफ क्वेश्चनिंग पर लौटो। मकतूल का भतीजे को फोन किस लिये ? उसका क्या रोल था ?''

''उसी ने मुझे वो नौकरी दिलाई थी। मैं भतीजे से पहले से वाकिफ था। पहले मैं अन्धेरी में एक स्टॉक ब्रोकर के आफिस में काम करता था जिसके पास कि शान्तनु का रेगुलर आना जाना था। उसी ने मुझे बताया था कि उसने अपने अंकल को कम्पैनियन का आइडिया दिया था जो कि उन्हें जंच गया था। राजपुरिया साहब ने भतीजे की सिफारिश पर मुझे अपना पेड, सैलरीड कम्पैनियन बनाया था इसलिये वो समझते थे कि उनको मेरी बाबत भतीजे से भी मशवरा करना चाहिये था।''

''शाम को क्यों ?''

''बोला न, पहले वो खुद मेरे पर लगी तोहमत की तसदीक करना चाहते थे।''

''इस सब बातों की रू में तुमने अपना अगला कदम क्या निर्धारित किया था ?''

''मेरा इरादा खिसक जाने का था। राजपुरिया साहब ने मेरे वीकली ऑफ पर जाने से मुझे रोका नहीं था, इसका मतलब था वो समझते थे मैं हालात की नयी करवट से बेखबर था, जबकि मैंने छुप कर उनका और कमला सारंगी का पूरा वार्तालाप सुना था।''

''उस रोज अपने सामान के साथ घर से निकले होते तो क्या ये बात राजपुरिया साहब को न खटकती !''

''सामान मेरा पीछे छोड़ जाने का इरादा था। उसमें कीमती कुछ नहीं था, बस कपड़े ही थे पहनने के। फिर भी कोई कीमती सामान था तो वो जेबों में आ सकता था।''

''आई सी।''

''लॉज की उस सुबह की खामोशी से और राजपुरिया साहब के गुपचुप मिजाज से मैं इतना टेंशन में था कि मैं तो लॉज से बाहर कदम रखते ही उस इलाके से ज्यादा से ज्यादा दूर निकल जाना चाहता था, मुझे इतनी हड़बड़ी थी कि मेरा

न हनुमान मन्दिर जाने का इरादा था और न अपनी अप्वायन्टमेंट के नये वक्त पर अपने डेंटिस्ट के पास जाने का इरादा था। लेकिन फिर मुझे लगने लगा कि यूं खिसक कर मैं राजपुरिया साहब के कोप से नहीं बच सकता था। मैंने उनका बहुत नुकसान किया था, उनकी छवि को धूमिल करने वाली कोई कोशिश नहीं छोड़ी थी। वो बड़े आदमी थे, मेरे खिलाफ बलात्कारी और ड्रग सप्लायर होने का केस दर्ज कराते तो पुलिस उन्हीं की खातिर मुस्तैदी दिखाती और मुझे गिरफ्तार करने के लिये यकीनन मेरी खोजखबर निकाल लेती। तब मेरे दिमाग में ये शैतानी खयाल आया कि राजपुरिया साहब को जो मालूम पड़ा था, इससे पहले वो उसे किसी के सामने दोहराते, मुझे उनको खत्म कर देना चाहिये था। मैं उस खयाल पर अमल करने निकला तो कमलेश दीक्षित ने मेरा काम और आसान कर दिया। कत्ल की बुनियाद वो ही बना गया। मुझे तो बस उसके किये का फायदा उठाना था जो कि मैंने उठाया।''

''क्या खूब उठाया!''—मुकेश वितृष्णापूर्ण भाव से बोला—''पुलिस की तफतीश में कसर न रह गयी होती तो कमलेश दीक्षित तो नप गया था मुकम्मल तौर से! तुम्हारी करतूत की सजा एक बेगुनाह को मिलती।''

''बेगुनाह खामखाह!''—अटवाल तमक कर बोला—''आखिर चार गोलियों का ओवरडोज भी तो राजपुरिया साहब के प्राण ले सकता था! इतना ओवरडोज आजमाया तो कभी नहीं गया था न! ये थ्योरी ही तो थी कि इतना ओवरडोज खाली तड़पा सकता था, असल में घातक साबित होता तो थ्योरी सरकाने वाले की क्या कोई गर्दन पकड़ लेता!''

मुकेश हकबकाया सा उसका मुंह देखने लगा।

''उसी ट्रैक पर रहो जिसपर थे।''—सावन्त सख्ती से बोला।

अटवाल ने अपने मिजाज पर काबू किया और सहमति में सिर हिलाया।

''कमलेश दीक्षित के खिलाफ गवाही देने का खयाल न आया? आखिर तुम उसकी ओवरडोज की करतूत के, उसकी मौकायवारदात पर मौजूदगी के चश्मदीद थे!''

''मैं उसके बारे में कोई बयान नहीं दे सकता था। देता तो मुझे कबूल करना पड़ता कि ऐन वारदात के वक्त मैं भी मौकायवारदात पर मौजूद था। ऐसा कहना मैं अफोर्ड नहीं कर सकता था। अलबत्ता मैंने उस जानकारी को दूसरे तरीके से भुनाया था।''

''कैसे?''

''पीछे ऐसी स्टेज सैट की थी जैसे वहां चोर घुसा हो।''

''बेतरतीबी फैलाई, और क्या किया?''

''वहां जहां कहीं भी कैश उपलब्ध था, मैंने अपने कब्जे में कर लिया।''

''बटुवा कहां था?''

''राजपुरिया साहब के बैड के एक तकिये के नीचे।''

''जिसमें से बीस हजार रुपये निकाल कर तुमने उसे यूं फर्श पर फेंका जैसे वो काम चोर ने चोरी के दौरान किया हो!''

''हां। लेकिन बटुवे में मुश्किल से तीन हजार रुपये थे।''

''ओह! कुल जमा कितनी रकम हाथ लगी?''

''साढ़े अट्ठाइस हजार रुपये।''

''मौकायवारदात पर बाली भी तुमने प्लांट की थी?''

''हां।''

''क्यों? जब तुम कातिल कमलेश दीक्षित को प्रोजेक्ट करना चाहते थे तो उसमें बाली का क्या रोल हुआ?''

''कोई नहीं। वो बाली महिमा सिंह की थी और उसके लॉज से चले जाने के कई घन्टे बाद मुझे अपने बैडरूम में दिखाई दी थी। मैंने ये सोच कर बाली को अपने पास रख लिया था कि उसकी तलाश में वो लौटेगी तो उसे सौंप दूंगा। वो तो न लौटी, खड़े पैर मुझे उसके जरिये मर्डर का आल्टरनेट सस्पैक्ट खड़ा करने का आइडिया आया जिसपर मैंने अमल किया और बाली को वहां लाश के करीब प्लांट कर दिया।''

''बड़े खुराफाती आदमी हो, भैय्या।''

''और काफी हद तक खुशकिस्मत।'' —वो बड़े अरमानभरे स्वर में बोला, फिर उसने एक सर्द आह भरी— ''मेरे से एक ही गलती हुई जो मैंने डेंटिस्ट के बाजरिया सुर्वे भेजे नोट की हिदायत पर अमल किया। मुझे उस चिट्ठी को वापिस दरवाजे के पास फर्श पर डाल देना चाहिये था जहां कि राजपुरिया साहब के नाम आया पोलिटिकल कैम्पेन लिटरेचर —दो चिट्ठियां और एक बुकलेट —पड़ी थीं। सुर्वे के चले जाने के बाद मैंने वो सब उठा लिया था, अपनी चिट्ठी पढ़कर जेब में रख ली थी और राजपुरिया साहब की चिट्ठियों को करीबी टेबल पर रख दिया था। ऊपर जो कुछ मैं कर के आया था, मैं, उसकी टेंशन में था इसलिये बेध्यानी में वो गलती —बल्कि ब्लंडर —मेरे से हुई। हनुमान मन्दिर जाकर हनुमान चालीसा का पाठ करने की अपनी स्थापित रूटीन पर कायम रहना मुझे सूझा, डेंटिस्ट की अप्वायन्टमेंट पर पहुंचना मुझे सूझा लेकिन ये न सूझा कि मेरा उसका नोट रिसीव करना और उसपर अमल करना मेरे इस क्लेम को झुठला देगा कि मैं उस रोज सुबह दस बजे लॉज से कूच कर गया था।''

''तुम्हारे इस क्लेम को'' —मुकेश पहली बार बोला— ''लेखक दिवाकर चौधरी भी तो झुठला सकता था अगरचे कि उसने दस बजे से कहीं बाद —गोविन्द सुर्वे की आमद से भी बाद —तुम्हें लॉज से कूच करते देख लिया होता! वो साढ़े दस

बजे आकर अपनी राइटिंग टेबल पर बैठता था इसलिये तुम्हारी दस बजे की रवानगी का तो वो जामिन नहीं हो सकता था लेकिन साढ़े दस के बाद कभी लॉज से निकले तो तुम उसकी निगाह में आ सकते थे!''

''मुझे इस बात का पूरा पूरा अहसास था। इसलिये उस बाबत मैंने भरपूर एहतियात बरती थी।''

''क्या?''

''मुझे पहले से मालूम था कि काटेज में टेलीफोन बैडरूम में था। घन्टी बजती थी तो काल रिसीव करने के लिये लेखक को अपनी राइटिंग टेबल पर से उठकर बैडरूम में जाना पड़ता था और बैडरूम ऐसी पोजीशन में था कि उसमें से लॉज की तरफ नहीं झांका जा सकता था। अपनी रवानगी के वक्त उसकी निगाह में न आने के लिये मैंने बस इतना ही तो करना था कि उसको एक डेड काल लगानी थी! वो काल सुनने उठकर बैडरूम में जाता, पीछे से मैं आराम से लॉज से और एस्टेट से निकल जाता...जैसा कि मैंने किया था।''

''ब्रीलियंट!''

उपसंहार

हत्या और चोरी के अपराध में शिवराज अटवाल को चौदह साल की सजा हुई जो कि आनरेबल कोर्ट की निगाह में कदरन नर्म सजा थी, इसलिये थी क्योंकि एक्सपोज हो जाने पर उसने अपना अपराध सहज ही कुबूल कर लिया था और पुलिस से किसी तरह की कोई होशियारी दिखाने की कतई कोई कोशिश नहीं की थी।

कमलेश दीक्षित को छ: महीने की सजा हुई।

उसको हुई कम सजा में पुलिस के डाक्टर सालवी का भी रोल था जिसने अपनी गवाही में कहा था कि चार गोलियों के ओवरडोज से मकतूल जान से न जाता, बिना किसी डाक्टरी इमदाद के भी बड़ी हद दो घन्टे में नार्मल हो जाता।

फिर भी वो खुश था—उससे ज्यादा सुरभि खुश थी—कि वो सस्ता छूटा था और इस यश का भागी सिर्फ और सिर्फ परोपकारी, परहितअभिलाषी उसका वकील मुकेश माथुर था।

मुकेश माथुर को और उसकी फर्म मुकेश माथुर एण्ड एसोसियेट्स को मीडिया की भरपूर कवरेज मिली। टीवी की एक चैनल ने तो इस बात को—बाजरिया उसके लाइव इन्टरव्यू—बहुत ही ज्यादा उछाला कि उस युवा एडवोकेट ने एक गरीब बेयारोमददगार, मजलूम नौजवान का केस दिग्गज वकील नकुल बिहारी आनन्द की

कड़ी मुखालफत में बिना कोई फीस चार्ज किये लड़ा था। नतीजतन जिस वकील के, जिस लॉ फर्म के कोई नाम से वाकिफ नहीं था, ओवरनाइट उसे सारी मुम्बई जान गयी।

लिहाजा सुबीर पसारी की स्ट्रेटेजी काम आयी।

बावजूद इन तमाम वाकयात के महान नकुल बिहारी आनन्द के ऐंठ अभिमान में कोई कमी न आई, उन्होंने अपनी जिद बरकरार रखी कि :

मुकेश माथुर की कथित — औनीपौनी, क्योंकि उसके क्लायन्ट को सजा तो आखिर हुई ही थी — कामयाबी बिगिनर्स लक के अलावा कुछ नहीं थी।

कमलेश दीक्षित अपराधी बराबर था, भले ही किस्मत से हल्की सजा पा कर सस्ते में छूट गया था।

कोई छोटा मोटा सवाल अनुत्तरित रह गया था तो केस के समापन के बाद उसका जवाब खुद सम्बन्धित व्यक्ति ने दे दिया था। मसलन :

जब सारंगी हमेशा पिछवाड़े से लॉज में दाखिल होती थी तो वारदात के दिन मेन डोर से क्यों दाखिल हुई थी ?

जवाब था कि पिछवाड़े से लॉज में दाखिले का सिलसिला पूर्वनियोजित होता था, भोर की बेला में होता था, इसलिये उसे मालूम होता था कि पिछवाड़े के दरवाजे पर पहुंचने पर उसे वो दरवाजा खुला मिलेगा। वो दरवाजा अटवाल उसी के लिये खुला छोड़ता था और उसके लॉज से रुखसत होते ही बन्द कर देता था। वारदात के दिन कमला सारंगी लॉज पर ग्यारह बजे के करीब पहुंची थी जबकि पिछवाड़े का दरवाजा खुला होने का कोई मतलब ही नहीं होता था।

—*—*—*—*—